LA ÉTICA DEL REINO

Glen H. Stassen
y David P. Gushee

Traducido por

Roberto Fricke S.

EDITORIAL MUNDO HISPANO

Editorial Mundo Hispano
7000 Alabama Street, El Paso, Texas 79904, EE. UU. de A.
www.editorialmh.org

Nuestra pasión: Comunicar el mensaje de Jesucristo y facilitar la formación de discípulos por medios impresos y electrónicos.

Publicado originalmente en inglés por InterVarsity Press, Downers Grove, Illinois, bajo el título *Kingdom Ethics,* © copyright 2003, por Glen H. Stassen y David P. Gushee.

Editores: Juan Carlos Cevallos
María Luisa Cevallos
Diseño de páginas: María Luisa Cevallos

Primera edición: 2007
Clasificación Decimal Dewey: 241
Tema: Ética cristiana

ISBN: 978-0-311-46191-2
EMH Núm. 46191

3 M 2 08

Impreso en Colombia
Printed in Colombia

David Gushee:

A mi amada esposa Jeanie y a Glen Stassen, mi maestro, mentor, amigo y ahora coautor: dos personas cuya encarnación viviente de la visión moral que se presenta aquí nunca deja de inspirarme y desafiarme.

Glen Stassen:

A H. Richard y Reinhold Niebuhr, John Howard Yoder y Jim McClendon, mentores que aún dialogan conmigo, aunque yo extraño grandemente la presencia de ellos.

A Henlee Barnette y Lew Smedes,
por cuya presencia y diálogo continuos estoy muy agradecido.

A Dietrich Bonhoeffer,
a quien lamento no haber conocido en persona, pero que continuamente aprecio.

Es un don tener mentores que representan una diversidad semejante.

Contenido

Reconocimientos 7
Prefacio a la traducción en español 9
Prefacio 11

Sección I: *El reino de Dios y el carácter cristiano*
1. El reino de Dios 19
2. Las virtudes de los súbditos del reino 30
3. La ética holística de carácter 48

Sección II: *El camino de Jesús y la autoridad profética*
4. La autoridad y la Escritura 71
5. La forma y función de las normas morales 90
6. Las iniciativas transformadoras del Sermón del monte 116

Sección III: *El evangelio de la vida*
7. La guerra justa, la no-violencia y la pacificación justa 139
8. Sembrando las semillas de la paz 167
9. Penalidades de restauración por homicidio 186
10. Valorando la vida desde sus comienzos 209
11. Valorando la vida al final 234
12. Nuevas fronteras en la biotecnología 250

Sección IV: *Varón y mujer*
13. Matrimonio y divorcio 271
14. Sexualidad 293
15. Los roles de género 317

Sección V: *Las normas centrales en la ética cristiana*
16. El amor 333
17. La justicia 351

SECCIÓN VI: *Las relaciones entre la justicia y el amor*
18. La veracidad 375
19. Problemas raciales 397
20. La economía 419
21. El cuidado de la creación 438

SECCIÓN VII: *Una pasión por el reinado de Dios*
22. La oración 463
23. La política 482
24. Prácticas 499

Bibliografía 507
Índice de citas bíblicas 520

Reconocimientos

Glen Stassen

Expreso mi profunda gratitud a Sondra Ely Wheeler, Christine Pohl y Beth Phillips por sus precisos comentarios y por una amistad que va más allá del sentido del deber. A Larry Rasmussen y Jim Ball por ayudarme con la ética del medio ambiente. A Alan Culpepper, Richard Hays, Willard Swartley, David Garland, Marianne Meye Thompson, Donald Hagner, David Scholer, Christian Wolf, Gerald Borchert, Seyoon Kim y Rick Beaton por sus comentarios en el trabajo fundamental sobre el Sermón del monte y el contexto de Isaías para el reino de Dios, sin implicar que ellos asuman responsabilidad alguna. A Michael Westmoreland-White por su ayuda en la investigación, estímulo y crítica en incontables aspectos, y por escribir el primer borrador para el capítulo sobre el Cuidado de la creación y el índice temático (en inglés). A Tammy Williams y Jeff Phillips por su ayuda en la investigación sobre la violencia. A Susan Carlson Wood, alguien muy competente, por la bibliografía (en inglés). Al Grupo Teológico del Restaurante y al grupo interdisciplinario Teoría de la Paz Justa por sus comentarios, enriquecimiento mutuo y apoyo. Al abate Timothy Kelly y los monjes de la Abadía de Getsemaní; a monseñor Alfred Horrigan; a la Universidad Bellarmine; a la Universidad Bethel; a la Universidad Berea; a la Universidad Calvino; a la Universidad Menonita del Este; a la Universidad Judson; a la Universidad Spalding; a la Universidad Luterana de Texas; a la Universidad Wheaton; al Seminario Bíblico Asociado Menonita; a los Seminarios Teológicos Bautistas en Buckow, Sofía, Praga, Sioux Falls, Chicago y Taejun; y al Seminario Teológico Presbiteriano en Louisville por sus invitaciones a dar conferencias y a dialogar sobre estos temas. A mis antiguos estudiantes —mi sentida y abrumadora fuente de orgullo profesional— por todo el estímulo que me dieron en cuanto a que esta recuperación del Sermón del monte para nuestro vivir, y este fundamento en el camino de Jesús y el reino de Dios en la profecía de Isaías, son la manera en que las iglesias pueden salir de su acomodamiento a las ideologías de Babilonia. A David Gushee, por "canalizar la cascada", compartiendo su entusiasmo en el proceso y representando a todos mis magníficos estudiantes.

David Gushee

Agradezco a los antiguos estudiantes Joshua Trent, por su invalorable ayuda en la investigación, y Autumn Ridenour por dialogar acerca de cada capítulo. A Greg Cales y Michael Westmoreland-White por su ayuda en el capítulo sobre decir la verdad. A Audrey Chapman, James Huggins y John Kilner por su ayuda en el capítulo sobre la biotecnología. A los muchos estudiantes que han hablado conmigo acerca de sus experiencias como hijos de divorciados. A Nevlynn Johnson por muchos diálogos en cuanto a la justicia racial y la reconciliación. A George Guthrie por dialogar conmigo sobre los estudios del Nuevo Testamento. A la Segunda Iglesia Presbiteriana, a la Escuela Teológica Metodista en Ohio, al Grupo de Teología Evangélica de la Academia Americana de Religión y a mis propios estudiantes por escuchar acerca de este proyecto mientras se desarrollaba. Un agradecimiento especial de nosotros dos a Christine Pohl y Sondra Wheeler, quienes leyeron y se ocuparon de todo el manuscrito en diferentes etapas. Al mismo Glen Stassen, por los años de enseñanza y mentoría, y por elegirme como su socio en este proyecto.

Prefacio a la traducción en español

Como Editorial Mundo Hispano nos alegramos de la oportunidad de publicar este trabajo erudito de los doctores David Gushee y Glen Stassen, y ponerlo al alcance de los lectores en español.

La traducción y la edición de una obra así no ha sido tarea fácil. Se han tenido que hacer varias adecuaciones al texto original que es necesario que los lectores en español se den cuenta, y quienes tengan acceso a la obra en inglés, sin duda, lo corroborarán.

El primer cambio tiene que ver con las citas y la gran cantidad de referencias bibliográficas. Esto es un mérito en la obra en inglés, pero es un problema para la traducción al español. Hay muchísimas obras citadas en el original que no las hemos incluido en la traducción. La razón es que la mayoría de las obras citadas no existen en español, y la lectura se puede hacer un tanto engorrosa para quienes no conocen el inglés. Por ello, hemos decidido incluir en el texto solamente las menciones de libros que son citas directas. Las menciones de libros que se usan, en el original, para enriquecer las fuentes bibliográficas, no las hemos incluido. Si se desea tener las menciones de la gran cantidad de bibliografía a la que hacen mención los autores, remitimos al lector al libro original en inglés.

El segundo cambio tiene que ver con una serie de adecuaciones en las aplicaciones concretas de los problemas éticos que hacen los autores. Varias de sus menciones tienen una aplicación directa y exclusiva a su situación dentro de Estados Unidos de América. Estas aplicaciones y menciones a situaciones particulares, en algunas oportunidades las hemos adaptado, y en otras, cuando las aplicaciones han podido ser prescindidas, las hemos quitado. Una excepción a esto ha sido hecha en el capítulo 19 dedicado a los “Los problemas raciales”. Los autores analizan el problema racial en los Estados Unidos de América con todas sus peculiaridades, asunto que no se repite en ningún otro país. Nos ha parecido bien dejarlo tal como está en el original pues toda la discusión del capítulo se basa en la situación concreta de este país, pero pensamos que muchos principios se pueden sacar de los problemas raciales que allí se viven.

Tenemos que agradecer a InterVarsity por la oportunidad de poner este libro en manos de los lectores hispanos que buscan ser fieles al reino de Dios, en manos de aquellos que se esfuerzan por vivir cada día y en cada situación, las enseñanzas de Jesús, y de una manera especial las enseñanzas que nos dejó el Maestro en el Sermón del monte. Anhelamos que este libro aporte grandemente a la reflexión bíblica seria, y que conduzca a obedecer lo que Jesús nos enseñó en el Sermón del monte: "Cualquiera, pues, que me oye estas palabras y las hace, será semejante a un hombre prudente..." (Mat. 7:24)

Los editores

Prefacio

El problema: Evadir a Jesús y al Sermón del monte

La iglesia confiesa que Jesús de Nazaret es el Mesías. Él es Dios encarnado. Él es el Salvador. Él es el Señor de la iglesia y del mundo. Él es el centro, no tan sólo de la fe cristiana, sino también, según las Escrituras, del mismo universo, aquel por quien todas las cosas fueron hechas: "Él antecede a todas las cosas, y en él todas las cosas subsisten" (Col. 1:17). El cristianismo no tiene sentido aparte de Jesús. Él es el personaje central, la fuente, el fundamento, la autoridad y la meta del cristianismo.

Este es el problema. Las iglesias cristianas, a lo largo de su espectro teológico y confesional, y la ética cristiana como una disciplina académica que sirve a las iglesias, a menudo son culpables de evadir a Jesús, la piedra angular y el centro de la fe cristiana. Específicamente, *las enseñanzas y las prácticas de Jesús* —especialmente el conjunto mayor de sus enseñanzas, el Sermón del monte— de forma rutinaria son ignoradas o mal interpretadas en la predicación y la enseñanza de las iglesias, como también por parte de los eruditos cristianos en el campo de la ética. Esta evasión a las enseñanzas concretas de Jesús ha malformado seriamente las prácticas y el testimonio moral de los cristianos. Jesús enseñó que la prueba de nuestro discipulado está en el cumplimiento de sus enseñanzas, es decir, si "ponemos por obra" sus palabras. Esto es lo que quiere decir "edificar nuestra casa sobre la peña" (Mat. 7:24).

Creemos que Jesús hablaba seriamente en todo lo que decía. De modo que no es una exageración afirmar que la evasión a las enseñanzas de Jesús constituye una crisis en la identidad cristiana, provocando así la pregunta "¿quién es exactamente el Señor de la iglesia?". Cuando el camino del discipulado establecido por Jesús es minimizado, puesto al margen o evitado, entonces, las iglesias y los creyentes pierden sus anticuerpos contra la infección dada por ideologías que manipulan a los cristianos para que sirvan a los propósitos de otro señor.

Escribimos este libro para contrarrestar este problema. Nuestro propósito es el de reafirmar a Jesús en la ética cristiana y en la vida moral de las iglesias.

Nos proponemos escribir una interpretación introductoria de la ética cristiana que se edifique sobre "la peña", sobre las enseñanzas y las prácticas de Jesús. También, sobre la marcha buscamos recobrar el Sermón del monte para la ética cristiana. Creemos que la vida cristiana consiste en el seguir a Jesús, obedeciendo así sus enseñanzas y cumpliendo con el estilo de vida que él enseñó y ejemplificó. Jesús enseñaba que cuando los discípulos lo obedecieron, viviendo lo que él enseñaba y ejemplificaba, ellos participaban en el reino de Dios, el mismo que Jesús inauguró durante su ministerio terrenal, y el cual llegará a su clímax cuando él venga otra vez. Así que, procuramos escribir una introducción a la ética cristiana que se centre invariablemente en Jesucristo, el inaugurador del reino de Dios.

Cuando investigamos sobre la disponibilidad de libros de texto sobre la ética cristiana, nos quedamos asombrados de que casi ninguno descubriera algo constructivo del Sermón del monte, la agrupación mayor de la enseñanza de Jesús en el NT, la enseñanza de la cual Jesús dice en la Gran Comisión ser el modo de hacer discípulos y a la cual la iglesia primitiva se refería más a menudo que a ninguna otra Escritura. Algo anda muy mal.

El plan y la estructura del libro

En este libro nos proponemos dejar que Jesús, y específicamente el Sermón del monte, fije la agenda para la ética cristiana. Esta decisión sencilla tiene consecuencias sorpresivamente concretas. Muchas introducciones a la ética cristiana, sin hablar de los actuales esfuerzos morales de parte de las iglesias, ponen su atención en problemas que Jesús no abordaba de manera reiterativa. Aunque reconocemos la necesidad de estudiar las preocupaciones que no existían durante el tiempo de Jesús, hasta donde sea posible, buscaremos fijar nuestra atención en lo que Jesús enseñaba como esencial para el discipulado cristiano. Pensamos que esta es la mejor manera de ser un cristiano, un seguidor de Cristo. Tal enfoque también constituye un freno contra la intrusión de ideologías contemporáneas y las agendas distorsionadas que ellas promueven.

Pero este no es un libro simplemente en torno al Sermón del monte sino un libro sobre la ética cristiana. Es más, no dedicamos las secciones bíblicas del libro únicamente sobre el Sermón del monte; de forma constante, basamos la interpretación en las Escrituras hebreas del AT apoyándonos continuamente en la confirmación del resto del NT. En realidad, encontramos el trasfondo de la enseñanza de Jesús acerca del reino de Dios en los pasajes de liberación del profeta Isaías, lo cual enriquece mucho nuestra comprensión del reino de Dios en la enseñanza de Jesús. Este particular fundamento en las Escrituras hebreas es uno de los enfoques del libro, y es la razón por la que a este libro se le llama *Ética del reino*.

El libro se divide en siete secciones. La primera sección busca situar la ética que Jesús enseñaba por medio de entender el significado de *reino de Dios*, ya que este concepto formaba el meollo de su proclamación y su autoentendimiento. Esta discusión, pues, pone la base para nuestro enfoque en relación a la cuestión del carácter centrado en el reino; se comienza repensando las Bienaventuranzas, para luego proseguir a una consideración del carácter contemporáneo de la ética.

La sección dos considera los temas permanentes de la autoridad moral y las normas morales de la ética cristiana. En esta sección, buscamos demostrar la manera como Jesús abordaba la cuestión de la autoridad moral, como también la forma y la función de las normas morales.

Todos los demás capítulos tratan problemas y temas presentados por el Sermón del monte o sugeridos por él, y relacionados con retos morales contemporáneos. La sección tres se centra en varios problemas respecto a la vida y la muerte; la sección cuatro gira en torno a la ética sexual, el género y el matrimonio; la sección cinco explora los grandes temas del amor y la justicia; la sección seis contempla las relaciones entre la justicia y el amor mediante la exploración de la veracidad, cuestiones raciales, cuestiones económicas y la providencia. Finalmente, la sección siete concluye considerando las enseñanzas de Jesús sobre la oración, la política y las prácticas morales.

Ya que queremos aproximarnos lo más posible a la ética enseñada por Jesús, nos enfocamos en aquellos textos antiguotestamentarios que influyeron más directamente en la enseñanza de Jesús, en los materiales neotestamentarios que reflejan el Sermón del monte y otros dichos de Jesús que fueron transmitidos a la iglesia primitiva.

Una reflexión razonada e iluminada por el Espíritu sobre la tradición, la experiencia y los datos sociales científicos, entre otras fuentes, también ofrece un discernimiento sobre la mayoría de los problemas morales que enfrentamos; también puede encontrarse aquí mucha arqueología moral de esta clase.

Para hacer que el libro sea más ameno al lector, hemos evitado el uso de notas bibliográficas al pie de la página, prefiriendo ponerlas entre paréntesis dentro del texto. Una bibliografía completa de los libros citados se halla al final.

La autoría, la agenda y el auditorio

Siempre agradecemos que los autores nos digan quiénes son, cuáles son sus agendas, y a quiénes buscan alcanzar. De modo que aquí, de forma breve, ofrecemos la misma cortesía a nuestros lectores.

Glen fue criado en Minnesota, EE. UU. de A. Actualmente, ocupa la cátedra Lewis B. Smedes de ética cristiana en el *Seminario Teológico Fuller*. Él llegó a ese puesto en el año 1996, después de haber enseñado por veinte años en el *Seminario Teológico Bautista del Sur*, tanto como en las universidades *Duke*, *Kentucky Southern* y *Berea*. David ocupa la cátedra de filosofía moral *Graves* en la *Universidad Union*, Jackson, Tennessee, en Estados Unidos de América. David empezó a enseñar en la Universidad *Union* en el año 1996, después de haber enseñado por tres años en el *Seminario Teológico Bautista del Sur*; trabajó también como editor principal de las publicaciones de *Evangelicals for Social Action* [Evangélicos en pro de la acción social] y fue profesor visitante en el *Seminario Teológico Bautista del Este*.

Este proyecto nació durante los tres años en que nosotros dos trabajamos juntos en el *Seminario Teológico Bautista del Sur*. David, originalmente un alumno de Glen, regresó al Seminario para unirse como profesor, formando así ambos la facultad de ética cristiana en dicha institución.

El lector informado probablemente notará las tradiciones teológico-éticas y los personajes que parecen influenciarnos más marcadamente, pero es bueno ser explícito en cuanto a esto también. Los dos somos bautistas, de la clase de bautistas que se identifican con las corrientes anabaptistas y reformadas de la tradición bautista, tanto como con la herencia pietista y del Gran Avivamiento de la vida bautista estadounidense. La corriente anabaptista aporta un énfasis especialmente fuerte en las enseñanzas de Jesús y el Sermón del monte. La corriente reformada desarrolla temas en torno a la creación y al pacto, y siempre ha recalcado las Escrituras hebreas y la soberanía de Dios sobre toda la vida, no sólo sobre la iglesia o una parte "religiosa" de la vida. Las corrientes pietistas y de avivamiento enfatizan la importancia de un marcado compromiso con Cristo como Salvador *y* Señor, y la capacitación del Espíritu Santo. Estos temas son críticamente importantes para nuestro enfoque. Así que nuestro enfoque busca ser fiel y concretamente Trinitario.

También, los dos autores encontramos que la tradición histórica de las iglesias afroestadounidenses nos atrae extraordinariamente, y confesamos su profunda influencia sobre nuestro pensamiento, especialmente por su énfasis en la ética personificada y la justicia. Durante años recientes, nos hemos visto impresionados por el ala pentecostal-carismática de la iglesia; sus pensadores empiezan a ofrecer discernimientos importantes para la erudición cristiana, siendo incorporados algunos de ellos en este libro. Pensadores tales como Dietrich Bonhoeffer y H. Richard Niebuhr claramente han dejado su huella sobre esta obra.

Todo esto quiere decir que la ética cristiana que ofrecemos aquí está nutrida por las grandes tradiciones de la iglesia en conjunto, habiendo ciertas corrientes que son prominentes, mayormente en virtud de su reconocimiento de la centralidad de Jesús en la ética cristiana. Nuestra lealtad primeramente es a Jesús como Señor y Salvador, no a tradiciones acerca de él, pero nos alegramos de poder recibir lo mejor de estas tradiciones cuando presenten aportes importantes.

Finalmente, queremos enfatizar a nuestros lectores que nuestras voces se entremezclan a lo largo de la obra. David (empleando a veces la investigación de Glen) escribió el borrador de este prefacio y los capítulos 4, 10—15, 18—20, 22—24. Michael Westmoreland-White escribió el borrador del capítulo 21. Glen escribió el borrador de todos los demás capítulos, salvo el capítulo 5, el cual fue escrito conjuntamente. Cada uno de nosotros interactuó plenamente con los borradores de los demás; el producto final es auténticamente nuestra labor mutua. En aras de la claridad, y en las pocas ocasiones cuando deseamos ofrecer una opinión personal o una ilustración en determinado capítulo, identificamos al autor individual por su nombre (por ejemplo: "Yo, David" o "Yo, Glen"). Todos los usos de primera persona en ese capítulo se referirán al mismo autor. No obstante, normalmente usaremos la primera persona plural "nosotros" para hablar como coautores. Los autores aceptamos plena responsabilidad por cada palabra que usted leerá aquí. Le invitamos para que nos acompañe en la ética cristiana como seguimiento a Jesús.

SECCIÓN I:

EL REINO DE DIOS
Y EL CARÁCTER CRISTIANO

Los capítulos en esta sección establecen el marco bíblico para nuestro tratamiento de la ética cristiana en este libro.

El drama encarnado del reino de Dios está en el centro del registro bíblico. Jesús vino predicando y encarnando el reino de Dios, prometido por mucho tiempo y aguardado con esperanza. Hemos elegido fundamentar nuestro tratamiento de la vida moral cristiana justamente allí, en el reino de Dios, como Jesús lo proclamó. En el primer capítulo consideramos cuidadosamente lo que creemos que es una nueva manera acerca de la proclamación del reino de Dios que tiene implicaciones para la ética cristiana.

Este enfoque en el reino abre nuevas perspectivas en varios temas y asuntos en la ética cristiana. En el resto de esta sección presentamos dos capítulos sobre la cuestión del carácter, un tema crítico tanto en la ética clásica como en la contemporánea. Las virtudes del capítulo 2 serán un tema recurrente en varios de los capítulos siguientes. El diagrama del carácter ético holístico en el capítulo 3 brindará algo de la unidad para la manera de hacer ética en los capítulos subsecuentes. Usted volverá a consultar ese diagrama para ayudarle a notar y analizar el razonamiento sobre diferentes asuntos a medida que continuamos. Al principio puede parecer complejo, pero se convertirá en algo más familiar a medida que se ilustran sus dimensiones en capítulos posteriores. Esperamos que ese diagrama ayudará a que usted desarrolle una mejor percepción de las variables que forman su propia ética, tanto como la ética de otros con los cuales usted se relaciona, y de esa forma aumentar su comprensión propia y el entendimiento mutuo. Además, la clarificación de estas variables puede ayudarle a hacer las correcciones que le parezcan adecuadas y de esa forma crecer en sabiduría. Este es el proceso de la *metanoia* continua, arrepentimiento y crecimiento.

1

EL REINO DE DIOS

Desde entonces Jesús comenzó a predicar y a decir: "¡Arrepentíos, porque el reino de los cielos se ha acercado!".

Mateo 4:17

Jesús se fue a Galilea predicando el evangelio de Dios, y diciendo: "El tiempo se ha cumplido, y el reino de Dios se ha acercado. ¡Arrepentíos y creed en el evangelio!".

Marcos 1:14, 15

...Y se levantó para leer. Se le entregó el rollo del profeta Isaías; y cuando abrió el rollo, encontró el lugar donde estaba escrito:
El Espíritu del Señor
está sobre mí,
porque me ha ungido para anunciar
buenas nuevas a los pobres;
me ha enviado para proclamar
libertad a los cautivos
y vista a los ciegos,
para poner en libertad
a los oprimidos
y para proclamar
el año agradable del Señor...
Hoy se ha cumplido esta Escritura en vuestros oídos...
"Me es necesario anunciar el evangelio del reino de Dios a otras ciudades también, porque para esto he sido enviado".

Lucas 4:16-19, 21, 43

Los eruditos concuerdan en lo que cualquiera de nosotros puede ver en los Evangelios: Jesús vino anunciando que el reino de Dios se había acercado (Mat. 4:12-17; Mar. 1:2, 3, 14, 15; Luc. 4:14-21, 43). Tal como Gordon Fee afirma: "El testimonio universal de la tradición sinóptica es que el tema absolutamente central de la misión y el mensaje de Jesús era 'las buenas nuevas del reino de Dios'" (*Kingdom of God* [El reino de Dios], p. 8). Pero eruditos, así como cristianos comunes y corrientes, se han intrigado respecto a lo que Jesús quería decir cuando hablaba del reino. ¿Qué entendía Jesús por el reino de Dios?

Al procurar contestar esa pregunta, los eruditos neotestamentarios de forma regular se enfocan en la cuestión de que si el reino ya está presente o si es una transformación futura mucho más allá de nuestra experiencia actual. Algunos eruditos han argumentado que Jesús enseñaba lo que se ha llamado "la escatología realizada", por la que el reino de Dios ya ha venido en toda su plenitud o en su venida o en el don del Espíritu Santo. Otros dicen que el reino es una cosa enteramente del futuro, ubicándolo en el tiempo de la segunda venida de Jesús al mundo, al final de los tiempos.

La primera opción no toma en cuenta varios pasajes neotestamentarios en relación al reino. Estos hablan de su consumación futura o de la continua pecaminosidad y el sufrimiento que aún caracterizan a la vida humana. Pero la segunda opción deja de reconocer la celebración de la irrupción o el amanecer del reino de Dios que caracterizaban al ministerio de Jesús, o aun el impacto del Cristo vivo y la presencia transformadora del Espíritu de Dios. Gordon Fee dice que lo singular y lo asombroso acerca de Jesús era su afirmación de que el reino de Dios "en realidad estaba en el proceso de realizarse en su venida". He aquí, una persona que proclamaba que el tiempo del luto ya se había acabado; el "novio" había llegado; el reino de los cielos "se había acercado" o "estaba a mano" en su propia persona y por medio de ella. ¡Qué comience la fiesta! (Ibíd., pp. 8, 10).

El reino, dice Fee, es "a la vez un evento futuro y una realidad presente" (Ibíd., p. 11). El reino de Dios ha sido *inaugurado* en Jesucristo, pero su final consumación permanece como un evento futuro. Hay razón para que se celebre la iniciación de la largamente esperada salvación tanto como la sincera esperanza respecto a su final consumación, cuando "no habrá más muerte, ni habrá más llanto, ni clamor, ni dolor" (Apoc. 21:4). Aquellos que llevan su vida, basándose en la convicción de que la historia del NT es veraz, se verán como viviendo entre los tiempos: el *eón* (de una duración desconocida) entre la inauguración y la consumación del reino de Dios. Los eruditos concluyen diciendo que *el reino de Dios* alude al comienzo presente tanto como a una más dramática presencia en el futuro. Algunos argumentan a favor de un énfasis exclusivo sobre un punto o sobre el otro; hay también modos distintos de equilibrar estos dos puntos.

Pero queremos hacer otra observación. Deseamos saber no tan sólo acerca del tiempo del reino sino también sobre las características, las marcas, del reino. Jesús dijo que nadie sabía cuándo el reino vendría en su sentido plenamente futuro (Mat. 24:36; Mar. 13:32). Lo importante, dijo él, no era conocer el tiempo del reino sino estar preparado para él (Mat. 7:21-27; 22:4-15; 24:42—25:13; Mar. 13:32-37; Luc. 12:35-48). Si enfocamos nuestra atención en *cuándo el reino vendrá*, y no en *cuáles son sus características*, desatendemos las prácticas que nos preparan para él. El resultado es un debate académico o una especulación fantástica más bien que una fiel participación. La pregunta, *¿cuáles son sus características?*, es crucial para la ética cristiana, para el discipulado cristiano, para la vida cristiana y para dar una respuesta adecuada de fe-obediencia.

El reino de Dios no tiene que ver con lo que Dios haga mientras los seres humanos se quedan con los brazos cruzados; tampoco tiene que ver con nuestro esfuerzo para edificar el reino mientras Dios nos mira pasivamente. El reino de Dios es *realizable:* es la realización de Dios en la que participamos activamente. Por ejemplo, la parábola del crecimiento de la semilla en Marcos 4:26-29 se lee como un comentario sobre Isaías 28:23-29: el reino de Dios es como un hombre que siembra una semilla, la cual crece mientras él duerme. Luego la tierra produce su cosecha, e inmediatamente él usa la hoz, para cumplir con la siega.

> En un extremo está la realización divina del reino, una realidad inicial que promueve la esperanza. Al otro extremo está la realización humana, una respuesta a una acción la cual a su vez promueve la acción. La acción prometedora y la esperanza provocada caracterizan a la parábola en conjunto, viéndose en cada detalle representado... La parábola nunca se centra simplemente en la promesa sola o la acción sola. En realidad, la interrelación entre las dos es la esencia del reino que se presenta... Justamente este aspecto ha sido reconocido en la investigación sobre las parábolas desde hace mucho. En las parábolas del tesoro en el campo y de la perla, por ejemplo, un descubrimiento arrollador provoca a los descubridores a una acción inusual. Las noticias gozosas del reino completan el gozo en el descubridor, y él actúa en consecuencia...
>
> Leer las parábolas es en sí un reconocimiento de que la acción humana posiblemente esté involucrada en el reino de Dios. Creerlas significa actuar apropiadamente, es decir, la acción parabólica del reino, en el presente. Ya que el reino pertenece a un Dios cuyas afirmaciones son absolutas, este necesariamente se dirige a las personas como un desafío de conocimiento y desafío ético al mismo tiempo (Chilton y McDonald, *Jesus and the Ethics of the Kingdom* [Jesús y la ética del reino], pp. 24, 31).

Así se describe "la praxis del reino": la inversión de los valores del mundo y un nuevo estilo de vida de servicio y la humildad; el recibimiento del yugo del reino como lo hiciera un niño; y el sacrificio de la dependencia humana del sistema mundano. Aquel que entra al reino es sanado de la ceguera y sigue el camino de Jesús por la percepción de la fe, buscando así la justicia y deshaciéndose de los falsos valores tales como la riqueza, el estatus y el poder. "El centro de la nueva obediencia se halla en el doble mandamiento de amar" (Ibíd., pp. 53, 73, 86, 87, 91, 92).

La *koinonía* (la comunión y el servicio) de Jesús "abarcaba a 'publicanos y pecadores' dentro de su comunión en la mesa" (Mar. 2:15). Esta práctica de incluir a los marginados, "no haciendo caso alguno a las estrictas convenciones de la religiosidad, representaba un tema del ministerio de Jesús, que llegó a ser un problema para la sociedad" (Ibíd., p. 96). El amor como una estrategia del reino (Mat. 5:44-48) "es mucho más que una expresión general de bienestar hacia la humanidad". Más bien, él "presuponía un contexto social de la comunidad de fe que enfrentaba la oposición, aun la persecución de la sociedad", y es "caracterizado... no por la exclusividad o el estar a la defensiva sino por una apertura hacia los demás, lo que, en realidad, refleja la apertura de Dios hacia sus hijos". Por ende, la comunidad neotestamentaria "renuncia a la venganza al encarar la violencia: la estrategia del reino siempre es 'hacer bien a los que os aborrecen' (Luc. 6:27; véase Rom. 13:1; 1 Ped. 2:15). Para el contexto de la comunidad de discípulos de Jesús, esto es lo mismo que un rechazo de la opción de los celotes" (Ibíd., pp. 102, 103).

Esta praxis ética es nuestra manera de participar en el reino. Pero deseamos preguntar más acerca del carácter de la acción de Dios en la venida del reino. ¿Qué significaba esta acción a los oyentes de Jesús en el primer siglo?

Interesantemente, el término "reino de Dios" se usaba raras veces en la literatura que se nos ha legado del primer siglo, excepto por el NT. Por lo tanto, no es fácil establecer su significado para la gente del tiempo de Jesús. Seguramente, Jesús empleaba un término que tendría sentido para sus oyentes de la Palestina del primer siglo. Sin embargo, "no se anuncia el reino en nada del material recogido por Joachim Jeremias de la Apócrifa y la Pseudepígrafa" (Chilton, *God in Strength* [Dios fuerte], p. 277, nota).

Chilton repasa las referencias al reino en la literatura del judaísmo de los dos siglos antes y después de Jesús, y concluye: "Obviamente, el lenguaje en torno al reino era muy variado en el judaísmo temprano. Había varios usos distintivos del concepto", y el entendimiento de Jesús acerca del reino no puede identificarse con ninguno de ellos (*Pure Kingdom* [El reino puro], p. 30).

Creemos que siete pistas nos señalan a Isaías como el lugar indicado para encontrar el trasfondo de la enseñanza de Jesús sobre el reino.

W. D. Davies nos ha provisto la primera pista. La proclamación del reino de Dios por Jesús "ha de entenderse, tal como se evidencia en el resto del NT, a la luz de las expectativas expresadas en el AT y en el judaísmo, que en alguna fecha del futuro, Dios obraría a favor de la salvación de su pueblo... Las aspiraciones éticas del AT y el judaísmo, la Ley y los Profetas, no quedan anuladas sino cumplidas (Mat. 5:17, 18). Esto significa que Jesús aceptaba conscientemente la tradición ética de su pueblo... Por ejemplo, ha sido posible afirmar que en la figura del Siervo Sufriente (Isa. 53) Jesús podía haber encontrado los énfasis más profundos de su enseñanza ética" (Davies W. D., *Setting of the Sermon on the Mount* [El marco del Sermón del monte], pp. 167, 168).

Una segunda pista es que muchos pasajes en Isaías hablan de Dios como rey, o sea, la soberanía de Dios, el reino venidero de Dios, en el sentido de la liberación por parte de Dios a los oprimidos, trayendo así la salvación. Y esto es lo que observamos en la proclamación de Jesús del reino: la liberación a los oprimidos y la llegada de la salvación.

Una tercera pista es que no hallamos que Jesús cite la literatura de Qumrán o a los rabíes como autoridades; más bien, él cita mayormente al profeta Isaías y los Salmos, y, en grado menor, a Deuteronomio y Génesis. El Evangelio de Marcos, que es el Evangelio más temprano, cita y alude a Isaías más que a ningún otro libro, y más que a todos los demás profetas antiguotestamentarios en conjunto. En Marcos, Isaías es el único profeta que se nombra (Mar. 1:2; 7:6), e "Isaías comparte muchos motivos en común con Marcos; una figura llena del Espíritu que trae un nuevo mensaje de liberación para un Israel que padece de la ceguera y sordera espirituales" (Watts, *Isaiah's New Exodus in Mark* [El nuevo éxodo de Isaías en Marcos], pp. 26-28, 60).

Una cuarta pista proviene de los Rollos del mar Muerto, nuestra fuente más abundante de literatura del período cuando Jesús vivió. Estos rollos muestran que Isaías se usaba mucho y se conocía en el tiempo de Jesús, más que cualquier otro libro bíblico. El listado de rollos en la edición de Martínez incluye dieciocho fragmentos del profeta Isaías. El índice de citas bíblicas en la edición de los escritos de Qumrán por Dupont-Sommer tiene una referencia a Génesis, dos a Éxodo, once a Deuteronomio, cuatro a los Salmos, una a Jeremías, tres a Ezequiel y catorce a Isaías (Dupont-Sommers, *The Essene Writings from Qumran* [Los escritos de los esenios en Qumrán], pp. 422-424).

En quinto lugar, en los pasajes neotestamentarios específicos donde Jesús anunciaba el reino de Dios, él parece haber usado términos procedentes de Isaías. Chilton concluye que en cada uno de los pasajes "que registran sustantivamente el anuncio por Jesús del reino de Dios", Jesús se refería al profeta Isaías en su traducción aramea. (Chilton, *God in Strength* [Dios fuerte], p. 277; véase también Chilton, *Galilean Rabí* [El rabí galileo], pp. 129, 130, 277). Los pasajes neotestamentarios son Mateo 8:11; Marcos 1:15: 9:1; Lucas 4:18, 19, 21 y 16:16. Chilton encuentra palabras y frases en las proclamaciones de Jesús acerca del reino, que probablemente vienen de Isaías 24:23; 25:6; 31:6; 40:10; 41:8, 9; 42:1; 43:5, 10; 45:6; 49:12; 51:7, 8; 53:1; 59:19; 60:20-22 y 61:1.

En el tiempo de Jesús, el uso del hebreo no era común. Generalmente, el pueblo ya no lo entendía. El pueblo hablaba arameo. Por ende, Jesús enseñaba en arameo. En los cultos de adoración un traductor, llamado un *meturgeman*, hacía una paráfrasis del pasaje escriturario hebreo al idioma del pueblo. No se daba una traducción literal sino una paráfrasis para que fuera más inteligible para el pueblo. Esta práctica resultó en una versión escrita en arameo ya para el cuarto siglo. Esta contiene paráfrasis que se usaban en el tiempo de

Jesús, mezcladas con algún material más tardío procedente de los tres siglos siguientes. Estos documentos se llaman *Tárgum*.

Lo intrigante es que en el Tárgum de Isaías, cuatro pasajes hablan directamente del "reino de Dios," y uno habla del "reino del Mesías". Puede ser que aquí haya una importante sexta pista para lo que probablemente los contemporáneos de Jesús habrían entendido por la frase aramea "el reino de Dios". El hecho de que aparezca la expresión "el reino de Dios" en la versión aramea de Isaías es altamente sugestivo, particularmente a la luz de la escasez de la frase en otra literatura del primer siglo.

El Tárgum para Isaías 24:23 parafrasea "el SEÑOR de los Ejércitos reinará en el monte Sion" en "*El reino* del SEÑOR de los Ejércitos será revelado en el monte Sion". Isaías 31:4 dice "Así descenderá el SEÑOR de los Ejércitos para luchar sobre el monte Sion", y el arameo lo parafrasea como "*El reino* del SEÑOR de los Ejércitos se revelará como asentándose sobre el monte Sion". Isaías 40:9 dice "¡He aquí, vuestro Dios!", y el Tárgum dice, "*El reino* de tu Dios se revela". Isaías 52:7 dice, "¡Tu Dios reina!", y la paráfrasis aramea dice, "*El reino* de tu Dios se revela". Isaías 53:10 dice, "verán *el reino de su Mesías*". Este último pasaje se conoce bien como un texto de salvación: el sufrimiento del siervo de Dios es una ofrenda por el pecado por lo que los descendientes del siervo prosperarán y serán hechos justos. El estudio de Chilton indica que los Tárgum de los capítulos 24, 52 y 53 probablemente provengan del tiempo de Jesús o muy cercanos a él, y que los capítulos 31 y 40 son variados, una parte antes y otra después (Chilton, *The Isaiah Targum,* [El Tárgum sobre Isaías] xxiv y apuntes sobre los pasajes particulares).

Lo que parece claro es que todos estos pasajes anuncian que Dios está siendo revelado, está siendo descubierto a la vista de todos. Pero la piedad judía reverenciaba tanto la revelación del Señor que el Tárgum no deseaba decir de forma directa, "Dios es revelado". En su lugar decía: "El reino de Dios se revela". Esto quiere decir que el reino de Dios era entendido como aludiendo a la autorrevelación de Dios y el reino dinámico de Dios. No era un lugar sino una acción. Es más, todos los cinco pasajes referentes al reino anuncian la intervención de Dios para *liberar* o *salvar*nos. Y ellos alaban a Dios o expresan gran gozo de que Dios se revele como salvándonos. Chilton asevera, "Especialmente en el Tárgum de Isaías, el lenguaje del reino se emplea para expresar lo que el hebreo original de aquellos pasajes dice de la intervención activa de Dios a favor de su pueblo... El énfasis se pone en la dinámica presencia personal de Dios, no en la naturaleza de Dios en sí, sino en su normalmente futura actividad salvadora" (*Pure Kingdom* [El reino puro], pp. 11, 12; Chilton y Evans, *Studying the Historical Jesus* [Estudiando al Jesús histórico], p. 268).

La séptima pista vendrá de la riqueza de Isaías como trasfondo de la enseñanza y las acciones de Jesús. Veremos esto en muchos de los capítulos siguientes.

Los siete signos del reino de Dios

Entonces volvemos al profeta Isaías para preguntar acerca de las características de la liberación profetizada por él. Preguntamos, ¿cuáles pasajes en Isaías se regocijan porque Dios reinará para liberar a su pueblo? Son diecisiete pasajes que lo hacen: Isaías 9:1-7, 11; 24:14—25:12; 26; 31:1—32:20; 33; 35; 40:1-11; 42:1—44:8; 49; 51:1—52:12; 52:13—53:12; 54; 56; 60; 61, 62. Estos pasajes de la liberación de Dios describen lo que el reino de Dios significa en Isaías, el libro bíblico al cual Jesús se refería al proclamar sobre el reino. De modo que, la siguiente pregunta lógica es, ¿se producen nuevamente de forma consistente algunas características del reino de Dios en estos pasajes? ¿Hay algunos temas que clarifican el contenido del reino de Dios?

Las palabras *liberación* o *salvación* ocurren en todos los diecisiete pasajes de liberación en Isaías; *la justicia* ocurre en dieciséis de los pasajes; *la paz*, en catorce; *el gozo*, en doce; *la presencia de Dios como Espíritu o Luz*, en nueve (y se implica la presencia dinámica de Dios en los diecisiete). Estas cinco características del reino de Dios son extraordinariamente consistentes en los pasajes de liberación. Podemos concluir que estas son características de la acción liberadora tal como se describe en Isaías. Además, *la sanidad* ocurre en siete pasajes. Esta puede verse como un signo propiamente dicho, o como parte de los temas de la paz y la restauración de los marginados a la comunidad, ya que ciertas enfermedades ocasionaban que a la gente se le tratara como a un paria. *Regresar del exilio* ocurre en nueve pasajes. Por consiguiente, estas también pueden ser ingredientes clave en el reino de Dios tal como Isaías lo profetizó.

Por ejemplo, veamos Isaías 9:2-7. Aquí los cinco temas principales son enfatizados claramente:

1. "Luz", vista dos veces en el versículo 2, a menudo es el símbolo de la presencia de Dios en estos pasajes.
2. "Alegría", "alegrarse" y "se gozan" en el versículo 3.
3. La liberación de la opresión por Dios en el versículo 4; la liberación y la presencia dinámica en "Dios Fuerte", "Padre Eterno", y "El celo del SEÑOR de los Ejércitos hará esto" en los versículos 6, 7.
4. La paz en el versículo 5: los instrumentos de la guerra serán quemados; "Príncipe de la Paz" en el 6; "la paz no tendrá fin" en el 7.
5. "El derecho y la justicia" en el 7.

Todas estas características señalan el reino o el reinado de Dios, siendo sugerido por la expresión "el dominio estará sobre su hombro" en el versículo 6, y "el trono" y "su reino" en el 7.

Un análisis similar se puede hacer, como ejemplos, en Isaías 60:17-19; 35:5, 7a, 8-10. En el último texto vemos los temas de la sanidad del ciego y el cojo, el retorno del exilio, la liberación (el rescate) y el gozo. Estos temas se repiten a lo largo de Isaías. Tenemos como propósito mostrar que Jesús consideraba que estas características eran esenciales para el reino de Dios y por ende centrales en su propio ministerio, y también el trabajo de todos aquellos que sean sus seguidores. Veremos que el fijarnos en Isaías, a quien Jesús cita tan a menudo, nos ayuda a notar lo proclamado por Jesús.

Otras confirmaciones llamativas pueden encontrarse en Romanos 14:17. Es muy inusual que Pablo use la frase "reino de Dios" (ocho veces en sus cartas). No forma parte de su vocabulario más usado. Aquí probablemente él esté reflejando el primitivo entendimiento cristiano que se remonta a Jesús. El texto habla de las mismas características del reino que hemos visto en Isaías. Pablo ha estado oponiéndose a los juicios respecto a qué se debe comer o no (Rom. 14:1-16). En el versículo 17 él declara: "porque el reino de Dios no es comida ni bebida, sino *justicia, paz y gozo en el Espíritu Santo*". Desde luego, la teología de Pablo merece una discusión más extensa, pero brevemente, podemos decir que en la teología de Pablo la *justicia* es central, la *paz* es la reconciliación entre las personas tanto como con Dios, nuestro *gozo* se halla en la salvación de Dios, y *el Espíritu Santo* es la presencia de Dios. Aquí Pablo dice exactamente lo que hemos encontrado en los pasajes en torno al reino de Dios: los rasgos del reino de Dios son justicia, paz, gozo en la salvación provista por Dios y en su presencia.

Jesús, el reino y el Sermón del monte

Hasta ahora nuestro argumento es que Jesús vino anunciando el reino de Dios; que el profeta Isaías, a quien Jesús aludía a menudo, ofrece un buen marco de referencia en cuanto al reino venidero de Dios como un estado de cosas caracterizado por la salvación y la liberación de Dios, la presencia de Dios, la justicia, la paz y gran gozo.

Los estudiosos de las Escrituras hebreas reconocerán fácilmente las líneas más amplias del cuadro que pintamos aquí. El AT se caracteriza por la afirmación de la soberana calidad de rey de Dios. Dios es soberano como Creador y Sustentador de la tierra y todo lo que hay en ella; como Juez; como Redentor de Israel; también lo es en relación con todos los pueblos.

Pero lo creado se rebeló contra su Creador. La tierra se tambalea bajo las consecuencias de la rebelión humana. La vida humana es caracterizada por la violencia, la injusticia, la falta de justicia y el sufrimiento. El mismo Israel fue despedazado por guerras catastróficas, especialmente la guerra contra Babilonia, que destruyó Jerusalén y su templo, que exilió a la familia real y terminó en el destierro de todos sus ciudadanos principales. Esta guerra forzó a que Israel entrase en un período aparentemente sin fin de ocupación extranjera a mano de los ejércitos paganos; y en el tiempo de Jesús, las legiones romanas.

De modo que los profetas tardíos están repletos de un profundo anhelo por la *salvación*, en el sentido más profundo e integral de la palabra. En Isaías, la salvación se basa en el perdón de Dios, y es eterna. Esta incluye una liberación de la opresión y la injusticia, de la culpa y la muerte, de la guerra y la esclavitud, de la prisión y el exilio. Incluye la paz, la justicia y el perdón. La promesa es que la salvación viene, para Israel y también para el mundo, para las sociedades, para las familias y para los individuos. Aquí es donde vemos la esperanza mesiánica ubicada en la Escritura hebrea. La esperanza antiguotestamentaria de la salvación no es meramente para una salvación eterna en la que nuestras almas incorpóreas son rescatadas de este valle de lágrimas. Tampoco es para la justicia física en la que se ignora la comunión con la presencia del Espíritu Santo de Dios. En la medida en que los cristianos adopten cualquier clase de dualismo entre el cuerpo y el alma, entre la tierra y el cielo, sencillamente no entenderán el mensaje de la Escritura, ni el de Jesús. La salvación de Dios es el reino de Dios, y significa que, finalmente, Dios ha actuado para liberar a la humanidad y reina ahora sobre toda la vida, está con nosotros en el presente y estará también en el futuro. El NT trae mayor énfasis sobre la vida eterna, pero no invalida el mensaje holístico de liberación. ¡La única respuesta posible a estas buenas noticias es el gran gozo!

¿Cómo era posible que Jesús afirmara que el reino de Dios había venido en él sin que el mal no fuese erradicado? Él enseñaba que no tenemos aún la totalidad de la mata de mostaza, pero sí tenemos las semillas de mostaza (Mar. 4:30-32; Mat. 13:31, 32; Luc. 13:18, 19). El reino había venido por la presencia de Dios en Jesús, en la justicia de alimentar a los hambrientos, en la recepción al forastero, en la visitación a los enfermos, en el poner atención a los niños (Mat. 19:14) y en el perdón de las deudas (Mat. 18:23-35); en la paz del perdón; en la recepción a los cobradores de impuestos, a las prostitutas y a los eunucos (Mat. 19:12; véase Isa. 56:4); en la proclamación del evangelio en todo el mundo como testimonio a las naciones (Mat. 24:14); en la sanidad a los ciegos, a los cojos y a los endemoniados (Mat. 12:28); en el gozo de la presencia del novio (Mat. 13:34; 25:1-13). Los discípulos de Juan el Bautista al preguntarle a Jesús si él era el que había de venir, reciben esta respuesta, luego de que acababa de sanar a algunas personas: "Id y haced saber a Juan lo que habéis visto y oído: Los ciegos ven, los cojos andan, los leprosos son hechos limpios, los sordos oyen, los muertos son resucitados, y a los pobres se le anuncia el evangelio. Bienaventurado es el que no toma ofensa en mí" (Luc. 7:18-23). Si consideramos que las características del reino de Dios son la liberación, la presencia, la justicia, la paz, la sanidad y el gozo, reconocemos que las semillas de mostaza tienen esas características. Fee puntualiza: "La presencia del reino en Jesús quería decir que este era de un orden radicalmente diferente al de las expectativas del pueblo. No era 'el derrocamiento del odiado Imperio Romano'" (Fee, *Kingdom of God* [El reino de Dios], p. 11). Estaba presente en Jesús cuando concretiza las prácticas del reino profetizado por Isaías. "Lo que se ha 'cumplido,' según Jesús, es que *en su propio ministerio* el tiempo del favor de Dios hacia 'los pobres' había venido. En sus sanidades a los enfermos, sus reprensiones a los demonios y cuando come con los pecadores, mostrándoles así la misericordia ilimitada de Dios, la gente debía comprender que el gran día escatológico de Dios al fin había llegado" (Ibíd, p. 10).

La comprensión dialéctica del reino como la semilla de mostaza-árbol de mostaza encuentra su equivalente en una correspondiente ética de confianza gozosa que se liga con un esfuerzo sacrificial. Por un lado, Jesús enseñaba, como dice Fee, que "el reino era cual una semilla que crece silenciosamente (Mar. 4:26-29), cual una semilla pequeñísima, cuyos comienzos eran tan pequeños y tan insignificantes que no se podía esperar mucho de ella, pero cuyo fin, inherente en la semilla y por ende inevitable, sería un árbol de tales dimensiones que las aves podían anidarse entre sus ramas" (Ibíd., p. 12). Las buenas nuevas vienen primero, el reino ha amanecido en Jesús, y su triunfo final es inevitable. En cambio, aún hacen falta colaboradores. El cristiano es, o debe ser definido como aquel que se humilla y opta por entrar en el discipulado, seguir el sendero de Jesús, edificar su vida sobre sus enseñanzas y prácticas cueste lo que cueste, transmitir esas enseñanzas y prácticas a otros, disfrutando así del gran privilegio de participar en el avance del reino de Dios. Jesús inaugura el largamente reino prometido, ofreciendo así la liberación holística a los enfermos, a los pobres, a los culpables y a los marginados. Él encarna y demanda el derecho y la justicia; él practica y enseña el camino de la pacificación; él experimenta e imparte el gozo. Mientras tanto, en su ministerio y luego por su Espíritu viviente, Jesús ofrece la misma presencia de Dios. Los discípulos de Jesucristo saborean la vida del reino tanto como son usados por Jesús para avanzar el reino hasta que él venga otra vez. Murray Dempster lo expresa así en cuanto a la teología de Lucas:

> Lucas aclaró en su prólogo de Hechos que en virtud de la transferencia del Espíritu, la iglesia seguía haciendo y enseñando aquellas cosas que Jesús comenzó a hacer y enseñar (Hech. 1:1). Lo que hace falta recalcar es que el mensaje del reino de Dios era el punto focal de todas aquellas cosas que Jesús empezó a hacer y enseñar (*Crossing Borders* [Cruzando fronteras], p. 23; véase también p. 149).

Se tiene el mismo pensamiento de una forma un poco diferente en el Evangelio de Mateo. Al final del Evangelio, Jesús dio a sus seguidores lo que ahora llamamos la Gran Comisión: "Por tanto, id y haced discípulos a todas las naciones, bautizándoles en el nombre del Padre, del Hijo y del Espíritu Santo, enseñándoles que guarden todas las cosas que os he mandado. Y he aquí, yo estoy con vosotros todos los días, hasta el fin del mundo" (Mat. 28:19, 20). Aquí, a los seguidores de Cristo se les comisiona a que "hagan discípulos", lo cual consiste en presentar a la gente al Dios trino, enseñándoles luego a practicar las enseñanzas de Jesús. En esta introducción a la ética cristiana, hemos optado por enfocarnos en el Sermón del monte, porque el camino del discipulado y los mandamientos de Jesús se enseñan más explícitamente en este Sermón. La manera en que hemos de hacer discípulos a todas las naciones es por enseñarles las prácticas que se enseñan principalmente en el Sermón del monte. En la oración modelo se pide que el reino venga. Cada una de las enseñanzas principales del Sermón del monte es en realidad un indicador hacia el camino de la liberación que se nos da cuando el reino irrumpe entre nosotros.

No es una coincidencia que el Sermón del monte haga eco a lo largo del Evangelio de Lucas, tanto como en las cartas de Pablo y el resto del NT (Davies W. D., *The Setting of the Sermón on the Mount* [El marco del sermón del monte]). Durante los tres primeros siglos de la iglesia, no se aludía a otro pasaje bíblico tan a menudo (Kissinger W., *The Sermon on the Mount* [El Sermón del monte], p. 6). Sin duda, este pasaje era visto como el documento básico para la vida cristiana. Los líderes eclesiásticos de forma constante lo citaban al dar una exhortación moral.

Pero hoy en día el Sermón del monte claramente no ocupa ese lugar central, excepto en un grupo pequeño de tradiciones cristianas; y, extrañamente, el camino de Jesús señalado en el Sermón del monte ha sido también desatendido en la ética cristiana.

Creemos que Jesús no ofrecía "dichos difíciles" o ideales altos, sino maneras prácticas para hacer la voluntad de Dios y ser liberados de la esclavitud del pecado. En otras palabras, él enseñaba a sus seguidores cómo participar en el reino de Dios. Él enseñaba cómo era el reino, cuáles son sus características, y por ende, qué clases de prácticas son hechas por los que participan en el reino y están listos para recibirlo. Creemos que este enfoque a la ética cristiana es más fiel al testimonio bíblico respecto a lo que Dios en Cristo quiere hacer en nosotros y en el mundo.

2

LAS VIRTUDES DE LOS SÚBDITOS DEL REINO

Bienaventurados los pobres en espíritu, porque de ellos es el reino de los cielos.
Bienaventurados los que lloran, porque ellos serán consolados.
Bienaventurados los mansos, porque ellos recibirán la tierra por heredad.
Bienaventurados los que tienen hambre y sed de justicia, porque ellos serán saciados.
Mateo 5:3-6

Muchas personas abogan porque la ética cristiana se enfoque más en las virtudes y la formación del carácter, poniendo así menos énfasis en las reglas y en los principios. Ellas argumentan que no basta con enseñar reglas y principios acerca del bien y del mal; más bien, necesitamos fomentar la clase de carácter y virtudes que llevan a la gente a hacer el bien y evitar el mal. Las acciones son buenas o malas, las personas son o no son virtuosas.

Se definen las virtudes como las cualidades de una persona que la hacen buena dentro de la comunidad, las cuales contribuyen al bien de la comunidad o al bien para el cual son diseñados los seres humanos. Son cualidades de carácter. Por ejemplo, una persona buena tiene integridad y, por tanto, busca hacer justicia.

Por ahora, deseamos enfocarnos en una pregunta: ¿cuáles son las virtudes que los cristianos deben fomentar? Comenzamos nuestro enfoque aquí, porque es justo allí donde Jesús comienza. Las Bienaventuranzas (Mat. 5:3-12) anuncian los *gozos* de la participación en el reino de Dios. Creemos que las virtudes enseñadas por Jesús en el Sermón del monte pueden guiarnos respecto a las virtudes que debemos enfatizar.

Las Bienaventuranzas: La interpretación idealista

Muchos han interpretado las Bienaventuranzas de una manera idealista, diciendo que son ideales altos según los cuales Jesús nos urge a vivir: si sólo lloráramos, fuéramos puros de corazón, fuéramos pacificadores, etc., entonces seríamos galardonados. De forma semejante, algunos dicen que las Bienaventuranzas son los requisitos para entrar al reino de Dios: "Si lloramos, somos puros de corazón, y pacificadores. Es decir, si somos virtuosos, entonces podemos entrar al reino de Dios".

Sabemos ahora, basándonos en una larga experiencia con esta interpretación de "altos ideales", que esta ocasiona problemas serios: Se convierte el evangelio en una justicia por obras. Produce sentimientos de culpa y resistencia. De modo que mientras más enfatizamos estas enseñanzas como ideales a alcanzar, más culpables nos sentimos. Por lo tanto, hacemos caso omiso de las enseñanzas de Jesús o las evadimos. Con razón las Bienaventuranzas y el Sermón del monte se enseñan, se predican o se viven raras veces.

Si creemos vivir conforme a estos ideales, caemos en la autojusticia. Le damos gracias a Dios que no seamos como otros, que no son tan virtuosos como nosotros (véase Luc. 18:9-14). Nuestra arrogancia moralista les hace la vida difícil a los demás.

Nosotros las entendemos como un juego de ideales que flotan por encima de nuestra cabeza, imponiéndonos una ética procedente de arriba que no encaja con nuestras verdaderas luchas. Estos son ajenos a nuestra naturaleza, cual una coraza que no nos queda, o un trabajo que no cuadra con nuestros dones o intereses. Procuramos que nuestra realidad encaje con los ideales, pero simplemente no lo hace. Esta es una *ética heterónoma* la cual nos es impuesta por una autoridad exterior sin que encaje con nuestra naturaleza o nuestra verdadera situación en la historia (Bonhoeffer D., *Ethics* [Ética], pp. 191-195).

Esta interpretación de "altos ideales" no encaja con lo que Jesús de hecho enseña. Impone una extraña filosofía de idealismo sobre el Jesús verdaderamente judío que se identificaba con la tradición realista de los profetas hebreos, no con la tradición del idealismo griego.

Una interpretación profética basada en la gracia

El erudito bíblico Robert Guelich defendía una interpretación profética basada en la gracia de las Bienaventuranzas, y pone atención especial en Isaías 61. Esta refleja las enseñanzas de Jesús dentro de su propio contexto judío tal como el Evangelio de Mateo lo presenta. Esta interpretación queda apoyada por una evidencia muy fuerte, y nos rescata de una triste historia de la interpretación de las enseñanzas de Jesús como idealistas para luego ignorarlas en la vida real (Guelich R., *Sermon on the Mount* [El Sermón del monte], pp. 63-87, 97, 103, 109-111).

Guelich argüía que las Bienaventuranzas debían ser interpretadas, no como *enseñanzas sapienciales* sino como *enseñanzas proféticas*. Las enseñanzas sapienciales recalcan la acción humana sabia, porque esta cuadra con la manera en que Dios ordena al mundo, dándonos así buenos resultados. Las enseñanzas proféticas (o escatológicas) recalcan la acción de Dios que nos libera (nos rescata) del luto, llevándonos al regocijo.

¿Estará diciendo Jesús "Felices son los que lloran, *porque el llanto los convierte en virtuosos* y por ende, recibirán la recompensa que merecen los virtuosos"? O ¿estará diciendo "Dichosos son los que lloran, *porque Dios muestra la gracia y actúa para liberarnos* de nuestras tristezas"?

La tradición de ideales o sabiduría, primeramente, habla a personas que no reúnen lo que los ideales piden, y luego, les promete que si viven conforme a los ideales, ellos recibirán las recompensas del bienestar y del éxito. Las Bienaventuranzas no son así. Hablan a discípulos que ya son hechos partícipes de la presencia del Espíritu Santo por medio de Jesucristo; ya conocemos por lo menos un poco del llanto, de la misericordia, de la pacificación, etc. No prometen un lejano bienestar y éxito; reconocen a los discípulos, porque Dios ya está actuando para liberarles. Las bienaventuranzas se basan, no en la perfección de los discípulos, sino en la venida de la gracia de Dios, experimentada ya en Jesús, por lo menos en el tamaño de un grano de mostaza (Mat. 13:31; 17:20; Mar. 4:31; Luc. 13:19).

Una prueba de esto es la manera en que varias de las Bienaventuranzas se basan en Isaías 61, el pasaje que Jesús leyera al dar su sermón inaugural en Lucas 4:18:

El Espíritu del Señor
está sobre mí,
porque me ha ungido para anunciar
buenas nuevas a los pobres;
me ha enviado para proclamar
libertad a los cautivos
y vista a los ciegos,
para poner en libertad
a los oprimidos
y para proclamar
el año agradable del Señor.

¿Se trata este pasaje del esfuerzo humano para vivir conforme a altos ideales? ¿Nos estará urgiendo a que lleguemos a ser pobres, presos, ciegos y víctimas para que Dios nos galardone? O ¿será un pasaje de celebración, porque Dios actúa con gracia para liberarnos de nuestra pobreza y cautividad hacia el reino de Dios que es liberación, justicia y gozo?

Observe cómo las Bienaventuranzas hacen eco de este pasaje profético de liberación.

Figura 2.1. Las Bienaventuranzas hacen eco de Isaías 61

Isaías 61		**Mateo 5**	
61:1, 2	buenas nuevas a los pobres... el año de la buena voluntad del SEÑOR.	5:3	Bienaventurados los pobres en espíritu, porque de ellos es el reino de los cielos.
61:1, 2	para vendar a los quebrantados de corazón.	5:4	Bienaventurados los que lloran, porque ellos serán consolados.
61:7	en su tierra habrá doble porción.	5:5	Bienaventurados los mansos, porque ellos recibirán la tierra por heredad.
61:3	Ellos serán llamados robles de justicia.	5:6	Bienaventurados los que tienen hambre y sed de justicia, porque ellos serán saciados.
61:11	Así el Señor hará germinar la justicia y la alabanza delante de todas las naciones.	5:10	Bienaventurados los que son perseguidos por causa de la justicia, porque de ellos es el reino de los cielos.

Esto confirma que el profeta Isaías provee el contexto para la proclamación hecha por Jesús sobre la venida del reino como un acto de liberación. Durante el tiempo de Jesús, el pasaje de Isaías 61 se entendía como un pasaje profético y mesiánico de liberación mediante el Espíritu de Dios.

Asimismo, las Bienaventuranzas acerca de los misericordiosos, los puros de corazón y los pacificadores hacen eco de los salmos que alaban a Dios por sus obras de liberación.

Las Bienaventuranzas no versan sobre altos ideales sino sobre la liberación de Dios por la gracia y de nuestra gozosa participación. Creemos que la gente ha puesto demasiado énfasis en las virtudes (la pobreza de espíritu, la pureza de corazón, la pacificación, etc.), y ha puesto muy poco énfasis en lo que Jesús recalcaba: la presencia de Dios, la liberación activa de Dios, la dádiva de una participación divina en esa liberación, y por ende, la bendición y el gozo.

"La gracia participativa" es tan importante para poder entender las buenas nuevas de Jesús y su camino, y para entender nuestro enfoque en este libro, que queremos hacer una pausa aquí para dejarlo bien en claro. El lema de Isaías es la gracia, y ciertos ecos de este lema aparecen en las Bienaventuranzas, en el sermón inaugural de Jesús en Lucas 4:16-22 y en otros lugares en los Evangelios. La gracia es la liberación de Dios, su iniciativa transformadora y no nuestro esfuerzo humano, ni nuestros altos ideales, ni nuestros logros esforzados. Es una dádiva de Dios que no merecemos; no es una autojusticia lograda por nuestras propias buenas obras. La Biblia de las Américas traduce Lucas 4:22 así: "se maravillaban de las palabras llenas de *gracia* que salían de su boca". Dios nos está trayendo la liberación; Dios está dándonos la gracia.

Algunos, erróneamente, han pensado que la gracia implica la pasividad, el debilitamiento de los que reciben la gracia de Dios: si Dios está dando la gracia, esto significa que nosotros no hacemos nada; y si hacemos algo, si vivimos conforme a la voluntad de Dios, eso ya no es gracia. Esto hace que la gracia de Dios y nuestro discipulado se opongan, como si fueran rivales. Dietrich Bonhoeffer llama a esto "la gracia barata" (*Cost of Discipleship* [El precio de la gracia], pp. 43, 59, 72, 78 ss., 184, 191, 197, 206, 225, 238, 248 ss., 300). Esta es gracia sin arrepentimiento, la gracia sin ningún cambio concreto en nuestro modo de relacionarnos, la gracia sin costo para nosotros; "el creer fácil" que caracteriza a muchos que afirman ser cristianos (Mat. 7:15-27). También, la gente contempla la gracia y la presencia de Dios únicamente en situaciones que se extienden más allá de nuestro control o donde no alcance nuestro conocimiento. Esto coloca a Dios en la periferia de nuestro conocimiento y acción. Luego, mientras más aprendamos y más nos capacitemos, menos necesitamos a Dios. Dios llega a ser "el Dios de las lagunas", el *Deus ex machina*, que está presente únicamente en los casos donde no hayamos aprendido a valernos por nosotros mismos.

Bonhoeffer insiste, más bien, en que Cristo es el centro de nuestra vida. Cuando Dios actúa para liberarnos, quedamos capacitados, no invalidados. Cuando el Espíritu Santo viene a nuestra vida, quedamos capacitados, no vueltos inútiles. Por la gracia de Dios en Cristo, nos hacemos participantes activos de la gracia de Dios, y Cristo asume su forma en nosotros (Todd J., "Participation" ["Participación"] pp. 27-35). Es como el cojo junto al estanque de Betesda o Betsaida (Juan 5:2-9); él no podía caminar hasta que Jesús lo libertó; luego quedó capacitado para moverse, para participar en la liberación traída por Jesús.

La participación en la gracia liberadora no significa cualquier clase de capacitación. La gracia es *cristomorfa*, no amorfa; ella tiene una forma específica, una forma revelada en Cristo. Su forma es la del reino, de las Bienaventuranzas, del camino de Jesús tal como se ve en el NT y fundamentado en el AT. Nosotros participamos por responder al llamado de gracia de Cristo: vengan, síganme. Esto no es la gracia barata; tampoco es una justicia de obras, por la que procuramos ganar nuestra entrada al reino por nuestras buenas obras. Esta gracia es una dádiva de liberación, dada únicamente por Dios en su único Hijo, Jesucristo, plenamente Señor y plenamente Salvador. Ella viene por la fe en Jesucristo, obrada en nuestro corazón por el Espíritu Santo. Es una gracia guiada por el Espíritu, participativa y cristomorfa.

Cuando Jesús proclamaba su mensaje, Israel había estado experimentando a Dios como algo remoto, trascendente o distante por varios siglos. Durante ese tiempo hubo menos profetas. Muchos de los escritos del período entre el tiempo de los profetas y el tiempo de Jesús presentaban menos sentido de la presencia activa de Dios, prefiriendo dar más énfasis sobre los ángeles, la sabiduría, la magia y la astucia humana. Israel experimentaba una corrupción moral, ocupación extranjera, injusticia y carencia de paz.

Ahora, una vez más, apareció un profeta que hablaba por Dios: Juan el Bautista. Jesús hizo que Juan lo bautizara, e inmediatamente se le abrieron los cielos. Él vio al Espíritu de Dios, que parecía haber estado tan ausente, "descendiendo como una paloma y venía sobre él. Y he aquí, una voz de los cielos decía: 'Este es mi Hijo amado, en quien tengo contentamiento'", palabras que hacían eco de Isaías 42:1 y el Salmo 2:7. Desde ese momento en adelante, Jesús era guiado por el Espíritu Santo (Mat. 3:16—4:1). ¡Pronto él empezó a proclamar que el reino de Dios se acercaba!

En el Sermón del monte, Jesús dice que somos bendecidos porque experimentamos el reino de Dios en nuestro medio y lo experimentaremos aún más en el reino futuro. Cada Bienaventuranza comienza con el gozo, la dicha, la bendición de las buenas nuevas de la participación en la gracia de la liberación de Dios.

¿Cuáles virtudes?

Una vez vistas las virtudes nombradas por Jesús en Mateo 5:3-12 como rasgos del discipulado que participa en el drama mayor del reino de Dios, entonces podemos ver su unidad más claramente. Examinemos las Bienaventuranzas, una por una, procurando así la precisión en su comprensión y dando especial atención a las alusiones de Jesús a las Escrituras hebreas.

La primera Bienaventuranza. Mateo 5:3 dice: "Bienaventurados los pobres en espíritu, porque de ellos es el reino de los cielos". Lucas 6:20 dice "Bienaventurados vosotros, los pobres, porque vuestro es el reino de Dios". ¿Qué fue lo que Jesús enseñó? ¿Pobres o pobres en espíritu?

Nuestra respuesta es ambas cosas. Mateo y Lucas traducen al griego lo que Jesús citaba de Isaías 61:1 en la Biblia hebrea. La palabra hebrea combina los dos significados, o sea, los pobres económicamente y los pobres espiritualmente. El léxico de Brown, Driver y Briggs (p. 776) propone los siguientes significados para esta palabra hebrea: pobre, oprimido por los ricos y poderosos, sin poder, necesitado, humilde, piadoso. En determinado contexto tenderá más a un significado que a otro, pero contiene esta combinación de connotaciones.

Jesús enseña que los pobres espiritualmente, aquellos que oran humildemente sin pretender ser mejores que otros, son los que participan en el reino de Dios. El enfoque del pobre en espíritu no está sobre su propia humildad o virtud, sino sobre la gracia y la compasión de Dios. Dios dice: "Yo habito en las alturas y en santidad; pero estoy con el de espíritu contrito y humillado, para vivificar el espíritu de los humildes y para vivificar el corazón de los oprimidos", y "Pero a este miraré con aprobación: al que es humilde y contrito de espíritu, y que tiembla ante mi palabra" (Isa. 57:15; 66:2).

Pero los que son verdaderamente pobres en espíritu se dan cuenta más que otros exactamente de cuán carentes de virtuosidad son. El énfasis de Jesús no recae sobre cuán perfectos sean los pobres en espíritu, sino en el amor de Dios, es decir, cómo Dios está presente para redimir, y cómo Dios redimirá. La pobreza no quiere decir llamar la atención a cuán humilde soy yo sino a la gracia de Dios (Mat. 5:16). Quiere decir el entregarme a Dios, el darme a Dios.

Empero, la clave para entender esto es enfocarse en el carácter de Dios. Los pobres son bendecidos, no porque su virtud sea perfecta, sino porque de forma especial quiere rescatar a los pobres. Dios sabe que la gente con poder a menudo usa ese poder para mantener sus propios privilegios, buscando así más poder. A los pobres se les margina y se les domina.

Vemos cómo Dios siente una profunda compasión por los pobres y los rechazados al observar cómo Jesús se preocupaba por ellos. Jesús decía que Dios obra para liberar a los pobres de la penuria e injusticia que sufren. Vemos esto en la manera en que Jesús y los discípulos daban de comer a los pobres, por la manera en que la iglesia primitiva se preocupaba por los pobres, y por la manera en que algunas iglesias se preocupan por los pobres en la actualidad.

Jesús cumplía Isaías 61:1, 2 al llevar buenas nuevas a los pobres (Mat. 5:3-5; 11:5; Luc. 4:16-21; 7:22). Él aceptaba a los social y religiosamente rechazados; el estar allí para ellos, el invitarles a la comunidad, el darles de comer y el convertirles en sus discípulos era una liberación basada en la gracia. Esta Bienaventuranza apunta hacia las buenas nuevas, que la celebración profética de la justicia de Dios a los pobres, los oprimidos, los humildes, los necesitados, los débiles está efectuándose en Jesús el Mesías y en las prácticas comunitarias de sus seguidores. Ya que Dios está liberando a los humildes y a los pobres, los seguidores de Jesús pueden regocijarse, porque como una comunidad participamos en esta liberación. ¿Qué significado mayor puede haber en la vida que participar, aunque sea de forma ínfima, como un grano de mostaza, en la liberación que Dios trae en Jesús?

Los seguidores de Jesús participan en el reino de Dios al humillarse ante Dios, entregándose a Dios, dependiendo de la liberación de Dios y siguiendo a Dios en el cuidado a los pobres y los oprimidos. En pocas palabras: *biena-*

venturados son los humildes ante Dios, los que se preocupan por los pobres y los humildes.

La segunda Bienaventuranza. Mateo 5:4 dice: "Bienaventurados los que lloran, porque ellos serán consolados".

La palabra *llorar*, al igual que *pobre en espíritu*, tiene un significado doble. El vocablo significa el *dolor*, la tristeza de los que han perdido a alguien o algo muy significativo. Pero la palabra implica *arrepentimiento*: Los pecadores lloran a causa de sus propios pecados y los de su comunidad, queriendo verdaderamente poner fin a su pecado para servir a Dios. El profeta Amós pronuncia el juicio de Dios sobre aquellos que no lloran. Ellos oprimen a los pobres, aplastan a los necesitados para luego decir a sus esposos: "¡Traed [vino] y bebamos!". Ellos pecan y luego presentan sacrificios en el templo, pensando que sus sacrificios cubrirán sus pecados, para continuar la práctica de la injusticia. Dios pronuncia ayes sobre aquellos que no lloran: "¡Ay de los que viven reposados en Sion... [que] dormís en camas de marfil... [que] improvisáis al son de la lira... y [que] no os afligís por la ruina de José... el SEÑOR ha jurado por la gloria de Jacob: '¡No me olvidaré jamás de todas las cosas que han hecho! ¿No temblará la tierra por esto? ¿No harán duelo todos sus habitantes?... Convertiré vuestras fiestas en duelo y todas vuestras canciones en cantos fúnebres'" (Amós 4:1-5; 5:6, 14; 6:1-7; 8:7-10; 9:5).

Cuando Jesús habló del llanto, él quería decir el llanto del arrepentimiento que sea lo suficientemente sincero para que resulte en un cambio de nuestro modo de vivir.

Ambos significados se juntan una vez que vemos que el enfoque está sobre Dios. El Señor Dios enjugará toda lágrima de todos los rostros, y la muerte y el lloro acabarán (Isa. 25:8; Apoc. 21:4). Dios empezó a realizar esta liberación por Jesús.

En pocas palabras: *bienaventurados son los que lloran por la falta de justicia arrepintiéndose sinceramente, porque Dios consuela a los que sufren y a aquellos que se arrepienten verdaderamente.*

La tercera Bienaventuranza. Mateo 5:5 dice: "Bienaventurados los mansos, porque ellos recibirán la tierra por heredad".

Aquí Jesús cita el Salmo 37:11 que emplea el mismo vocablo hebreo para *manso* que vimos en Isaías 61:1, traducido allí como *pobres*, y que se cita en la primera Bienaventuranza. De modo que esta Bienaventuranza tiene básicamente el mismo significado de *"manso/pobre" en el sentido de estar entregado a Dios y estar social y económicamente sin poder*. Si somos mansos y entregados a Dios, somos bendecidos, porque en Cristo Dios nos está liberando, y heredaremos la tierra. Donald Hagner concluye: "Aquí no se trata de personas sumisas, apacibles, flemáticas, sino aquellas que son *mansas* por ser oprimidas (es decir, "han sido humilladas"), aplastadas por la injusticia de los impíos, pero quienes pronto serán "liberadas" (*Matthew* [Mateo] 1—13, pp. 92, 93; Guelich, The *Sermon on the Mount* [El Sermón del monte], pp. 81, 82).

Clarence Jordan dice que fuera mejor traducir la palabra "domado" más bien que "manso", significando así que sus voluntades han sido domadas por la voluntad de Dios. En español, la palabra "manso" ha llegado a entenderse como igual que "débil", "inocuo" o "sin espíritu". A la persona "mansa," se le considera una alfombra en la que la gente limpia los zapatos, siendo tímida y temerosa de lo que otros puedan pensar. "¡Nada más lejos del significado de la palabra bíblica! Ella se usa en particular para describir a dos personas: Moisés (Núm. 12:3) y Jesús (Mat. 11:29). Uno de ellos doblegó el poderío de Egipto y el otro no podía ser amedrentado por un poderoso oficial romano... Ambos parecían ser absolutamente audaces... y completamente entregados a la voluntad de Dios. Las personas pueden ser llamadas [domadas] al grado de que entregan sus voluntades a Dios y aprenden a realizar sus deseos". Ellas no se ajustan a los poderosos e influyentes, sino, más bien, "rinden su voluntad a Dios tan plenamente que la voluntad de Dios llega a ser la suya... Llegan a ser "el animal de carga de Dios sobre la tierra" (Jordan C., *Sermon on the Mount* [Sermón del monte], pp. 24, 25).

También, el vocablo tiene otra connotación. Cada vez que ocurre la palabra griega, que aquí se traduce en "manso", o mejor aun, "humilde" (*praus*), siempre señala lo pacífico o el acto de pacificar. Mateo 21:5 es una cita de Zacarías 9:9, donde se describe la entrada de un rey mesiánico no-violento o pacificador:

> He aquí, tu rey viene a ti, justo y victorioso, *humilde* y montado sobre un asno, sobre un borriquillo, hijo de asna.
> "Destruiré los carros de Efraín y los caballos de Jerusalén; también serán destruidos los arcos de guerra, y él hablará de paz a las naciones. Su dominio será de mar a mar, y desde el Río hasta los confines de la tierra".

El erudito neotestamentario suizo Hans Weder concluye: "La bendición... está históricamente en el contexto de la tentación de los celotes. No es por nada que en Mateo dos veces se le designe a Cristo como manso. Justo allí estriba la gran diferencia entre él y los celotes, los que usaban la violencia en pro del reino de Dios. Bienaventurados los no-violentos. Ellos heredarán el mundo" (*Die "Rede der Reden"* [El "Discurso de discursos"], p. 62).

Jesús cumple la "paz" como una de las características del reino de Dios.

Una vez más los varios matices del significado se unifican cuando vemos que el enfoque está en el entregarnos *a Dios*. El Dios a quien nos entregamos es "el Dios de la paz" (Rom. 15:33). Dios es quien da la lluvia y el sol a los enemigos tanto como a los amigos, llamándonos a amar a nuestros enemigos (Mat. 5:43-48). Martín Luther King dijo: "Jesús entendía la inherente dificultad en el acto de amar a los enemigos de uno... Él se daba cuenta de que toda expresión auténtica de amor surge de una consistente y total entrega a Dios (King M. L., *Strength to Love* [La fuerza para amar], p. 48). Jesús no tan sólo enseñaba esto sino que él mismo traía el amor de Dios a sus discípulos, guiándoles a que aceptaran dentro de su compañerismo a los publicanos, a los gentiles y a los marginados. Los seguidores de Jesús pueden regocijarse porque Jesús permite que comencemos a participar en esta liberación. En pocas palabras: *bienaventurados son los que se entregan a Dios, el Dios de la paz.*

La cuarta Bienaventuranza. Mateo 5:6 dice: "Bienaventurados los que tienen hambre y sed de justicia, porque ellos serán saciados".

La clave aquí es poder entender el significado de la palabra "justicia". Los eruditos neotestamentarios generalmente concuerdan en que la justicia y el reino son los temas centrales en el Sermón del monte. La pregunta que normalmente se hacen es si la justicia es algo que Dios nos da o si es algo que hacemos. La respuesta aceptada generalmente es ambas cosas. "Dios trae la justicia como nuestra liberación, y nosotros participamos de ella al hacer la justicia" (véase Guelich, *The Sermon on the Mount* [El Sermón del monte], pp. 85-87). Pero las preguntas que a menudo quedan sin contestar son: ¿Qué significa la justicia? ¿Qué forma tiene? ¿Cuál es su contenido? ¿De qué tenemos hambre y sed al desear la justicia?

La palabra griega que se usa para justicia es *dikaiosune*. Una vez más, Jesús está aludiendo a Isaías 61, que expresa regocijo en tres ocasiones porque Dios está trayendo la justicia (3, 10, 11). La palabra usada es el vocablo hebreo *tsedaqah*, que significa *realizar justicia* (una justicia que rescata y libera a los oprimidos) y *una justicia que restaura la comunidad* (una justicia que restaura a los sin poder y marginados a su debido lugar en la comunidad del pacto). Por esto aparece tan a menudo en la Biblia hebrea junto con la otra palabra para justicia, *mishpat* (véase el Salmo 37 y el capítulo 17 más adelante). Y por esto los hambrientos y los sedientos tienen hambre y sed por la justicia; ellos anhelan corporalmente la clase de justicia que les libere de su hambre y sed, restaurándoles a la comunidad donde pueden comer y beber. Puede ser que únicamente aquellos lectores que han experimentado la injusticia, el hambre y la exclusión de la comunidad puedan experimentar plenamente lo que la Biblia quiere decir por justicia. Pero esa es la clase de persona que seguía a Jesús.

En el AT, *la justicia* quiere decir la preservación de la paz y la totalidad de la comunidad, y a veces es equivalente a *shalom*, la paz. Su significado se asemeja mucho a la justicia social que libera de la alienación y la opresión, haciendo que uno sea integrado a la comunidad con *shalom* (Isa. 32:16, 17; Achtemeier E., *Righteousness in the Old Testament* [La justicia en el Antiguo Testamento], pp. 80 ss.). La norma ética para la justicia no es una definición filosófica sino el carácter del SEÑOR. El carácter del SEÑOR en la liberación del pueblo de la opresión del faraón en Egipto, estableciéndolo en la comunidad del pacto dentro de la tierra prometida. Por consiguiente, el tema de la liberación, que hemos visto en las muchas referencias hechas a Isaías 61 por parte de Jesús, y en los pasajes de liberación que proclaman la venida del reino de Dios, caracteriza la clase de justicia que creemos que Jesús enseña y lleva a cabo.

No es por casualidad que en el Sermón del monte Jesús recalque el dar al que pide prestado y al mendigo; pide que hagamos obras de misericordia como un servicio a Dios más bien que como hacer alarde de él; también, enfatiza que no guardemos el dinero para nosotros mismos sino que lo demos al reino de Dios y su justicia (Mat. 5:42; 6:2-4, 19-34). Lucas, en su versión paralela de estas enseñanzas (Luc. 6:20-26), escribiendo para los lectores de habla griega que no habrían captado el significado de la palabra en hebreo, no emplea la palabra *justicia* sino enfatiza aún más fuertemente el ayudar al pobre más bien que el acaparar el dinero para uno mismo.

Así que, en pocas palabras: *Bienaventurados aquellos que tienen hambre y sed de la clase de justicia que libera y restaura a la comunidad del pacto, porque Dios es un Dios que trae tal justicia.*

La quinta Bienaventuranza. Mateo 5:7 dice: "Bienaventurados los misericordiosos, porque ellos recibirán misericordia".

La palabra griega traducida al español como "misericordiosos", *eleemon*, significa *generoso en hacer obras de liberación.* La misericordia tiene que ver con una acción; específicamente una acción generosa que libera a alguno de necesidad o esclavitud. Esta hace eco de Proverbios 14:21 (Hagner D., *Matthew 1—13* [Mateo 1—13], p. 93). *Misericordia* en los Evangelios puede significar el perdón que libera de la esclavitud de la culpa o (a menudo) una acción de liberación en el sentido de sanar o dar. Al ir Jesús por el camino, un cojo o un ciego le ruegan con las palabras: "Ten misericordia de mí", él no quería decir "sé paciente conmigo" o "perdóname" sino "sáname, líbrame de mi aflicción". Por esto, en Mateo 6:2 la palabra usada allí, *eleemosune*, quiere decir hacer obras de misericordia (dar limosna, RVR-1960; ayudar a los necesitados, NVI).

El Evangelio de Mateo tiene mucho que decir respecto a la misericordia. Es una exigencia fundamental (véase 9:13; 12:7; 23:23) que es encarnada por las palabras de Jesús (5:43-48; 18:21-35; 25:31-46) tanto como por su ejemplo (9:27-31; 15:21-28; 17:14-18; 20:29-34). En mucho de esto se ve una continuidad con la tradición antiguotestamentaria y la judía, porque la disposición de misericordia, una acción exterior y un sentimiento interior, se reconocía como una virtud humana tanto como un atributo divino (Davies J. D. y Allison D., *Critical and Exegetical Commentary* [Un comentario crítico y exegético]; Vol. 1, p. 454).

"La justicia, la misericordia y la fe", eran "lo más importante de la ley" que descuidaban los opositores de Jesús, según Mateo (Mat. 23:23). "De modo que puede ser que a lo largo de Mateo 'misericordia' y palabras relacionadas impliquen que la acción misericordiosa es la expresión concreta de una lealtad a Dios, y que lo que exige Dios no es tanta actividad dirigida hacia Dios sino una bondad que beneficie a otras personas ('Quiero la misericordia y no el sacrificio')". "Tal como comprueba el pasaje en 18:21-35, los discípulos pueden hacer misericordia porque primero Dios les mostró misericordia (véase Luc. 6:36)". Misericordia connota la idea de lealtad dentro de la relación de pacto. Mateo 9:13 y 12:7 "citan a Oseas 6:6, en el cual la misericordia o el amor constante claramente involucra una lealtad al pacto" (Ibíd., Vol. 1; pp. 454, 455).

De manera que la quinta Bienaventuranza quiere decir, en pocas palabras: *Bienaventurados son aquellos que, como Dios, ofrecen la compasión en acción, el perdón, la sanidad, el socorro y la lealtad de pacto para con los necesitados.*

La sexta Bienaventuranza. Mateo 5:8 dice: "Bienaventurados los de limpio corazón, porque ellos verán a Dios".

Hans Weder aclara un malentendido: "A menudo la gente dice que Jesús censuraba la acción exterior de prohibir ciertos alimentos y la pureza cúltica para luego aprobar una pureza espiritual interior. Puede ser que esto sea un aspecto, pero no es el punto que se desea enfatizar. Su significado fue expresado mejor en las palabras de Jesús en Mateo 15:11: 'Lo que entra en la boca no contamina al hombre; sino lo que sale de la boca, esto contamina al hombre'. En esta oración dos ideas mutuamente exclusivas se contraponen la una a la otra". Una de ellas hace que uno se distancie de los demás, retirándose así de las influencias y relaciones exteriores. "El que eche la culpa de las impurezas a influencias exteriores hace eco del pensamiento romántico de la pureza original del corazón".

"Jesús toma un rumbo totalmente distinto, no a la original nobleza del corazón, sino más al corazón como el *origen* de la impureza. No son las influencias (el fluir hacia dentro) las que hacen que la persona sea impura, sino más bien las cosas salientes (el fluir hacia fuera)... Es la impureza de la que no puedo distanciarme, ya que tiene su origen en mí mismo. No me puedo aislar de ella; sólo por la creatividad de Dios puedo despojarme de ella". El camino para la pureza se encuentra en el darme a "una cabal orientación hacia Dios, quien creó todo, inclusive la pureza. Por ende, dice el texto: bienaventurados son los de puro corazón, porque ellos verán a Dios" (Weder H., *Die "Reder der Reden"* [El "discurso de discursos], pp. 72-74).

Contrario a la ruptura entre la acción exterior y el corazón interior de la Ilustración y el pensamiento griego, el pensamiento bíblico es holístico: Hay una sola persona cabal con relación a un solo Dios, el Señor de todo. El corazón es el órgano de relación. Cuando Dios me habla, recibo el mensaje en el corazón. Cuando yo me porto airadamente contra alguien, lo hago con el corazón. La ruptura verdadera no se ve entre lo exterior y lo interior, sino entre el servir a Dios y el servir a los ídolos. Se ve en la diferencia entre el ayudar al pobre para ser visto y respetado por otros y el hacer obras de misericordia para servir a Dios. Se ve en la diferencia entre el orar y el ayunar para ser visto por los demás, y el orar y el ayunar como una fidelidad a Dios. Se ve en la diferencia entre mi deseo de acumular riquezas y mi servicio al reino y a la justicia de Dios.

> La pureza de corazón tiene que involucrar la integridad, una correspondencia entre la acción exterior y el pensamiento interior (véase 15:8), una carencia de duplicidad o sea una singularidad de intención... y el deseo de agradar a Dios por encima de todas las cosas. Más sucintamente: la pureza de corazón es anhelar una sola cosa, la voluntad de Dios, con todo el ser y el hacer de uno (Davies D. W. y Allison D., *Critical and Exegetical Commentary* [Un comentario crítico y exegético], Vol. 1; p. 456).

Así que, la sexta Bienaventuranza, en pocas palabras, quiere decir: *Bienaventurados aquellos que dan todo su ser a Dios, quien es el único digno de la devoción cabal del corazón.*

La séptima Bienaventuranza. Mateo 5:9 dice: "Bienaventurados los que hacen la paz, porque ellos serán llamados hijos de Dios".

"'Hacedor de la paz'... es la traducción correcta... porque se propone una acción positiva, una reconciliación: 'los hacedores de la paz' *buscan que haya la paz"*. Puesto que las Bienaventuranzas anteriores tienen que ver con relaciones sociales, seguramente el significado aquí también es social, no simplemente la paz entre los individuos y Dios, tal como se afirma a menudo. "Para ver a Jesús como el hacedor de paz, véase Lucas 2:14; 19:38; Hechos 10:36; Romanos 5:1; Efesios 2:14-18; Colosenses 1:2; Hebreos 7:2 (cf. Isa. 9:5, 6; Zac. 9:10). Al ser hacedor de la paz, el creyente imita a su Padre en el cielo, 'el Dios de paz' (Rom. 16:20; véase Rom. 15:33; Fil. 4:9; 1 Tes. 5:23; 2 Tes. 3:16; Heb. 13:20)" (Ibíd., Vol. 1, pp. 457, 458). Recordamos que en el capítulo 1 una de las características del reino es la paz.

Donald Hagner escribe: "En el contexto de las Bienaventuranzas, pareciera que el punto estaría dirigido contra los celotes, los revolucionarios judíos que deseaban traer el reino de Dios mediante la violencia. Tales medios habrían sido una tentación continua para los oprimidos que anhelaban el reino. Los celotes mediante su militarismo además esperaban demostrar que ellos eran los leales 'hijos de Dios'. Pero Jesús anuncia... son los hacedores de la paz los que serán llamados 'hijos de Dios'... Este énfasis en la paz llega a ser un motivo frecuente en el NT (véase Rom. 14:19; Heb. 12:14; Stg. 3:18; 1 Ped. 3:11)" (Hagner, *Matthew 1—13* [*Mateo 1—13*], p. 94).

Ser un hacedor de paz es parte del entregarse a Dios, porque Dios trae la paz. Dios viene a nosotros en Cristo para hacer la paz con nosotros, por esto, los hacedores de la paz "serán llamados hijos de Dios". En pocas palabras: *Bienaventurados son aquellos que hacen la paz con sus enemigos, ya que Dios muestra el amor a los enemigos de Dios.*

Las Bienaventuranzas ocho y nueve. Mateo 5:10 dice: "Bienaventurados los que son perseguidos por causa de la justicia, porque de ellos es el reino de los cielos". Mateo 5:11, 12 dice: "Bienaventurados sois cuando os vituperan y os persiguen, y dicen toda clase de mal contra vosotros por mi causa, mintiendo. Gozaos y alegraos, porque vuestras recompensa es grande en los cielos; pues así persiguieron a los profetas que fueron antes de vosotros".

Estas dos Bienaventuranzas resumen y forman el clímax de las otras. Tratan de la persecución a causa de la justicia y de Jesús, tal como fueron perseguidos los profetas. Las Bienaventuranzas deben interpretarse dentro del contexto de los profetas con su énfasis sobre el reino de Dios y el llamado de Dios por la justicia, y el sufrimiento que experimentaron por llamar a Israel a una lealtad al pacto durante su propia época. Tal como aclara Mateo 5:17-20, Jesús está enseñando en continuidad con la Ley y los Profetas. En pocas palabras: *Bienaventurados son aquellos que sufren en virtud de su práctica de lealtad a Jesús y a la justicia.*

Davies y Allison vinculan las Bienaventuranzas al mesiazgo de Jesús:

> La dependencia de Mateo 5:3-12 de Isaías 61:1-3... implícitamente revela la identidad de aquel que proclama el Sermón del monte... Jesús es el ungido sobre quien reposa el Espíritu de Dios. Él es el Mesías. Es más, él y su ministerio son el cumplimiento de la profecía antiguotestamentaria (Davies W. D. y Allison D., *Critical and Exegetical Commentary* [Un comentario crítico y exegético], Vol. 1, p. 466).

La forma que tiene el cumplimiento por parte de Jesús de la profecía antiguotestamentaria es la forma del drama del reino de Dios: La presencia de Dios, la salvación, la paz, el gozo y la justicia liberadora. Las virtudes de los participantes cuadran con el drama: Participamos ahora y estaremos participando en la liberación misericordiosa y compasiva de Dios. Nosotros

- somos humildes ante Dios, y nos identificamos con los humildes, los pobres y los marginados.
- lloramos con un arrepentimiento sincero para con Dios, y consolamos a otros que lloran.
- nos entregamos a Dios, comprometiéndonos a seguir el camino de Dios, haciendo la paz.
- tenemos hambre y sed de una justicia que libera y restaura a la comunidad.
- practicamos la compasión en acción y la fidelidad de pacto hacia aquellos que están en necesidad.
- buscamos la voluntad de Dios en forma holística en todo lo que seamos y hagamos.
- hacemos la paz con nuestros enemigos, tal como Dios muestra el amor a sus enemigos.
- estamos dispuestos a sufrir (al igual que Jesús sufrió) en virtud de nuestra lealtad a Jesús y a la justicia.

Somos así y hacemos así como una respuesta gozosa a Dios: "Nosotros amamos, porque él nos amó primero" (1 Jn. 4:19). ¿Qué mayor significado puede haber que participar en la liberación que Dios trae en Jesucristo? Las Bienaventuranzas describen las virtudes que tiene un seguidor de Jesús, por su gracia.

Virtudes en otras partes del drama bíblico

¿Cómo se comparan las virtudes de Jesús con las que el apóstol Pablo enseña en seis lugares distintos de sus cartas? Las listas varían; claramente no implican que haya un juego exacto de siete u ocho virtudes cristianas, ni una más ni una menos. No obstante, cuando comparamos sus listas, resulta un patrón de consistencia altamente interesante.

Las virtudes mencionadas por Pablo por lo menos dos veces (véase la gráfica 2.3.) son amor, compasión, bondad, humildad, mansedumbre, paciencia, tolerancia, unidad, paz, gozo, justicia, perdón y perseverancia. Estas igualan tan de cerca las virtudes que Jesús enseñó en las Bienaventuranzas que difícilmente necesitan abordarse. Las virtudes paulinas de tolerancia, unidad y paciencia, las cuales él enfatizaba especialmente con relación a la pacificación en las iglesias, igualan la virtud de la pacificación en las Bienaventuranzas. Si la bondad en Gálatas 5 se parece a la pureza en 2 Corintios 6, entonces tenemos una igualdad con la pureza de corazón en las Bienaventuranzas. Eso deja únicamente la enseñanza de Jesús, "bienaventurados los que lloran", lo que implica el arrepentimiento, como ya se dijo. Pablo exige el arrepentimiento a lo largo de sus cartas, aunque no lo llamaba virtud. Escribiendo a las iglesias dos decenios después de Jesús y antes de Mateo, Pablo da a estas virtudes un significado algo diferente dentro de su contexto histórico. No obstante esto, la semejanza es muy notable.

1 Timoteo 4:12; 6:11; 2 Timoteo 2:22; 3:10; 1 Pedro 3:8 y 2 Pedro 1:5-7 abogan básicamente por las mismas virtudes que ya hemos visto: El amor cinco veces, la fe tres veces, la justicia dos veces, la piedad dos veces, la pureza y la pureza de corazón, la perseverancia, la mansedumbre, la paz, la armonía, la simpatía, la compasión, la benignidad, la humildad, la bondad, el conocimiento y el dominio propio. Ellos agregarían la fe a nuestra lista de las mencionadas dos veces o más (véase Lohse E., *Theological Ethics of the New Testament* [La ética teológica del Nuevo Testamento], pp. 82-88).

Gráfica 2.2. Las virtudes de Pablo paralelan las Bienaventuranzas

Las Bienaventuranzas de Jesús	**Las virtudes de Pablo**
humildad y mansedumbre	humildad y la ternura
justicia	justicia
misericordia	bondad, compasión, amor, perdón
pureza de corazón	pureza o piedad
hacer la paz	paz, tolerancia, unidad, paciencia
sufrir persecución por Jesús y por la justicia	perseverancia
(Bienaventurados son)	gozo

Benjamín Farley (*In Praise of Virtue* [En alabanza a la virtud]) examina la Biblia, de Génesis hasta las últimas cartas —Santiago, Pedro, Juan y Hebreos, pero no el Apocalipsis— buscando las virtudes, y llega a la conclusión de que: Las virtudes que Jesús enseña en las Bienaventuranzas tienen su eco en las cartas de Pablo y están profundamente enraizadas en toda la Biblia. Estas no son meramente una selección arbitraria, son el corazón de las virtudes bíblicas. Las virtudes pintan lo que significa ser un seguidor de Jesús. Este cuadro de Jesús es un punto crucial: Cada virtud cobra su significado de la enseñanza de Jesús y, al sintetizar el reino de Dios, están en continuidad con los profetas y todo el drama bíblico.

Gráfica 2.3. Las virtudes de las listas de Pablo

Col. 3:12-17	Fil. 2:2, 3	Efe. 4:2, 3, 32	Gál. 5:22, 23	Rom. 14:17	2 Cor. 6:4-10
amor	amor	amor	amor		amor
compasión		compasión			
benignidad		benignidad	benignidad		benignidad
humildad	humildad	humildad			
mansedumbre		mansedumbre	mansedumbre		
		paciencia	paciencia		paciencia
		tolerancia			tolerancia
perdón		perdón			
	unidad	unidad		unidad	
gratitud					
sabiduría					
		paz	paz	paz	
				justicia	justicia
			gozo	gozo en el Espíritu Santo	gozo
				perseverancia	perseverancia
				esperanza	
			bondad		pureza
			fe		conocimiento
			dominio propio		

Las virtudes que necesitamos

Diferentes clases de sociedades necesitan distintas clases de virtudes como directrices (Wilson J., *Gospel Virtues* [Las virtudes de los Evangelios], 122). La pregunta para nosotros es ¿en cuál sociedad, en cuál política vivimos? Jesús dijo que somos bienaventurados porque vivimos en la "sociedad del grano de mostaza". Esto no quiere decir que nuestra sociedad sea justa o que la sociedad de Jesús era justa; en el capítulo 17 mostramos que los Evangelios justicia, Dios está sembrando los granos de mostaza de la liberación mediante las acciones de Jesús, por los hechos y las prácticas de la comunidad de discípulos y por lo que Dios hace más allá de nuestra percepción. Esto quiere decir que a pesar de la injusticia de nuestra sociedad, al mismo tiempo estamos viviendo donde los granos de mostaza de la liberación de la presencia, la salvación, la justicia y la paz de Dios están siendo sembrados. Las virtudes bíblicas cuadran con ese reino. Todos nosotros también somos partícipes de una u otra sociedad: Nuestro pueblo natal, nuestra comunidad educativa, nuestra iglesia, nuestra nación y la comunidad global que crece velozmente. Necesitamos aprender algunas virtudes para contribuir a esas comunidades también (Jer. 29:7). Esas virtudes son varias; pero nuestras virtudes centrales, por las que las demás son juzgadas, son las virtudes del reino de Dios.

3

La ética holística de carácter

Dichosos son los puros de corazón, porque verán a Dios.
No acumuléis para vosotros tesoros en la tierra, donde la polilla y el óxido corrompen, y donde los ladrones se meten y roban ...
Porque donde esté tu tesoro, allí también estará tu corazón.
Por tanto, si tu ojo es generoso, tu persona entera estará llena de luz; pero si tu ojo es codicioso, tu persona entera estará llena de tinieblas.
Saca primero el tronco de tu propio ojo, y entonces verás bastante claramente como para sacar la astilla del ojo de tu prójimo.

Mateo 5:8; 6:19-23; 7:5 (Traducción de Hagner)

Jersey Girl [Niña de Jersey] es una película muy divertida. El personaje central, "*Jersey Girl*", vivía con su padre, un obrero quien le enseñó a ser ella misma y a ser leal a sus amigos más íntimos, en vez de fingir ser una persona que no era. Era un ser humano encantador, una maestra que cuidaba a niños pequeños en una escuela para preescolares.

Sin embargo, su novio procura ascender por los rangos de éxito en el mundo comercial; maneja un costoso automóvil; perjudica a un colega de trabajo para ganar más dinero. Poco le importa decir la verdad con tal de ascender. Finalmente se deshace de la "*Jersey Girl*", porque ella no pertenece a la clase social que él ambiciona lograr.

¡Ella le da tanto problema! Pero también, le da amor. Él no se merece ese amor. Ella se mantiene leal a su propia persona, a su solícito padre, a sus amigos y a sus raíces en la comunidad obrera de New Jersey. Su novio busca la forma de distanciarse de sus raíces y ha perdido su brújula moral. Es manipulador y duro. Ella le confronta con su misma falsedad mientras demuestra que ella no era sólo su "muchacha". Lo sacudió de tal forma que dejó su puesto, embistió su auto contra un hidrante enfrente de la escuela donde ella trabaja, haciendo que un chorro de agua se extienda a todas partes del patio de la escuela para el deleite de los niños. Posteriormente, él se une a los niños en el aprendizaje y los juegos.

El punto central de esta historia sencilla es que hace falta una *comunidad* para que se dé a una persona la integridad de carácter. La muchacha de Jersey derivaba su integridad de su comunidad: su pueblo, su familia, sus amigos y su trabajo. Cuando él intenta romper con su comunidad, ella tuvo el valor de confrontarle. Es una parábola para nuestros tiempos: Si se rompe con las raíces y la comunidad de uno, llegando a ser así un individuo autónomo, se pierde la brújula moral. Para recobrar el carácter se requiere la confrontación de parte de la comunidad.

Quienes trabajan la ética del carácter dicen que la integridad de carácter toma su forma cuando nos vemos a nosotros mismos, nuestra vida y nuestras lealtades *como parte de un drama mayor* el cual da forma a nuestra comunidad. La "*Jersey Girl*" se ve a sí misma como parte de un drama de lealtad mutua en unión con su padre, sus amigos, sus alumnos y su novio. Él se ve a sí mismo como parte de un drama de ascenso social y económico. Da su lealtad a su jefe, siempre y cuando esto le facilitara el éxito. Cuando su novia estorba su ascenso, la deja. Pero finalmente sabe que este drama del ascenso no es suficiente; en realidad, de nada le sirve. Le hace que rompa la lealtad más importante con la comunidad humana. El drama del ascenso autónomo e individual nos divorcia de lo que los que respaldan la ética del carácter llaman *el bien* o el *telos*, o el propósito humano mayor de la vida.

Esto es lo que hace la sociedad moderna: Nos aleja de nuestras raíces y nuestras comunidades, enseñándonos a pensar en nosotros mismos como seres autohechos, como individuos autónomos. Hace que nos asemejemos más al oportunista y menos a la "*Jersey Girl*". Nos enseña "virtudes" tales como el autocontentamiento, la separación de la intimidad y la comunidad, la eficiencia, la competitividad y el autoavance. Para la sociedad moderna, el éxito se mide con criterios superficiales: La apariencia del éxito, la evasión del sufrimiento junto con una fría apatía, ocultando así nuestras ansiedades, sin comprometernos con ninguna causa social. El resultado es una pérdida de comunidad y un sentido de alienación, un reducido sentido de propósito, un deterioro del carácter moral y una conciencia cada vez mayor de que nuestra sociedad está con verdaderos problemas morales.

La ética del carácter como una manera mejor de razonar

Para contrarrestar la fuerza corrosiva del individualismo moderno atomizado, varios expertos en ética argumentan que necesitamos enfocarnos no tan sólo en las decisiones respecto al bien y el mal, sino en lo que da forma al carácter de aquellos que toman las decisiones y acciones.

Primero, necesitamos enfatizar qué *prácticas* específicas dan forma al carácter. Por ejemplo, si una familia, una iglesia o una comunidad tiene la práctica explícita de socorrer misericordiosamente a los necesitados, probablemente sus miembros aprenderán la misericordia y la compasión. Segundo, necesitamos enfatizar las *virtudes*, los rasgos del buen carácter, la misericordia o la compasión, por ejemplo. Tercero, necesitamos recalcar que el carácter es formado, no por individuos autohechos, sino por la formación, la corrección y el aliento de la influencia de la *comunidad*. De modo que debemos buscar desarrollar tipos de comunidades que formen un carácter compasivo. Finalmente, la comunidad y el carácter dependen de nuestra conciencia de ser *partícipes de una historia mayor, de un drama mayor*. Ya que estos cuatro énfasis son cruciales para el desarrollo del carácter, preferimos llamar este cambio en la ética no simplemente una ética de virtudes, sino, para usar un término más comprehensivo, *la ética de carácter*.

Joseph Kotva afirma: Primero, necesitamos la ética de carácter por causa del *decaimiento moral muy difundido*. La ética de carácter representa una rebelión contra el decaimiento moral y contra la moderna ética racionalista, influida por la Ilustración, orientada por el mercado y a la cual se achaca dicho decaimiento. Tal como argumenta Alasdair MacIntyre, la ética racionalista e individualista carece de atención a las prácticas y las comunidades que forman carácter (*After Virtue* [Después de la virtud]).

Segundo, necesitamos la ética de carácter debido a "*la conciencia histórica" de nuestros tiempos*. Stanley Hauerwas comienza su introducción a la ética cristiana de la siguiente manera: "Toda reflexión ética ocurre con relación a un lugar y un tiempo particulares. No tan sólo los problemas éticos cambian con el tiempo, sino la misma naturaleza y estructura de la ética son determinadas por las particularidades de la historia y las convicciones de una comunidad (*Peaceable Kingdom* [El reino pacífico], p. 1). En nuestro tiempo de globalización, estamos cada vez más concientes de las diferentes reglas morales sostenidas por los pueblos de culturas distintas. El nuestro es un tiempo de encuentro global y diversidad cultural, y eso requiere la adaptabilidad. "La ética de carácter cambia el enfoque de reglas y actos en agentes y sus contextos". Por consiguiente, se hace más conciente del contexto social, de la dinámica de la historia y de "nuestra necesidad de responder ante los rasgos específicos de cada situación" (Kotva J., *Christian Case for Virtue Ethics* [El caso en pro de la ética de virtudes], pp. 8, 9).

Tercero, la mayoría de las teorías éticas individualistas y racionalistas modernas carecen de una atención a *las influencias formativas de la amistad, el discipulado a los mentores y las emociones corporales*. De hecho, estas teorías "en algunos sentidos son incompatibles con esas realidades y las socavan" (Ibíd., p. 10). La ética moderna busca fundar la conducta en la razón universal y el deber impersonal. De forma sistemática, esto excluye las consideraciones de personas particulares, de comunidades particulares o el sentimiento personal. Pero nosotros no somos mentes racionales sin sentimientos;

somos personas *corpóreas* con pasiones. Nuestras pasiones, emociones y deseos "dicen mucho acerca de la clase de personas que hemos llegado a ser [y] nos ayudan a determinar qué acciones perseguimos y cuáles evitamos". Por ende, la ética de carácter "piensa que las emociones y los deseos son éticamente centrales" (Ibíd., pp. 11, 12).

Nuestro carácter es moldeado por otras personas que son nuestros modelos, mentores, madres y padres en la fe. La ética de carácter enfatiza *el discipulado* ante un maestro u otras personas que sean modelos de la justicia. "Nosotros aprendemos a reconocer e *incorporar* las disposiciones emocionales e intelectuales, los hábitos y las destrezas designados por las virtudes al ser guiados por ejemplos dignos, siguiendo e imitándolos nosotros" (Ibíd., pp. 80, 81, 107, 108, 110 ss.; itálicas agregadas). Estos énfasis sobre la incorporación y el discipulado son dos razones por las que una manera de describir la ética que proponemos en este libro es *el discipulado encarnacional.* Nosotros somos seres corpóreos, no mentes incorpóreas sin pasión; y somos seguidores del Jesús encarnado.

La ética como discipulado encarnacional señala al *Jesús encarnado, que enseñó el Sermón del monte y el reino de Dios según la tradición de los profetas de Israel, incorporándola en sus prácticas, y nos llamó a incorporarla en nuestras prácticas de discipulado. Este Jesús es nuestro Señor.* Puede ser que esto parezca obvio, pero en realidad muchos estudiosos de la ética cristiana reducen el señorío de Jesús a una regla o un principio como la ley del amor. Ya que la ética de carácter dice que aprendemos nuestro carácter y nuestro sentido de propósito con nuestros maestros o modelos, ella puede hablar naturalmente de Jesús como manifestando el carácter que hemos de imitar y el propósito de vida que hemos de perseguir (Ibíd., pp. 87, 89).

Las cuatro dimensiones de la ética de carácter holístico

Queremos desarrollar la ética de carácter de una forma sistemática, argumentando que son importantes cuatro dimensiones: Nuestras pasiones-lealtades, nuestras percepciones, nuestro modo de razonar y nuestras convicciones básicas. Si una ética carece de atención específica a cualquiera de estas dimensiones, o le falta la habilidad de tener una postura firme respecto a asuntos éticos concretos o, en su defecto, presenta una postura ingenua, desconociendo y siendo poco crítico de sus propias presuposiciones cruciales, carece del poder para detectar los errores y las debilidades en esa dimensión de carácter, sin saber cuándo arrepentirse y cambiar. Es como el soldado que se apresura a entrar a la batalla con su casco, pero se olvida de la espada y el escudo.

Queremos una ética de carácter con todas las cuatro dimensiones, porque todas ellas son cruciales en la enseñanza de Jesús y en la ética bíblica en general. Además, las cuatro se prueban a sí mismas como importantes a lo largo de una amplia gama de cuestiones éticas desde el aborto hasta la pacificación.

Gráfica 3.1. Las cuatro dimensiones de la ética de carácter

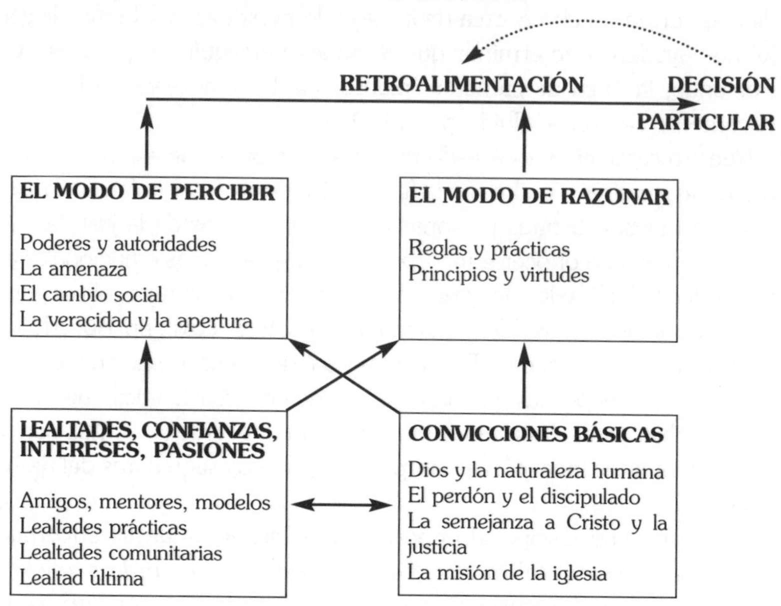

La dimensión del modo de razonar

Una dimensión del carácter es tener un modo de razonar ético, siendo consecuente en ese modo de razonar. El carácter requiere la consistencia, y el carácter sin la razón probablemente será altamente inconsistente. Dedicaremos el capítulo cinco a la discusión de varios *modos de razonar* de la ética cristiana. Por consiguiente, sólo hacemos mención de ello aquí.

Digamos sencillamente que la ética de carácter reconoce y afirma el razonamiento, pero un razonamiento *con carácter holístico y por medio de él, uno que incluya las virtudes*. Virtudes son rasgos de carácter que son estables, consistentes y confiables. Las virtudes tienen la meta de discernir y hacer lo que sea bueno para nuestro propósito en la vida como seres humanos. Estas son desarrolladas por el adiestramiento y la práctica. Necesitan de una comunidad que las engendre, las fomente y las refine. También se derivan de la tradición, una tradición específicamente cristiana para las virtudes cristianas, una tradición que provea el drama mayor o el marco narrativo que le da sentido a la vida. De modo que aquellos escritores que enfatizan la ética de carácter atinadamente se fijan en que cualquier razonamiento que hagamos se hace mediante hábitos de mente y corazón que ya poseemos; la razón no funciona autónomamente. Al fijarse en esto, los estudiosos de la ética de carácter enfocan sobre el desarrollo de la clase de carácter que guíe nuestro razonamiento correctamente.

La dimensión de las convicciones básicas

La ética de carácter critica la ética racionalista que esté fundada en premisas filosóficas supuestamente universales las cuales, por ende, desatienden las creencias teológicas. La ética holística de carácter se fundamenta en el mayor drama o narrativa de la vida que es crucial para el carácter. Ya hemos expuesto nuestra fundamental convicción teológica: Este drama mayor de la vida es el reino de Dios, caracterizado por la salvación, la justicia, la paz, el gozo y la presencia de Dios. Esta es la narrativa que los seguidores de Cristo son llamados a seguir como suya, a vivir por ella, a orientar su vida por ella.

La primera variante en la dimensión de las convicciones básicas es cómo se entiende *el carácter de Dios*. Además de enfatizar el reino de Dios, Jesús basa su enseñanza en el Sermón del monte en el carácter de Dios: Dios da la lluvia y la luz del sol a sus enemigos tanto como a los justos; así se debe amar a los enemigos (Mat. 5:45). Dios ve en secreto y sabe lo que tú necesitas antes de que tú lo pidas (Mat. 6:4, 6, 8, 18). Dios te perdonará si perdonas a otros (Mat. 6:15). No puedes servir a Dios y a las riquezas (Mat. 6:24). Dios cuida aun de los lirios del campo y las aves del cielo, y seguramente cuida de ti (Mat. 6:26-33). Si tú sabes dar cosas buenas a tus hijos, "¿cuánto más vuestro Padre que está en los cielos dará cosas buenas a los que le piden?" (Mat. 7:11). En resumen, Dios es misericordioso y ama a los enemigos. La justicia liberadora enseñada por Jesús, pues, excedía la de los fariseos, porque ellos excluían a los desechados y los impuros de su comunidad de práctica de la justicia.

La segunda variante de las convicciones básicas es *la naturaleza humana* (véase la gráfica 3.1.). Personas diferentes entienden la naturaleza humana de formas diferentes, y esto influencia sobre su ética más poderosamente de lo que ellos mismos se dan cuenta. Jesús era realista acerca de la naturaleza humana, diagnosticando así los ciclos viciosos dentro de los cuales nos atrapamos (véase el capítulo seis). Al mismo tiempo, él tenía un concepto alto del valor de toda persona humana. Él enseñaba que Dios cuida de cada gorrión, pero que cuida de nosotros aún más (Mat. 6:26; Luc. 12:6, 7).

Luego siguen la variante del *perdón y del discipulado*. Algunas tradiciones enfatizan la salvación por la fe tan exclusivamente que ellos dejan de enfatizar el discipulado, y otros hacen al revés. Cómo las personas relacionan los dos temas tiene una influencia poderosa sobre su ética.

La próxima variante es *la semejanza a Cristo y la justicia*. Cómo se entiende *la semejanza a Cristo*, es decir, el camino de Jesucristo, es crucial para la ética cristiana. Es más, necesitamos relacionar el camino de Jesucristo con *la lucha por la justicia* en la ética pública dentro del mundo. Algunos cristianos limitan el camino de Jesús a las relaciones con otros creyentes dentro de la iglesia, evitando así que el camino de Jesús tenga relevancia para el mundo. El resultado es el secularismo: El evangelio de Jesucristo no tiene ninguna relevancia, de modo que toda ética debe provenir de fuentes seculares. A esto llamamos "el dualismo secularizador". Otros cristianos creen que debemos imponer el camino de Jesús sobre el mundo, sea que esté de acuerdo o no. Esto resulta en el resentimiento y la oposición por parte del mundo secular a la verdad cristiana. A esto llamamos "la dominación secularizadora" o el autoritarismo. El asunto está en cómo determinar cómo y cuándo el camino de Jesús puede ser normativo para la ética pública mediante la persuasión. Trataremos esto a lo largo del libro y explícitamente en el capítulo veintitrés.

La última variante en la dimensión de las convicciones básicas es la comprensión de *la misión de la iglesia*. Jesús no habló mucho acerca de la iglesia; aún esta no había comenzado. Lo que sí ya había comenzado eran los grupos de discípulos y los grupos de seguidores que Jesús desarrollaba en varias comunidades mientras viajaba. Así que, cuando Jesús enseñaba su camino a los discípulos, y cuando el NT habla de la misión de los discípulos, leemos acerca de la misión de la iglesia. La ética de carácter enfatiza que nuestra manera de entender la misión de la iglesia moldea fuertemente nuestra ética. El carácter es moldeado por la comunidad, y eso quiere decir que las iglesias tienen que ser comunidades, no meramente lugares de predicación. La palabra neotestamentaria para esto es *koinonía*, la cual combina el significado de comunidad y compañerismo con el fin del servicio. La iglesia es una comunidad misional esparciendo y viviendo la palabra, diferente del mundo pero alumbrando al mundo, haciendo las obras que promueven la gloria de Dios (Mat. 5:13-16).

Creemos que estas variantes dentro de la dimensión de las convicciones básicas son centrales en la enseñanza de Jesús en el Sermón del monte y cómo la gente las entiende determina gran parte de su ética. Así que nos enfocaremos en cómo estas variantes cruciales de convicciones básicas moldean la ética de la gente respecto a cuestiones como la pacificación, la clonación, la sexualidad, el matrimonio y el divorcio, la justicia económica, la oración y la política. Si se mantienen visiblemente presentes estas variantes al tratar estas cuestiones, se podrá desarrollar una ética cada vez más articulada y autoconciente.

Las variantes particulares en las cuales nos enfocamos son escogidas porque Jesús las enfatizó en el Sermón del monte.

Esta discusión de las convicciones básicas nos recuerda de un nexo entre la ética cristiana de carácter y la cuestión de la cosmovisión, que se discute tanto en estos días dentro de la vida intelectual cristiana. Una cosmovisión es aquel juego cohesivo de creencias por el que la gente contempla el mundo y así, sea de forma conciente o no, fijan el derrotero de su vida. Los pensadores cristianos durante los últimos años han llegado a reconocer que el cambio moral cultural, por el cual estamos tan preocupados, es cuestión de cosmovisión. Por debajo de los cada vez más burdos medios de comunicación masiva, el libertinaje sexual o la prensa que favorece la eutanasia, por ejemplo, hay las tendencias más amplias de cosmovisión: la celebración de la autonomía, el sistema de valores de la autorrealización, etc. La ética de una comunidad incluye y fluye del meollo de las convicciones en torno a la cosmovisión por las cuales la comunidad interpreta la realidad y define lo que es bueno.

Así que, el concepto de cosmovisión corresponde a la categoría de convicciones básicas que ofrecemos. Afirmamos que la ética cristiana debe fundarse de manera autoconciente en convicciones teológicas bien pensadas, fundamentalmente la visión del reino de Dios. Esta es nuestra cosmovisión, la narrativa más allá de nosotros mismos que nos impulsa. Si no es así, entonces probablemente estamos basando nuestra vida sobre otra cosmovisión fundamental, perdiendo de vista nuestra lealtad a Jesucristo. La cosmovisión (las convicciones básicas) ayudan a moldear el carácter, y el carácter se desata en acción.

La dimensión de pasiones-lealtades

Ningún ser humano tiene una mente autónoma, llegando así a conclusiones morales mediante la aplicación pura y fría del razonamiento. La mente autónoma era un mito de la Ilustración, originado por Descartes, pero desacreditado ya de plano. En su lugar, somos personas corpóreas con pasiones características: "agarradas por el temor, afligidas por los celos, enamorándonos, sorprendidas por el gozo, movidas por la compasión" (Harak G., *Virtuous Passions* [Pasiones virtuosas], p. 2). Negar el lugar de las pasiones en la vida humana es sucumbir a una ilusión. Precisamente debido al significado moral de las pasiones, estas tienen que traerse a la luz del día para su consideración, y también para su transformación.

> De alguna manera es incorrecto no sentir asco ante la violación sexual, o permanecer enojado para siempre con los padres imperfectos. De alguna manera es correcto regocijarse por el éxito de un amigo, o ser conmovido ante la condición de un niño abusado. De manera que, al reflexionar, pareciera que nuestras pasiones pueden ser moralmente loables o despreciables. Para mí, es de suma importancia… confeccionar un relato teológico moral de ese sentido de lo bueno y lo malo de las pasiones y, además, considerar maneras para transformar pasiones moralmente malas y fomentar las buenas (Ibíd., p. 2).

Podemos cambiar nuestras pasiones mediante el cambio de nuestros hábitos, por alentar otras emociones, o por entender la historia causal de nuestras emociones.

Las pasiones se relacionan estrechamente a nuestras lealtades e intereses: En quién o en qué *confiemos* más profundamente o en lo que nos apasionemos. A cada situación de la vida llevamos nuestras lealtades más profundas; estas no se dejan en la puerta. Jesús enfatiza esta dimensión: "No acumuléis para vosotros tesoros en la tierra, donde la polilla y el óxido corrompen, y donde los ladrones se meten y roban... Porque donde esté tu tesoro, allí también estará tu corazón" (Mat. 6:19, 21). El realismo de Jesús nos advierte en cuanto a nuestras lealtades y nuestros intereses creados.

Las lealtades que moldean nuestro carácter pueden dividirse en cuatro niveles: (a) Somos moldeados por nuestras *lealtades a los amigos, los mentores y los modelos*. (b) Somos moldeados por las lealtades a las *prácticas y los medios* que usamos regularmente para realizar nuestras metas: Los economistas ven claramente cómo las fuerzas económicas son causativas; los oficiales del ejército piensan que la fuerza militar es crucial; las madres saben que el amor es formativo; los pastores piensan que los sermones moldean el mundo; los éticos saben que lo que más influencia son artículos especializados en revistas académicas. (c) Las lealtades a *comunidades* nos moldean poderosamente; este es el tema central de la ética de carácter. (d) Conforme a la investigación en la sociología de la religión, *la lealtad última* a Dios resulta ser una fuerza significativa contra el racismo y otras falsas ideologías. De modo que debemos poner nuestra atención en estas cuatro cosas (personas, prácticas, comunidades y la lealtad última) como las variantes clave en la dimensión de carácter de lealtades.

Puede ser que la mejor manera de entender el concepto de *intereses* es observar los debates ideológicos, respecto a quién presenta los argumentos, cómo se hacen los argumentos y especialmente el uso de las afirmaciones morales. No es una coincidencia, digamos, que la industria tabacalera recalque el significado moral de la elección personal, o que la industria petrolera tienda a enfatizar la virtud moral de la exploración adicional de los depósitos de petróleo más bien que estrategias para ahorrar energía. Nosotros vemos la realidad por el filtro provisto por nuestro egoísmo, creando así a menudo argumentos morales muy distorsionados sin que nos demos cuenta. Jesús nos enseñó que debemos llegar a ser gente de tal carácter que el reino de Dios sea nuestro interés principal: "Más bien, buscad primeramente el reino de Dios y su justicia" (Mat. 6:33). Cuando nuestros intereses concuerden con los de Dios, podremos razonar más como lo hiciera Jesús y llegar a ser cada vez más como él.

La dimensión de la percepción

Es sorprendente cuán diferentemente la gente percibe los sucesos. En el Sermón del monte, Jesús enseñó que vemos las cosas de forma diferente según hayamos invertido nuestro dinero. Él dijo que nuestros corazones son moldeados por el lugar donde invertimos nuestro dinero, y luego inmediatamente él señaló dos maneras diferentes de *ver* las cosas: "Porque donde esté tu tesoro, allí también estará tu corazón... La lámpara del cuerpo es el ojo. Así que, si tu ojo está sano, todo tu cuerpo estará lleno de luz. Pero si tu ojo es malo, todo tu cuerpo estará en tinieblas. De modo que, si la luz que hay en ti es oscuridad, ¡cuán grande es esa oscuridad! (Mat. 6:21, 23). Hagner D. (*Matthew* 1—13 [Mateo 1—13], pp. 158, 159) explica que las palabras usadas aquí, dentro de la cultura del Cercano Oriente, significan que un ojo sano está en contraste con un ojo malsano en el sentido de lo generoso *versus* lo avaro. Jesús está diciendo que nuestros intereses —hayamos invertido nuestro dinero en tales cosas que los ladrones pueden robar o, en su defecto, en las cosas del reino (como la justicia para los hambrientos)— moldean nuestro corazón o lealtad, y esto afecta nuestro modo de ver lo que sucede. De modo que la enseñanza de Jesús acerca del ojo generoso *versus* el ojo avaro tiene conexión con el versículo anterior respecto a donde tenemos nuestro dinero invertido; y tiene conexión con el versículo posterior en cuanto a no poder servir a dos señores: a Dios y al dinero.

Es más, las maneras diferentes de ver las cosas da forma a la acción ética a la que defienden como también su forma de razonar moralmente. Un proverbio chino muy sabiamente lo expresa así: "El noventa por ciento de lo que vemos está detrás de nuestros ojos" (Birch B. y Rasmussen L., *Bible and Ethics in the Christian Life* [La Biblia y la ética en la vida cristiana], p. 77). Jesús enfatizaba *el ver* mucho más que la ética actual, y creemos que la ética necesita llegar a ser más autoconsciente y autocrítica acerca de lo que percibimos. A menudo Jesús enseñaba acerca de cómo vemos, o no vemos, lo que Dios está haciendo. Él citó Isaías 6:9, 10 tocante a los corazones insensibles y ojos que no ven, y dijo: "Viendo no ven, y oyendo no oyen, ni tampoco entienden" (Mat. 13:13). Él dijo: "¿Todavía no entendéis ni comprendéis? ¿Tenéis endurecido vuestro corazón? Teniendo ojos, ¿no veis?" (Mar. 8:17, 18). Él contó del sacerdote y el levita que vieron al hombre que había sido robado, pasándole de lejos, pero el samaritano *lo vio con compasión* y fue donde él (Luc. 10:30-35).

La percepción del contexto de las acciones moldea poderosamente lo que la gente haga. Los estudiosos de la ética necesitan analizar cómo la gente selecciona los datos, sintetizando e interpretándolos. No basta con decir, "Pongan atención en los hechos", o "La visión es importante para el carácter", como suele hacerse. Tratar los hechos como cosas ya dadas, sin desarrollar una teoría crítica para evaluar cómo la gente interpreta los hechos, nos encierra en prejuicios acerca de lo sucedido y lo posible, y bloquea una evaluación crítica de las teorías que gobiernan la selección, la síntesis e interpretación de esos hechos. Por ende, nuestro método de discipulado encarnado no tan sólo se fija en una forma realista en nuestras pasiones encarnadas e intereses, sino también intenta identificar las variantes que moldean las percepciones de lo que los hechos significan dentro de cuestiones controversiales. Creemos tener un fundamento fuerte en la enseñanza de Jesús así como en la realidad de cómo vemos las formas de lo que hacemos.

Cuatro variantes hacen diferencias cruciales en cómo la gente percibe el contexto de acción a lo largo del espectro de las cuestiones éticas.

Primero está la variante de *autoridad*. Lo que la gente presuma acerca de los *poderes y las autoridades* de su tiempo y su lugar tiene un efecto poderoso sobre su percepción del contexto de la acción moral. Algunos tienen tan alta opinión de todas las autoridades presentes que creen que necesitamos una autoridad unificada, ordenada por Dios, que sea obedecida por todos. Piensan que la alternativa es el caos, la anarquía o la insubordinación. Otros tienen un concepto elevado de la justicia de Dios como que está por encima y es independiente de la autoridad humana; son realistas en cuanto al pecado de todos, incluyendo las autoridades. Por consiguiente, abogan porque esa autoridad no se tenga en un solo lugar sino que debe haber una separación de poderes con el fin de que haya un equilibrio y una protección contra abusos de la autoridad. Creen que cada uno de nosotros es responsable de medir la autoridad por las normas de la justicia de Dios, y piensan que la alternativa es el autoritarismo. Veremos que hay una relación muy estrecha entre cómo la gente entiende la variante de la justicia en la dimensión de las convicciones básicas, y cómo ven la variante de la justicia en la dimensión de percepción.

Segundo, nuestras percepciones son influenciadas enormemente por la manera como entendemos la causa de cualquier error. Pidiendo prestada la terminología de las ciencias sociales, llamamos a esto *la percepción de amenaza*. Este concepto se relaciona estrechamente con las creencias básicas tocantes a *la naturaleza humana y al pecado*. Los cristianos que se crean justos y que otros fuera de su comunidad sean pecadores probablemente ubicarán la amenaza fuera de ellos mismos, sin sentir ningún llamado al verdadero arrepentimiento. Pero los cristianos que enfatizan las enseñanzas de Jesús tocantes a nuestra necesidad de sacar primero la viga del ojo propio, quizás buscarán las maneras en que estemos contribuyendo al problema. Ellos preguntarán cómo podemos arrepentirnos, haciendo así algunos cambios que subsanen lo que esté en error. Esta es la virtud del arrepentimiento (y de la humildad) que vimos en la enseñanza de Jesús de las Bienaventuranzas. Los cristianos que contemplan el pecado como esclavitud (Rom. 3:9; 6:12-23; 7:13-25) es más probable que busquen maneras de liberarse de las causas sistemáticas de la amenaza; los cristianos que piensan que el pecado es cuestión de una libre elección probablemente achacarán la culpa a otros o pedirán más esfuerzo moral.

Una tercera variante crucial que afecta las percepciones éticas de las personas es su entendimiento en torno a la potencial eficacia de varias *estrategias para el cambio moral*. Esto se ilustró claramente, por ejemplo, durante el movimiento en pro de los derechos civiles en los E.E. U.U. de A. Cuando la gente y las iglesias prestaron su apoyo a la estrategia de la acción directa no-violenta, así empezó a derrumbarse el muro de la segregación. Una estructura social que se había visto como insensible al cambio se desmoronó porque la gente empezó a *ver* nuevas posibilidades. La gente que entiende la eficacia de las varias estrategias de cambio social tenderá a sentirse capacitada para efectuar el cambio. Esto se relaciona estrechamente con cómo entendemos *la misión de la iglesia* dentro de la dimensión de la creencia teológica. ¿Tendrá la iglesia un llamado pastoral para que fomente la justicia para la gente? ¿Debe ella apoyar el estatus quo, o debe centrarse en su propia vida interior?

En cuarto lugar, las percepciones son influenciadas por *la integridad informativa, es decir, la veracidad* al enfrentar la realidad y su apertura a la evidencia que pide que la gente cambie sus percepciones. En el Sermón del monte, Jesús recalcaba la veracidad, y dedicaremos todo un capítulo (el dieciocho) a esta. Josef Pieper describe esta virtud como "la clase de *apertura mental* que reconoce la verdadera variedad de las cosas y las situaciones que se experimentan, sin apresarse en algún conocimiento engañador. Lo que se quiere decir es la habilidad de aceptar consejos, no originándose en alguna modestia vaga, sino simplemente en un *deseo por el verdadero entendimiento* (el cual, no obstante, necesariamente incluye la genuina humildad). Una mente cerrada y una actitud de saberlo todo son fundamentalmente formas de resistencia a la verdad de las cosas reales" (Pieper J., *Four Cardinal Virtues* [Cuatro virtudes cardinales], p. 16, itálicas añadidas).

Esto se relaciona estrechamente con las virtudes de humildad y con arrepentimiento, y a nuestra convicción básica acerca del *perdón y el discipulado*. La gente que se convence de que es justa, teniendo poca necesidad del perdón, probablemente tendrá la mente más cerrada y menos abierta a la evidencia de que posiblemente vea las cosas de manera equivocada. Una mente que busca la corrección y tiene un compromiso con la comunicación de la verdad de manera precisa, verá esta precisión en la dimensión perceptiva de la ética.

La visión que tenga la gente del mundo enmarca su percepción de los dilemas y las obligaciones.

Jesús vino predicando: "El reino de Dios se ha acercado. ¡*Arrepentíos y* creed en el evangelio!" (Mar. 1:15). Las buenas nuevas que Dios tiene para nosotros son tan buenas que el contraste con la realidad actual nos convence de nuestra necesidad del arrepentimiento; las buenas nuevas son tan perdonadoras que se nos libera para que seamos francos en cuanto a las áreas donde necesitamos arrepentirnos; el juicio involucrado es tan serio que necesitamos tomar el arrepentimiento en serio. Por consiguiente, una acción clave en una ética que sigue el patrón de Jesús es escuchar cuidadosamente las críticas y aprender de ellas. La ética cristiana es un continuo aprender, un arrepentimiento transformador, un hacer correcciones y un crecer en Cristo. Jesús dijo, "Por sus frutos los conoceréis" (Mat. 7:20). De manera que aceptamos la responsabilidad por nuestras acciones y escuchamos la retroalimentación producida por ellas. Al fijarnos en nuestros errores, nos detenemos para examinar sus causas, corrigiendo así nuestra ética. El arrepentimiento realiza una corrección. El identificar las variantes que moldean nuestra ética nos ayuda a reconocer lo que se hizo mal al fijarnos que los frutos de nuestra ética indican algún problema. Así podemos hacer correcciones o arrepentirnos con más precisión para producir una ética más adecuada que resulte en más acciones. De esta forma desarrollamos el carácter (Véase la gráfica 3.1.).

¿Significa la ética de carácter la salvación por obras?

Joseph Kotva, un ético de carácter, critica generalmente a los éticos de virtud por no poner suficiente atención en la dimensión teológica-convicciones básicas. Ellos dejan de relacionar la virtud al *pecado, a la gracia, al discipulado y a Jesús* (Kotva J., *Christian Case for Virtue Ethics* [El caso cristiano para la ética de virtud], p. 50). "Los temas de *perdón y reconciliación*, por ejemplo, son importantes para la escritura, pero están ausentes en la mayoría de los relatos de virtud" (Ibíd., p. 61; véase Hays R., *Moral Vision of the New Testament* [La visión moral del Nuevo Testamento], pp. 253-266, 291).

Irónicamente, esta carencia de teología y exégesis bíblica posiblemente sea una herencia de la ética moderna de la Ilustración contra la cual los éticos de virtud están reaccionando. La ética de la Ilustración se basaba en la ética filosófica griega, que se concentraba en el razonamiento moral, desatendiendo así la tradición hebrea con sus tres otras dimensiones: la encarnación, las convicciones y la visión. Al reaccionar contra la ética filosófica, influida por la Ilustración, algunos éticos de virtud posiblemente aún estén hipnotizados por su énfasis en el camino de la razón, descuidando así las tres otras dimensiones. Una dependencia excesiva en el filósofo Aristóteles tal vez lleve al descuido de la tradición hebrea-bíblica. Las tradiciones reformadas, anabaptistas, pentecostales-santidad, tanto como los movimientos católicos y ortodoxos de renovación, ahora recalcan la recuperación de nuestra herencia hebraica. Nuestra ética holística de carácter, con su atención dada a las convicciones teológicas básicas y su base específicamente hebraica y profética, de forma sistemática e intencional corrige esta debilidad.

Una cuestión teológica crucial es la relación entre *el perdón y la santificación* (la vida de discipulado). La ética de carácter enfatiza el adiestramiento del carácter por las prácticas regulares de comunidad, tales como el bautismo, la Cena del Señor y la alimentación a los hambrientos (Yoder J., *Body Politics* [La política del grupo], capítulos 2 y 3). Pero muchos preguntarán si este énfasis pone atención suficiente en la doctrina de la salvación sólo por gracia. ¿Enfatiza tanto la ética de carácter las prácticas que fomentan el carácter que raya en la justificación por las obras? ¿Significa la *gracia* el perdón de Dios sin nuestras obras o significa la *gracia* la capacitación por Dios mediante el Espíritu Santo para que lleguemos a ser personas nuevas y así llevar la vida cristiana de amor?

Algunos cristianos enfatizan el perdón de tal manera que ellos temen los énfasis sobre la santificación, el discipulado, el seguimiento a Jesús y el hacer la voluntad de Dios, porque estos énfasis posiblemente nos lleven a confiar en nuestras propias obras. Este temor puede resultar en "la gracia barata" o "el creer fácil" de Dietrich Bonhoeffer para los que ignoran el seguimiento a Jesús. Esto resulta en personas que se llaman a sí mismas cristianas, pero no viven de forma diferente que los no creyentes. En contraste, otros enfatizan tanto la capacitación del Espíritu Santo para que se viva la vida cristiana que disminuyen el perdón, no sea que esto los lleve a la permisividad. Ellos recalcan el discipulado, la santificación o la santidad tan fuertemente que existe el peligro de la autojusticia o el legalismo. Pero Jesús enfatizaba fuertemente tanto el perdón como el obedecer sus enseñanzas (Mat. 6:12-15; 7:15-27). Creemos que la solución se halla en el enfatizar radicalmente el perdón para que no temamos el fracaso al entregarnos totalmente a Cristo, siguiendo plenamente a Jesús, y en enfatizar radicalmente el seguimiento a Jesús para que sepamos que sí fallamos y necesitamos vivir bajo el perdón.

El apóstol Pablo ocupa muchas imágenes para ilustrar el crecimiento espiritual y el progreso moral. Pablo habla del caminar, vivir, y participar en Cristo y el estar en unión con él. El Apóstol representa la vida cristiana como una carrera para la cual debemos adiestrarnos con una disciplina constante, y proponernos la meta para llegar a ser más moralmente maduros. Andar es "un idioma semítico para un patrón de conducta... En vez de ver la moralidad primariamente como acciones discretas, juicios y dilemas, 'andar' o 'vivir' representa la moralidad como patrones de comportamiento y un viaje continuo... Las referencias de Pablo a la 'transformación' también son instructivas... Él...ve a Cristo como remodelándonos paulatinamente (2 Cor. 3:18; Rom. 8:29; 12:2)... Pablo hasta puede usar la fe como un sinónimo de la obediencia (Rom. 1:5, 8; 10:16; 11:23, 30, 31; 15:18; 16:19)" (Kotva J., *Christian Case for Virtue Ethics* [El caso cristiano para la ética de virtud] pp. 124-130; C. Wright, *Walking in the Ways of the Lord* [Andando en los caminos del Señor]; Hays R., "Justification" ["Justificación"]).

De modo que Pablo, el apóstol de la gracia, enseña fuertemente la vida de *estar conformados a Cristo, de participar en Cristo*: Temas que Dietrich Bonhoeffer hizo centrales para poder mantener un equilibrio entre los extremos de la gracia barata por un lado y un énfasis excesivo sobre las obras por otro lado. Ya vimos que el tema de la participación en la venida del reino de Dios es central en las Bienaventuranzas. En un estudio agudo, sensible y atractivo, William Spohn desarrolla los medios en que *las prácticas de la es-*

piritualidad, fundada en *narrativas concretas de la manera de Jesucristo* son importantes para moldear el carácter en una *ética de carácter*.

Kotva argumenta que hace falta un sólido fundamento bíblico y teológico para la ética de carácter, y que tal fundamento transforma el contenido de la ética. Las virtudes no son obras que hagamos nosotros mismos, ni son nuestras propias posesiones individuales; ellas son nuestra participación en el Cristo viviente. La vida es vida en Cristo y vida en el Espíritu Santo por el cual derrama su amor en nuestros corazones (Rom. 5:5). "La santificación involucra una afirmación principal que no es mencionada por la teoría de virtud: la dependencia de la gracia de Dios". La santificación cristiana tiene su meta más allá de este mundo; la ética aristotélica de la virtud, no (Kotva J., *Christian Case for Virtue Ethics* [El caso cristiano para la ética de virtud], pp. 74, 76). Pero la ética de carácter está en lo cierto en decir: "La gracia de Dios no únicamente nos libera del pecado, la gracia de Dios también nos libera para cierta clase de vida, la que exhibe" los frutos del Espíritu en comunidad, no aisladamente (Ibíd., pp. 91, 92).

Sin haberse propuesto confirmar las variantes de las convicciones básicas que ya identificamos, Kotva provee una confirmación significativa de que son las variantes teológicas cruciales para la ética cristiana. Además de *gracia, discipulado, perdón y reconciliación*, Kotva identifica otros temas teológicos como esenciales para la ética de carácter. Él interpreta a los teólogos Hendrikus Berkhof, Millard Erickson, John Macquarrie, Norman Kraus y Edward Schillebeeckx como que argumentan que la meta o la finalidad del proceso de la santificación es la *semejanza a Cristo,* siendo conformado a la imagen de Cristo, poniendo atención a toda la vida de Jesús, no meramente un principio particular tal como el amor. El perdón y el amor de la gracia de Dios, y nuestra rendición y obediencia ante Dios, son temas importantes (Ibíd., pp. 72 ss.). *La naturaleza humana* es una variante crucial: Consideraciones del propósito de la vida, el bien que atesoramos, tanto como el pecado que nos obstaculiza (Ibíd., pp. 18, 52, 148). Además, "la *justicia* bíblica se preocupa por las necesidades de los pobres, los desvalidos o los oprimidos (véase Deut. 24:17; Sal. 10:17, 18; Isa. 10:1, 2; Jer. 5:28; Luc. 4:18, 19" (Ibíd., p. 148).

Antídotos para la emigración interior

El hacer es crucial, así como es fundamental para la ética de carácter el que *la práctica moldee el carácter*. Somos las personas que somos por lo que hacemos, por lo que *practicamos*. Una y otra vez, Jesús enfatiza el hacer obedecer la palabra: Muchos dirán "Señor, Señor", pero no formarán parte del reino; sólo los que hacen la voluntad de Dios entrarán. La persona sabia es la que oye estas palabras y las hace; la persona insensata oye estas palabras, pero no las hace, y grande será la destrucción (Mat. 7:21-27). John Howard Yoder a menudo nos recuerda que el NT habla más del hacer que de las virtudes (Hauerwas S. y Pinches Ch., *Christians Among Virtues* [Los cristianos entre las virtudes], p. 113). Jesús proclamaba que el concentrarse en ser justo sin hacer nada respecto a las cosas más importantes de la justicia, la fidelidad, y la misericordia acarrea el desastre para los pobres y juicio para nosotros mismos (Mat. 23:23).

La iglesia menonita Pennsylvania de Joseph Kotva ha combatido el racismo virulento en la cultura local mediante prácticas transformadoras. La iglesia se aprovechó del don maravilloso de una miembro en la elaboración de cobijas. Ella diseñó un hermoso tapiz de un Jesús africano resucitado con sus brazos extendidos, recibiendo a todos los que le miraran. Este tapiz cubre la pared detrás del púlpito durante cada culto, dando la bienvenida a todo convertido por el Espíritu Santo, a todo aquel que siga a Jesús. El tapiz representa el tema del libro de Hechos en cuanto a no "impedir" a nadie para el bautismo por su raza, y la explicación por Yoder de la práctica del bautismo como la remoción de barreras (*Royal Priesthood* [Sacerdocio real], pp. 367, 367 nota). Cada vez que hay oportunidad, el pastor y los miembros de la iglesia explican claramente que chistes racistas o comentarios de esa índole no son apropiados en una comunidad cristiana. Es más, esta iglesia, principalmente de raza blanca, ahora comparte su local con una congregación latina. Así, *en las prácticas regulares de la iglesia* se comunica claramente que el antirracismo es parte del compromiso de seguir a Jesucristo. El incluir este compromiso en el corazón de la práctica regular de la iglesia es mucho más eficaz que un sermón ocasional o una lección. Al igual que los padres, la iglesia enseña mucho más por sus prácticas explicadas por palabras que por las palabras solas.

James McClendon argumentaba que el reducir la ética a la conciencia introspectiva es una distorsión, "una intensa interiorización de la vida cristiana". Se centra en nuestras propias elecciones más bien que en la voluntad de Dios revelada en Jesucristo (*Ethics* [Ética], 1:56-58). Aquí McClendon se une a Dietrich Bonhoeffer, que hace una crítica semejante en su libro *Ethics* [*Ética*]. Tanto McClendon como Bonhoeffer critican una "ética de la brecha" que se centra en esos casos extremos donde no sabemos qué hacer. En su lugar, ellos quieren que nos enfoquemos en el centro de nuestra vida cotidiana. Para contrarrestar la reducción de la ética a una lucha introspectiva, McClendon desarrolla una ética de tres hilos: El hilo del cuerpo (incluyendo las pasiones), el hilo social (incluyendo el contexto social) y el hilo redentor (incluyendo la resurrección y la escatología). Concordamos con él. Por esto hemos desarrollado nuestra ética holística de cuatro dimensiones. Creemos que todas las cuatro dimensiones (véase la gráfica 3.1.) son necesarias para una ética holística que sea un antídoto contra la emigración interior.

La mayoría de los cristianos participan en más de una comunidad. Puede ser que participen en la comunidad de su iglesia, de su trabajo, de sus círculo de amigos, de su escuela, etc. Nosotros abogamos porque también participen en una comunidad que sirva a los necesitados o que obre a favor de la justicia para los marginados, tal como lo hiciera Jesús. Esto les dará una nueva lealtad y una nueva perspectiva, permitiendo así que se comprometan en la clase de personas que vemos en Jesús y la tradición que él personificaba. Posiblemente su propia iglesia tenga un grupo misionero tal, o puede ser que se unan a un grupo de personas compasivas fuera de la iglesia, dando así su propio testimonio tanto como también encontrando que su propio carácter compasivo crece allí. Es mucho menos probable que la gente se involucre activa y eficazmente en tal acción compasiva a no ser que sean parte de un grupo que funciona así regularmente.

No basta enseñar el amor en general. Muchos cristianos se consideran personas que aman y cultivan la virtud en relaciones interpersonales, pero les falta una conciencia de cómo su participación en varias estructuras económico-políticas promueven políticas destructivas, instituciones y prácticas sociales. La ética de carácter desesperadamente necesita la teoría de la crítica social, o posiblemente haga un mal uso de la gente, haciendo que se convierta en partidaria virtuosa de una sociedad injusta. Darryl Trimiew ha señalado que a Robert E. Lee (comandante confederado en la Guerra Civil en los EE. UU. de A.) se le conocía como un modelo de la virtud. Pero a él le faltaba una teoría social crítica que diagnosticara la injusticia de la esclavitud. Por ende, él dedicó las destrezas de su liderazgo virtuoso a librar una guerra para defender el sistema de la esclavitud.

Jesús no se ocupaba únicamente con el problema del pecado individual. Por su preocupación por la justicia, Jesús confrontaba a las autoridades religioso-políticas de su tiempo, que buscaban prestigio para sí mismas sin hacer nada para aliviar a los excluidos y oprimidos (Mat. 23:23; Luc. 11:46; 13:10-16). Por esto, enfatizamos *los principios* de la justicia y de los derechos humanos; la plomada para medir los poderes y las autoridades (Amós 7:7, 8). También, por esto recalcamos la importancia de *ver el contexto social* como crucial para una ética de carácter.

La virtud no quiere decir únicamente la moralidad privada. La ética de carácter enfatiza que toda institución pública tiene una idea de la clase de carácter y virtud que sus participantes deben tener. De manera que la ética de carácter prueba las instituciones respecto a qué clase de gente ellas desarrollan. Las normas de justicia practicadas en una sociedad tienen una gran influencia sobre las virtudes morales de los integrantes de esa sociedad.

Veamos algunos ejemplos:

- El diario, *The Los Angeles Times* publicó una serie de artículos sobre la corrupción, el crimen y la pobreza en Rusia, en los que describe cómo el sistema económico alienta a los rusos ordinarios a convertir el robo en una práctica regular.
- Durante la Guerra Fría, los europeos observaban que los americanos estadounidenses que conocían eran enseñados a tener una imagen muy hostil de la Unión Soviética, la veían como su enemigo.
- Cada 4 de julio, los estadounidenses festejan su "independencia", una parte importante de su sistema de valores, moldeado por la narrativa de la historia de los Estados Unidos de América, que cuenta cómo el país fue fundado en una guerra revolucionaria. También los oriundos de Texas conmemoran la Batalla del Álamo como si fuera una historia sagrada del nacimiento de ese estado. La historia estadounidense es enseñada mayormente como una historia de guerras. La televisión estadounidense y los juegos infantiles de video están repletos de violencia.

Estas prácticas sociales ciertamente influencian el carácter moral; la tasa estadounidense de homicidios está comparativamente peor que las de otros países. Mucha de esta influencia de la sociedad sobre el carácter moral opera en un nivel inconsciente y queda sin corrección por parte de personas que carecen de principios claros de justicia y pacificación para evaluarla. Sin principios definidos para corregir la injusticia en la sociedad, las personas se convierten en simples espectadores, y a la larga, partidarios tácitos de instituciones y políticas injustas y violentas. Los cristianos se pasan una hora o dos a la semana en la iglesia, pero viven muchas horas en la sociedad. Es probable que muchos cristianos no sean inoculados contra la influencia de los valores de la sociedad por lo que aprenden en la iglesia; lo normal es que no se hable de los valores de la sociedad dentro de la iglesia. Para desarrollar anticuerpos contra los falsos valores, los cristianos necesitan fomentar sus propias teorías sociales basadas en la Biblia.

Una ética holística de carácter necesita desarrollar una comprensión autocrítica de cómo percibimos *la autoridad, el cambio, la amenaza y la veracidad* dentro de nuestra sociedad. Sin esto, los cristianos no entenderán cómo portarse eficazmente y obedecer textos como: "procurad *la paz* (el bienestar, RVA) de la ciudad a la cual os hice transportar" (Jer. 29:7, RVR-1960). Ellos se ensimismarán cada vez más en pequeños enclaves de autorrealización. Su ética hará caso omiso de las potentes influencias de la sociedad que moldean el carácter de la gente, y carecerán de los antídotos con los cuales corregir las ideologías seculares. No sabrán compartir la compasión de Dios para con los que sufren. Inocentemente apoyarán un estatus quo injusto. Tendrán una ética que se centra sólo en generalidades filosófico-teológicas o sólo en virtudes individualistas, comportándose como si Dios fuera sólo el Señor de las doctrinas teológicas, de la vida individual privada y no el de las estructuras del poder y la lucha por la justicia. Aquellos que no comprenden las fuerzas causativas dentro de la sociedad están condenados a repetir mañana las injusticias de ayer.

Las disciplinas que tratan de cómo funciona la sociedad son primariamente las ciencias sociales. El estudiar las ciencias sociales es muy útil para los estudiosos de la ética cristianos, tanto para aprender de estas disciplinas como para comprender las suposiciones éticas que rigen las diferentes escuelas de la ciencia social. Por lo tanto, la mayoría de los éticos cristianos están críticamente concientes de las teorías en por lo menos una de las ciencias sociales, tales como la sociología, la ciencia política, la economía o las relaciones internacionales. Un buen estudioso de la ética cristiana podrá discernir las suposiciones éticas en que se basan las metodologías empleadas por los científicos sociales para seleccionar, sintetizar e interpretar los datos, pudiendo así ver cómo interpretar sus conclusiones críticamente.

Los éticos de carácter enfatizan la narrativa e interpretan una sociedad en términos de una narrativa gobernadora. Si ellos hacen eso sin un estudio crítico de la ciencia social, posiblemente fomenten una interpretación idealista que hace caso omiso de las estructuras de poder, los arreglos económicos y las fuerzas globales; la narrativa que gobierna una sociedad a menudo encubre sus relaciones de poder. Necesitamos estudiar las estructuras de poder y las funciones organizacionales para revelar el verdadero poder tras el trono. Por ejemplo, una ética narrativa sin un análisis social pudiera interpretar el problema del novio en la película *Jersey Girl* [La muchacha de Jersey] sólo en términos de la narrativa de su ambición individual, pasando por alto así las fuerzas de la globalización económica y el interés corporativo que inculcan y galardonan tales valores egoístas. Sólo criticar su narrativa sin entenderla dentro de su contexto económico global es enfocarse en virtudes sin contexto, en ideales sin incorporación. Este es un método gnóstico (incorpóreo), no un método del *discipulado* encarnado. Por lo tanto, nuestra dimensión perceptiva pone atención en las suposiciones tocantes al poder y la autoridad.

La validación por medio de los frutos históricos

En nuestra era posmoderna, las personas quieren saber qué diferencia hace el evangelio en la vida diaria. Ellas dudan en cuanto a "las verdades atemporales". Experimentan diferentes creencias de pueblos o culturas distintas, y creencias diferentes que se oponen dentro de una sola cultura. Quieren validar la verdad, no por una afirmación autoritativa, sino por observar cómo funciona dentro de la vida cotidiana. A menos que desarrollemos una clara
ión de la validación de la verdad por sus frutos históricos y
ntales, es probable que caigamos en un relativismo subjetivo. Los
os requieren un testimonio de primera mano respecto a la diferencia

que hace la fe cristiana en las vidas de las personas. Jesús lo dijo: "Por sus frutos los conoceréis". Nosotros creemos que la historia es el laboratorio dentro del cual se prueba nuestra fe.

David Gushee estudió a los "gentiles" que arriesgaron sus vidas para rescatar a los judíos de los nazis durante el Holocausto. Él preguntaba qué clases de virtudes, qué clases de influencias, qué clase de creencias les dieron a estas personas suficiente claridad y fortaleza para salvar las vidas de judíos cuando la vasta mayoría de los cristianos y los no cristianos no hicieron nada o, en su defecto, ayudaron activamente a los nazis. Él descubrió que lo que más importaba no era ningún tipo de autoproclamada lealtad religiosa o política, sino, más bien, los tipos de prácticas morales ya establecidas entre aquellos. Las cuatro dimensiones ya identificadas resultaron ser importantes.

Los rescatadores, probablemente más que los no rescatadores, fueron criados por padres que modelaban respuestas a las necesidades "de los demás de una forma caritativa y altruista"; también, sostenían opiniones respecto a cuestiones morales, sirviendo como modelo de la conducta moral. La instrucción moral, cuyo contenido incluía la tolerancia, enfatizando así la humanidad común de toda persona, era un elemento llamativo de la crianza de muchos de los rescatadores tanto como "una predisposición a considerar a todas las personas como iguales, aplicándoles así las mismas normas del bien y del mal sin tomar en cuenta su estatus social o su raza" (Gushee D., The *Righteous Gentiles of the Holocaust* [Los gentiles justos del holocausto]).

Otros valores humanos incluían un compromiso con la justicia, la obligación de cuidar a las personas en necesidad y la importancia de ser generoso, hospitalario, preocupado por ayudar a otros. La independencia, la autosuficiencia, la competencia y la alta estimación propia solían verse a menudo como la clase de rasgos personales y virtudes morales recalcados por los padres de los rescatadores. "El calor de los padres y el cuidado que desarrollaban la empatía en sus hijos" eran importantes. "Los padres de los rescatadores confiaban menos en el castigo corporal como una forma de disciplina que los padres de los no rescatadores". También, era más probable que ellos tuvieran por lo menos un amigo, un pariente o una comunidad involucrada en el rescate. El rescate era afectado profundamente por los vínculos y carácter comunitarios. De forma semejante, Murray W. Dempster muestra cómo los primeros pentecostales franqueaban las fronteras de raza y clase y que esto jugaba un papel importante en su ética social radical, una ética, en los Estados Unidos de América, que ellos perdieron cuando se dividieron según razas y clases (*Crossing Borders* [Franqueando fronteras], pp. 63-80).

"Un número considerable... actuó sobre la base de una teoría política que permitió que ellos detectaran las decepciones de la ideología fascista, uniéndose en otra opinión de la justicia dentro de la sociedad". Más que sus vecinos, los rescatadores tendían a una creencia en el pluralismo democrático y la plena aceptación de diversos grupos en la vida nacional. Los habitantes de la aldea francesa Le Chambón, que escondieron tantos judíos como el número de aldeanos, habían celebrado una ceremonia anual en la que conmemoraban a sus ancestros hugonotes que habían sido perseguidos por el gobierno. Esto les ayudó a tener una perspectiva crítica tocante a la injusticia del gobierno. Como una comunidad, ellos habían desarrollado un compromiso con la justicia y la no-violencia.

Gushee concluyó: "El carácter por sí solo es un vaso vacío… Las iglesias debían… trabajar también más cuidadosamente para definir la *clase* de carácter que quieren producir". Debemos enseñar "la percepción fija de que toda otra persona humana es mi igual —de hecho, mi pariente— y por ende, igualmente preciosa y digna de una vida decente. Al cristiano hay que enseñarle a que vea que, pese a las importantes diferencias entre las personas, ultimadamente nuestra común humanidad tiene más significado que lo que nos divide". Hemos de enseñar la apertura del corazón, "una apertura para recibir e interactuar con el gozo, el dolor, la tristeza del otro o cualquier otra cosa que esté presente… una disposición de ser vulnerables ante el otro… una vigilancia consistente con las necesidades de otros". Hemos de hacer que las enseñanzas bíblicas centrales de la compasión y el amor tomen la delantera en la proclamación y educación cristianas (Gushee D., *Righteous Gentiles* [Gentiles justos], capítulos 5-7).

Una ética holística de carácter era crucial para estos cristianos puritanos de la tradición de iglesia libre que actuaban para forjar la libertad religiosa, la democracia y los derechos humanos durante los años 1600. Era crucial para aquellos cristianos que rescataron a los judíos más bien que pasar de lejos de ellos. Era crucial para aquellos cristianos que lucharon para liberar a los Estados Unidos de la esclavitud de la segregación racial y la discriminación. Era crucial para la Europa Oriental cuando las dictaduras comunistas fueron derrocadas con la no-violencia, y en África del Sur cuando el *aparteid* fue deshecho. La creemos crucial ahora, al ser llamados a buscar la paz del mundo en que vivimos. ¿Traerá el siglo veintiuno la globalización de la pobreza y miseria, o la globalización de la paz y la santidad de la vida humana? ¿Produciremos cristianos que se escondan de esa lucha, o que participen en ella con auténtico testimonio y carácter cristianos?

SECCIÓN II:

EL CAMINO DE JESÚS Y LA AUTORIDAD PROFÉTICA

Estos capítulos consideran varias preguntas difíciles en cuanto a la metodología en la ética cristiana.

El capítulo 4 considera la cuestión de la autoridad: Cómo podemos confiadamente llegar a conocer la voluntad de Dios para la vida moral cristiana. Nos enfocaremos en cómo deben interpretarse las Escrituras para la ética cristiana, poniendo el énfasis en la declaración de Jesús en el Sermón del monte de que él no vino para abolir sino para cumplir la Ley y los Profetas.

El capítulo 5 considera el asunto de cómo ocurre el razonamiento moral, considerando varios temas perennes en la metodología ética. Nuestro argumento es que las demandas morales ocurren en cuatro niveles y que todos ellos están presentes en las enseñanzas registradas de Jesús. Este modelo de cuatro niveles provee un punto de partida para considerar un amplio espectro de enfoques importantes para el lenguaje del razonamiento moral. También relacionamos el tratamiento de prácticas y virtudes (capítulos 2 y 3) con este modelo de cuatro niveles.

Finalmente, el capítulo 6 prepara el camino para los tratamientos más concretos del resto del libro al ofrecer un enfoque para la interpretación del Sermón del monte, el bloque más extenso de las enseñanzas registradas de Jesús y el pasaje bíblico central que consideraremos en este libro. Consideraremos cómo se desarrolló la evasión del Sermón del monte en el pensamiento cristiano histórico, las consecuencias trágicas de esta evasión y un descubrimiento que rescata al Sermón del monte del reino de los supuestos "altos ideales", y en su lugar lo convierte en un camino a la participación en el reino de Dios, como creemos que fue siempre la intención de Jesús al dárnoslo.

En cada caso, nuestro enfoque en el reino de Dios como el contexto para toda reflexión y práctica moral cristiana trae nuevas perspectivas a estas cuestiones de interpretación crítica y metodológica.

4

La autoridad y la Escritura

De cierto os digo que hasta que pasen el cielo y la tierra, ni siquiera una jota ni una tilde pasará de la ley hasta que todo haya sido cumplido. Por lo tanto, cualquiera que quebranta el más pequeño de estos mandamientos y así enseña a los hombres, será considerado el más pequeño en el reino de los cielos. Pero cualquiera que los cumple y los enseña, éste será considerado grande en el reino de los cielos. Porque os digo que a menos que vuestra justicia sea mayor que la de los escribas y de los fariseos, jamás entraréis en el reino de los cielos.

Mateo 5:18-20

Nuestra meta en este capítulo es explorar dos asuntos metodológicos clave en la ética cristiana los cuales son suscitados por lo que Jesús dice acerca de la Ley y los Profetas en Mateo 5:17-20. Consideraremos estas preguntas relacionadas:

1. ¿Adónde recurrirán los cristianos para discernimiento y dirección autoritativos para forjar su ética? Esto tiene que ver con la cuestión de *las fuentes de autoridad.*
2. ¿Cómo se interpretará la Escritura en la ética cristiana? Esto tiene que ver con *el uso de la Escritura.*

Al contestar estas dos preguntas, intentaremos aplicar el método que hemos venido aplicando hasta ahora, es decir: Considerar cuestiones importantes en la ética cristiana con base en un enfoque consecuente e informado de las enseñanzas y prácticas de Jesús, en el contexto de la tradición profética de Israel, pero también en diálogo con otros enfoques importantes, tanto históricos como contemporáneos. El resultado será un vistazo del campo tanto como una sugerencia respecto a cómo luciría una ética cristiana que tomara en serio a Jesús.

Fuentes de autoridad para la ética cristiana

La cuestión de autoridad, particularmente la autoridad bíblica, es una cuestión repetitiva en la vida de la iglesia y en la ética cristiana. Aunque a menudo el asunto se cubre de controversia y en una retórica politizada, puede y debe ser abordado frontalmente, buscando siempre una clara orientación por parte de Jesús.

Si la iglesia funciona debidamente, de forma continua y sincera buscará una dirección y discernimiento autoritativo tocante a su carácter y a su conducta. Por encima de todo, ella querrá conocer y encontrar la respuesta a la pregunta del profeta, "¿Qué requiere de ti el SEÑOR?" (Miq. 6:8), reconociendo que la pregunta necesita hacerse una y otra vez, más bien que una sola vez. Los cristianos cuyas vidas son dirigidas por esta pregunta necesitan saber dónde y a quién recurrir para descubrir la respuesta. Esas fuentes de discernimiento y dirección a las cuales los cristianos recurren se llaman las fuentes de autoridad para la ética cristiana. Una discusión de las fuentes de autoridad es un rasgo normal de muchos libros de texto sobre ética.

Para ilustrar el concepto de fuentes de autoridad, considérese una vez más la situación que enfrenta una familia cristiana, confrontada con la decisión de rescatar o no a los judíos perseguidos durante el Holocausto. Aquí ofrecemos una afirmación llanamente normativa: Si estaba operante el compromiso de la familia con Jesucristo como debiera estar, su decisión se tomaba a la luz de, *bajo la autoridad de*, su fe cristiana y sus recursos morales. Si la fe cristiana funciona como debiera, ella sirve como paradigma gobernador para la vida. La vida está regida por la narrativa del reino venidero de Dios en Cristo y el modo de vivir que le corresponde. Para una creciente vida moral cristiana, este proceso llega a ser natural. Se queda en la persona absorbido dentro del vivir del reino y su identidad como el discípulo de Cristo de tal manera que, esencialmente se hace imposible responder de otra forma ante las circunstancias de la vida.

Entonces, se pudiera decir que las fuentes de autoridad son los componentes particulares de la identidad cristiana las cuales, cuando están entretejidas en la vida de la iglesia, constituyen el rico tapiz de la convicción moral cristiana. Algunas de estas fuentes de autoridad son singulares a la fe cristiana, mientras otras están generalmente disponibles a todo el mundo dentro de una situación histórica particular, y en tal caso, su "uso" depende de la cosmovisión general y las convicciones centrales del que las use.

Para seguir usando nuestro ejemplo, durante el Holocausto algunos cristianos recurrían principalmente a la *Biblia* buscando cómo responder ante los judíos necesitados de ayuda. A menudo, tales personas también oraban fervientemente, buscando así la inmediata *dirección divina*, mientras otras personas buscaban dentro de sí, basándose en una *conciencia* moral religiosamente informada. Muchos buscaban ayuda en la *tradición moral* de sus iglesias, mientras otros buscaban dirección por parte de sus *líderes eclesiásticos* contemporáneos. Estas cinco fuentes de autoridad, entremezcladas de cierta forma, y la mezcla misma es obviamente crucial, pueden verse como las fuentes de autoridad más distintivamente cristianas.

Pero otros cristianos recurrían a otras fuentes de discernimiento y dirección. Por ejemplo, algunos acudían, no a sus líderes eclesiásticos, sino a otras personas de autoridad moral significativa en sus vidas, tales como cónyuges, padres, maestros, personajes culturales, políticos y amigos. Algunos buscaban dentro de la herencia nacional para dar con valores nacionales que les guiaran. Si ellos sentían un deseo de rescatar a los judíos, algunos reflexionaban seriamente sobre los hechos de su situación vivencial, según los percibieran, y sobre sus experiencias personales y las de otros en cuanto a los nazis tanto como los judíos antes de meterse en el rescate. Este último grupo de fuentes de autoridad, y seguramente se podrían nombrar otros, no es distintivamente cristiano. Sin embargo, a nuestro parecer, estas fuentes de autoridad sí funcionan bien para los cristianos siempre que se entretejan dentro de un tapiz de autoridad moral bien dibujado.

Esto es lo que queremos decir por fuentes de autoridad para la ética. A la gente no hace falta decirle dónde buscar su dirección al enfrentar decisiones morales importantes; lo hacen instintivamente. La cuestión no es si ellos buscarán la dirección, sino dónde, a quiénes y a cuáles fuentes contarán como autoritativas, no únicamente en teoría sino en la práctica. A menudo los cristianos reflejan su cautividad cultural e ideológica por dejar de considerar fuentes cristianas de autoridad inconfundibles, o por ser incapaces de reflexionar sobre estas fuentes generales de autoridad con ojos que vean u oídos que oigan. Muchos tienen el nombre de cristianos, pero de forma habitual dejan de llevar sus vidas dentro del horizonte moral establecido por la fe cristiana o con referencia a las fuentes de convicción moral que existen dentro de esa fe.

El fracaso moral cristiano durante el Holocausto mismo nos da una ilustración severa de este punto. Muchos cristianos fallaron en no considerar fuentes de autoridad particularmente cristianas. Ellos consideraron los riesgos propios, la opinión de los vecinos, la opinión respecto a los judíos presentada por la propaganda nazi, el comportamiento de los líderes nacionales, sus propias experiencias, sus temores, etc., pero no consideraron nada que fuese particularmente fundamentado en la tradición cristiana. Fue así aun con algunos de ellos que optaron por rescatar judíos.

Otros cristianos sí consideraron fuentes tales como la Escritura y la oración, pero las mutilaron debido a su cautiverio en el poder del antisemitismo, el nacionalismo y otros "poderes y autoridades". Por ejemplo, la Escritura fue interpretada por algunos para que se creyera que Dios castigaba a los judíos por "matar a Cristo", debiendo así ayudar a Dios en esto. Este acto de total caos interpretativo no era singular, ni tampoco lo es hoy.

Tal vez lo peor es que algunas de las fuentes, sobre todo la tradición, estaban seriamente averiadas mucho antes de comenzar el Holocausto. El antisemitismo cala profundamente dentro de la tradición cristiana. Esta tradición estaba seria y profundamente distorsionada, en necesidad de una reforma, guiando a los buscadores sinceros de orientación en rumbos equivocados. Por esto, la iglesia es culpada por sus compañeros de diálogo judíos después del Holocausto.

Hasta ahora sólo hemos hecho las afirmaciones más generales respecto a las fuentes de autoridad. No basta con decir que la Escritura, la tradición, la dirección divina, la conciencia, los líderes eclesiásticos y otros funcionen como fuentes de autoridad. Los cristianos necesitan saber cuáles, entre estas fuentes, ellos deben usar realmente, y cómo ordenar y categorizar la constelación de fuentes que ellos sí ocupan, sin hablar de cómo hacer un uso adecuado de cada fuente en particular. Las diferentes tradiciones cristianas siempre se prestan a ofrecernos respuestas diferentes a estas preguntas. Diremos más de esto más tarde. Pero creemos importante que seamos sinceros en enfocarnos en Jesús y hacer primero lo que se hace menos a menudo, es decir considerar cómo Jesús mismo parecía considerar y emplear las fuentes de autoridad.

Jesús y las fuentes de autoridad

El NT revela que aunque Jesús hacía uso de muchas de las fuentes nombradas, la Biblia (para él, la Biblia hebrea) servía como su fuente principal de autoridad. En su enseñanza y predicación, de forma constante, él apelaba a las Escrituras, citándolas, aludiendo a ellas o demostrando el impacto de ellas. Es claro que Jesús se empapaba de las Escrituras, las conocía bien, y llevaba a cabo lo que él entendía que enseñaban. Al igual que otro judío fiel, él vivía dentro del horizonte narrativo establecido por la Biblia. Otras fuentes de autoridad eran juzgadas por la Biblia, tal como él la entendía.

Aquí es importante volver a Mateo 5:17-20 para corregir un malentendido fundamental tocante al enfoque de Jesús en torno al AT, especialmente en el Sermón del monte. Una de las obras más autoritativas sobre el Evangelio de Mateo hace la siguiente afirmación acerca de Mateo 5:17-20:

> [Este pasaje] asevera claramente que los seis párrafos subsecuentes no han de ser interpretados, tal como muchos hacen a menudo, como "antítesis", las cuales en por lo menos dos o tres ocasiones, ponen a un lado la Tora. Al contrario, Jesús sostiene la Ley. De modo que entre él y Moisés no puede haber un verdadero conflicto (Davies y Allison, *A Critical and Exegetical Commentary* [Un comentario crítico y exegético], 1:481-482, 501).

En Lucas 16:17 Jesús recalca el mismo punto: "Pero más fácil es que pasen el cielo y la tierra, que se caiga una tilde de la ley". Geza Vermes apunta, "En la Oración del Señor, Jesús hizo que siguiera después de 'venga tu reino' la expresión 'sea hecha tu voluntad', una voluntad divina vista por el judaísmo de todos los tiempos como siendo expresada y manifestada en los mandamientos recibidos por Moisés en el monte Sinaí" y registrada en la Biblia (*Jesus the Jew* [Jesús el judío], pp. 148, 149). De modo que es incuestionable que para Jesús las Escrituras son completamente autoritativas para nuestra ética.

La discusión de Jesús en torno a la tradición religiosa farisaica y rabínica hace que la centralidad y la autoridad de la Escritura sean notoriamente claras mientras, a la vez, revela su enfoque de la tradición misma. En una conversación clave con los fariseos y los escribas, Jesús citó a su profeta favorito, Isaías, y también a Moisés. Él opuso "la tradición de los hombres" (Mar. 7:8), la cuidadosamente desarrollada "tradición de los ancianos" (Mar. 7:3), contra la Escritura, rechazando así aquella y aceptando esta cada vez que chocaban. Él llamaba la Escritura "los mandamientos de Dios" (Mar. 7:8) y "la palabra de Dios" (Mar. 7:13), pero no atribuía tal calificativo a la tradición. En esta conversación particular, él llamó la atención al contraste entre el quinto mandamiento ("honra a tu padre y a tu madre") y una tradición contemporánea la cual se entendía como permitir que se prescindiera de la obligación de sostener a los padres ancianos. Jesús rechazaba la tradición sobre la autoridad escrituraria.

Para Jesús, pues, había una clara distinción entre la Palabra de Dios y la tradición humana. Esta es la idea principal de Mateo 5:17-20. Aquí Jesús anuncia la autoridad y la validez continua de "la ley y los profetas", aludiendo aquí específicamente a estos dos mandamientos que Dios dio a Moisés. Él anuncia el propósito de su venida como el cumplir y el efectuar la ley y los profetas de tal modo que "ni siquiera una jota ni una tilde pasará de la ley" (Mat. 5:18). Si la ética cristiana sigue a Jesús, no nos queda otra alternativa sino seguir su dirección en este punto, afirmando juntamente con él la supremacía de la Escritura como fuente autoritativa central para la ética cristiana.

Sin embargo, es importante, según nuestro enfoque, no ver a Jesús como inalterablemente opuesto a toda la tradición farisaica-rabínica. Jesús claramente valoraba la tradición religiosa judía, participando en ella de muchas maneras. Pero él insistía en sujetar esa tradición a la Escritura y a las intenciones redentoras y creadoras de Dios, eliminando lo que no resistiera tal prueba. Su sentido de libertad para hacerlo era una importante parte de la oposición que él ocasionaba. Esto nos recuerda que las tradiciones morales religiosas no existen en un vacío, sino que tienden a ser transmitidas a la gente de fe por aquellos que son considerados intérpretes autoritativos de esas tradiciones, aun en las estructuras religiosas descentralizadas.

El lugar del encuentro divino en la vida y el ministerio de Jesús es aparente, aunque la Escritura no registra ningún ejemplo directo de la enseñanza moral de Jesús como fluyendo del encuentro divino. A menudo, Jesús se retira para orar, especialmente antes de decisiones y experiencias mayores. No se nos dice casi nada acerca del contenido de esos encuentros. Su enseñanza y predicación reflejan el impacto y la centralidad de la Escritura hebrea, y no se le debe interpretar como una revelación divina directa sin un mediador. Aun su enseñanza central, tocante al reino de Dios, es un concepto bíblico, no algo que él descubriera o creara *ex nihilo* mediante un encuentro con Dios. Puede ser que lo más que se pueda decir es que Jesús sopesaba e interpretaba la Escritura, observando así su lugar particular en el drama de la redención divina mediante la iluminación provista por su singularmente íntima relación con Dios el Padre.

Hasta ahora no hemos dicho nada respecto al uso dado por Jesús de otras fuentes "generales" de autoridad. El Sermón del monte y numerosas parábolas nos dan amplia evidencia de su uso generoso del razonamiento con base en la experiencia humana y los hechos observados en la existencia terrenal. "Mirad las aves del cielo, que no siembran ni siegan, ni recogen en graneros, y vuestro Padre celestial las alimenta... ¿Quién de vosotros podrá, por más que se afane, añadir a su estatura un codo?... Mirad los lirios del campo, cómo crecen. Ellos no trabajan ni hilan" (Mat. 6:26-28). Aquí se halla un eco claro de la tradición sapiencial. Así que es posible interpretar el uso marcado por Jesús de tales motivos experimentales o naturales como una dimensión de la centralidad y autoridad que le daba a la Escritura, no como fuentes independientes. Al igual que los escritores sapienciales, Jesús quedaba profundamente impresionado por las evidencias del diseño providencial, su cuidado y su soberanía sobre la vida terrenal.

Las voces clásicas y contemporáneas en la ética cristiana

La ética cristiana, de forma repetida, ha abordado la cuestión de las fuentes de autoridad. Probablemente no nos sorprenda que estas voces no nos ofrecen nada que se parezca a un punto de vista unánime. Los cristianos han identificado y ordenado las fuentes de autoridad de muchas maneras, teniendo estas decisiones un enorme impacto sobre nuestro entendimiento de la moralidad cristiana.

Es justo decir que toda tradición y pensador moral reconociblemente cristiano hace algún uso de la Biblia, atribuyendo un significado especial a este libro particular. Aunque es significativo que la ética cristiana emplee la Biblia cristiana en vez de la Bhagavad Gita, este solo hecho nos dice poco tocante a la verdadera metodología o la sustancia de la enseñanza moral cristiana. Algunos parámetros básicos se establecen para la ética cristiana debido al uso de la Biblia. Pero diferencias marcadas en la interpretación de la naturaleza y la autoridad de la Biblia y el lugar y el uso de otras fuentes de autoridad hacen el puro hecho de algún uso de la Biblia relativamente insignificante.

Un rasgo característico de la ética católica romana, por ejemplo, ha sido un enfoque respecto a las fuentes en las que la tradición cristiana moral conlleva la autoridad divina. Se entiende que la tradición (o Tradición) comienza con Jesucristo, quien mandó que los apóstoles predicaran el evangelio, lo cual lo hicieron oralmente y eventualmente por escrito, bajo la inspiración del Espíritu Santo. La Escritura es la primera etapa de una revelación divina escrita autoritativa, pero la tradición de la iglesia es una continuación de la Escritura, siendo autoritativa e inspirada por el Espíritu de igual manera. "La Escritura tanto como la Tradición han de ser aceptadas y honradas con igual sentimiento de devoción y reverencia" (*Catechism of the Catholic Church* [Catecismo de la Iglesia Católica], 82, 26). La Escritura tanto como la tradición han de ser autoritativamente interpretadas por el magisterio de la Iglesia ("los obispos en comunión con... el obispo de Roma", 85) el cual es responsable, junto con la totalidad de la Iglesia, de la santa tarea de preservar intacto "el depósito sagrado" de la fe (84).

La tradición moral católica también siempre se ha interesado en ganar direcciones de otras fuentes, tales como la filosofía moral de la Grecia antigua o, en tiempos modernos, la mejor y más relevante investigación científica que esté disponible respecto a una cuestión dada. Este interés está arraigado en una creencia teológica, profundamente sostenida, de que Dios habla a la humanidad no tan sólo por la Biblia (o la Tradición eclesiástica) sino también por el testimonio de todo el orden creado tal como es descubierto por la mente humana.

Los reformadores protestantes rompieron con el catolicismo romano precisamente en asuntos sobre la cuestión de las fuentes de autoridad. La consigna protestante de *sola scriptura* significaba el rechazo de la autoridad de la tradición católica a favor de un retorno a las Escrituras, y únicamente a las Escrituras, como fuente de dirección teológica y moral. Tal enfoque (por lo menos oficialmente) caracteriza la ética luterana y reformada, y ciertamente refleja el punto de vista generalmente articulado entre los cristianos evangélicos contemporáneos.

Sin embargo, la tradición históricamente metodista, liderada por Juan Wesley, tanto como las expresiones pietistas y pentecostales de la fe cristiana, son movimientos evangélicos que ofrecen ciertos cambios en cuanto a la cuestión de las fuentes de autoridad. El uso por parte de Wesley de las fuentes ha llegado a conocerse como el Cuadrilateral Wesleyano, la Escritura, la tradición, la razón y la experiencia. Todas ellas juegan un papel en la formación de la fe y ética cristianas, aunque la Escritura ocupa el lugar central. Asimismo, el pietismo clásico pone gran énfasis en el encuentro con Dios, disponible a través de la oración y otras disciplinas espirituales. Los cuáqueros o la Sociedad de Amigos, representan otro movimiento protestante que valora grandemente la experiencia religiosa directa. Mientras tanto, los grupos pentecostales y carismáticos resaltan las experiencias religiosas extáticas, sobre todo en comunidad, y los discernimientos para vivir tal cosa se consiguen allí. Aunque a veces los movimientos que recalcan la experiencia se han distanciado de la Escritura, en el escenario contemporáneo sus líderes normalmente proclaman el papel gobernador de la Escritura. La experiencia religiosa es sometida a la Escritura, no a la inversa. Pero el significado de la Escritura no se interpreta correctamente sin la iluminación y la dirección del Espíritu Santo.

Hay tres tipos principales de tendencias modernas respecto a la autoridad en la ética cristiana como disciplina académica. Primero, está la creciente importancia de los descubrimientos de las ciencias sociales y naturales en moldear la enseñanza moral cristiana. Los éticos cristianos, a lo largo del espectro teológico y eclesial, han reconocido que es imposible reflexionar adecuadamente sobre las cuestiones morales de nuestro día aparte del estudio cuidadoso de los datos relevantes.

Una segunda tendencia ha sido el enfocarse en la experiencia humana. Esto incluye el escuchar cuidadosamente las voces de seres humanos reales, especialmente de los quebrantados y oprimidos, cuyas vidas ofrecen bastante orientación en torno a los problemas de nuestro día. Aunque todo estudiante serio de la ética examina con mucho cuidado las dimensiones de los datos y la experiencia de los problemas morales, una corriente de la ética cristiana va más allá, elevando esencialmente estas dos fuentes a un nivel donde compiten o eclipsan al significado de la Escritura y otras fuentes. Este desenvolvimiento ha tenido lugar en la llamada ala liberal de la ética cristiana, especialmente en el ala liberacionista, pero el revuelo se ha hecho sentir más ampliamente.

La otra tendencia mayor tocante a las fuentes de autoridad ha sido el enfoque sobre la ética de carácter que se abordó en los dos capítulos anteriores. Refiriéndose a la cuestión de las fuentes de autoridad, el efecto ha sido un retorno al enfoque sobre la Escritura (entendida esta como primariamente una narración), interpretada autoritativamente por la comunidad global de fe (no el individuo u oficiales eclesiásticos), impactando así el carácter personal tanto como el carácter eclesial (no primariamente reglas o principios, y no primariamente la sociedad). Este enfoque distintivo a la ética cristiana seguirá teniendo una influencia significativa en el porvenir. Hemos buscado oír con respeto críticas de este enfoque, incluso las de sus propios proponentes, e introducir correcciones en nuestra versión holística.

Si sopesamos estos enfoques clásicos y contemporáneos por mirar a Jesús y sus enseñanzas, se pueden deducir varias conclusiones.

Creemos que aunque el énfasis de la tradición católica sobre la necesidad de aprender de la tradición tanto como de otras fuentes de discernimiento puede aceptarse, el equiparar la autoridad de la Escritura con la tradición ha de rechazarse, basándonos en el ejemplo de Jesús. La tradición moral eclesial debe entenderse como informativa, pero no necesariamente normativa para la ética cristiana contemporánea. Empero, debemos estar plenamente concientes de la forma de nuestra tradición moral por lo menos por tres razones. Uno, es un hecho que todos los cristianos se encuentran dentro de la tradición moral cristiana en una de sus expresiones particulares, sea que lo reconozcan o no. Si es así, no se gana nada por ignorar esta tradición y su impacto sobre nuestro carácter y conducta.

Estos nos lleva al punto dos. Una vez que se tiene un conocimiento funcional de las tradiciones morales cristianas, uno puede sacar y apropiarse de los aspectos o corrientes de la tradición que sean consecuentes con la Escritura. Algunas veces estos reflejarán la voz de la mayoría de la iglesia, mientras en otras ocasiones veremos la necesidad de yuxtaponer una voz minoritaria más saludable contra la tradición dominante; porque no hay ninguna singular y monolítica tradición moral cristiana. Punto tres, y en relación con lo anterior, también necesitamos estar familiarizados con la tradición moral cristiana para poder saber cuándo debemos arrepentirnos, dónde han estado nuestros puntos débiles y dónde probablemente estarán en el futuro. Los veinte siglos de historia cristiana hasta ahora nos han dejado un legado de fidelidad moral y también de una mala moral. Con un espíritu de arrepentimiento continuo y apertura a la corrección, nos vemos obligados a aprender de ambas cosas. Necesitamos un enfoque a la tradición que busque humildemente "ser consecuentes" con nuestros antepasados en la iglesia, obteniendo una guía moral verdadera y relevante, pero estando siempre prestos a rechazar tradiciones que están en lugar de la Palabra de Dios. ¿Estamos adoptando una posición reformista de *sola scriptura?* Decimos sí a *sola scriptura* si eso quiere decir que la Escritura es la única fuente de autoridad y completamente fidedigna para la ética cristiana. Los conceptos adquiridos de otras fuentes tienen que ser sopesados e interpretados por la Escritura, y han de rechazarse si están en conflicto con ella. La Biblia es el "sol" alrededor del cual todas las demás fuentes de autoridad se ponen en órbita.

Consideremos las implicaciones de este enfoque al ver la cuestión de la experiencia religiosa. El problema de la experiencia religiosa como una fuente de autoridad para la vida moral es su subjetividad radical. Lo mismo puede decirse respecto a las afirmaciones fundadas en los movimientos de la conciencia moral. Muchas son las parejas cristianas devotas, por ejemplo, cuyas oraciones parecen revelar respuestas divinas diferentes ante la misma búsqueda de dirección moral. Tales ejemplos hacen que uno retorne a la Palabra escrita, con la cual todos los intérpretes pueden lidiar con cierta medida de objetividad y tierra común (no obstante los destructores). Sin embargo, una vez vueltos a la Escritura, todos nosotros conocemos los usos funestos a los que a veces es sometida al encontrarse en manos de cristianos de corazón frío y espíritu malvado. Así que, nos encontramos atraídos a la importancia de la dirección del Espíritu Santo y la piedad cristiana cálida, especialmente dentro del contexto de una comunidad cristiana vibrante y responsable.

De nuevo, el ejemplo de Jesús abre una brecha en este enigma. Él no adoptaba ni una fría "bibliolatría" independiente de una relación vital con Dios, ni un infundado y etéreo subjetivismo. Más bien, él sopesaba e interpretaba la Escritura y entendía su papel en el plan redentor de Dios, a la luz de una dirección del Espíritu Santo y una cálida y disciplinada relación con Dios. Es difícil superar ese modelo, sobre todo cuando recordamos una verdad teológica básica: Jesucristo está vivo. Él ha resucitado, y por haber resucitado, hoy tenemos acceso a él. Esto significa que un encuentro con el Cristo viviente, fundado en la Escritura, dentro de la comunidad de fe, sigue siendo una legítima fuente de autoridad para la ética cristiana; Jesús es la Palabra Viva. Hemos de estar abiertos a las brisas frescas del Espíritu Santo de Dios, recordando siempre que las Escrituras, divinamente inspiradas, no pueden ser contradichas por él que fue quien las inspiró.

Esto nos da la pauta que necesitamos para hacer un uso apropiado de las fuentes "generales" de autoridad. Si Dios es soberano y el Cristo resucitado vive y habla a su iglesia, entonces la naturaleza, la historia, la experiencia, etc., todo cuanto ocurra en este planeta, revelan algo de la naturaleza divina, su voluntad y propósito (Rom. 1:20, 21). Dios está presente y vivo, buscando relacionarse con los seres humanos y otras criaturas como Creador, Juez y Redentor. De modo que es totalmente apropiado, y de hecho obligatorio, que los creyentes rebusquen el orden creado para encontrar pistas relacionadas al camino de Dios para nosotros. En las ciencias físicas y sociales, en los esfuerzos creativos de los músicos y novelistas, en los discernimientos de los de otras tradiciones religiosas, en las ráfagas de conciencia que ganamos por las experiencias personales, en las meditaciones de los filósofos, pensamos poder encontrar la verdad de Dios. Toda verdad es verdad de Dios, ya que Dios es soberano. Por esto no es posible fijar límites respecto a dónde se pueda descubrir la verdad de Dios, estipulando alguna frontera a "las fuentes de autoridad" para la ética cristiana, siempre que la Escritura permanezca como la corte final de apelación.

Jesús, la Escritura y la ética

Esta conclusión nos trae de inmediato al próximo problema: Cómo ha de interpretarse esta Biblia autoritativa. Si la Escritura va a ser una fuente de autoridad tan central, debemos dedicarle atención a la comprensión de cómo ella ha de interpretarse para la ética cristiana. El problema no es tan sencillo como pensarían algunos.

Entre los "incisos" que hay que considerar al respecto están los siguientes:

1. ¿Qué principio de selección, si es que lo hay, determina cuáles temas, secciones, libros o géneros de ese vasto cuerpo de literatura inspirada y autoritativa, conocida como la Sagrada Escritura, ocupará el centro de la interpretación bíblica para la ética cristiana?
2. Al leer la Escritura para cuestiones éticas, ¿qué tipo de normas morales iremos a encontrar allí, derivadas de qué tipo de literatura? ¿Leyes, principios y reglas, derivados principalmente de mandamientos bíblicos o virtudes y prácticas comunitarias derivadas primariamente de narrativas bíblicas? ¿O amplios compromisos fundamentales y teológicos, derivados de un cuadro general de Dios visto en las Escrituras?
3. ¿Cómo nos ayudará la Escritura a tratar con problemas contemporáneos que no se mencionan directamente en sus páginas?
4. Según la Escritura, ¿quién es el principal agente moral (el ser humano, la sociedad, la familia humana, el cristiano, la congregación cristiana, la iglesia internacional)?
5. ¿Cómo se relaciona la instrucción ética en el AT con la del NT? ¿Aún está vigente la ley del AT para la iglesia? Si es así, ¿cómo?

Estas son unas cuantas de las más importantes cuestiones que ocupan a los estudiosos de la ética y a eruditos bíblicos que trabajan en la viña del "uso de las Escrituras"; la mayor parte de estas cuestiones han sido consideradas durante las varias etapas de la historia de la iglesia. No nos ocuparemos de todas ellas; algunas las veremos en capítulos posteriores, algunas serán vistas simplemente por medio de su aplicación. De nuevo, nuestro enfoque requiere que nosotros comencemos por enfocar nuestra atención en cómo Jesús "usaba" su Escritura, la Biblia hebrea.

Jesús y la Escritura

Hemos querido demostrar que Mateo 5:17-20 y los pasajes afines revelan que para Jesús las Escrituras son autoritativas; su autoridad no queda abrogada sino afirmada en su enseñanza y la conducción de su ministerio. En realidad, creemos que el mismo Sermón del monte se entiende mejor como una serie de interpretaciones de las enseñanzas en la *Tora* (Génesis hasta Deuteronomio) y los Profetas (véase Swartley W., *Israel's Scripture Traditions* [Las tradiciones de Israel en torno a las Escrituras] como un ejemplo de una erudición sobresaliente tomada de la tradición anabautista la cual pone una atención discerniente en la forma que el camino de Jesús está arraigado en las Escrituras hebreas). Pero, y este es un punto clave, Jesús traía a su interpretación de la Biblia hebrea un punto de vista particular que gobernaba su enfoque. Geza Vermes, quien ha estudiado las enseñanzas y acciones de Jesús ampliamente desde la perspectiva judía, concluye que Jesús era fiel a las Escrituras hebreas y a la piedad judía *igual que los grandes profetas de*

Israel. Este punto es absolutamente crítico para todo lo que sigue. Vermes argumenta que Jesús

> reconoce la ley de Moisés como la piedra angular de su judaísmo. Esta actitud general no implica, sin embargo, que su preocupación igualara a la del pensamiento y práctica de la mayor parte de los judíos ni a la de los esenios de Qumrán. Él no se preocupaba por preceptos particulares y sus límites específicos ni por su exégesis tradicional, racional, escrituraria o basada en la revelación, sino fijaba su atención en el impacto global de la *Tora* sobre la piedad individual... Jesús seguía las pisadas de los grandes profetas de Israel al acentuar casi exageradamente *los aspectos interiores y las raíces que causan un comportamiento* religioso. (Vermes, *The Religion of Jesus the Jew* [La religión de Jesús el judío], pp. 189, 195).

Para Jesús, pues, las Escrituras hebreas había de interpretarlas, no por medio de la casuística rabínico-escriba de su día, sino por la ofrecida por los profetas de Israel (Davies W. y Allison D., *Critical and Exegetical Commentary* [Un comentario crítico y exegético], 1:484, 488, 495). De modo que Jesús se centraba en la Ley y los Profetas, y en la Ley tal como la interpretaron los Profetas, especialmente Isaías. Esta era su hermenéutica, y ella tenía por lo menos cuatro expresiones concretas que lo ponían en una confrontación directa con mucho del liderazgo religioso de su día.

Primero, Jesús interpretaba la *Tora* como un pacto divino de la gracia más bien que como "ley" como nosotros la pudiéramos entender. Jesús concebía la *Tora* como una expresión de la gracia de Dios, justo como el éxodo fue una expresión de la gracia de Dios. "Sin las buenas nuevas liberadoras del éxodo no habría un Sinaí de los mandamientos divinos... Sus caminos son los de la gracia, y todos sus senderos conducen a la paz" (Lapide P., *The Sermon on the Mount* [El Sermón del monte], p. 16). Todo pacto registrado en el AT es una expresión de la gracia de Dios, no una imposición de cargas opresivas. La gracia a toda la humanidad con Noé como el copactante; la gracia a Abraham y Sara, mediante ellos no tan sólo a un pueblo escogido sino a toda la humanidad; la gracia al pueblo de Israel en el Sinaí por medio de Moisés, después de la gracia revelada en el éxodo; la gracia a Israel por el pacto con David y su linaje. Así que los pactos mismos son la gracia, prometedora de un futuro con la presencia, la dirección y la bendición de Dios. Los pactos requieren una respuesta obediente y fiel, pero responder en obediencia a tal gracia divina no es una imposición odiosa. Como dijera Jesús, la *Tora* tiene que ver con el amor de Dios y el amor al prójimo (Mat. 22:34-40 al citar Deut. 6:5; Lev. 19:18), como respuesta al previo amor de Dios, el Creador, el Juez justo y el Liberador.

Segundo, el interpretar la Escritura según el modo de los profetas conduce a un mayor énfasis sobre los aspectos morales más bien que sobre los aspectos cúlticos de la ley, y por ende de la Escritura hebrea. En Marcos 12:32-34, al concordar un escriba con Jesús que la ley se resumía en amor para Dios y amor para el prójimo, y que esto “vale más que todos los holocaustos y sacrificios”, Jesús dijo: “No estás lejos del reino de Dios”. La última frase afirmada por el escriba, “vale más que todos los holocaustos y sacrificios”, representa la parte profética de “la Ley y los Profetas”. El desdén para el sistema sacrificial (en particular) y las observancias religiosas (en general) como una panacea falsa, un sustituto para la integridad moral, es un tema común en los profetas, tal como es evidenciado por este pasaje famoso (Amós 5:21-24):

> Aborrezco, rechazo vuestras festividades, y no me huelen bien vuestras asambleas festivas. Aunque me ofrezcáis vuestros holocaustos y ofrendas vegetales, no los aceptaré, ni miraré vuestros sacrificios de paz de animales engordados. Quita de mí el bullicio de tus canciones, pues no escucharé las salmodias de tus instrumentos. Más bien, corra el derecho como agua, y la justicia como arroyo permanente.

Es interesante notar que se registra una sola vez que Jesús afirmó públicamente las prácticas sacrificiales que tenían lugar en el templo (Mat. 5:23, 24), y esto se halla en el contexto de resaltar la prioridad de las prácticas morales más bien que las cúlticas. Generalmente, él criticaba las prácticas del templo tan fuertemente como los profetas. Su acción profética en el templo es un ejemplo singular de esto (Mat. 21:12-17). Su censura del templo llegó a formar parte de las cargas contra él en los juicios (Mat. 26:61).

Tercero, Jesús tenía un entendimiento profético más bien que legalista del contenido de la justicia. Para los profetas, la verdadera justicia consistía en hechos de amor, misericordia y derecho, especialmente para los más vulnerables. Este innegable énfasis profético había dejado de ocupar el centro de la tradición rabínico-escriba, siendo reemplazada con un enfoque sobre la pureza ritual y la libertad de las profanaciones las cuales interesaban poco a Jesús. A esto se refería Jesús cuando él reconoció la justicia de los escribas y los fariseos, pero dijo que nuestra justicia ha de ir más allá que la de ellos (Mat. 5:20). No se necesita hacer una lista de los centenares de referencias a los Profetas para apoyar esta afirmación. Simplemente consideremos algunas de las enseñanzas más conocidas de Jesús, muchas de las cuales volveremos a ver en esta obra también.

Un buen comienzo es “el discurso inaugural” de Jesús (Luc. 4:18, 19, citando a Isa. 61:1, 2; 58:6) donde él entendía a los pobres, a los cautivos, a los ciegos y a los oprimidos como el foco de su ministerio. Luego, hay sus advertencias a los ricos a que evitaran el acaparamiento del dinero para obrar con justicia para los pobres, los sin influencia y los necesitados (Mat. 5:42; 6:2-4, 19-34; cf. Isa. 1:17), y las parábolas e historias que refuerzan el punto, tales como los relatos de Lázaro y el rico (Luc. 16:19-31; véase la confrontación de Natán con David respecto a Betsabé y Urías en 2 Sam. 12, y el choque entre Elías y Acab sobre el viñedo de Nabot en 1 Rey. 21), y el juicio de las ovejas y las cabras (Mat. 25:31-46). Jesús encarnaba tal preocupación mediante acciones de misericordia a los hambrientos, los cojos, los ciegos, los ceremonialmente impuros, los pobres, los marginados, los enfermos, las mujeres, los extranjeros, los leprosos y muchos más (compárense estas acciones con los ministerios de Elías y Eliseo, registrados en 1 y 2 Reyes). Allí encontramos su énfasis en expandir el círculo de amor por la inclusión de los forasteros y los enemigos (Mat. 5:43-48; 6:12-14; 7:1-5; Luc. 10:25-37; cf. Lev. 19:34). Otra vez, necesitamos recalcar que difícilmente estos énfasis son contradicciones con la Ley y los Profetas; todos se enseñan explícitamente tanto en la Ley como en los Profetas. Pero Jesús estaba reafirmando su centralidad ante una tradición que había definido la justicia con base en un marco interpretativo totalmente diferente.

Finalmente, tal como indica Vermes, Jesús refleja un énfasis profético cuando pone su atención a lo que llama "los aspectos interiores" y "las raíces que causan" la conducta; en otras palabras, su atención al corazón o al carácter. Cuando los profetas lidiaban con la gente de su tiempo, ellos volvían repetidamente al tema del "corazón". Esto se aprecia especialmente en el profeta Jeremías: "Engañoso es el corazón, más que todas las cosas, y sin remedio. ¿Quién lo conocerá? Yo, el SEÑOR, escudriño el corazón y examino la conciencia, para dar a cada hombre según su camino y según el fruto de sus obras" (Jer. 17:9, 10). "He aquí vienen días, dice el SEÑOR, en que haré un nuevo pacto con la casa de Israel y con la casa de Judá... Pondré mi ley en su interior y la escribiré en su corazón. Yo seré su Dios, y ellos serán mi pueblo" (Jer. 31:31, 33; cf. con 4:14; 24:7; 29:13).

Reiteradamente Jesús llamaba a sus oidores a que dejaran su énfasis sobre la impureza ritual y la pureza exterior a favor de una conciencia de las fuentes interiores de la verdadera pureza moral o la impureza tal como se expresara en su conducta para con los demás.

Él les decía: "'¿Así que también vosotros carecéis de entendimiento? ¿No comprendéis que nada de lo que entra en el hombre desde fuera le puede contaminar? Porque no entra en su corazón sino en su estómago, y sale a la letrina'. Así declaró limpias todas las comidas. Y decía: 'Lo que del hombre sale, eso contamina al hombre. Porque desde adentro, del corazón del hombre, salen los malos pensamientos, las inmoralidades sexuales, los robos, los homicidios, los adulterios, las avaricias, las maldades, el engaño, la sensualidad, la envidia, la blasfemia, la insolencia y la insensatez. Todas estas maldades salen de adentro y contaminan al hombre'" (Mar. 7:18-23).

El énfasis de Jesús sobre el corazón se hace aparente a lo largo del Sermón del monte, y él llamaba a sus discípulos a que hicieran justicia, no para lucirla ni para el prestigio sino para Dios (Mat. 6:1-18; 7:6-12).

Este énfasis sobre el corazón no debe malinterpretarse, tal como se hace tan a menudo, como una enseñanza de que no involucra la conducta; más bien, sólo importa el corazón o la actitud de uno. Este frecuente y desastroso movimiento interpretativo contradice directamente la propia enseñanza de Jesús y la de los profetas. Se permite así que los cristianos descarten el significado de cómo en realidad llevamos la vida en pro de una actitud ilusoria de bondad moral. Jesús, al igual que los profetas, se preocupaba por el corazón, porque se preocupaba por la conducta que emana del corazón. La meta es una total y amante obediencia a Dios, y para que esto suceda hay que preparar el corazón mediante el autoexamen, el arrepentimiento, el perdón y la regular participación en prácticas de compasión y nuevo compromiso.

Resumiendo, argumentamos que Jesús de todo corazón afirmaba la validez y la autoridad continua de la Ley y los Profetas, es decir, la Biblia hebrea. Él decía que estamos obligados a obedecerlos integralmente (Mat. 5:17-20) y que somos llamados a ser "perfectos" en nuestra justicia (Mat. 5:48), *pero no conforme a la manera en que los escribas y los fariseos definían la autoridad, la obediencia y la justicia.* Representaba un choque de modos interpretativos, Jesús por su propia autoridad, por su lectura profética de la Escritura, en contra del imperante legalismo casuístico de la tradición interpretativa de su día. Él afirmaba tener autoridad para ver significados en la Escritura que esta tradición y sus intérpretes autorizados no veían, y estos intérpretes, a su vez, pensaban que la afirmación de Jesús era una abrogación radical de la Escritura y la tradición, y un desafío radical a su propia autoridad.

También, es instructivo notar cómo las palabras clave en Mateo 5:17-20, al principio de las enseñanzas del Sermón del monte, encuentran un eco en el final, 7:15-27. Estas forman marcos alrededor del Sermón como una pareja de sujetalibros.

Figura 4.1.

Mateo 5:16-20	**Mateo 7:15-27**
5:19 Cumpliendo (*poieo*) los mandamientos.	7:17, 19, 21, 24, 26: Haciendo (*poieo*) frutos y cumpliendo mandamientos.
5:19 El reino de los cielos.	7:21 El reino de los cielos.
5:17 La Ley y los Profetas.	7:12 La Ley y los Profetas.
5:19 Los que no cumplen con los mandamientos.	7:15 Los falsos profetas que hacen (*poieo*) frutos malos.
5:16, 20 Vuestras buenas obras glorifican al Padre que está en los cielos.	7:21, 24: El que hace la voluntad del Padre que está en los cielos.

Esta llamativa simetría de palabras y conceptos en la introducción y la conclusión del Sermón del monte da realce a la importancia de estas palabras y conceptos. Nos dice que (1) el cumplir con los mandamientos (en vez de dejar de hacerlos) (2) de la Ley y los Profetas (tal como Jesús los interpreta más bien que por la casuística de los escribas) (3) es la justicia auténtica (más bien que la mera observancia) y (4) es crucial para el reino de Dios (por el cual Jesús y sus discípulos tenían que interesarse). Nos parece que no podemos mejorar esas cuatro aseveraciones como definición de la ética cristiana como el seguimiento a Jesús.

Voces clásicas y contemporáneas en la ética cristiana

Al comenzar a interactuar con otras voces en la ética cristiana, queremos reafirmar que los cristianos han de tener un concepto elevado de lo fidedigno y la autoridad de la Escritura, poniéndola por encima de toda otra fuente de autoridad para la fe y práctica cristianas. Dentro de este marco, afirmamos con Jesús y el cristianismo histórico la autoridad de todo el testimonio canónico. Así como Jesús demostraba gran familiaridad y gran uso de todo el canon conocido por él, por analogía e imitación los cristianos contemporáneos deben hacer lo mismo. De nuevo, asumiremos, al igual que Jesús, que se puede fiar en la totalidad de la Biblia para encontrar dirección y que no nos despistará. Aquí podemos rechazar cualquier truncamiento formal o funcional del canon en su calidad de una fuente autoritativa en la dirección de la vida cristiana.

Martín Lutero, por ejemplo, no veía ningún valor real en el AT respecto a la provisión de dirección normativa para la vida moral cristiana. Él presumía que el testimonio moral antiguotestamentario podía reducirse a la Ley, restringiendo luego el uso de ella por el cristiano a dos funciones: El uso teológico para la convicción de pecado, y el uso civil, para refrenar los impulsos impíos de la sociedad. El rico y profundo testimonio moral de los profetas se descuidaba totalmente, y en general, no se aprovechaba ninguna dirección moral positiva.

Lutero era muy directo e intencional en hacer este movimiento interpretativo, y muchos cristianos de hoy hacen lo mismo. Ellos suponen o creen que el AT se equipara con "la ley", argumentando así que Jesús vino para abolir la ley, concluyendo luego que el AT es irrelevante para el pueblo del Nuevo Pacto. Otros interpretan funcionalmente la Escritura con base en este modelo, aunque no lo hagan intencionalmente. Pero si Jesús es la autoridad final para la ética cristiana, incluyendo nuestra interpretación de Escritura para la [illegible]tamos libres para movernos en esta dirección. Tal como él leía el [illegible]mo lo usaba para proveer un contenido sustantivo para su ética, [illegible]acer lo mismo. Aquí el reformador Calvino hacía mejor, ya que él reconocía el así llamado tercer uso de la Ley como una fuente de autoridad para el contenido de la vida moral cristiana. Pero, otra vez, nosotros resistiríamos la reducción del rico y diverso testimonio moral del AT en sólo una de sus expresiones: "la ley".

Dentro de esta clase de hermenéutica de la totalidad del canon, Cristo ha de funcionar como la norma para la interpretación bíblica. Esta es una aseveración muy común, pero a menudo queda interpretada de forma demasiado estrecha y abstracta. Por ejemplo, muchos parecen suponer que el significado de Jesucristo para la interpretación de la Escritura se agota en el marco teológico provisto por su encarnación, muerte y resurrección. Así, algunos cristianos ven en la Escritura sólo reflexiones preparatorias, contemporáneas o retrospectivas sobre el nacimiento, la muerte y la resurrección de Jesús. Se pierden totalmente las dimensiones morales del testimonio bíblico, sin hablar de las enseñanzas morales de Jesús mismo. Esto se aprecia en la mayoría de los credos históricos de la iglesia, los cuales brincan del nacimiento de Jesús de la virgen María a su muerte bajo Poncio Pilato, omitiendo completamente toda la conducta de su ministerio. No sólo una corriente de la historia cristiana es culpable de esto, esta comprensión cruza todas las fronteras denominacionales y confesionales. Una atención sostenida puesta en las verdaderas enseñanzas morales y el ejemplo de Jesús representa una corriente minoritaria en la historia de la iglesia cristiana después de los dos primeros siglos.

Más bien, si Cristo es la norma, entonces todo en cuanto a su persona y sus obras es relevante para la interpretación bíblica de la ética. En realidad, para expresarlo más tajantemente, si Cristo es el eje central del avance del reino, o sea, el Hijo de Dios que conduce a la redención del planeta, hemos de estudiar cada aspecto de su vida y enseñanzas, porque él es la clave de la historia humana y de toda realidad. Ya que Jesús empleaba una hermenéutica profética, hemos de hacer lo mismo. Ya que Cristo puso su misión y enseñanzas dentro del contexto del reino de Dios, hemos de hacer asimismo, y el que Jesús ejemplificaba su enseñanza por la manera en que trataba a la gente, hemos de hacer lo mismo. Nada de esto significa un abandono del marco teológico de la encarnación, la muerte expiatoria y la resurrección; la verdad es lo contrario. Sólo una ética que toma en serio el camino de Jesús respeta a Jesús como el Señor encarnado, el Salvador Redentor, el Cristo resucitado que tiene autoridad para revelarnos la voluntad de Dios. Cualquier otro enfoque niega funcionalmente que Jesús sea plenamente Señor, plenamente Salvador y plenamente Cristo.

De modo que tenemos que evaluar la obra de aquellos éticos evangélicos que tengan en poco cualquier aspecto de la persona y la obra de Cristo en la formulación de su ética. Al buscar la dirección bíblica sobre problemas éticos contemporáneos, a menudo ellos se basan sólo en otros aspectos del testimonio bíblico, dejando fuera no tan sólo lo que Jesús haya dicho o hecho que sea relevante al problema, sino que también dejan de aplicar un método interpretativo profético a las Escrituras que sí toman en cuenta. Desde luego, no sólo la ética evangélica ha dejado de tomar en cuenta la centralidad de Jesucristo.

La Biblia no es plana; Cristo es su cumbre y su centro. No se debe estudiar ningún problema moral aparte de la consideración del significado de Jesucristo respecto a ese problema. Nosotros proponemos una hermenéutica escrituraria y ética que funciona generalmente de la siguiente manera:

1. Miremos primero a Jesús, examinando así su encarnación, muerte, resurrección y vida, ministerio y enseñanzas.
2. Leamos todas las demás Escrituras por el enfoque profético que Jesús empleaba y a la luz de todo lo que sabemos del testimonio de Jesús sobre el problema.
3. Luego, miremos las demás fuentes de autoridad por la ayuda que nos presten, basándonos en el mismo enfoque interpretativo, recordando que Jesús está vivo y continúa instruyendo a su iglesia por el testimonio del Espíritu Santo (Juan 15).

Cuando se vislumbra el horizonte de la historia eclesiástica para encontrar modelos positivos que reflejen la clase de enfoque que usamos aquí, se destacan dos tradiciones: (1) la tradición eclesiástica de los creyentes, llamada por James McClendon "bautista", especialmente sus intérpretes más recientes, tal como J. H. Yoder, que resalta el señorío de Cristo sobre toda la vida, incorporando así una verdad importante de la tradición reformada y de Bonhoeffer, y (2) las iglesias históricas de la raza negra. Aunque diferentes de muchas maneras, ambas ponen su atención primaria en Jesucristo, sin descuidar su vida y ministerio, sin obviar su preocupación redentora por la persona total y reconociendo que él se centraba en el pueblo sufrido, los pobres y los oprimidos. Ambas tienen gran interés en la totalidad del AT, especialmente los profetas, sin perder la centralidad del enfoque profético de Jesús y sin dejar de aplicarlo a toda la Escritura. Ambas tienen bastante preocupación por el bien público al tocar los asuntos públicos, no desde la perspectiva del poder pragmático político sino más bien desde las alturas del testimonio profético de la Escritura.

Finalmente, ambas tradiciones argumentan consistentemente que obediencia, buenas obras y prácticas son las palabras clave, no meramente el asentir a la autoridad de la Escritura, porque Jesús no hacía eso. Él leía las Escrituras como la autoridad para la conducta de su vida, y ordenaba semejante enfoque por parte de sus seguidores. La meta no es articular la postura correcta de la autoridad bíblica, sino oír y obedecer la Palabra de Dios. Nuestro compromiso con la autoridad de las Escrituras se revelará en el laboratorio de la vida cotidiana. Tal como Jesús lo expresara: "Por sus frutos los conoceréis" (Mat. 7:20).

Hemos argumentado que la Escritura es la fuente central de autoridad para la ética cristiana y que Jesús es la clave para interpretar las Escrituras. Tales convicciones no resuelven todo problema ni reducen la agonía de toda decisión moral difícil. Pero ellas nos dan un punto de arranque y un punto de apoyo. No podemos ver ninguna alternativa satisfactoria. Según las palabras del antiguo himno: "En Cristo, la roca firme, me amparo, todo lo demás es arena movediza". O, en palabras del apóstol Pablo: "Porque nadie puede poner otro fundamento que el que está puesto, el cual es Jesucristo" (1 Cor. 3:11).

5

LA FORMA Y FUNCIÓN DE LAS NORMAS MORALES

No penséis que he venido para abrogar la Ley o los Profetas. No he venido para abrogar, sino para cumplir.

Mateo 5:17

En este capítulo nos proponemos ver aún más de cerca cómo la Escritura informa nuestra ética. Queremos proponer que los cristianos (y, de hecho, todos los seres humanos) organizan y comunican sus convicciones morales, conocidas técnicamente como *normas morales*, en cuatro niveles diferentes: El nivel particular-inmediato, el nivel de juzgar, el nivel de reglas, el nivel de principios y el nivel de las convicciones básicas. Es vital encontrar congruencia entre estos niveles, para que la ética no sea ni demasiado vaga y abstracta ni demasiado legalista y superficial. La Escritura nos da varios ejemplos de cada uno de estos niveles de normas morales.

Nuestra tarea en este capítulo es triple. Primero, presentaremos este modelo como una manera de organizar el pensamiento en torno a la naturaleza de las normas morales cristianas. Segundo, argumentaremos que los cuatro niveles permanecen unidos como narrativa encarnativa, hebraica, realista e incorporada. Tercero, exploraremos cada nivel de las normas morales más profundamente, considerando así enfoques de la ética cristiana que se han visto, en un nivel u otro, como el meollo del "hacer" la ética cristiana. A lo largo de la discusión, fundamentaremos nuestra reflexión en el testimonio de Jesús.

La cuestión de cómo las normas morales cristianas han de entenderse es significativa por lo menos de dos maneras. Primero, hay el problema básico de la comunicación: al hablar sobre el testimonio bíblico en el campo de la [illegible] de una cuestión moral en particular, a menudo la gente habla sin co[illegible] on otros, confundiéndoles o enojándoles, simplemente porque [illegible] iveles distintos en cuanto a diferentes clases de normas morales.

Cuatro amigos pueden estar hablando acerca del aborto, por ejemplo, pero sin comunicarse los unos con los otros, porque Sara habla sobre las reglas, Samuel sobre los principios, María sobre las convicciones teológicas y Daniel se encuentra en el nivel del juicio inmediato. Esta clase de comunicación fallida se da todos los días.

Segundo, en un nivel más técnico, los éticos cristianos a menudo difieren sobre qué clase de normas morales se encuentran más frecuentemente en la Escritura, cuáles eran más centrales para Jesús, o cuáles son las más significativas para la vida cristiana. Esto resulta no en una discusión meramente técnica, sino en un desacuerdo con consecuencias prácticas para la ética cristiana y para las normas de comportamiento. Necesitamos una claridad respecto a la naturaleza de las normas morales si es que vamos a entender la ética cristiana y comunicar claramente sus aportes.

Cuatro niveles de normas morales en la ética cristiana

Nuestro enfoque sobre esta cuestión ha sido influenciado fuertemente por la ética filosófica, un campo de investigación que procura clarificar lo que la gente quiere decir cuando habla de la moralidad. Hace varios decenios, el ético filosófico Henry David Aiken definió cuatro niveles de normas morales. Su recomendación fue adoptada por el ético cristiano James Gustafson en un ensayo de gran influencia (Aiken H., *Reason and Conduct* [La razón y la conducta]; Gustafson J., "Contexto vs. Principle," [El contexto *versus* el principio]). Creemos que la propuesta de Aiken y Gustafson nos ayudan a corregir algunos errores dañinos en la ética cristiana, especialmente referente a lo que entendemos por *reglas*.

1. El nivel particular-inmediato de juzgar. Algunas veces, cuando expresamos una evaluación moral, no tenemos razón alguna. Simplemente decimos, "está mal", o "¡qué cosa más buena!". O "Luisa realmente es una buena persona". Estos son ejemplos de juicios morales particulares e inmediatos, en cuanto a acciones (la conducta) por un lado y en cuanto a personas (el carácter) por otro. Ellos son parte de la vida diaria.

Por ejemplo, una vez Jesús llamó a Herodes "ese zorro" (Luc. 13:32). Él estaba usando un término para censurarlo. Jesús, igual que los profetas que lo precedieron, a menudo censuraba a los poderosos por hacer caso omiso de los mandatos bíblicos respecto al derecho, la fidelidad y la misericordia, tapándolos con una racionalización religiosa.

Pero *en este pasaje particular*, Jesús censuraba a un gobernante en particular, a Herodes, y no a todos los gobernantes injustos. Él no puso razón alguna para su crítica. Sólo dijo "ese zorro". Este es un juicio moral sobre *un nivel particular e inmediato* más bien que sobre un nivel general o universal.

Si alguien le hubiera preguntado a Jesús por qué lo había dicho, ciertamente pudiera haber dado algunas razones. Herodes mandó matar a Juan el Bautista. Herodes empleaba su poder, que le fue dado por el Imperio Romano, para imponer la injusticia sobre Israel. Pero en este pasaje singular, Jesús sólo hizo *una declaración moral acerca de un caso particular, sin dar ninguna razón que se aplicara a otros casos.*

A veces, cuando hacemos un juicio inmediato acerca de un acto particular o una persona particular, sin dar razones, pudiéramos dar docenas de razones si alguien nos preguntara. Otras veces, decimos "No le puedo dar ninguna razón. Simplemente sé que es malo que él diga eso a su propio hijo. Si hay algo malo en el mundo, ¡es eso!". Este es un juicio moral acerca de un caso particular por el que no se da ninguna razón, ni tampoco puede darse. La persona sencillamente sabe, simplemente intuye, sólo siente que esta acción particular es definitivamente indebida. Estas son dos clases de razonamiento moral sobre el nivel inmediato del juicio, o sea, juicios inmediatos por los que se podría dar razones si se preguntara, y los que son intuitivos-emotivos, por los que no se puede articular ninguna razón.

Dos cosas caracterizan un juicio moral en un nivel particular e inmediato:
a) Para un juicio moral no son dadas razones.
b) El juicio moral se aplica a un caso particular.

Las normas expresadas al nivel de juicio inmediato, sea que se fundamenten en la Escritura, en la experiencia u otras fuentes, pueden ser útiles de dos maneras diferentes: Primero, cuando tales juicios son examinados, a veces se pueden descubrir o extraer el manantial del cual la regla, el principio, o convicción básica se deriva. Por preguntar por qué Jesús juzgó a Herodes como "un zorro", podemos aprender algo acerca de la estructura más profunda de sus propias convicciones morales y normas tocantes al derecho, el poder, el gobierno, etc.

Segundo, a veces podemos aplicar los juicios particulares e inmediatos mediante una *analogía moral*. Así que el juicio inmediato expresado por Jesús respecto a Herodes posiblemente nos ayude a encontrar para nuestro contexto una analogía conveniente. Se pudiera decir, "Herodes era para el contexto de Jesús lo que X es para el nuestro". La capacidad de la Escritura para funcionar de esta manera es una parte crítica de su poder para la iglesia. Por ejemplo, las parábolas de Jesús nos cuentan historias particulares e inmediatas, y sugieren o a veces articulan directamente los juicios y las normas morales. Entonces, por analogía, razonamos a partir del juicio moral particular expresado o sugerido por la parábola a nuestra propia situación. De modo que si yo voy a ser para el niño necesitado que está en mi puerta lo que el buen samaritano fue para el judío herido, ¿qué requiere esto de mí?

De forma imaginativa entramos a la historia particular, colocándonos en la narrativa, asumiendo uno u otro de los papeles; luego, nos encontramos urgidos a cursos particulares de acción. El profeta Natán ofreció este mismo estilo de razonamiento al confrontar a David respecto a Betsabé y Urías; el rico que roba el único cordero de un pobre es análogo a un rey que roba al hombre su esposa, procediendo luego a quitarle la vida (2 Sam. 12). David reconoció que la analogía era certera y se arrepintió. Para que hagamos analogías correctas, necesitamos estudiar la manera en que funcionó el juicio particular dentro del contexto bíblico particular, considerando luego qué juicio moral encajaría de forma similar dentro de nuestro contexto social.

2. El nivel de las reglas. En el Sermón del monte Jesús enseñó una regla acerca de ocasiones en las que los soldados romanos obligaban a los judíos a que llevaran sus cargas una milla (Mat. 5:41). Según la ley romana, los soldados tenían derecho a obligar a la gente a que hiciera esto. Pero el derecho tenía sus límites: Se podía exigir que los judíos fungieran como bestias de carga sólo por una milla. Pero este derecho causaba resentimiento, especialmente de parte de los rebeldes o los luchadores en pro de la libertad, como Barrabás, que amonestaban al pueblo a resistir la ocupación extranjera. Jesús se oponía a esta estrategia. Más bien, él dio una regla diferente a aquellos que quisieran ser sus seguidores: Cada vez que un soldado romano te obligue a llevar su carga una milla, llévala dos.

Jesús también citaba otra regla, tomada de los Diez Mandamientos: "No matarás". Él afirmaba esta regla, aunque agregaba unas reglas adicionales que la sostenían y apoyaban: Si estás enemistado con alguien, interrumpe tu adoración a Dios para poder hacer las paces con esa persona; hazte amigo del que te acusa en camino a la corte, etc. (Mat. 5:21-26).

Dos cosas caracterizan la razón que damos en el nivel de reglas:
a) Una regla no se aplica solamente a un caso inmediato, sino a todos los casos similares.
b) Una regla nos dice directamente lo que hay que hacer o lo que no hay que hacer.

Estas reglas enseñadas por Jesús no se aplican únicamente a una situación particular. A menudo los soldados romanos obligaban a los judíos a que llevaran su carga. Jesús decía que cuando eso ocurría, y solía ocurrir a menudo, sus oyentes debían llevar la carga la segunda milla. "No matarás" se aplica en millones de casos, al igual que el mandato a que fueran a hacer las paces. De modo que este no es un juicio respecto a un caso en particular; *se aplica a todo caso similar.*

Estas reglas nos dicen *directa y concretamente lo que hemos de hacer y lo que no hemos de hacer*. "Ve la segunda milla" quiere decir "No lleves la carga sólo una milla sino también la segunda". "No matarás" nos dice directa y concretamente lo que no hemos de hacer: matar. Esto es distinto a un principio general como "ama a tu enemigo", el cual no nos dice directamente cómo hemos de expresar nuestro amor para con el enemigo. En realidad, esta regla específica, llevar la carga una segunda milla, es una expresión concreta del principio general "ama a tu enemigo" (y el espíritu por el que se lleva esa carga la segunda milla reflejaría claramente hasta qué grado el principio de amar al enemigo se demuestra). Hay otras expresiones posibles del amor para con el enemigo, como el orar por él, como darle algo de beber cuando está sediento (Mat. 5:44 y Rom. 12:20). Ambas son reglas que la Escritura manda para demostrar el principio del amor para el enemigo.

O, considerando un ejemplo anterior: Si se te pregunta por qué dijiste que era malo que el hombre hablara fuertemente a su hijo, tú puedes responder con una regla: "Con ella (la lengua) bendecimos al Señor y Padre, y con ella maldecimos a los hombres, que han sido creados a la semejanza de Dios... No puede ser, hermanos míos, que estas cosas sean así" (Stg. 3:9, 10). La regla incrustada en este texto también pudiera articularse como "Y vosotros, padres, no provoquéis a ira a vuestros hijos" (Efe. 6:4). Es natural usar una regla para apoyar un juicio particular.

3. El nivel de principios. También Jesús enseña principios. "Amad a vuestros enemigos" es uno de ellos. Otro es "Todo lo que queráis que los hombres hagan por vosotros, así también haced por ellos" (Mat. 7:12). Otro es "Amarás a tu prójimo como a ti mismo" (Mat. 22:39). Otro es "Amarás al Señor tu Dios con todo tu corazón y con toda tu alma y con toda tu mente" (Mat. 22:37). *Los principios son más generales que las reglas; representan un nivel de más profundidad que las reglas. Estos no nos dicen directa y concretamente qué hacer.* Apoyan las reglas, o las critican. Ponen las bases para las reglas, o muestran porqué ciertas reglas necesitan ser cambiadas. De modo que el principio "amad a vuestros enemigos" apoya la regla "ve tú la segunda milla". El principio apoya la regla, y esta detalla una aplicación directa del principio general.

Dos cosas caracterizan la razón que damos en el nivel de reglas:
a) Un principio respalda las reglas o las critica.
b) Un principio es más general que una regla; no nos dice directamente y en forma concreta qué debemos hacer.

Así ahora podemos entender la relación entre el nivel del juicio particular, el nivel de las reglas y el nivel de los principios. Las reglas ponen las razones para los juicios particulares;

los principios ponen razones para las reglas. Las reglas también pueden criticar los juicios particulares; los principios pueden criticar las reglas. Las reglas sirven el propósito de los principios, no al revés.

Esta distinción nos ayuda a abrir paso por un problema escabroso en la ética cristiana, sea que las reglas hayan de entenderse como "absolutas" o sea que debamos confesar la posibilidad de excepciones a las reglas. Nos unimos a muchos cristianos y a muchos éticos cristianos en reaccionar contra la permisividad y el relativismo moral de nuestra sociedad, reafirmando así la necesidad que existe hoy de reglas morales claras, firmes y fuertes. Lo hacemos primariamente porque creemos que Jesús enseñaba reglas morales concretas y particulares, las cuales él esperaba que sus seguidores obedecieran. Pero también lo hacemos por una razón muy contemporánea y práctica: Hemos de vivir por reglas o nos metemos a nosotros mismos y a otros en líos. Los políticos, los líderes, los pastores y tantos otros sin reglas firmes dañan a nuestra sociedad y a la iglesia.

Sin embargo, otros quieren ir más lejos todavía. Dicen que las reglas son absolutas. Argumentan que debemos basar nuestra ética en reglas absolutas, y son muy suspicaces de todo aquél que quisiera "abrir la puerta" a excepciones para reglas morales.

Ciertamente hay buena razón para tal perspectiva. Cuando se enseña a los niños a no tocar una olla que está en la estufa, no se hace de inmediato toda una lista de media docena de excepciones. No se dice: "Haz lo que te parezca correcto en el momento". Se declara una regla muy firmemente: "¡No toques nunca las ollas que están en la estufa!".

Los principios y las razones que están bajo esta regla son claros: El amor que sientes por tus hijos, un deseo de protegerles del daño, una conciencia de que las ollas hirvientes queman a los que las tocan sin la protección adecuada, etc. La regla se basa en razones y no tendría sentido sin ellas. No hay nada intrínseco a las estufas o las ollas que haga que sea malo tocarlas.

El problema estriba en que *si las reglas están por ciertas razones, las razones por las cuales existen las reglas algunas veces tienen que suplantar a las reglas mismas.* De igual modo es ciertamente verdad que la regla "no toques las ollas que está en la estufa" realmente no es aplicable si la olla está fría, y la estufa no está prendida. Asimismo, la regla no se aplica de la misma manera cuando el niño llega a la edad en que puede principiar a cocinar, trabajando así con ollas calientes sobre la estufa. Los principios sobre los cuales se basan las reglas necesitan entenderse claramente para que sepamos porqué existe la regla y sepamos cuándo hay que hacer una excepción a la regla.

Yo (Glen) enseñaba en una universidad donde los estudiantes tenían que cursar dos semestres de historia estadounidense para poder graduarse. Un estudiante de Ghana ingresó a la escuela durante el segundo semestre de su primer año, ganando para sí una excelente calificación en Historia. A él no se le aconsejó adecuadamente y nunca cursó el primer semestre de historia estadounidense. Él estudió mucho y estaba a punto de graduarse después de sólo tres años y medio. Luego llegó el momento para matricularse para el último semestre. Yo me daba cuenta de que la única materia requerida que le hacía falta se daba únicamente en septiembre. ¡No se ofrecía en enero! Esto significaba que tendría que volver al año siguiente para cursar una sola materia. Esto impediría que él volviese a casa donde su padre moría de cáncer. Fui al jefe del departamento de historia, y le indiqué que él se especializaba en administración de empresas y que pudiera cursar una materia electiva en historia de las relaciones entre los trabajadores y los empresarios estadounidenses, la cual le sería más útil en su futuro trabajo en Ghana.

—Pero eso establecería un precedente —me dijo el jefe del departamento. Él se imaginaba centenares de estudiantes que querrían pedir exenciones iguales.

—Pero la razón por la regla acerca de la historia estadounidense es para enriquecer la educación de los estudiantes —contesté yo—. Las relaciones laborales enriquecerán más su educación; se sentirá motivado a aprender la materia, y será más relevante a su profesión. Él es un estudiante sobresaliente, y no sólo busca evadir una responsabilidad. A él se le dio mal asesoramiento, ya que comenzó su carrera en enero.

—No —dijo el jefe—, ha de establecer un precedente. Una regla es una regla.

Me daba cuenta de que hablábamos sobre dos niveles diferentes. Yo procuraba que él pensara sobre el nivel de principios: La razón por la regla (el principio sobre el cual se basa la regla) es enriquecer la educación del estudiante. La materia de relaciones laborales le enriquecerá (lograr el principio) más.

El jefe hablaba sobre el nivel de reglas. Su trabajo como "policía" departamental obligaba a que él permaneciera en el nivel de reglas. Yo intuí lo que sucedía, cambiando el tema al nivel de reglas. Dije:

—Supóngase que entendemos la regla como exigiendo que se tiene que recibir los dos semestres de historia estadounidense a no ser que se le dé al alumno mal asesoramiento, que sea un estudiante sobresaliente de Ghana, cursando su último semestre y cuyo padre esté muriendo de cáncer y pudiera recibir otra materia de historia estadounidense.

—Eso funcionaría; podemos hacer eso —contestó él.

Él firmó el permiso; el estudiante se graduó, se ahorró el dinero que habría costado otro semestre de estudio, y logró el principio subyacente de estar bien preparado.

Esta es una historia verídica, habiéndose cambiado ciertos detalles para proteger el anonimato. Ella prueba que la ética cristiana sí vale. Se puede entender el modo de pensar de otros.

El entender que las reglas se basan en principios nos permite afirmar la gran necesidad de reglas sin convertirnos en *legalistas,* los cuales se definen dentro de nuestro modelo como *personas que operan únicamente sobre el nivel de reglas, divorciándolas así de los principios subyacentes que son su razón de ser.* Rechazamos ese enfoque a la ética cristiana y a cualquier opinión que dice que las reglas morales, divorciadas de sus raíces en principios y el carácter de Dios, son absolutas y no admiten excepciones.

4. El nivel de la convicción básica. Hay todavía un nivel más de razonamiento moral. Supóngase que alguien le pregunte ¿sobre qué se basa usted en su compromiso con el principio de decir la verdad? Es posible que usted diga que se basa en el mandamiento de Dios dado por Jesucristo de que "su sí sea sí" (Mat. 5:37), o en el pacto de Dios con nosotros en los Diez Mandamientos: "No darás falso testimonio contra tu prójimo" (Éxo. 20:16), o en el hecho de que toda persona sea hecha a la imagen de Dios (Gén. 1:26-28), así que debo decir la verdad a toda persona. Pero, luego, supóngase que la siguiente pregunta sea: "¿Sobre qué basa usted su compromiso con Jesucristo?". Su respuesta es: "Ese es mi compromiso fundamental. No lo baso en otra cosa, sino en Dios". Ahora usted ha llegado al nivel de la convicción básica.

Para los cristianos, estas son nuestras convicciones básicas acerca del carácter, la actividad y la voluntad de Dios, y acerca de nuestra naturaleza como participantes en esa voluntad. Así que ahora hemos conectado el camino del razonamiento moral con las convicciones básicas las cuales identificamos en el capítulo tres. Estas convicciones son la base última para la ética cristiana. En cualquier otro nivel de pensamiento moral, siempre se puede escarbar más profundamente para hallar otro estrato subyacente de normas morales. Por debajo de los juicios particulares hay reglas; debajo de las reglas hay principios; debajo los principios hay convicciones básicas. Pero debajo las convicciones básicas no hay nada que sea más profundo.

Dos cosas caracterizan el razonamiento en el nivel de convicciones básicas:
a) Una convicción básica es el fundamento para nuestros principios, reglas y todo el razonamiento ético.
b) Usted no puede ir más profundo que las convicciones básicas.

De modo que cuando Jesús enseñaba que hemos de amar a nuestros enemigos, él ponía una razón: "de modo que seáis hijos de vuestro Padre que está en los cielos, porque él hace salir su sol sobre malos y buenos y hace llover sobre justos e injustos" (Mat. 5:45). De forma semejante, en 5:9 dijo, "Bienaventurados los que hacen la paz, porque ellos serán llamados hijos de Dios". En el Sermón del monte, repetidamente Jesús fundamentaba su enseñanza en Dios: La misericordia de Dios (Mat. 5:7, 45; 6:14), su conocimiento de nuestras necesidades (Mat. 6:4, 6, 8, 18, 32; 7:11), su cuidado providencial de los lirios del valle y de nosotros (Mat. 5:30), su juicio (Mat. 5:22; 7:23, 27), su posesión soberana sobre todo (Mat. 5:34, 35), y nuestra obligación de dar gloria a nuestro Padre que está en los cielos (Mat. 5:16). Para los cristianos, *el carácter de Dios, sus acciones y su voluntad constituyen el nivel de la convicción básica.*

De forma semejante, los Diez mandamientos se basan en la gracia de Dios. Ellos están enraizados en los eventos revelados en Éxodo 1—19; la revelación del nombre y carácter de Dios como Señor: "YO SOY EL QUE SOY", presente para oír los gritos, ver las necesidades y liberar a los esclavos hebreos de su esclavitud y miseria (Éxo. 3:1-12). Ya para el capítulo veinte del Éxodo, es claro que en realidad Dios ha escuchado esos gritos, liberado a los hebreos de la opresión del faraón y está trayéndolos de forma milagrosa a la tierra prometida. Esta es la base para los Diez Mandamientos: La gracia liberadora de Dios. Dios comienza los Diez Mandamientos por recordar al pueblo de la revelación del significado del nombre Yahvé a Moisés en Éxodo 3 y 6: El nombre de Dios es "Yahvé", que a menudo se traduce como "el Señor". Este nombre significa "Yo soy", en el sentido de "estar presente para escuchar vuestro clamor con compasión y liberaros de la opresión al igual que hice para Abraham, Isaac y Jacob antes que vosotros". Para estar segura nuestra comprensión, Éxodo 20:2 remacha el punto cuatro veces:

1. Yo soy
2. el SEÑOR
3. tu Dios que te saqué de la tierra de Egipto
4. de la casa de esclavitud.

Esta revelación es la base de los Diez Mandamientos. Cada mandamiento está allí, porque refleja la liberación llena de gracias por parte de Dios, que escucha el clamor de los oprimidos. No hemos de tener ningún otro Dios ni ninguna imagen tallada, y hemos de guardar el sábado, porque Dios nos ha liberado y es nuestro Señor. Dios quiere que recordemos el éxodo y demos descanso a todo obrero, incluso a los esclavos, porque una vez fuimos esclavos en Egipto (Deut. 5:14, 15; Éxo. 20:8-11). Dios es conocido por su liberación compasiva y su acción creadora, no en algún ídolo. Hemos de cuidar a nuestros padres ancianos, no hemos de matar, no hemos de cometer adulterio, no hemos de robar (o secuestrar, según el significado original), no hemos de dar falso testimonio, no hemos de codiciar, porque Dios oye el clamor de los ancianos, a las víctimas de la calumnia, al clamor de las víctimas del asesinato, a las víctimas del robo o el secuestro y a las personas que son víctimas del adulterio, y porque es la voluntad del Dios del pacto. Sabiendo que los Diez Mandamientos no son sólo dictados arbitrarios o legalistas sino que se basan en Dios, que oye nuestro clamor con compasión, esto les da un fundamento mucho más fuerte y nos ayuda a interpretarlos más significativamente.

De modo que ahora tenemos cuatro niveles de razonamiento moral. Los juicios particulares dependen de las reglas. Las reglas dependen de los principios. Los principios dependen de las convicciones teológicas básicas, sirviendo éstas como el fundamento último, la base absoluta de la ética cristiana.

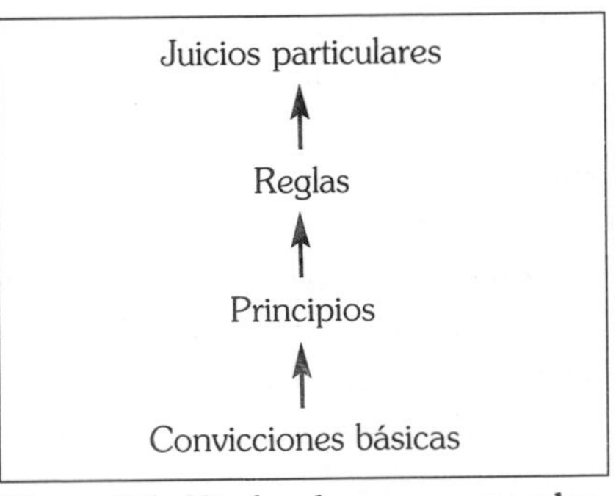

Figura 5.1. Niveles de normas morales

¿Cuál de los niveles es el más importante? Enfoques diferentes a la ética cristiana tienden a centrarse en un nivel de normas éticas, presentando ese nivel como el más importante, pasando por alto a menudo el papel y el valor de las normas morales en los demás niveles. Aunque frecuentemente estos enfoques son presentados en libros de texto, normalmente no se colocan en su contexto correcto, como respuestas variantes tocantes a la cuestión de la naturaleza y los niveles de las normas morales cristianas. Al repasar nosotros estos enfoques, buscaremos extraer las ideas positivas que nos ayuden en una ética centrada en Cristo.

1. Una concentración en el juicio inmediato: La ética situacional. Algunos éticos cristianos creen que toda situación con que nos encaramos en esta vida es tan singular que es un error tratar de crear reglas para la vida, porque las reglas, por definición, se aplican no sólo a un caso sino a todo caso semejante. Las reglas hacen que pongamos atención en lo que sea (supuestamente) igual en toda situación e ignorar lo que hace que sean diferentes. Eso nos ciega a las circunstancias especiales, a los individuos singulares, y a las dimensiones personales de toda particular situación moralmente significativa. Así, conforme a este argumento, deberíamos dejar de hacer reglas e intentar aplicarlas a todo caso similar.

Esta es la *ética situacional* (llamada también *el situacionismo).* Esta ética razona sobre el particular nivel del juicio inmediato. Ella contempla cada caso como tan marcadamente diferente que los demás, que no sirven las reglas. “Todo aborto es malo” significa que se trata igual a todas las personas que ni siquiera piensan en un aborto. No se toma en cuenta sus necesidades particulares. De modo que la ética situacional niega que debiéramos tener regla alguna obligatoria. Más bien, se debería considerar cada situación, descifrando en el momento singular qué hacer. Joseph Fletcher hizo a la ética situacional famosa o infame en los Estados Unidos de América. Él enseñaba un solo principio: Hágase siempre lo que tiene que hacerse pero debe demostrar amor. Rudolph Bultmann enseñaba otra clase de ética situacional en Alemania, basada en la convicción teológica de "la obediencia radical". Aun las personas que saben poco acerca de la ética han oído hablar del término "ética situacional" y tienen alguna clase de reacción fuerte contra ella. Para muchos el término llegó a ser símbolo del caos social y moral.

La única clase de reglas que Fletcher reconocía eran "reglas generales" o reglas sumarias. Él decía que una regla sumaria, tal como "la honestidad vale la pena", sólo nos enseña que en la mayoría de los casos en el pasado la honestidad ha resultado eficaz, es decir, la mejor política. Para Fletcher, una regla como "la honestidad vale la pena" no encierra ninguna obligación moral. Simplemente ella nos informa lo que generalmente funciona. Se debe averiguar en cada caso lo que sea mejor para las personas. Bien pudiera incluir la deshonestidad.

Fletcher escribió un libro, *Ética situacional*, repleto de casos diseñados para probar que si se sigue el entendimiento normal de la obligación moral, haciendo lo que diga la regla, se hará la cosa indebida. Muchos creían muy persuasivos sus razonamientos.

Algunos cristianos dicen: "No es asunto mío lo que otros hagan. Yo no puedo saber qué deben decir o hacer. Sólo tomo mis propias decisiones, y no le compete a nadie más decirme a mí lo que debo hacer". Esta es una especie del *subjetivismo moral* (la creencia de que los juicios morales son meramente opiniones privadas y personales, y como tales no se deben discutir ni criticar). Tal postura es prima hermana de la ética situacional. Ella niega la existencia de reglas aplicables a casos similares y dice que cada uno es tan singular que no se puede razonar acerca de lo que sea bueno o malo en la conducta de otros.

Todos hemos experimentado, en una ocasión u otra, que otro insista en obligar el cumplimiento de una regla que luce poco compasiva ante las necesidades especiales de una persona. En realidad, esto se hizo aparente en la historia anterior acerca del estudiante de Ghana. Esa historia también reveló que consideraciones situacionales sí necesitan tomarse en cuenta en decisiones morales. La buena ética involucra un pleno conocimiento de todos los detalles fácticos y situacionales del asunto bajo consideración, sea una decisión respecto a ir a la guerra, casarse o intentar la fertilización *in vitro*. Ese es el punto que queremos lograr al enfatizar la dimensión de "la percepción del contexto", incluyendo el contexto social, en nuestra ética holística de carácter abordada en el capítulo tres.

Nuestro análisis de cuatro niveles ayuda a mostrar cómo podemos tener en cuenta las situaciones sin sucumbir al situacionismo. La forma en que se debe hacer es considerar las situaciones individuales con toda su riqueza y singularidad, aplicándoles todavía las reglas relevantes, reglas basadas en principios más amplios, ultimadamente en el carácter y la voluntad de Dios.

Durante el apogeo del situacionismo, uno de los factores principales por su popularidad era una reacción contra el negativo legalismo tan extendido en la religión y en la cultura estadounidense. El situacionismo creía que la forma de derrotar al legalismo era abandonando las reglas. Nosotros discrepamos, basándonos en nuestro enfoque de cuatro niveles, el cual muestra que las reglas pueden ser importantes, sin ser carentes de excepciones y "absolutos", sin conducir al legalismo. Este es el primer paso en remover el poder persuasivo del situacionismo.

En el situacionismo:
a) Lo que es ético es decidido por la situación particular.
b) Los casos son únicos; estos no pueden ser categorizados por reglas.
c) Las reglas obligatorias son una mala influencia; pueden provocar que fallemos en la individualidad del caso y de la persona.
Problema: ¿Qué si nosotros necesitamos reglas porque sin ellas la gente se equivocaría porque es pecadora o sencillamente no saben lo suficiente?

2. Reglas nada más: El legalismo. En su intento por rechazar tajantemente la ética situacional, el ético John Jefferson Davis escribe que "una protesta contra el legalismo dentro de la vida cristiana fácilmente puede convertirse en un rechazo de la vinculante autoridad moral de los preceptos específicos de la Palabra escrita de Dios" (*Evangelical Ethics* [La ética de los evangélicos], p. 6). Para contrarrestar esa tendencia peligrosa, él va muy lejos en dirección contraria, abogando por lo que él llama "el absolutismo contextual": "Hay muchos absolutos morales, no sólo un absoluto de 'amor', como en la ética situacional. Algunos ejemplos de absolutos morales nos los provee el Decálogo: La idolatría, el asesinato, la blasfemia, el hurto, etc. siempre son moralmente malos... el absolutismo contextual mantiene que en toda situación ética, sin importar cuán extremada, hay un curso de acción que es moralmente correcta y libre de pecado" (Ibíd., 7).

Pero cuando se presta atención a los dolorosos retos éticos que surgen a veces en la vida real, es difícil adherirse a este compromiso inflexible con los "absolutos"; entendiéndose estos como reglas que dan directamente una instrucción respecto a qué hacer en todos los casos similares, sin que haya excepción alguna, bajo ninguna circunstancia y sin referencia alguna a los principios que subyacen y apoyan toda regla particular. Es interesante notar que en su corta lista, Davis omite el mandamiento del Decálogo en cuanto a no dar falso testimonio. Tal vez lo hiciera como una conveniencia literaria, ahorrando así espacio. Pero, dado su modelo, difícilmente lo pudiera haber incluido, puesto que acababa de aprobar la mentira de Rajab en defensa de los espías judíos (Jos. 2:4-6). También omitió lo del sábado. Uno se pregunta si él aprobaría el robar el plan de batalla del enemigo durante tiempo de guerra, necesitando así omitir también el hurto de su lista.

En el legalismo:
a) Lo que es ético es definido y determinado por las reglas.
b) Las reglas son absolutas y universales para todos los casos.
c) Si hay excepciones, la regla debe ser redefinida, entonces no es aplicada a dichos casos.
Problema: ¿Qué pasa si hay dos reglas en conflicto? ¿Qué pasa si la única manera de ocultar a alguien para evitar que lo maten es mintiendo acerca de donde está esa persona?

Por "contextual", Davis quiere decir que en algunos contextos los deberes *prima facie* (lo cual significa deberes a primera vista) no son deberes *en realidad*. Esta es una antigua distinción en el pensamiento ético, una que nos ayuda a reconocer la engorrosa pero no obstante obligatoria realidad de que las reglas morales han de ser acatadas bajo circunstancias normales, pero que, a veces, en un mundo pecador y quebrantado, las circunstancias no son normales. Así que puede haber un conflicto entre el deber *prima facie* de uno, no hurtarás, y el deber *real* en una situación particular, robar un pan para ayudar a una familia judía que se muere de hambre durante el Holocausto. Desde luego, la razón por la siempre presente posibilidad de una diferencia entre los deberes *prima facie* y los reales no es solamente que vivamos en un mundo pecador y quebrantado, sino que también las reglas y principios a veces están en conflicto los unos con los otros, de modo que el aprobar una regla o principio significa rechazar otro.

El enfoque de Davis articula la ética cristiana como un *legalismo*, habiendo tal vez algo de la modificación contextual. Él basa su ética en reglas que sean aplicables a todos los casos similares y que nos dicen directamente qué hacer o no hacer, independientemente de cualesquier específicos situacionales o fundamentos provistos por los principios. Él lee la Biblia en busca de reglas. También contempla a Dios primariamente como un dador de reglas.

El sociólogo brasileño Paul Freston ofrece una crítica incisiva del involucramiento político de los evangélicos del Tercer Mundo, la cual habla directamente de las limitaciones de un enfoque legalista. Freston observa varios ejemplos de evangélicos que se ganan el poder para ocupar un puesto político, pero luego rápidamente se encuentran en varios "escándalos y absurdos" que involucran el abuso de su nuevo poder. Su diagnosis reza como sigue:

> Ellos [los escándalos]... básicamente no son problemas individuales. Ellos son deficiencias en la enseñanza y modelos de liderazgo... Romanos 12 habla de la transformación de la mente como la base para una ética cristiana noconformista. Pero cuando no hay enseñanza, sucumbimos a la conformidad. Y muchas iglesias no enseñan los principios éticos, sino sólo reglas casuísticas. Pero el legalista que dependa de las reglas, al entrar a una esfera para la cual su iglesia no ha elaborado reglas, se vuelve totalmente indisciplinado. Esta es una de las razones por las que muchos políticos evangélicos se vuelven corruptos: son legalistas, y por consiguiente son personas sin principios (Freston, "Evangelicals and Politics in the Third World" [Los evangélicos y la política en el Tercer Mundo], pp. 125, 126).

Al evaluar una postura con la que se discrepa, siempre es importante intentar entender las fuerzas que motivan a los partidarios de esa postura. En particular, es útil hacer esta pregunta: ¿Qué cosa *temen* más los partidarios de esta postura? Los legalistas temen que el reconocer la posibilidad de hacer excepciones a la regla abra la puerta a un desastroso relativismo moral y al subjetivismo. Finalmente, para ser franco, en algunos contextos también es profesionalmente peligroso hacer preguntas acerca del uso de la frase "absolutos morales".

Para nosotros, la forma de responder ante estos temores es abrazar las reglas morales dentro del contexto de nuestro modelo de cuatro niveles. Las reglas enseñadas por Jesús son necesarias, vinculantes y han de ser acatadas. Las excepciones han de ser consideradas como último recurso, no el primero. Una excepción legítima a una regla existirá únicamente si está fundada en un principio u otra regla, también enseñada por Jesús, o que se halle en la Escritura. Y toda acción y juicio moral ha de pasar la prueba de la convicción básica, relacionada con el carácter y la voluntad de Dios, tal como se revelaron supremamente en Jesucristo.

3. La centralidad de los principios: el "principialismo". Henlee Barnette, un destacado estudioso de la ética, se quedó insatisfecho con los extremos de tanto el situacionismo como del legalismo, los cuales eran las principales opciones éticas cuando él enseñaba y escribía (1950-1970). Él acuñó un nuevo término, el *principialismo,* para describir su propio razonamiento ético (Barnette H., *Church and the Ecological Crisis* [La iglesia y la crisis ecológica]). El principialismo también es defendido por otros, utilizando otros nombres, tales como *axiomas centrales* o *suposiciones* (J. H. Yoder, *Christian Witness to the State* [El testimonio cristiano respecto al estado];

Wogaman P., *Christian Moral Judgment* [El juicio moral cristiano]. Barnette define sus normas como principios, no reglas. Por ejemplo, en un ensayo sobre la eutanasia, él define el amor cristiano como "deseando el bienestar de las criaturas de Dios, la creación y de uno mismo", incluso el amor para con los enemigos. El amor se fundamenta en Dios, cuyo amor es revelado en Jesucristo (nótese la dimensión de la convicción básica). Jesús no fue un legalista, argumenta Barnette; él enseñaba principios, no reglas. El amor no es simplemente un sentimiento sin estructura o una creencia (contrario al situacionismo); más bien, se expresa en principios específicos (no reglas, contrario al legalismo) que nos dan orientación en los problemas complejos.

Por ejemplo, en un ensayo sobre qué tratamiento se debe dar o retirar a un hombre moribundo, cuyo cáncer se ha propagado, un ensayo que él escribe al encarar la muerte de su propio padre, Barnette escribe que esta decisión debería basarse, entre otras cosas, en los *principios* de la justicia, la dignidad humana, el efecto doble del bienestar y la verdad.

En el principialismo:
a) Lo ético es definido y determinado por principios.
b) Los principios apoyan las reglas pero también las limitan.
c) Las reglas no son absolutas y universales; pueden ser anuladas por los principios, pero solamente cuando los principios lo demandan.
d) Si hay dos reglas en conflicto, usted decide ir más profundamente al nivel del principio.
Problema: ¿Qué pasa si hay dos principios en conflicto?

- El principio de la *justicia* requiere que la clase de tratamiento que se le dé sea basada en el derecho básico del paciente, el *consentimiento*. La justicia también considera la habilidad de la familia y del sistema del seguro médico para pagar por prolongar la vida de alguien que agoniza con un cáncer incurable.
- El principio de la *dignidad humana* quiere decir que el moribundo debería tener la presencia de los miembros de su familia y los amigos si es posible, y que no se deben tomar medidas para prolongar las últimas etapas de la muerte por cáncer.
- El principio del *doble efecto* quiere decir que se le debe dar al moribundo tranquilizantes suficientes para calmar sus dolores, aun si el efecto secundario es que se corta la extensión de su vida.
- El principio del *bienestar* significa que no se le debe forzar a que se prolongue una vida intolerable.
- El principio de la *verdad*, el cual enfatiza fuertemente Barnette, significa que al paciente se le debe dar una información médica adecuada.

De modo que Barnette ofrece mucha más dirección para las decisiones éticas que Fletcher, detallándola en principios relevantes. No nos deja simplemente para que decidamos lo que sea mejor en cada caso, basándonos en una respuesta intuitiva a la situación. Sus principios evitan que el poder de un familiar o un médico pisotee el consentimiento o la dignidad del paciente.

Por otro lado, Barnette no es un legalista. Específicamente él declara que no aboga por ninguna regla singular o un juego de reglas que dicten lo que se debe o no se debe hacer. Él argumenta que los principios apoyan las reglas, pero también las limitan; las reglas no son "absolutas" y universales, más bien pueden ser anuladas siempre que los principios así lo exijan. Los principios fijan los parámetros de la decisión moral, dejando así toda una gama de acciones particulares que se determinen en cada caso particular.

El valor del principialismo, pues, estriba en su atención puesta a los detalles de cada caso particular tanto como a los principios generales que han de gobernar cualquier respuesta moral adecuada a los casos particulares.

Sin embargo, se le puede criticar al principialismo por dos causas. Por un lado, Jesús sí enseñó algunas reglas particulares, como ya hemos dicho, tal como "reconcíliate primero con tu hermano" (Mat. 5:24). Si, sobre todas las cosas, tememos el legalismo, posiblemente encontremos que sea más fácil desobedecer los mandatos directos de Cristo, escondiéndonos tras los principios generales. Es posible que desatendamos la sustancia moral y exigente de la enseñanza moral de Cristo, reduciendo nuestra ética a unas cuantas generalidades vagas que no requieren mucho de nosotros en un momento dado. Este ha sido un problema particular para la ética protestante común, la que ha temido al legalismo supremamente. El otro problema que puede afligir el principialismo es el desvincular los principios de las convicciones básicas en las que deben establecerse. Los principios no pueden colgar en el aire, sino más bien, han de fundamentarse en el carácter, la voluntad y el reino de Dios.

La ética filosófica contemporánea, que ha tenido un tremendo impacto sobre cómo los discernimientos de la ética son integrados en las prácticas cotidianas del comercio, la medicina, y otras profesiones, tiene un problema especial en este sentido. La ética filosófica, dentro de contextos seculares, rechaza el enraizar los principios en cualquier convicción teológica básica. De modo que, los principios existen, pero sin un sistema de apoyo que los nutra. ¿Por qué la dignidad humana? ¿Por qué la justicia? ¿Por qué la veracidad? ¿Qué importan estas, por qué nos ligan aparte de una narrativa teológica que da significado a tales normas morales? Carente de una base de convicción como esta, se hace muy difícil darles contenido y significado a los principios propuestos. Así, nos encontramos en el último nivel de nuestro modelo, la convicción básica teológica.

4. La base teológica para la ética cristiana: El contextualismo y la ética narrativa. Queda una opción: enfocar la ética cristiana en su nivel de la convicción básica teológica. Dos grupos de éticos cristianos hacen esto, tendiendo a restarle importancia a las reglas y los principios en el proceso. El primer grupo es formado por los *contextualistas*, incluyendo a H. Richard Niebuhr, Paul Lehmann y James Gustafson. El grupo más reciente puede designarse como éticos *narrativos*, incluyendo a James McClendon, Stanley Hauerwas, Darrell Fasching y Katie Cannon. Aunque estos grupos difieren en algunas maneras significativas, aquí sólo procuraremos resumir algunos de los argumentos que tienen en común, relacionados con la forma y la función de las normas morales cristianas.

Los partidarios de un enfoque sobre el nivel de la convicción básica comienzan recordándonos de una realidad importante: Las reglas y los principios toman su significado de los varios contextos por los cuales se entienden.

Imagínese a Sam Smith, un comerciante de veinticinco años, cuyo padre era un miembro leal de las fuerzas armadas, y que fue criado en una familia y una iglesia que celebran el heroísmo de los veteranos, apoyando fuertemente las acciones militares estadounidenses. Ahora, imagínese a Bill Jones, también de 25 años y también un comerciante. Bill, en cambio, está casado con una mujer cuya familia fue sacada de su hogar, siendo asesinada posteriormente durante la guerra en El Salvador; Bill fue criado en una familia e iglesia menonitas profundamente comprometidas con su tradición del pacifismo. Ahora bien, supongamos que nuestra nación está contemplando una "guerra contra", y está debatiendo fuertemente si tal guerra encajaría dentro de la teoría de la guerra justa. Sam y Bill son estadounidenses, ambos cristianos, ambos hombres, ambos comerciantes, ambos de la misma edad, ambos personas pensantes, ambos bien informados. Pero, debido a sus contextos personales, eclesiásticos y teológicos (y las lealtades acompañantes), podemos casi asegurar que, aunque ambos hagan uso de las reglas de la teoría de la guerra justa, llegarán a conclusiones contrarias acerca de lo que se enseña tocante a este conflicto militar en particular.

¿Por qué será así? Porque los seres humanos no son hacedores de decisiones individuales y aisladas, sino más bien, son miembros de grupos, comunidades y sociedades en los que están arraigados y a los cuales ellos tienden a ser leales (véase el capítulo tres). De modo que ellos responden a lo que perciben estar sucediendo conforme al marco de referencia provisto por estos contextos, no como individuos aislados que pesan las reglas o principios momento tras momento, como si estuvieran en un vacío. Esta es una afirmación fáctica, pero he aquí una normativa: La ética cristiana debería y ha de hacerse dentro del contexto de nuestras comunidades de fe, y estas han de desarrollar la ética cristiana dentro del contexto de la narrativa teológica encontrada en la Escritura, en particular, el reino de Dios, inaugurado por Jesucristo.

Por lo tanto, la ética cristiana necesita enfocarse en varias clases de contextos: *El contexto de la fe personal*, que nos forma y forma nuestra ética, entendido como "la historia de mi vida" como una persona cristiana; el *contexto eclesiástico* en el cual llevamos a cabo nuestra vida cristiana; y *el contexto social-comunitario*, el cual da forma de muchas maneras a nuestras percepciones, actitudes, prácticas y dentro del cual surgen los problemas morales. Necesitamos un discernimiento agudo y honestidad para poder nombrar todos estos contextos, corrigiéndolos cuando sea necesario, basándonos en la normativa narrativa teológica que es fundamental para nuestra ética como cristianos.

En el contextualismo y la ética narrativa, según nuestra perspectiva:
a) Lo ético es definido y determinado por las convicciones teológicas básicas y el contexto narrativo.
b) El tomar una decisión moral no compete únicamente al individuo sino es ayudado por la consulta y la mutua amonestación con la comunidad de fe.
c) Las reglas y los principios se ubican dentro del contexto de las creencias teológicas básicas.
Problema: ¿Qué pasa si los cristianos no pueden concordar respecto a estas creencias fundamentales?

Damos acogida a la afirmación básica de los contextualistas-narrativistas: Que el nivel de la convicción básica teológica es el más importante para la ética cristiana; nos sentimos más cómodos con este entendimiento respecto a la ética cristiana. No podemos estar satisfechos con el situacionismo, el legalismo o el principialismo, ya que todos estos necesitan fundamentos más profundos, la clase de fundamento que Jesús da cuando arraiga los preceptos morales en el carácter del Dios liberador.

Sin embargo, decir esto es decir demasiado poco. Muchos cristianos reconocen que la ética está basa en la teología, pero no obstante esto, ellos aun así resultan ser muy diferentes en la clase de ética que proponen. Hemos de reconocer que maneras distintas de enfocar la teología, en términos de metodología tanto como de sustancia, llevan a resultados éticos radicalmente diferentes. Y, también, ya que Jesús enseñaba "por sus frutos los conoceréis" (Mat. 7:20), es legítimo considerar la importancia ética de las afirmaciones teológicas como una parte de la evaluación general de su valor y veracidad.

Permítasenos ilustrar lo que queremos decir mediante varios ejemplos breves, tomados de la teología histórica y contemporánea. Una tendencia clásica del pensamiento cristiano ha sido el desarrollo del *dualismo* por el cual se hacen unas dicotomías muy marcadas entre el cuerpo y el alma-espíritu, entre el mundo y la iglesia, entre la ley y el evangelio, etc. La tendencia de esta clase de teología ha sido la de identificar a Dios con el espíritu, la iglesia y el evangelio, expulsando o cambiando radicalmente la naturaleza y la soberanía de Dios del cuerpo, el mundo y la ley. La meta de la iglesia es rescatar las almas de los cuerpos, rescatar a la iglesia del mundo, transportando así a sus pasajeros con seguridad a la esfera celestial. La implicación para la ética ha tendido a ser una falta de énfasis en la obediencia a las enseñanzas de Jesús en la vida real de este mundo físico, debido a una desesperanza en cuanto a la posibilidad de obedecer y, a veces, en virtud de simplemente una creencia equívoca de que las enseñanzas de Jesús no son aplicables.

La teología *dispensacional* comete un error similar. En la clásica lectura dispensacional de la historia de la salvación, esta se divide en varias "dispensaciones" o épocas distintas. Durante la actual dispensación de la iglesia, las enseñanzas morales de Jesús (por lo menos algunas de ellas) no son aplicables. Estas empezarán a aplicarse en la era después del retorno de Jesús. Este movimiento teológico tiene la profunda consecuencia de disuadir a los cristianos a que intenten practicar las enseñanzas de Jesús tal como se dieron; esto es exactamente contrario a lo que Jesús enseñó en el Sermón del monte (Mat. 7:21-27).

Un error más sofisticado y común de la teología puede llamarse el *doctrinalismo.* Con esto queremos mostrar un enfoque de la misión de la iglesia que resalta la cuidadosa hechura de las fórmulas doctrinales rígidas como el corazón de la empresa cristiana. Este ha sido característico de muchas ramas de la iglesia. Se recalca la doctrina correcta (la ortodoxia), aunque se descuida totalmente el correcto vivir (la ortopraxis). El doctrinalismo resta a la iglesia de su seriedad ética por su negligencia absoluta, creyendo así que el llamar a Jesús "Señor, Señor" correctamente conducirá de alguna manera a una entrada al reino de los cielos (véase Mat. 7:21).

El cuarto problema teológico-ético es el *deísmo*, una versión reducida de la fe cristiana que floreció durante la Ilustración. Los deístas se adherían a la opinión de que Dios había puesto en moción al mundo, pero ahora lo dejaba al garete. Ellos rechazaban cualquier sugerencia de lo sobrenatural en las Escrituras y cualquier evidencia del continuo involucramiento de Dios en su creación. De modo que, a Jesús se le veía como un excelente maestro de la moral, pero no era el Dios encarnado, ni hijo de una virgen, ni obrador de milagros, ni exorcista, ni inaugurador del reino, ni el Señor resucitado. Aunque un énfasis sobre la enseñanza moral de Jesús obviamente es bienvenido, esas enseñanzas tienen que ubicarse en un cabal marco bíblico-teológico.

Jesús no solamente decía "Arrepentíos" sino "Arrepentíos, porque el reino de los cielos se ha acercado" (Mat. 4:17). La extracción de la enseñanza moral de Jesús de su narrativa teológica es un terrible error, porque en última instancia ella saca la vida de ambas cosas: La teología y la ética cristianas. No únicamente los deístas han viajado por este camino; es también característico de muchos enfoques acomodaticios que procuran que el evangelio se ajuste a los prevalecientes vientos culturales e intelectuales (Efe. 4:14, 15).

Al enfatizar tanto nuestra versión de la narrativa teológica cristiana a lo largo de este libro, ya hemos destacado el punto que buscamos dedicar en cuanto al significado de los conceptos de la convicción teológica básica para la ética cristiana. Hemos dicho que Jesús vino para inaugurar el reino de Dios. Todas las áreas de la vida permanecen bajo la voluntad del Señor soberano. La resistencia continúa, pero en última instancia será sofocada. La iglesia es ese cuerpo de personas que se han unido a Jesús para retomar la creación rebelde. La iglesia es la cabeza de playa del reino, testificando visiblemente del reino de Dios. Esta es la narrativa teológica de convicción básica fundamental para nuestro entendimiento de la ética cristiana.

Nuestro análisis de cuatro niveles nos dice que las creencias particulares y las lealtades, generadas por el contexto teológico-narrativo que funge como nuestra convicción básica última de la ética cristiana, necesitan detallarse en reglas y principios para poder darnos una dirección clara. Las reglas y los principios aclaran lo que entendemos ser las implicaciones de la historia evangélica y nuestras historias vivenciales para una ética concreta. Hacen que nuestra ética sea transparente. Colocan nuestras normas directivas sobre una mesa para que sean vistas, examinadas, criticadas, corregidas.

Pero ese análisis también nos dice que las creencias teológicas no son *poséticas* sino, más bien, son las convicciones básicas esenciales para el trabajo de la ética cristiana. Las reglas y los principios están fundados en nuestro modo de vivir, y lo que nosotros llamamos las narrativas de nuestra fe. Las reglas y los principios no están colgando en el aire para nadie, aunque algunos optan por desconocer su fundamento último que de hecho emplean.

Hemos descubierto por conversaciones con jóvenes, que sus padres o los que los criaron les contaban historias bíblicas, personales o de su grupo étnico, y de sus tradiciones familiares que les formaron de manera más profunda de lo que ellos se daban cuenta; esas historias usualmente dejaban una moraleja concreta, o sea, una lección vital. Por ejemplo, la historia contada a menudo por los padres de la época de la gran Depresión económica: "Nos fue muy mal, y pudimos sobrevivir por la gracia de Dios y el trabajo duro", conduce a la moraleja concreta que "tú necesitas trabajar duro para sobreponerte a los obstáculos también, en vez de pasar el tiempo quejándote acerca de tu mala suerte". Las narrativas enseñan la moralidad.

La Biblia está repleta de narrativas. Pero las narrativas tienen reglas y principios, siendo a menudo muy concretos y específicos. La historia del éxodo es central en la Escritura hebrea; central en la historia del éxodo es el pacto, los Diez Mandamientos y leyes afines. Jesús enseñaba por parábolas, pero Jesús también enseñó el Sermón del monte. La cruz es una narrativa acerca de la muerte de Jesús, pero también es algo que hemos de tomar para seguir a Jesús concretamente en nuestra vida, tal como enfatiza el NT (Yoder J., *The Politics of Jesús* [Política de Jesús], capítulo 7).

Así que, queremos que nuestras reglas y principios estén bien *encarnados* en narrativas, prácticas eclesiásticas y entendimientos de la comunidad de fe. Las reglas y principios no cuelgan en el aire; sacan su significado y tienen su contexto en la realista y encarnada narrativa hebrea de ambos Testamentos, y en su función análoga de una manera de vivir realista y encarnada dentro de nuestro contexto social. Queremos que nuestra ética narrativa sea expresada concretamente, *encarnada* en principios, reglas y juicios concretos acerca de casos particulares. Estas son dos razones por las cuales nombramos nuestro método *el discipulado encarnado,* las reglas y principios están encarnados en narrativas, que están encarnadas en reglas y principios específicos (y juicios particulares). Nuestro método difiere del de algunos éticos contextualistas y narrativos, que tienen cierto prejuicio contra las reglas y principios; nosotros afirmamos que las reglas y principios son parte de la narrativa de la encarnación de Dios en Jesucristo.

Los pastores del protestantismo común han tendido a predicar sermones que son fuertes respecto al nivel de las convicciones básicas, pero carecen de una dirección concreta al nivel de reglas y principios. La mayor parte de la gente vive sobre el nivel de reglas, principios y juicios particulares, encontrando tales sermones demasiado abstractos para ayudarles en su diario vivir. Los pastores evangélicos de tendencia legalista han tendido a predicar reglas acerca de una ética individualista con las que la congregación ya está de acuerdo, pero sin proveerles de una clara relación con las narrativas bíblicas incorporadas. Deseamos ayudar a sanar esa falta de conexiones y promover iglesias que enseñen el discipulado en todos los aspectos de la vida.

La experiencia de la iglesia debe ser mantener juicios particulares, reglas, principios y convicciones básicas en una conversación continua, una reformulación continua, un arrepentimiento continuo, permaneciendo así responsable sobre todas las cosas ante Dios en Cristo por el poder del Espíritu Santo. Mientras tanto, podemos confiar agradecidamente en la misericordia de Dios para que nos perdone nuestras muchas fallas en el discernimiento ético y acción.

La teleología *versus* la deontología

Deseamos explicar una distinción adicional que es importante para el razonamiento dentro de la ética cristiana: La distinción clásica entre el razonamiento *deontológico y el teleológico.*

1. El razonamiento teleológico. El término *teleológico* se deriva del vocablo griego para fin o meta (*telos*). Las acciones son buenas o malas conforme a cómo ayudan a alcanzar un fin (*telos*) o una meta de valor. Otro nombre que se le da a esto es el consecuencialismo (un término que tiende a resaltar la evaluación de las consecuencias de una acción después de completarse; en cambio, el término *teleología* tiende a señalar metas, visiones o intenciones antes de su realización). Las acciones no son obligatorias por sí mismas, sino por sus consecuencias anticipadas o reales. Los fines o las consecuencias justifican los medios que se escojan. De hecho, el fin es la única cosa que justifica una acción.

Las distintas clases de ética teleológica abogan por diferentes fines buenos por los que debemos luchar. El *utilitarismo* dice que debemos hacer aquello que logre la mayor dicha o bienestar del mayor número de personas. El *perfeccionismo* o el fomento del carácter dice que debemos hacer cualquier cosa que mejore las virtudes de la gente, perfeccionando así su carácter. El *nacionalismo* dice que debemos hacer lo que sea mejor para la nación. El *egoísmo* dice que debemos hacer cualquier cosa que convenga a nuestros intereses personales; y se pudiera continuar con la lista.

Joseph Fletcher, el situacionalista, aboga a favor de un principio que regule nuestra evaluación de cada situación. Él lo denomina el amor ágape, pero lo define como el mayor bien para el mayor número de personas. Él saca esto, no del NT, sino del utilitarismo. De modo que Fletcher es un pensador teleológico del tipo utilitario.

Esta versión utilitaria de la teleología tiene el problema de la carencia de principio alguno de distribución justa que proteja a los derechos minoritarios. Si hemos de hacer lo que sea mejor para el bienestar de la mayoría, no tenemos base alguna para proteger los derechos de la minoría. La ética teleológica puede justificar la manipulación de la verdad, el matar a los enemigos y el sofocar a las religiones minoritarias o las razas minoritarias siempre que sea la forma más eficiente para promover las buenas consecuencias buscadas. Un ejemplo no muy bueno se halla en Juan 11:50-53, donde Caifás, el sumo sacerdote, arguye que "os conviene que un solo hombre muera por el pueblo, y no que perezca toda la nación... Así que, desde aquel día resolvieron matarle".

2. El razonamiento deontológico. El término *deontológico* se deriva del vocablo griego *deon* el cual quiere decir "obligatorio" o "vinculante." Nos vemos obligados a refrenar el uso de medios malos para lograr nuestros fines. Un enfoque deontológico afirma que un buen fin no es suficiente; también hemos de poner atención a los principios de derecho e imparcialidad respecto a cómo efectuamos un buen fin. Las acciones son buenas o malas conforme a cómo encajen con el derecho, la justicia o las obligaciones básicas. El asesinar es malo, porque viola las reglas morales fundamentales tocantes al trato que se da a los demás seres humanos.

Hay varias clases de razonamiento deontológico: Los derechos humanos, el mandato divino, la kantiana, la de Rawls y la ley natural. Explicaremos algunas de ellas cuando veamos algunos de los problemas específicos en capítulos posteriores.

Para ser perfectamente claros, necesitamos decir que la mayoría de los deontologistas también se preocupan por lograr fines buenos. A menudo a este punto se le pasa por alto o es malentendido. La justicia nos indica que no es bueno discriminar contra una raza minoritaria respecto a buenas escuelas para sus hijos. Este es un principio obligatorio de derecho, no basado en alguna meta teleológica sino en lo que de plano es justo. Pero una vez que ese *principio* es respetado, entonces también debemos fijarnos en la *meta* de ofrecer una buena educación efectiva. Sería inmoral, para evitar la discriminación, que se cortaran todos los fondos de la escuela y que, por ende, todos los niños recibieran una educación inferior. El deontologista se preocupa por lograr buenos fines siempre que se obedezcan las reglas o los principios de justicia o rectitud.

Queremos aclarar que el problema de la deontología *versus* la teleología no es lo mismo que el problema de un legalismo basado en reglas *versus* una ética no legalista. El deontologista fundamentaría la regla contra el asesinato sobre el principio de los derechos humanos y la santidad de la vida o porque Dios nos manda en los Diez Mandamientos que no asesinemos. El teleologista de tipo utilitarista también podría abogar por la regla contra el asesinato basándonos en la idea de que si se admite el asesinato, atrasará el bienestar y la dicha de un gran número de personas, y la dicha de la mayoría mermará. Esto se llama "el utilitarismo de reglas." La diferencia entre los deontologistas y los teleologistas no es si tienen reglas o no, sino si ellos fundamentan sus reglas en el deber de hacer lo justo o en el logro de un buen fin.

Probando la hipótesis. Probemos nuestra hipótesis basándonos en una pregunta ética: ¿Por qué el asesinato es malo? Supondremos que todos los que contestan sean cristianos.

Perspectivas deontológicas

a. *La del situacionista:* "En esta situación era claro que el asesinato sería un acto desobediente, una violación de la voluntad de Dios para mí".
b. *La del proponente de reglas:* "La Biblia contiene una regla contra el asesinato en Éxodo".
c. *La del principialista:* "El asesinato viola el gran principio bíblico de la santidad de la vida humana".
d. *La del proponente de convicciones básicas:* "El asesinato es contrario al carácter amoroso y justo de Dios".

Perspectivas teleológicas

a. *La del situacionista:* "El matar a esta persona en esta situación no conduciría al mayor bien para el mayor número de personas".
b. *La del proponente de reglas:* "Si yo quebranto la regla contra el asesinato (o si esa regla no existiera), no conduciría al bien mayor para el número mayor de personas".
c. *La del principialista:* "El asesinato socava los principios bíblicos de la santidad de la vida humana y el respeto por los derechos humanos; si estos quedan socavados, conducirá a consecuencias malas como la anarquía o la tiranía.
d. *La del proponente de convicciones básicas:* "El asesinato viola las intenciones de Dios para la vida humana, las cuales incluyen la paz, el derecho y la seguridad.

Creemos que una ética centrada en Jesús toma muy en serio las demandas divinas y es, de verdad, vigorosamente deontológico. Pero ella entiende que los mandatos y las enseñanzas de Jesús son instrucciones derivadas de la gracia y autoritativas tocantes a *cómo hacer la voluntad de Dios (lo deontológico) y cómo participar en la venida del reino de Dios (lo teleológico).* Los cristianos han de "ir… y reconciliarse con su hermano" (Mat. 5:24), porque Jesús enseñó esta regla, por lo tanto nos vemos obligados a obedecerla (lo deontológico), y porque iniciativas tales como estas rompen el ciclo de rotura relacional, trayendo la paz entre seres humanos que se habían enemistado. Esta paz es parte del reino de Dios (lo teleológico). De modo que obedecemos las enseñanzas de Cristo, no tan sólo por ser él nuestro Señor, sino porque confiamos que él, más que nadie, sabe qué comportamientos concretos fomentan el avance del reino de Dios y quiere que los conozcamos y los hagamos también. No buscamos excepciones a reglas engorrosas sino, más bien, buscamos maneras para hacer las cosas gloriosamente liberadoras que él nos enseñó que hiciéramos.

El hecho de que una ética centrada en Jesús y el reino incluya preocupaciones acerca de consecuencias para la gente y para el reino posiblemente inquiete a aquellos que hayan descartado el valor de los fines buenos con tal de poder oponerse a una ética teleológica. Sin embargo, "Buscad primeramente el reino de Dios" (Mat. 6:33) claramente indica una preocupación tocante a un fin bueno. Jesús presenta una meta —verdaderamente, *la* meta— por la que todo cristiano ha de luchar, y él nos pone a trabajar en la consecución de esa meta. Las acciones que buscan avanzar el reino de Dios son obligatorias; las acciones que lo obstaculizan son vedadas. Entendida correctamente, esta clase de preocupación por las metas se entreteje con una sana deontología cristiana. Al fin y al cabo, Jesús exigía una cabal obediencia a la Ley y los Profetas, dando una advertencia severa a cualquiera que los ignorara (Mat. 5:17-20).

La ética cristiana, pues, ha de ser lo suficientemente bíblica para evitar la reducción de la vida moral a un mero *decisionismo* o *legalismo* de absolutos deontológicos abstractos. Ella ha de integrar esas metas por las cuales la iglesia ha de luchar, urgida por las Escrituras, como parte de su búsqueda del reino tanto como aquellas virtudes del carácter que hemos de buscar incorporar. El mejor término general para el contenido sustancial de la ética cristiana es el más amplio, la ética cristiana tiene que ver con todo "el modo de vida" del pueblo de fe (Efe. 2:10; véase Deut. 30:19, 20). No se omite ningún aspecto de la existencia moral —decisiones, prácticas, convicciones, principios, metas y virtudes— todos se ven incluidos en el intento de "procurar que vuestra conducta como ciudadanos sea digna del evangelio de Cristo" (Fil. 1:27; véase Rom. 16:2; Efe. 4:1; Col. 1:10) al buscar el reino de Dios.

En este contexto, el lenguaje familiar de "normas morales", un lenguaje que nos ha ocupado a lo largo de este capítulo, finalmente llega a hacerse pasivo, estático y teórico. La tarea moral de la iglesia no es primariamente idear las creencias acerca de problemas como la eutanasia o el hacer la paz, asegurándonos así que todo miembro sostenga estas creencias correctas. Tampoco es confeccionar un juego de virtudes atemporales, esperando que todo miembro sea virtuoso. Más bien, nuestra tarea central es discernir cuáles *prácticas* específicas se ajustan al reino de Dios y cuáles atributos de carácter comunitario son apropiados para las personas cuyas vidas están entregadas a Dios. Por encima de todo, deseamos ser siervos útiles del reino de Dios, y así con todo el corazón buscamos discernir y luego poner por obra una manera global de vivir que promueva el avance del reino de Dios.

En nuestra discusión del Sermón del monte en el capítulo que sigue, procuraremos demostrar que la enseñanza moral de Jesús en esta parte queda enfocada justamente de esta manera. Él no sólo instruía a sus oyentes acerca de las creencias en torno a problemas morales, sino, más bien, él adiestraba a sus oyentes en esa conducta, en esas prácticas, que caracterizaban el reino de Dios, y ofrecía *iniciativas transformadoras* concretas que cambiaban a la gente.

Las prácticas, las virtudes y el drama encarnado

En el capítulo tres, argumentamos que la ética de carácter necesita reglas y principios. Ahora hemos completado ese argumento. Pero permanece la pregunta: ¿cómo las *prácticas, las virtudes* y *las narrativas*, las cuales son enfatizadas por la ética de carácter, se relacionan con estos niveles de razonamiento que emplean las reglas y principios?

Las prácticas son más concretas que los principios generales: Indican qué hacer o no hacer. Como moralmente normativas, apoyan las acciones particulares tal como el alimentar a los hambrientos. De modo que podemos ubicar las prácticas en el nivel de las reglas.

Las virtudes son más generales que las reglas. El ser humilde y entregado a Dios, el ser misericordioso y tener sed de la justicia y buscar la voluntad de Dios, no nos indican directamente qué hacer tal como lo hacen las reglas. De modo que las virtudes operan sobre el nivel de los principios.

El drama encarnado, que da continuidad y coherencia a la vida y sus prácticas, funciona al nivel de las convicciones básicas. Por ejemplo, el drama encarnado de Jesús en la última cena con sus discípulos, la acción de dar su cuerpo en sacrificio por otros y su sangre como un pacto de gracia, son lo que imparte el profundo sentido teológico a la práctica de la Cena del Señor y a la alimentación de los hambrientos por la comunidad. Esa práctica profundamente simbólica encarna todas las virtudes cristianas, incluso ciertamente de la virtud de tener hambre por la justicia, tal como Pablo lo aclara en 1 Corintios. Las iglesias deben practicar la Cena del Señor de varias maneras para representar las diferentes dimensiones de su significado poderoso; y los sermones deben explicar las diferentes dimensiones del drama encarnado, que da coherencia a la práctica.

Hablamos de un "drama encarnado" y no simplemente de una "narrativa". Jesús no nos contó simplemente una historia acerca de alguien que dio su vida por otros, sino la encarnó en su propio cuerpo y sangre, no como un acto privado, sino como un drama comunitario en el cual participaron los discípulos cristianos, la estructura de poder judío y la estructura de poder romano. Todos pecamos. El drama sigue encarnándose *ahora* al representarlo la iglesia, encarnándolo en su adoración y cuando alimenta a los hambrientos. Y será encarnado en el reino *futuro*, el cual a menudo Jesús representa como un banquete al que muchos que no lo esperaban son invitados (Mat. 22:9; Luc. 14:23).

6

Las iniciativas transformadoras del Sermón del monte

Pero yo os digo que todo el que se enoja con su hermano será culpable en el juicio... Por tanto, si has traído tu ofrenda al altar y allí te acuerdas de que tu hermano tiene algo contra ti, deja tu ofrenda allí delante del altar, y ve, reconcíliate primero con tu hermano, y entonces vuelve y ofrece tu ofrenda.

Mateo 5:22-24

Cuando Dietrich Bonhoeffer tenía quince años de edad, le dijo a su familia que había tomado la decisión de ir a la universidad para estudiar teología. Su hermano mayor le dijo: "¿No te das cuenta de que la iglesia está corrupta y es irrelevante para el mundo de hoy?". Dietrich contestó: "Si así es el caso, ¡ayudaré a reformar la iglesia!". Para cuando tenía veintiún años, ya había terminado su tesis doctoral. Para cuando tenía veinticuatro años, había sido nombrado profesor de teología en la Universidad de Berlín, y con veintisiete años, ya había escrito su segundo libro.

Pero Alemania sufría por la Gran Depresión de 1929-1939; había mucho desempleo e intranquilidad cívica. Apenas recientemente había abandonado un gobierno monárquico, convirtiéndose en una democracia. En 1933 los alemanes rechazaron su gobierno democrático, entregando las riendas de poder a Adolfo Hitler, a quien se nombró canciller el 30 de enero. Hitler había prometido que él lograría que la economía se revitalizara. También, él había seducido a los cristianos a que votaran por él, porque prometió que haría que el Cristianismo fuera "la base de toda nuestra moralidad". Aseguró a los cristianos que ellos eran "el factor más importante para salvaguardar nuestra herencia nacional" (Bethge, *Dietrich Bonhoeffer: A Biography* [Dietrich Bonhoeffer: Una biografía], p. 262). Culpaba a los judíos y a los comunistas por los problemas de Alemania. Las tiendas judías fueron boicoteadas el día 1 de abril, y a los alemanes se les advirtió contra la confraternización con judíos. Los alemanes que se casaban o que salían con judías eran acusados de "contaminar la pureza de la raza alemana". El primer campo de concentración en Dacha se abrió en 1933. El mismo Hitler decretó una "cláusula aria", exigiendo la "pureza racial" de la burocracia y eventualmente de la iglesia: A ningún cristiano de ascendencia judía se le permitiría ocupar un puesto en la iglesia.

La triste verdad es que la mayoría de los cristianos apoyaba el antisemitismo de Hitler y su política discriminatoria. ¿No habló Hitler de la necesidad de la moralidad cristiana y de la providencia divina que guiaba la historia de Alemania? ¿No necesitaba Alemania un caudillo fuerte que pusiera a caminar la economía y derrotara a los enemigos de Alemania? Los cristianos se sentían halagados por la afirmación de Hitler en cuanto a su apoyo al cristianismo, pero ellos carecían de compromiso bíblico con las normas de justicia que les advirtieran contra sus planes injustos.

Bonhoeffer era uno de los pocos líderes cristianos que descubrieron desde el inicio que Hitler era demasiado autoritario, dictador, injusto y belicista. Después de la elección de Hitler, Bonhoeffer predicaba que los cristianos tienen sólo un Señor, Jesucristo, no otro señor o una autoridad secular. Él transmitió un mensaje radial advirtiendo contra los peligros de un líder que afirmara una autoridad absoluta y que pisoteara los derechos humanos básicos. Como mal agüero, su plática fue cortada antes de llegar a su conclusión, aparentemente por los censores de Hitler.

¿Cómo podía Bonhoeffer ver tan claramente cuando los demás se equivocaban tanto? ¿Cómo podía actuar tan valientemente cuando los demás se callaban? No siempre había podido ver tan claramente. En 1929, cuando acababa de terminar sus estudios de posgrado, basaba su ética concreta en el nacionalismo, al igual que otros teólogos luteranos que terminaron apoyando a Hitler. Él afirmaba que Dios había ordenado que el estado guiara la política, la guerra y la economía. En nuestras responsabilidades no hemos de seguir a Jesús sino a las realidades de la política alemana (Tödt H., "Kirche und Ethik" [Iglesia y ética], 447; Bonhoeffer, *Gesammelte Schriften* [Colección de escritos] III, pp. 48-58).

El gran momento decisivo de Bonhoeffer llegó al año siguiente, al estar estudiando en Nueva York e involucrándose en la vida de la Iglesia Bautista Afroamericana de Harlem (Bonhoeffer D., *Letters and Papers from Prision* [Cartas y escritos desde la prisión], p. 275). Fue convertido por el Sermón del monte de Jesús; este le cambió su vida. Escribió acerca de ello en una carta a una amiga:

> Yo me había sumergido en mi trabajo de manera poco cristiana. Una... ambición que muchos habían visto hizo que mi vida fuera difícil... Luego algo sucedió, algo que ha cambiado y ha transformado mi vida hasta el día de hoy. Por primera vez descubrí la Biblia... A menudo yo había predicado... pero aún sin llegar a ser cristiano... Yo nunca había orado, o había orado muy poco... Luego, la Biblia, y en particular el Sermón del monte, me libraron de todo eso. Desde entonces, todo ha cambiado... Fue una tremenda liberación.

> Se me aclaró que un siervo de Jesucristo tiene que pertenecer a la iglesia, y paso por paso se me aclaraba hasta qué punto tenía que llegar (Bethge E., *Dietrich Bonhoeffer: A Biography* [Dietrich Bohoeffer: Una biografía], pp. 204, 205).

A la larga, Bonhoeffer llegó a ser el único docente en un seminario teológico subterráneo libre del dominio nazi, y allí su enseñanza enfatizaba el Sermón del monte. *The Cost of Discipleship* [El precio de la gracia] (cuyo título alemán original significa *Siguiendo a Cristo*). Basándose en el Sermón del monte, él procuró persuadir a otros a que se opusieran a lo que Hitler hacía. El tomar en serio el Sermón del monte significaba amor para el hermano y amor para el enemigo, y significaba que el amor tenía que incluir a toda persona, y ciertamente eso incluía a los judíos. Esto quería decir que los cristianos tenían que oponerse a la política antisemita de Hitler. El tomar en serio el Sermón del monte también quería decir tomar en serio las enseñanzas de Jesús sobre la pacificación. Esto significaba que él ya tenía fundamentos sólidos para oponerse a la política bélica de Hitler (Tödt, *Theologische Perspektiven* [Perspectivas teológicas], pp. 112 ss.). Decía que una clara y comprometedora postura firme, basada en el Sermón del monte, facilitaría la restauración de la iglesia después de finalizar el debacle nazi (Bonhoeffer D., *Gesammelte Schriften III* [Obras escogidas III], p. 25).

Karl Barth, que alguna vez fuera uno de los líderes de la Iglesia Confesante que se oponía a absorción de la iglesia por Hitler, escribió: "Desde 1933 en delante, Bonhoffer fue el primero, en realidad casi el único", que se enfocó tan céntrica y enérgicamente en defender a los judíos contra las injusticias de Hitler (Tödt, "Kirche und Ethik" [Iglesia y ética], p. 447). Al concentrarse la Iglesia Confesante en su propia defensa, ella hacía poco a favor de los judíos que no eran miembros de la Iglesia y quienes estaban siendo privados de sus hogares, sus negocios y eventualmente sus vidas. Fue Bonhoeffer, apoyándose en el Sermón del monte como una dirección concreta para la vida, que arremetía contra la política nazi antijudía e instaba a la iglesia a que actuara, oponiéndose a dicha política. Él ayudó a sacar clandestinamente a catorce judíos de Alemania para Suiza y ayudó a un profesor judío de nombre Perels para que sobreviviera en el campo de concentración en Gurs (*International Bonhoeffer Society* [Sociedad Internacional Bonhoeffer], *Newsletter* [Boletín]).

Parece claro que la lealtad de Bonhoeffer a Jesucristo y su comprensión concreta del camino de Jesús, tal como se revela en el Sermón del monte, fueron razones básicas por las que podía ver tan claramente lo malo de Hitler. En su resistencia a las injusticias de Hitler, el Sermón del monte fue central.

Sin embargo, la curiosa e intrigante realidad es que seis años más tarde, cuando Bonhoeffer escribió su libro *Ética*, casi nunca mencionó el Sermón del monte. Así que su *Ética* justamente ha sido criticada por la carencia de una dirección normativa concreta (Por ejemplo, Rasmussen L., *Dietrich Bonhoeffer*, pp. 154, 155, 160, 168). Creemos que esta carencia en uno de los mejores y más fieles líderes del cristianismo es profundamente simbólica de un extraño fenómeno que ha desviado mucho a la tradición eclesiástica de un pleno seguimiento a Jesús. Permítasenos explicar desde el comienzo algo acerca de nuestra tradición.

Cómo se desarrolló la tradición de evasión y dualismo

La Gran Comisión dice: "Por tanto, id y *haced discípulos* a todas las naciones, bautizándoles en el nombre del Padre, del Hijo y del Espíritu Santo, y *enseñándoles que guarden todas las cosas que os he mandado*" (Mat. 28:19, 20; itálicas añadidas). La tradición comienza aclarando que el camino del discipulado incluye practicar los mandamientos de Jesús. El camino del discipulado y los mandamientos de Jesús se enseñan más explícitamente en el Sermón del monte. Así se les enseñó a los cristianos primitivos cómo ser discípulos (Luz V., *Matthew 1—7* [Mateo 1—7], p. 214). Durante los tres primeros siglos de la iglesia, el pasaje bíblico más aludido fue el Sermón del monte.

Vemos esto claramente en uno de los primeros escritores cristianos después del NT, Justino Mártir. Alrededor del año 154 d. de J.C., Justino escribió su *Primera apología*. Al detallar la postura de los cristianos, él citó plenamente las enseñanzas del Sermón del monte respecto a la castidad, el matrimonio, el decir la verdad, el amar al enemigo, el volverle la otra mejilla, el ir la segunda milla, el dar limosnas, el no guardar los tesoros o el no afanarse por las posesiones sino buscar primeramente el reino de Dios, dejando que las buenas obras logren la glorificación de Dios y no hacer las buenas obras para ser vistos por los hombres. Justino esperaba que los cristianos practicaran tales cosas, viviendo de esta manera. Enfatizó lo que Jesús había enfatizado: "No todo el que me diga 'Señor, Señor' entrará en el reino de los cielos sino el que hace la voluntad de mi Padre que está en los cielos... Por sus frutos los conoceréis. Y todo árbol que no produce buen fruto es cortado y echado en el fuego". Justino dijo que, al cumplir los cristianos con la enseñanza de Jesús, se atestigua del poder de las enseñanzas para transformar la manera de vivir de la gente:

> Y muchos, hombres tanto como mujeres, que han sido discípulos de Cristo desde la niñez, permanecen puros aun con la edad de sesenta o setenta años; y yo me jacto de que pudiera producir tal cosa en toda raza de los hombres. Porque, ¿qué diré, también, de la multitud sin número de aquellos que han reformado hábitos malos, aprendiendo estas cosas? (Justino Martir, *First Apology* [Primera apología], pp. 167, 168).

Pero luego se presenta una fisura, una pista de mayores problemas que vendrían en la historia eclesiástica siguiente. Justino dirigió su *Apología* al

Emperador Antonio Pío y su hijo, procurando su favor. Por lo tanto, inmediatamente después de presentar estas enseñanzas respecto al camino de Jesús, él citó la enseñanza de Jesús en Mateo 22:17-21 "Dad al César lo que es del César, y a Dios lo que es de Dios". Justino interpretó este texto de forma dualista: "Por ende, rendimos culto sólo a Dios, pero en otras cosas con gozo te servimos a ti, reconociéndote como rey y gobernante de los hombres". Así que él limitó la independencia cristiana ante el emperador sólo en la forma de adorar a Dios. Claramente el camino de Jesús, tal y como enseña el Sermón del monte, concierne mucho más que nuestra adoración. También tiene que ver con las relaciones sexuales, el matrimonio, la honestidad, el amar a los enemigos y la inversión de nuestro dinero. Sin embargo, aquí Justino introdujo un dualismo incipiente. Él hacía una "apología" al emperador, procurando persuadir a este a que tratara bien a los cristianos. Para poder someterse ante los poderes y autoridades, él dividió la responsabilidad cristiana para que así nuestra *adoración* perteneciera a Dios, mientras *en otras cosas* hacemos lo que el gobernante terrenal diga. Esto le dio al emperador un cheque en blanco para que hiciera lo que le placiera en asuntos fuera de la adoración.

Esta no era la actitud de Jesús. Para Jesús, ¿qué le pertenecía a Dios? Todo. Jesús era judío, no un dualista. Él sabía que Dios es el Señor sobre todo. Su enseñanza en Mateo 22:17-21 es un paralelismo hebraico irónico (Bornkamm G., *Jesus of Nazareth* [Jesús de Nazaret], pp. 121-124). El segundo miembro del paralelismo, "dad a Dios lo que es de Dios", significa "dad *todo* a Dios". Se le da un sesgo irónico a la primera mitad de la enseñanza: Dios tiene soberanía sobre el César; damos al César únicamente lo que concuerde con la voluntad de Dios. Pero Justino era gentil, no judío y era seguidor de Sócrates y Platón antes de su conversión, acostumbrado a un dualismo por el que lo espiritual queda separado de lo terrenal. En el pensamiento platónico, Dios vivía fuera de la cueva en la que vivimos nosotros, en la esfera eterna, no en la esfera terrenal. Queriendo agradar al emperador, Justino aquí, tal vez sin querer, daba al emperador la autoridad sobre todo excepto la esfera espiritual de la adoración.

El orden de enseñanza de Justino es opuesto al de Jesús. Habiendo dicho que una pequeña moneda podía dársele al César, *Jesús* llega al clímax de su enseñanza al decir en efecto: "pero Dios es el Señor de todo". Habiendo citado el camino de Jesús en el Sermón del monte, *Justino* llega al clímax de su enseñanza al decir en efecto: "pero el César es Señor en todo menos la adoración". Es este incipiente dualismo platónico, combinado con el deseo de complacer a los poderes y las autoridades de este mundo —sean gobernantes políticos, concentraciones de riqueza, estructuras de poder racistas o hábitos, costumbres y prácticas egoístas— que crea en la historia eclesiástica que sigue el diabólico dualismo por el que grandes segmentos de la vida son extirpados de la autoridad de Dios y son puestos bajo las autoridades de este mundo. Así el camino de Jesús se limita a aplicarse únicamente a un campo estrechamente limitado: La adoración, las actitudes interiores o las relaciones individuales. Seguramente que Justino, un cristiano sincero, no se propuso todo lo que ocurrió en la historia eclesiástica siguiente a causa de esta pequeña e inocente grieta en nuestra responsabilidad a Dios. Pero así sucedió.

Al llegar Constantino a ser el primer emperador cristiano (306-337 d. de J.C.), la iglesia restó importancia a cualquier cosa que pudiera sugerir una crítica de la manera en que Constantino gobernaba.

> El paralizante y definitivamente trágico desarrollo fue que pronto el enfoque cambió: de Jesús y la forma particular en que él se encarnaba en su comunidad, el camino a su Dios, a la relación metafísica de la figura individual, Jesús, al Dios de la iglesia, hecho ya el Dios del imperio... De modo que vanamente se busca en los credos clásicos, esas destilaciones puras de la fe, de cualquier cosa que hable sobre el camino moral de Jesús o el de su comunidad (Rasmussen L., *Moral Fragments and Moral Community* [Fragmentos morales y comunidad moral], pp. 138-140).

Luego llegó la Edad Media en la que la mayor parte del pueblo era analfabeto, sin poder leer acerca de la enseñanza de Jesús y su camino. Se le dijo que dejara que el clero y la jerarquía le dijeran lo que tenían que creer. Se puede ver gráficamente lo que se enfatizaba acerca de Jesús durante la Edad Media si se acude a Los Claustros, el museo de arte medieval de la ciudad de Nueva York. Los cuadros hermosos y esculturas que hay allí representan sólo dos temas: María y el niño Jesús, y Jesús sobre la cruz; no hay nada que represente lo que ocurrió entre el nacimiento de Jesús y su muerte. Es semejante al Credo Apostólico: "nació de la Virgen María, padeció bajo Poncio Pilato, fue crucificado, muerto y sepultado". El Sermón del monte y todas las enseñanzas proféticas de Jesús están escondidos, sin verse ni oírse entre esa coma que lo traslada rápidamente desde su nacimiento a su sufrimiento bajo Pilato, sin que haya nada sino una coma.

El teólogo Jürgen Moltmann (*Way of Jesus Christ* [El camino de Jesucristo], p. 150), ofrece una sugerencia constructiva para rellenar este vacío:

> No podemos cerrar este capítulo sobre la misión mesiánica de Jesucristo sin ofrecer una sugerencia de un agregado a estos dos credos antiguos de la iglesia. Aquí la intención no es cambiar las palabras de la tradición; pero hay que saber qué agregar al pensamiento. Después de "nació de la Virgen María" o "fue hecho hombre" en el Credo Niceno, debemos agregar algo semejante a lo que sigue:
>
> - bautizado por Juan el Bautista y
> - llenado por el Espíritu Santo
> - para predicar el reino de Dios a los pobres,

- sanar a los enfermos,
- recibir a los marginados,
- avivar a Israel para la salvación de las naciones, y
- apiadarse de todas las personas.

Durante la Reforma Protestante, Martín Lutero censuró a la iglesia medieval por dividir a la humanidad en dos clases. Conforme a este dualismo de dos clases, las enseñanzas del Sermón del monte eran mandatos para monjes y el clero, pero para el resto de nosotros, sólo eran consejos opcionales si se quería ser perfecto ("consejos de perfección"). Lutero insistía en que las enseñanzas eran para todos los cristianos. Pero luego, él adoptó algo semejante al dualismo platónico de Justino Mártir. El Sermón es para todos los cristianos *en sus actitudes interiores*, pero la persona exterior, que tiene responsabilidades para con otras personas, debería obedecer las autoridades del mundo, no los mandatos del Sermón del monte. Este era para nuestras actitudes, no para nuestras acciones (Lutero M., *Sermon on the Mount* [Sermón del monte], pp. 364 ss.). A esto se le llama un dualismo de dos esferas. Al igual que Justino, Lutero se preocupaba por un gobernante. Su príncipe, Federico, le defendía a él y su Reforma en contra del papa, sin su protección hubiera sido llevado preso por socavar la Iglesia Católica. Además, el Príncipe Federico se sentaba sobre su trono justo frente a donde predicaba Lutero, escuchando cada palabra predicada. Lutero necesitaba una ética que afirmara que el Sermón del monte no socavaba la autoridad y el poder de Federico.

El historiador eclesiástico Jaroslav Pelikan demuestra que el dualismo de dos esferas de Lutero marcó una separación histórica del gran predicador de la iglesia primitiva griega, Juan Crisóstomo, y del gran predicador de la iglesia Romana, Agustín (*Divine Rhetoric* [La retórica divina], pp. 145 ss.). Crisóstomo y Agustín enseñaban que los mandamientos del Sermón del monte representaban la voluntad de Dios para todo el mundo, para los discípulos primero, y por medio de ellos a toda la humanidad; y habían de ser llevados a la práctica. Lutero limitaba su aplicación a los cristianos en sus vidas interiores, no para los cristianos en sus vidas públicas ni tampoco para toda la humanidad (Ibíd., pp. 79, 80, 106-107, 110-114, 123). El resultado fue el secularismo: a la gente se le enseñaba que el evangelio no tiene nada en concreto que decir acerca de cómo llevamos la vida en la esfera pública, salvo que nuestro motivo interior debe ser el amor. El tener un motivo de amor, no obstante, puede resultar en cualquier clase de ética, sobre todo si el gobernante secular define nuestras acciones en la esfera pública. Consecuentemente, la esfera de la fe religiosa se reduce cada vez más a partes más estrechas de nuestra vida. Por esto, los laicos creen que el evangelio es menos relevante cada vez más en sus vidas. El secularismo significa que en Alemania sólo el 5% de los luteranos asisten al templo un domingo cualquiera.

Durante la Reforma, Juan Calvino enseñaba sobre la soberanía de Dios en toda la vida, y desarrolló la ética del pacto que hasta la fecha sigue siendo útil. Concebía que el Sermón del monte era la interpretación del AT por Cristo, no una contradicción al AT. Interpreta el Sermón del monte como una dirección práctica que espera ser obedecida. Sin embargo, sus énfasis prácticos a veces reducían el Sermón a lo que él veía en el AT, o a lo que él creía poder esperar de los cristianos. Pasó por alto la enseñanza de Jesús en Mateo 7, que no tan sólo hemos de oír estas palabras, sino *hacerlas* (Calvino J., *Harmony of the Gospels* [Una armonía de los Evangelios], pp. 164-232).

Los anabaptistas insistían en el discipulado como el seguimiento concreto a Jesús, y ellos enseñaban el Sermón del monte como autoritativo para toda la vida de los cristianos (lo exterior tanto como lo interior). Pero los anabaptistas suizos y alemanes sureños no veían cómo se pudiera esperar que el Sermón del monte se aplicara al reino terrenal, de modo que desarrollaron una "ética de dos reinos" en la cual no consideraban que el Sermón del monte se aplicara a los incrédulos, no desarrollando así una ética para el reino exterior. Sin embargo, Menno Simons claramente veía a Jesús como Señor sobre los gobernantes terrenales y no vacilaba en exigir que los gobernantes hicieran la justicia y que se portaran conforme a la voluntad de Dios revelada en los Profetas y en Jesús. Eruditos modernos también enfatizan que Jesucristo es el Señor sobre toda la vida, no sólo sobre la iglesia.

La tradición de la evasión persiste en libros de texto sobre la ética cristiana. Últimamente, sólo podíamos encontrar un par de libros de texto que sacaran *algo* del Sermón del monte. Estas excepciones dedican sólo una o dos páginas al Sermón del monte. Recuérdese, el Sermón del Monte es el bloque más grande de la enseñanza de Jesús del NT y fue el manual para enseñar qué constituía ser un cristiano en la iglesia primitiva. Es el pasaje central que representa el camino de Jesús. Si la forma de enseñar y practicar la ética cristiana comunica que la ética cristiana no se basa en el Sermón del monte, entonces influye sobre la orientación general respecto a las enseñanzas de Jesús. Ello deja la idea de que la ética cristiana se basa en algo que no sea el seguimiento a Jesús. Esto tiende a resultar en el moralismo y legalismo que adoptan ideologías autoritarias de la cultura; en su defecto, resultan en un liberalismo ajustado a la cultura, un permisivismo e individualismo egocéntrico, que viene siendo un libro de texto sobre la ética neotestamentaria más bien que un libro sobre la ética cristiana que es mejor.

¿Por qué esta evasión? ¿Qué pasó?

No "altos ideales" sino "iniciativas transformadoras"

Ya identificamos una tendencia a ajustarse a los poderes y autoridades de la cultura, encajonando y orillando a Jesús. Un paso clave en ese ajuste es enseñar que el Sermón del monte consiste en "dichos difíciles", ideales demasiado elevados para nuestra capacidad, sentimientos hermosos pero imposibles para la vida práctica. Una vez dado ese paso, entonces es más fácil argumentar que necesitamos otra ética que podamos practicar, resultando casi siempre en una ética que acepta la autoridad de algún poder o autoridad secular.

De modo que se ha desarrollado una tradición de que el patrón del Sermón de monte se forma de *antítesis* por las cuales Jesús prohíbe el enojo, la lujuria, el divorcio, los juramentos, la resistencia al mal, mandando así que renunciemos todo derecho. Se alaba por ser idealistas, concluyendo luego que no son practicables y adoptando una ética proveniente de otra parte. Se orillan las enseñanzas de Jesús para que se apliquen a las actitudes, pero no para las acciones, o para el arrepentimiento pero no para la obediencia, o para una futura dispensación pero no para la actualidad, o meramente como ilustraciones de principios generales tales como el amor, pero no para ser obedecidos particularmente.

Es revelador observar lo que hacen al llegar a las enseñanzas de Jesús en la conclusión del Sermón del monte, donde dice claramente que es posible *cumplir* con estas enseñanzas. "Todo árbol que no lleva buen fruto es cortado y echado en el fuego. Así que, por sus frutos los conoceréis. No todo el que me dice, 'Señor, Señor' entrará en el reino de los cielos, sino el que *hace* la voluntad de mi Padre que está en los cielos... Cualquiera, pues, que me oye estas palabras y las hace, será semejante a un hombre prudente que edificó su casa sobre la peña... Pero todo el que me oye estas palabras y *no las hace*, será semejante a un hombre insensato que edificó su casa sobre la arena" (Mat. 7:19-21, 24-27). Al llegar a estas palabras, normalmente se hace caso omiso de ellas o se las interpreta para que digan otra cosa. O no llegan siquiera a las palabras, porque pasan por alto todo el Sermón del monte. El resultado es lo que Dietrich Bonhoeffer llama "gracia barata", es decir, la gente se felicita a sí misma por ser perdonada sin que se haya arrepentido, que Dios está a su favor sin que sigan el camino del Señor tal como se revela en Jesús, que son cristianos sin que efectúe una diferencia en su forma de vivir (Bonhoeffer D., *Cost of Discipleship* [El precio de la gracia], pp. 40, 45 ss.). El resultado se congracia con los intereses seculares que no quieren que el camino de Jesús interfiera con sus prácticas. Se seculariza la moralidad; a Jesús se le orilla o se le encajona, y por lo tanto la ética de la iglesia se hace vaga y abstracta.

Nosotros proponemos una manera de rescatar el Sermón del monte de la interpretación antitética que lo convierte en prohibiciones perfeccionistas. Es sutilmente sencilla, pero resulta en una tremenda diferencia en cómo se lo interpreta, y nos guiará a lo largo de este libro. El patrón del Sermón del monte no es antítesis dobles sino *iniciativas transformadoras triples*. Por ende, el énfasis interpretativo ha de colocarse, no en una alegada prohibición idealista, sino en el camino realista de la liberación por las iniciativas transformadoras.

La manera más fácil para ver este patrón es comenzar con la primera enseñanza mayor de Jesús respecto a cómo nos llama a seguirlo (Mat. 5:21-26). La tradición antitética ha contemplado la enseñanza como que sigue un patrón doble o diádico:

La justicia tradicional	**La enseñanza de Jesús**
Mateo 5:21: Han oído que se les dijo a los de tiempos antiguos, "No matarás; y cualquiera que mate será sujeto al juicio" (en este capítulo se usa la traducción del autor para poder seguir más de cerca las formas verbales griegas).	Mateo 5:22-26: Pero yo les digo que todo el que se enoje contra su hermano será sujeto al juicio; cualquiera que insulte a su hermano será sujeto al concilio, y cualquiera que diga "¡Necio!" será sujeto al infierno de fuego. (Ilustraciones: Así que, sí estás ofreciendo tu ofrenda sobre el altar... reconcíliate pronto con tu acusador).

Viéndolo de este modo, naturalmente se coloca el énfasis en la "enseñanza de Jesús", y ya que es claro que Jesús sí da mandatos en el Sermón del monte, la enseñanza de Jesús aquí se interpreta como un mandato a no enojarse y no llamar a nadie "Necio". Pero, puesto que no podemos evitar el enojarnos, si es que somos honestos con nosotros mismos, Jesús no debe querer decir lo que pareciera haber dicho. De modo que es un dicho difícil, un alto ideal, una demanda imposible.

Esta es una mala interpretación. En realidad, Jesús no da mandamiento alguno a que no nos enojemos ni que no llamemos a nadie "Necio." Para el griego del NT, "enojarse" en Mateo 5:22 no es mandato, no es un imperativo, sino un participio (algo similar al gerundio en castellano), es decir una acción continua. Es el diagnóstico de un ciclo vicioso en el que a menudo nos atascamos: El airarnos, el insultarse el uno al otro. Es simplemente realista: Sí nos enojamos, sí nos insultamos el uno al otro, y esto conduce a problemas. Como señala el erudito neotestamentario Dale Allison, la tradición cristiana primitiva no conocía ningún mandato contra todo enojo. Efesios 4:26 dice: "Enojaos pero no pequéis; no se ponga el sol sobre vuestro enojo". En Marcos 1:41, es posible que el texto original dijera "movido al enojo", y Marcos 3:5 dice explícitamente que Jesús se enojó ante la dureza de sus corazones, impidiendo que ellos accedieran a la sanidad del hombre con la mano paralizada en sábado. Mateo 21:12-17 y Mateo 23 muestran a Jesús enojado, y en 23:17 Jesús llama a sus opositores "necios", cosa que se hallaría en contradicción con Mateo 5:22, si este versículo se leyera como un mandato. "En general, la tradición cristiana posterior siguió el sentir de Efesios 4:26, sin demandar la eliminación total del enojo, sólo el enojo mal puesto" (Allison D., *Sermon on the Mount* [Sermón del monte], p. 64; véase pp. 64-71).

Pero Jesús sí da mandatos aquí. Son cinco, todos imperativos en el griego. Todos se encuentran en lo que el diagrama anterior agrega como "ilustraciones." Empero, Mateo 5:23-26 no contiene meras ilustraciones. No da "ilustraciones" del matar o el enojarse, ni da ilustraciones de una evasión del enojarse. Los mandatos de Jesús aquí son *iniciativas transformadoras*, que son el camino para liberarse del enojo y el matar. No son simples ilustraciones, son el clímax de la enseñanza. Por tanto, proponemos que la enseñanza se diagrame de modo que no subestime el clímax de la enseñanza, sino que la subraye atinadamente como la tercera y culminante parte de la enseñanza.

La justicia tradicional	**El ciclo vicioso**	**La iniciativa transformadora**
Mateo 5:21: Han oído que se les dijo a los de tiempos antiguos: "No matarás; y cualquiera que mate será sujeto al juicio" (En el griego, las expresiones "No matarás" y "será" no son imperativas sino futuras; como traducciones del hebreo de los Diez Mandamientos, desde luego sí implican un mandato).	Mateo 5:22: Pero yo les digo que todo el que se enoje contra su hermano será sujeto al juicio; cualquiera que insulte a su hermano será sujeto al concilio, y cualquiera que diga "necio" será sujeto al infierno de fuego (No hay imperativos en el griego).	Mateo 5:23-26: Así que, si estás ofreciendo tu ofrenda sobre el altar, y recuerdas que tu hermano o tu hermana tienen algo contra ti, *deja* tu ofrenda allí… y *ve*; *reconcíliate* primero con tu hermano, y luego, viniendo, *ofrece* tu ofrenda. *Hazte* amigo rápidamente con tu acusador (Los verbos imperativos en el griego son indicados por las itálicas).

Podemos ver que la tercera parte es el clímax de tres maneras: Es donde aparecen los mandatos, los imperativos. Es más larga que las otras partes de la enseñanza; y en la enseñanza bíblica, es en la tercera parte de una enseñanza donde normalmente viene el clímax.

En realidad, el Evangelio de Mateo tiene aproximadamente 75 enseñanzas con un patrón triple o triádico, y casi no hay enseñanzas con un patrón dual o diádico. En cada caso, el tercer miembro del triádico es donde llega el clímax, cosa típica en la enseñanza bíblica. Sería extraño que el patrón de Mateo en el Sermón del monte fuese sólo de enseñanzas duales, cuando en todas las demás partes él presenta enseñanzas en tríadas y no duales.

Así que, deseamos proponer un pequeño cambio en perspectiva, poniendo el énfasis en la parte culminante, o sea, en los imperativos. Proponemos nombrar a esta parte la *iniciativa transformadora*. Esta frase tiene tres sentidos: Transforma a la persona airada en un activo pacificador; procura transformar al enemigo en amigo. Es más, participa de la gracia de Dios en Cristo cuando había enemistad entre Dios y los seres humanos, ya que Dios vino en Jesús para hacer la paz. Esta es la irrupción del reino que vemos en

Jesús. Jesús nos llama a participar en el camino de la gracia. Nos invita a la liberación del ciclo vicioso del enojo e insulto.

Como demostraremos a lo largo del resto de este libro, este patrón de iniciativas transformadoras es seguido de forma consecuente por toda la sección central del Sermón del monte, Mateo 5:21 hasta 7:12. Esto transforma nuestro modo de entender todo el Sermón. Quiere decir que el énfasis no se pone en algunas prohibiciones negativas que son enseñanzas difíciles. Más bien, el énfasis se pone en ciertas iniciativas transformadoras que representan el camino de la liberación, basado en la gracia.

Vemos que el énfasis de la enseñanza de Jesús a lo largo del Sermón del monte está en las iniciativas transformadoras, justo donde están los imperativos. Observamos que estas iniciativas son *prácticas* regulares ordenadas por Jesús. Aquí, por ejemplo, según la primera enseñanza (Mat. 5:21-26), cada vez que nos encontremos en una relación de enojo o insulto, hemos de activarnos en la *práctica regular* de dialogar, buscando así hacer la paz; es decir, participar en la resolución de conflicto. Así, a lo largo del Sermón del monte, Jesús nos daba prácticas regulares que participan en el camino de Dios de la liberación por gracia de los ciclos viciosos en los que nos vemos atascados. Esto tiene nexo con el capítulo cinco: Jesús enseñaba *normas prácticas.* No son meras actitudes interiores, intenciones vagas o convicciones morales, sino prácticas regulares en las que hay que involucrarnos. Al practicarlas, aprendemos cada vez más a resolver los conflictos: Es mejor escuchar atentamente primero que comenzar acusando o expresando nuestro pensar. Es mejor señalar mi propio problema, diciendo así: "Me siento ofendido por algo que dijiste", más bien que hacer juicios a la ligera diciendo, "Tú me insultas a menudo". La resolución de conflicto es una práctica comunitaria compartida entre los seguidores de Jesús. Aprendemos los unos de los otros dentro de la comunidad cómo ir a nuestro hermano o hermana, buscando la paz. Lo mismo es cierto de las demás prácticas morales que se enseñan en el Sermón del monte: aprendemos por el hacer.

Este no es un "alto ideal", el cual ha de ser admirado desde lejos, sino es una práctica verdadera. No es una enseñanza imposible, sino, en realidad, es practicada regularmente por muchos de nosotros. Ella resuelve problemas. Es el camino de la liberación de los ciclos viciosos del enojo y del insulto. Tampoco es legalismo. Es el camino de la gracia, el camino que Dios asume en Cristo para con nosotros; es también el camino por el cual podemos participar en la gracia de Dios, mediada por la comunidad. Es parte de lo que celebramos en la Cena del Señor: La muerte de Jesús hace la paz entre nosotros y Dios, y entre nosotros y los demás. Es también una parte de lo que la comunidad cristiana practica: Hacer la paz entre nosotros. Las cartas de Pablo están repletas de la práctica de hacer la paz dentro de la comunidad cristiana.

Pero retrocedamos un poco. Jesús sí diagnostica los ciclos viciosos que ocasionan la muerte. Una parte clave de la sanidad realizada por el médico es diagnosticar la causa de una enfermedad. Una parte clave del método del científico es identificar las causas de los errores en un experimento, ideando así factores correctivos. Una parte clave de la planificación de un ingeniero es identificar los puntos de presión o peligros, insistiendo en poner un refuerzo donde haga falta. Una parte clave de lo que los profetas y Jesús hacen es identificar los ciclos viciosos que ocasionan los desenlaces injustos. Ninguno de estos practicantes de la sabiduría supone poder eliminar toda enfermedad, toda causa de error, toda presión, todo ciclo vicioso. Más bien, el primer paso crucial es nombrar las fuentes de error. Así, una parte clave del mensaje de Jesús es el arrepentimiento, nombrando así el error y corrigiéndolo, sacando la viga de nuestro propio ojo. Y luego, el sumamente importante segundo paso es participar en la iniciativa transformadora: La nueva práctica, el patrón correctivo de comportamiento, el camino de la liberación de la cautividad del ciclo vicioso. Como padres, es mucho más efectivo no simplemente criticar a los hijos cuando hacen algo indebido, sino enseñar, modelar y practicar juntos el nuevo patrón que reemplace el patrón equivocado, y eso es lo que hace Jesús.

De modo que, en la ética cristiana, y en este libro, nombramos los ciclos viciosos, más bien que pasarlos por alto; luego, también nombramos las iniciativas transformadoras.

El patrón de las iniciativas transformadoras en Mateo 5:38-42

Veamos otra enseñanza en el Sermón del monte, Mateo 5:38-42. De nuevo, vemos el patrón triple:

La justicia tradicional	El ciclo vicioso	La iniciativa transformadora
Mateo 5:38: Ustedes oyeron que fue dicho: "Ojo por ojo, diente por diente".	Mateo 5:39: Pero yo les digo, no tomen represalias vengativamente de modos impíos (No hay un imperativo en el griego, sino un infinitivo, probablemente con un significado imperativo implícito).	Mateo 5:40-42. Pero si alguien te da en la mejilla derecha, *vuélvele* la otra también; y si alguien te quiere demandar, tomando tu saco, *dale* el abrigo también; y si alguien te obliga a ir una milla, *ve* también la segunda. *Da* al que te pida, y no le niegues al que te pida prestado.

Claramente, la primera afirmación es una enseñanza tradicional, tal como esperaríamos. En el primer miembro de estas tríadas, Jesús ofrece una cita bíblica o alguna declaración de una enseñanza moral judía tradicional. Claramente, la segunda afirmación es un ciclo vicioso, el ciclo de la retaliación vengativa. Nuevamente, la iniciativa transformadora tiene verbos imperativos (los cuales hemos señalado con itálicas).

Debemos explicar nuestra traducción del ciclo vicioso de Mateo 5:39 en "no tomen represalias vengativamente de modos impíos". Normalmente, se traduce, "no resistan el mal". Pero esto le parece erróneo a quien lo medite, porque Jesús a menudo resistía el mal, confrontando a los fariseos que excluían a los marginados, a Pedro que le dijo que no sufriera, al diablo que le tentó a no seguir la voluntad de Dios, a los ricos que acaparaban sus posesiones, y a los discípulos faltos de fe.

En un estudio poco conocido, Clarence Jordan ha señalado que la palabra griega para "mal" puede significar o "por modos malos" o "la persona mala". Cualquiera de las dos traducciones es igualmente legítima conforme a la gramática griega; el significado correcto se determina por el contexto. El contexto es que Jesús reiteradamente confronta el mal, pero nunca por modos malos, y nunca con violencia vengativa. Por lo tanto, el contexto favorece el sentido instrumental "no resistas por medios malos" (Jordan C., The *Substance of Faith* [La sustancia de la fe], p. 69).

Es más, el erudito neotestamentario Walter Wink ("Beyond Just War and Pacifism" [Más allá de la guerra justa y el pacifismo], p. 199) indica que la palabra griega para "resistir" o "no tomar represalias" se usa en la traducción griega de las Escrituras hebreas (la *Septuaginta*), y también, en las fuentes griegas de ese tiempo, Josefo y Filón, "para la resistencia armada de encuentros militares" en la mayoría de los casos. Por ende, el versículo debe traducirse en "no tomen represalias o no resistir violenta o vengativamente, por medios malos".

El apóstol Pablo dio esta enseñanza en Romanos 12:17-21 de la siguiente manera: "No paguéis a nadie mal por mal... Amados, no os venguéis vosotros mismos, sino dejad lugar a la ira de Dios... Más bien, si tu enemigo tiene hambre, dale de comer; y si tiene sed, dale de beber... No seas vencido por el mal, sino vence el mal con el bien". Pablo también exhortaba a tomar iniciativas transformadoras de la pacificación: Alimentar al enemigo hambriento y dar agua al sediento. La enseñanza también encuentra su eco en Lucas 6:27-36; 1 Tesalonicenses 5:15 y *Didajé* 1:4-5; hay una enseñanza algo similar en 1 Pedro 2:21-23. Ninguna de ellas alude a una persona mala; ninguna de ellas habla de no resistir el mal; ninguna de ellas habla de renunciar derechos en una corte. Todas enfatizan las iniciativas transformadoras de la devolución del bien y no el mal, el empleo de buenos medios y no malos. Lucas y la *Didajé* dan casi las mismas cuatro iniciativas transformadoras (mejilla, saco, milla, ayuda al necesitado); 1 Tesalonicenses 5:15 dice: "Mirad que nadie devuelva a otro mal por mal; en cambio, procurad siempre lo bueno los unos para los otros y para con todos". La evidencia es abrumadora, este no es un ideal imposible de no resistir el mal, sino la mención del ciclo vicioso de la retaliación por medios violentos, vengativos o impíos.

Es más, se debe hacer énfasis en las cuatro iniciativas transformadoras de la tercera declaración, con sus cuatro imperativos y su mayor extensión, seguramente el clímax de la enseñanza. Cada una de estas iniciativas se asemeja a la acción no-violenta directa de Martin Luther King: es no-violenta y es activista. Cada una resiste al mal por tomar una acción para oponerse a la injusticia, para abogar por la dignidad humana y para convidar a la reconciliación. El volver la otra mejilla ha sido mal entendido en la cultura occidental, a saber, que había sólo dos alternativas: La violencia o la pasividad. Pero desde Gandhi y King, podemos apreciar mejor la enseñanza de Jesús. Para la cultura de Jesús, "recibir un golpe en la mejilla *derecha* era recibir un insulto hostil" mediante una cachetada por la parte superior de la mano derecha. Para esa cultura, era vedado tocar o golpear a alguien con la mano izquierda; esta era para cosas sucias. El volver la otra mejilla tenía el fin de sorprender al insultador, diciendo así no-violentamente, "tú me tratas como un desigual, pero yo necesito ser tratado como un igual". Jesús está diciendo: Si te dan una bofetada en la mejilla de la inferioridad, vuelve la mejilla de igual dignidad.

Como explicaremos más tarde, las tres otras iniciativas transformadoras —el saco, la segunda milla y la ayuda al necesitado— no únicamente ceden; cada una va más allá de lo demandado y presenta una iniciativa no-violenta que confronta la injusticia, iniciando así la posibilidad para la reconciliación. Por ahora, el punto que queremos notar es que estas demandas no son imposibles en que la acción directa del movimiento de derechos civiles no-violenta o sus ecos continuos en el derrocamiento de la injusticia por la acción directa no-violenta en las Filipinas, Europa Oriental, África del Sur y la América Latina. John Howard Yoder demuestra que la acción directa no-violenta fue practicada por los judíos que resistían la opresión romana durante el tiempo de Jesús (Yoder J. *Thje Politcs of Jesus* [La política de Jesús], capítulo 5).

Más todavía, nótese que las cuatro iniciativas enseñadas por Jesús aquí usan siete de los mismos vocablos griegos usados en la versión Septuaginta del pasaje del Siervo Sufriente, Isaías 50:4-9: *resistir, bofetear, mejilla, demandar, saco, dar y volver*. Isaías 50:4-9 es un pasaje de gracia participativa, en la cual Dios da liberación, y las acciones del Siervo participan en esa liberación. Aquí citamos sólo una parte del pasaje para mostrar cómo se basa en el Señor, quien da la liberación por la gracia.

> El SEÑOR Dios me ha dado una lengua adiestrada para saber responder palabra al cansado. Me despierta cada mañana; cada mañana despierta mi oído para que yo escuche, como los que son adiestrados. El SEÑOR Dios me abrió el oído, y no fui rebelde ni me volví atrás. Entregué mis espaldas a los que me golpeaban, y mis mejillas a los que me arrancaban la

barba. No escondí mi cara de las afrentas de los esputos. Porque el SEÑOR Dios me ayuda, no he sido confundido. Por eso puse mi rostro firme como un pedernal y sé que no seré avergonzado. Cercano está a mí el que me justifica. ¿Quién contenderá conmigo? Comparezcamos juntos. ¿Quién es el adversario de mi causa? Acérquese a mí. He aquí que el SEÑOR Dios me ayudará; ¿quién me podrá condenar? He aquí que todos ellos se envejecerán como un vestido, y se los comerá la polilla.

Es más, cada una de las cuatro iniciativas parece anticipar la crucifixión de Jesús y sugiere nuestra participación en el camino de la cruz de Jesús. Davies y Allison (1:546) escriben: "Jesús mismo fue golpeado y bofeteado (26:67: *rapizo)* y su vestimenta (27:35: *jimatía*) le fue quitada. Si sus seguidores vuelven la otra mejilla y permiten que el enemigo les quite la vestimenta, ¿no estarán recordando a su Señor, especialmente en su pasión?". El vocablo griego para "obligar" o "compeler" en la frase "si alguno obliga que vayas una milla" es la misma palabra que se usa cuando a Simón de Cirene le *obligaron* a cargar la cruz de Jesús, participando así con él en la crucifixión (27:32). Jesús puso su vida por nosotros. Cuando nosotros vamos la segunda milla como una iniciativa de la pacificación, cuando damos a los pobres, participamos en el camino de Jesús, quien fue crucificado por nosotros, de esta manera participamos en la gracia de la cruz.

En el capítulo dos, vimos que las virtudes cristianas, tal como Jesús enseñó en las Bienaventuranzas, incluyen el rendirse o el estar entregado a Dios, y cuán cercanamente eso se relaciona con el ser pacificadores. Aquí Jesús explica lo que eso quiere decir.

El patrón de las iniciativas transformadoras en Mateo 5:43-48

Pasemos a la próxima enseñanza del Sermón del Monte, el clímax de las seis enseñanzas de este capítulo, Mateo 5:43-48.

La justicia tradicional	El ciclo vicioso	La iniciativa transformadora
Mateo 5:43: Oyeron decir que fue dicho: "Amarás a tu prójimo y aborrecerás a tu enemigo".	Mateo 5:46, 47: Porque si aman a los que les aman a ustedes, ¿qué recompensa tienen? ¿No hacen lo mismo los cobradores de impuestos? Y si ustedes saludan únicamente a los hermanos, ¿qué más hacen ustedes que los demás? ¿No hacen lo mismo los gentiles?	Mateo 5:44, 45: Pero yo les digo, *amen* a sus enemigos, *oren* por aquellos que les persiguen para que sean hijos de su Padre que está en los cielos; porque él hace que el sol se levante sobre lo malo y sobre lo bueno, y manda la lluvia sobre los justos y sobre los injustos.

La enseñanza tradicional no viene del AT sino de los Rollos del mar Muerto. La iniciativa transformadora viene en *segundo* lugar en vez de en *tercer* lugar, lo cual representa un cambio en el orden normal, para indicar así que esta es la conclusión culminante de la primera de las seis tríadas en Mateo 5; y se agrega un versículo sumario, 5:48, como el versículo sumario en el clímax de 7:12. La iniciativa transformadora ha de participar en la clase de amor que Dios da regularmente: Al igual que Dios da el sol y la lluvia a enemigos tanto como a amigos, así hemos de dar amor y oraciones a favor de nuestros enemigos también. Es clarísimo que la iniciativa transformadora es la participación en la presencia activa de Dios tanto como en la gracia de él. Al practicar esta clase de amor, somos "los hijos de nuestro Padre que está en los cielos".

Los que desean convertir el Sermón del monte en ideales imposiblemente altos interpretan el versículo sumario, 5:48, como que demanda la perfección moral, tal como lo hiciera la ética idealista griega. Ellos suponen que "Sed perfectos, como vuestro Padre en los cielos es perfecto" significa la perfección moral. Pero sería muy extraño en el arameo y el hebreo presumir hablar de Dios como moralmente perfecto en ese sentido griego. Más bien, aquí la palabra quiere decir *completo* o *todo inclusivo*, en el sentido de un amor que incluya aun a los enemigos. Este es el punto que Jesús ha venido recalcando en esta enseñanza: El amor de la gracia de Dios que abarca el círculo completo de la humanidad, inclusive a los enemigos, en contraste con los cobradores de impuestos y los gentiles, que aman únicamente a sus amigos. Su significado se asemeja bastante a Lucas 6:36: "Sed misericordiosos como también vuestro Padre es misericordioso". Allí Lucas ha venido recalcando el amor que incluye a los enemigos. De modo que no hemos de pensar en Jesús como enseñando ideales morales imposibles, o una perfección moral, sino los actos prácticos de amor hacia los enemigos, inclusive la oración a favor de ellos. Aquellos que han procurado orar de corazón por los enemigos saben que de verdad es una práctica transformadora.

El patrón continúa por todo el Sermón del monte

Hemos examinado tres de las enseñanzas del Sermón del monte y hemos visto que su patrón básico es triple. No son ideales imposibles sino iniciativas transformadoras, basadas en la gracia de Dios. Son el camino de la liberación, sacándonos de los ciclos viciosos en los cuales nos atascamos. Así hemos dado un paso principal en sobreponernos a la interpretación de "las enseñanzas difíciles y los ideales altos" que ha ocasionado una evasión del Sermón del monte. Ya empezamos a ver cómo este Sermón consiste en iniciativas transformadoras que proporcionan una guía práctica y verdadera, basada en la gracia, para la ética cristiana. Este es un paso mayor para recobrar el camino de Jesús para la ética cristiana.

Tal como veremos en los capítulos subsecuentes, el patrón de enseñanzas triples, que llegan a su clímax en las iniciativas transformadoras basadas en la gracia, continúa a lo largo de las enseñanzas centrales del Sermón del monte.

Por ahora, la tabla 6.1. nos ofrece un mapa que diagrama el Sermón del monte.

Como esperamos comprobar en los capítulos siguientes, la estructura de iniciativas transformadoras triples puede verificarse de siete maneras:

1. Es extraordinariamente consistente a lo largo de las catorce tríadas, habiendo muy pocas excepciones.
2. Cuadra con la tendencia consistente por todo el Evangelio de Mateo de preferir las tríadas en vez de las díadas, habiendo unas 75 tríadas y casi nada de díadas.
3. Su énfasis en el tercer miembro de la tríada, la iniciativa transformadora, es confirmado por el Evangelio de Lucas. Cuando Lucas presenta las enseñanzas paralelas, de forma muy consistente él presenta la iniciativa transformadora, aunque no presenta los dos primeros miembros de las enseñanzas. (Cuando Lucas enseña lo mismo que Mateo enseña, esto queda indicado por las letras itálicas en la tabla 6.1.).
4. Una vez vista la estructura triádica, los verbos griegos se ponen en fila con una consistencia extraordinaria. Los verbos principales de las enseñanzas sobre la justicia tradicional casi siempre son del tiempo futuro o el modo subjuntivo, dependiendo de la fuente de la tradición. Los verbos principales de los ciclos viciosos son todos verbos de proceso continuo, indicativos, participios, infinitivos. Los verbos principales de las iniciativas transformadoras son consistentemente imperativos.
5. El número tres por catorce era importante para Mateo. Los saduceos y los fariseos veían un significado místico en este número, y el grupo rival de Mateo afirmaba que sus maestros habían descendido de una tríada de catorce generaciones. Así que Mateo comienza su Evangelio señalando que hubo tres por catorce generaciones desde Abraham hasta Jesús (Davies W., *The Setting for the Sermon of the Mount* [El marco del Sermón del monte], pp. 303, 304). Encaja perfectamente también que aquí él nos da catorce enseñanzas triples.
6. Nos da una buena pista para el probable significado de Mateo 7:6, que de otra manera sería incomprensible, que indica que no se deben dar nuestras cosas santas a los perros o los puercos, tal como demostraremos cuando veamos ese pasaje.
7. Se demuestra que las enseñanzas de Jesús se nos presentan en iniciativas transformadoras que participan en el reino de Dios, la presencia del Dios lleno de gracia que actúa en Jesús, que nos reconcilia con nuestros enemigos, que está presente con nosotros ocultamente, que es fiel y confiable, y que nos libera de los ciclos viciosos que ocasionan violaciones de la justicia tradicional. El segundo miembro de forma consistente nombra los ciclos viciosos; el Sermón del monte de ninguna manera se basa en una

Tabla 6.1. Las catorce tríadas del Sermón del monte

La justicia tradicional	El ciclo vicioso	La iniciativa transformadora
1. No matarás	Enojarse o decir, “¡necio!”	*Ve y reconcíliate*
2. No cometerás adulterio	Mirar con lujuria es adulterar en el corazón	*Sacar la causa de la tentación* (cf. Mar. 9:43-50)
3. A quien se divorcie, se le da una carta	El divorcio te involucra en el adulterio	(Sean reconciliados: 1 Cor. 7:11)
4. No jurarás con engaño	El jurar por cualquier cosa te involucra en una afirmación falsa	Que tu sí sea sí y tu no sea no
5. Ojo por ojo, diente por diente	El tomar represalias violenta o vengativamente, por medios malos	*Volver la otra mejilla, dar tu saco y también tu abrigo, ir la segunda milla, dar y prestar al que te pida prestado*
6. Amar al prójimo, aborrecer al enemigo	El odiar a los enemigos es el mismo ciclo vicioso visto en los gentiles y los publicanos	*Amar a tus enemigos, orar por tus perseguidores, dar acogida a todos igual que tu Padre en los cielos*
7. Al hacer obras de misericordia	El practicar la justicia para lucirla	Dar en secreto, y tu Padre te recompensará
8. Al orar	El practicar la justicia para lucirla	Orar en secreto, y tu Padre te recompensará
9. Al orar	El amontonar frases huecas	*Orar así: “Padre nuestro...”*
10. Al ayunar	El practicar la justicia para lucirla	Vestirte con gozo, y tu Padre te recompensará
11. *No amontonarás para ti tesoros* (compárese con Luc. 12:16-31)	*La polilla y el óxido corrompen y los ladrones se meten y roban*	*Más bien, acumúlate riquezas en el cielo*
12. *Nadie puede servir a dos señores*	*El servir a Dios y la riqueza, el afanarse por la comida y la vestimenta*	*Más bien, busca primero el reino de Dios y la justicia de Dios*
13. *No juzguéis para no ser juzgado*	*El juzgar a otros quiere decir que uno será juzgado por la misma medida*	*Saca primero la viga de tu ojo*
14. No dar lo santo a los perros, ni perlas a los puercos	Los pisotearán y te despedazarán	*Confía en tu Padre en los cielos por la oración*

suposición idealista de que no nos atascamos en los ciclos viciosos del pecado. Y el tercer miembro señala el camino de liberación en medio de este verdadero mundo de pecado. Esto corrige el idealismo que intentaba santificar las enseñanzas de Jesús por hacer de ellas simplemente invitaciones a un duro y hasta imposible esfuerzo humano. Más bien, se sugiere un modo de interpretación de una participación activa, basada en la gracia, en la liberación escatológica que comienza ahora. Se viene abajo la escisión entre actitudes y acciones, por la que Jesús alegadamente enfatizaba las intenciones y no las prácticas reales. También, se desmorona el legalismo; Jesús señala una participación en la gracia de la liberación que caracteriza la irrupción del reino de Dios. En realidad, Jesús es el Mesías profético que proclama la irrupción del reino de Dios y señala los modos específicos de participación en el reino.

Sanando la rotura entre el Sermón del monte y la ética

Ahora vemos cómo esta comprensión triádica podía haber ayudado a Dietrich Bonhoeffer a mantener su lealtad al Sermón del monte en medio de su lucha dolorosa contra las injusticias de Hitler y los nazis. Bonhoeffer interpretaba cada enseñanza primariamente como una renunciación de los ciclos viciosos, y pasaba por alto las iniciativas transformadoras. Esto le daba mayormente un entendimiento pasivo del Sermón del monte. Por ende, cuando él veía la necesidad de hacer más en respuesta al mal y a la injusticia de Hitler que renunciar pasivamente al mal, como que el Sermón del monte no le daba la dirección que él necesitaba. Si hubiera visto la estructura de la iniciativa transformadora, habría visto el Sermón del monte como iniciativas activas, no sólo una renunciación pasiva. Es más, el Sermón del monte habría representado la misma justicia que él necesitaba para luchar en contra de la injusticia de Hitler. Le habría indicado el camino a la liberación y la guía concreta que necesitaba. El ver el Sermón del monte como iniciativas transformadoras puede permitir que los éticos cristianos vuelvan a seguir a Jesús. Esperamos demostrar en este libro cómo el Sermón del monte, junto con otras enseñanzas bíblicas, apuntan hacia las prácticas de la liberación en medio de un mundo de esclavitud pecaminosa a los ciclos viciosos de la desesperación y destrucción, la guía que necesitamos en nuestro tiempo posmoderno.

Puede ser que el estudio del Sermón del monte de esta manera ayude a corregir otras causas de la evasión en cuanto al seguimiento a Jesús:

- En los primeros siglos, cuando algunos teólogos cristianos empezaban a buscar atraer a los proponentes de la *cultura y filosofía griega* mediante la adopción de la metafísica griega, ellos perdieron la concepción de la acción dinámica de Dios en la historia. La metafísica griega contempla a

Dios como más allá de la historia, morando en una esfera eterna que no cambia ni se mueve. Así perdieron el concepto de la gracia de Dios y cómo irrumpe en el curso pecaminoso de la vida. En otras palabras, carecían de una escatología dinámica. Carente de una escatología del gobierno dinámico de Dios, del señorío de Dios, esta metafísica griega malentendió lo que Jesús había señalado como la irrupción del reino y el don de una vida nueva por la gracia de Dios; en su lugar, lo interpretaban meramente como ideales para el esfuerzo humano. En los capítulos uno y dos, ya hemos buscado demostrar que el reino de Dios es un don basado en la gracia. El reino ya empieza a ocurrir como un medio de liberación en la que podemos participar. Las iniciativas transformadoras nos indican precisamente esa participación en la liberación.

- Algunos han interpretado el Sermón del monte en forma *legalista*. Lo han visto como prohibiciones contra el enojo, la lujuria, el divorcio, los juramentos, la resistencia y el afán por lo que comamos o vistamos. No veían la posibilidad de poder acatar esas prohibiciones. Así que, para ellos el Sermón del monte llegó a ser "enseñanzas difíciles" y una experiencia de culpa. El verlo como iniciativas transformadoras aclara que Jesús no fue un legalista; más bien, Jesús señalaba la irrupción del reino. Jesús ofrecía un modo de vida que participa en la liberación de los ciclos viciosos que nos atrapan. En el capítulo cinco, empezamos a ver la diferencia entre reglas legalistas y prácticas basadas en la gracia, las cuales son las iniciativas transformadoras. Esperamos demostrar la diferencia que esto hace a lo largo de este libro.
- Muchos no se han fijado en el significado de *justicia* y el énfasis de Jesús sobre la *justicia*. Para poder oponerse a las horrendas y sistemáticas injusticias de Hitler, a Bonhoeffer le hacía falta una enseñanza firme sobre la justicia, y también la necesitamos todos los que buscamos resistir las injusticias que vemos en nuestro derredor. Demostraremos este tema en el Sermón del monte, especialmente en el capítulo diecisiete.
- Muchos evaden el Sermón del monte, porque viven en *desobediencia* respecto al camino de Jesús. Esperamos sinceramente que este libro ayude a cambiar eso. Nuestra responsabilidad y nuestro firme compromiso es procurar quitar los obstáculos que nos impiden vivir como Jesús, que provienen de la mala interpretación de sus enseñanzas. El resto está en sus manos, en su comunidad de fe y sostén, y en el Espíritu Santo.

SECCIÓN III:

EL EVANGELIO DE LA VIDA

Esta sección aborda el valor de la vida humana al considerar la guerra, la violencia, la pena de muerte, el aborto, la eutanasia, y la biotecnología.

Nuestra afirmación fundamental en esta sección es que el reino de Dios consiste en la paz con justicia, en una vida sin mancharse a causa del asesinato. Las buenas nuevas del evangelio traen vida y nos invitan a participar para traer la vida y resistir la muerte.

Seguramente, se pueden ver distinciones significativas entre los problemas que consideramos en esta sección. La guerra y la pena de muerte involucran al estado quien mata; la violencia, el aborto y la eutanasia involucran a individuos con permiso del estado o sin él quienes matan. Que ciertos desarrollos en la biotecnología involucren el matar o no, es debatible.

Sin embargo, lo que une estos problemas, y esta sección, es la convicción básica de que la ética del reino resiste el matar, tal como Jesús lo hiciera; también se afirma fuertemente el valor de las personas humanas, tal como Jesús lo hiciera. Vimos estos temas en el énfasis de las Bienaventuranzas sobre la virtud de la pacificación, sobre la paz como una de las características centrales del reino de Dios, y en los tres pasajes que estudiamos en el capítulo seis, Mateo 5:21-26, 38-42, 43-48. Los capítulos vistos en esta sección siguen directamente cada uno de estos pasajes en Mateo.

7

La guerra justa, la no-violencia y la pacificación justa

Habéis oído que fue dicho a los antiguos: Ojo por ojo y diente por diente. Pero yo os digo: No resistáis al malo. Más bien, a cualquiera que te golpea en la mejilla derecha, vuélvele también la otra. Y al que quiera llevarte a juicio y quitarte la túnica, déjale también el manto. A cualquiera que te obligue a llevar carga por una milla, ve con él dos. Al que te pida, dale; y al que quiera tomar de ti prestado, no se lo niegues.

Mateo 5:38-42

El mundo miró con impotencia el 11 de septiembre del 2001 cuando la televisión mostraba vez tras vez dos aviones que embestían las Torres Gemelas del *World Trade Center*. Los niños, las mujeres y los hombres, que eran pasajeros en esos dos aviones y los trabajadores en esas dos torres murieron, muchos de ellos quemados. El terrorismo afectaba a la gente de Nueva York y en el Pentágono. Ya no era un asunto sólo para personas afuera de los Estados Unidos de América.

> Muchas mujeres, especialmente mujeres indígenas, llegaban a ser viudas al ser asesinados sus esposos por las fuerzas militares del gobierno... Además de la muerte de sus esposos, muchos hijos o padres desaparecían o eran obligados a entrar en el servicio militar, sin que se les viera de nuevo. Las hijas y las madres eran violadas por soldados y miembros de la guardia civil... Las mujeres observaban con impotencia cuando los soldados entraban a sus aldeas, incendiaban las casas y los sembrados, secuestraban a los esposos e hijos. Ellas veían a los soldados arrojando a los niños pequeños al fuego o en calderas de agua hirviendo. Veían cuando eran enterrados vivos sus esposos. Ante los niños, los militares violaban a las madres e hijas (Tooley M., *Voices of the Voiceless* [Las voces de los sin voz], p. 84).

La necesidad de liberación del terrorismo y la guerra se hizo muy personal a muchos que se habían sentido no involucrados en la lucha por la paz del mundo. La necesidad del evangelio del Príncipe de Paz, quien lloró sobre Jerusalén porque ella no conocía cómo hacer la paz, se entendía de modo nuevo por todo el globo terráqueo. Jesús nos da una manera potente para liberarnos de los ciclos viciosos que conducen a la muerte violenta y a la destrucción. Es un mensaje que el mundo necesita desesperadamente y que los cristianos necesitan aprender claramente para poderlo compartir convincentemente.

La disciplina de la ética cristiana tiene ahora tres enfoques en torno a la violencia, la guerra y la pacificación: La teoría de la guerra justa, el pacifismo, la no-violencia y la teoría de la pacificación justa. Como la mayor parte de las tradiciones teológicas cristianas, nuestra disciplina está dividida respecto a cuál (o cuál combinación) despliega más fidelidad cristiana a Jesús en un mundo pecaminoso. En este capítulo, comenzaremos considerando el camino de Jesús a la pacificación y su nexo con las profecías del reino dadas por Isaías. Presentaremos la teoría de la guerra justa y el pacifismo según sus mejores ejemplos, tanto como la pacificación justa. Eventualmente, abogaremos por la pacificación justa como una dimensión obligatoria del discipulado cristiano, pero no intentaremos resolver el debate en torno a la guerra justa-pacifismo, el cual sigue siendo importante aunque nuestro compromiso sea con la pacificación justa. Nuestra meta es proveer las herramientas para que los lectores decidan, mediante una reflexión profunda, una oración atenta y el estudio bíblico, cuál de los modelos o combinación de ellos se sientan llamados a seguir. Incentivamos a que cada iglesia o sede educativa enseñe los tres modelos con el fin de que los cristianos no sean sacudidos por cada viento que sopla, acomodándose a las fuerzas seculares.

La base de todas las tres éticas: El camino de Jesús en la pacificación

En el capítulo uno, demostramos que la paz es una de las cinco marcas del reino de Dios en Isaías, y afirmamos que Jesús cumplió esta esperanza profética. Ahora es tiempo que confirmemos esa afirmación. ¿Cómo cumplió Jesús la profecía de Isaías respecto a que el reino de Dios traía la paz?

Para poder contestar esta pregunta, necesitamos investigar lo que dicen las profecías de Isaías acerca de la venida del reino de Dios y la paz. Isaías 26:12 profetiza: "Oh SEÑOR, tú estableces paz para nosotros". Esto declara la liberación que el Señor traerá en el futuro y por la cual trabaja ahora para hacerla efectiva, y en la que nuestras acciones participan. Por consiguiente, Isaías 31:1-5 pronuncia un juicio sobre Israel por confiar en la ayuda militar de Egipto en vez de confiar en el Señor. Egipto era infame por alentar a un aliado a unirse a él en una guerra sólo para luego abandonar al aliado, permitiendo así su destrucción. Ninguna fuerza militar podía producir la seguridad. Israel debía confiar en el Espíritu poderoso del Señor, "derramado sobre nosotros de lo alto" (Isa. 32:15). Confiar en el Espíritu Santo no quiere decir ser pasivo; más bien, quiere decir ser capacitado para hacer activamente la voluntad de Dios.

En el corazón de la voluntad divina está la justicia para los oprimidos. Una vez que "sobre nosotros sea derramado el Espíritu de lo alto,... entonces habitará el derecho en el desierto y la justicia se establecerá en el campo fértil. El efecto de la justicia será paz; el resultado de la justicia será tranquilidad y seguridad para siempre. Mi pueblo habitará en una morada de paz, en habitaciones seguras y en frescos lugares de reposo" (Isa. 32:15-18). En hebreo, "justicia" quiere decir "derecho liberador", la clase de justicia que libera a los oprimidos de la dominación, haciendo que los marginados entren a la comunidad (véase el capítulo diecisiete). La paz, la justicia y la compasión vienen como un solo paquete; ellas dependen la una de la otra, porque son parte de la voluntad de Dios y de la acción liberadora de Dios.

> Mi pacto de paz será inconmovible, ha dicho el SEÑOR, quien tiene compasión de ti.
>
> Isaías 54:10

> Pondré la paz como tus administradores y la justicia como tus recaudadores. Nunca más se oirá de violencia en tu tierra, ni de destrucción y ruina en tus territorios.
>
> Isaías 60:17, 18

> ¡Cuán hermosos son, sobre los montes, los pies del que trae buenas nuevas, del que anuncia la paz.
>
> Isaías 52:7

El reino y la misericordia de Dios traerán la paz por medio del siervo sufriente de Dios, que estará tan comprometido con la pacificación que no hará ninguna violencia:

> No gritará ni alzará su voz, ni la hará oír en la calle. No quebrará la caña cascada, ni apagará la mecha que se está extinguiendo.
>
> Isaías 42:2, 3

El siervo traerá la paz mediante su sufrimiento y muerte:

> Él fue oprimido y afligido, pero no abrió su boca. Como un cordero, fue llevado al matadero; y como una oveja que enmudece delante de sus esquiladores, tampoco él abrió su boca.
>
> Por medio de la opresión y del juicio fue quitado... Aunque nunca hizo violencia, ni hubo engaño en su boca.
>
> Isaías 53:7-9

Dios trae la paz al entregar la justicia, por el sufrimiento no-violento, y por incluir a los gentiles en la comunidad más bien que odiarlos y excluirlos:

> Yo te pondré como luz para las naciones [a sea, los gentiles], a fin de que seas mi salvación hasta el extremo de la tierra.
>
> Isaías 49:6

> El hijo del extranjero que se ha adherido al SEÑOR no hable diciendo: "Sin duda, el SEÑOR me separará de su pueblo"... A estos yo los traeré al monte de mi santidad y les llenaré de alegría en mi casa de oración... pues mi casa será llamada casa de oración para todos los pueblos.
>
> Isaías 56:3, 7

Los pasajes de Isaías que profetizan el reino venidero de Dios muy claramente establecen la paz como una marca del reino.

¿Cumplió Jesús las profecías de Isaías acerca del reino de Dios? Los eruditos confirman que durante el tiempo de Jesús, el odio contra Roma se basaba en un afán religioso por la pureza contra la corrupción del poder y las influencias extranjeras, en el afán político por la independencia y en el resentimiento contra la injusticia de los impuestos romanos. El odio y el resentimiento a menudo resultaban en movimientos guerrilleros e insurrecciones contra el dominio romano. La resistencia violenta era apoyada no tan sólo por los insurgentes, llamados más tarde "celotes," sino por la mayoría de los grupos en Israel, incluso por los fariseos. Jesús lloró sobre Jerusalén, diciendo: "¡Oh, si conocieses tú también, por lo menos en este tu día, lo que conduce a tu paz! Pero ahora está encubierto a tus ojos" (Luc. 19:42). En vez del camino de la paz, ellos conocían el camino del odio para con sus enemigos, lo cual ocasionaría la rebelión, que traería la destrucción.

Por consiguiente, Jesús profetizó, seis veces en el NT, que el templo sería destruido pronto. El mismo odio, que Jesús buscaba corregir, hizo que sus opositores lo acusasen de favorecer la destrucción del templo, de modo que el sumo sacerdote y el concilio consiguieron su crucifixión (Mat. 26:61-66; Mar. 14:58-64). Ellos tuvieron éxito en buscar que los odiados romanos crucificaran al que había enseñado y practicado la pacificación hacia los romanos. El odio para con los enemigos siguió después de su crucifixión, y se desató una revuelta masiva en el año 66. Roma respondió aplastando la revuelta, destruyendo Jerusalén y demoliendo el templo en el año 70.

Jesús había profetizado no tan sólo que el templo sería destruido, sino que también la gente debía huir a las montañas más bien que hacer la guerra (Mar. 13:14-23). Por causa de sus enseñanzas y prácticas pacificadoras, el movimiento en torno a Jesús llegó a ser un movimiento judío pacifista, de modo que los judíos cristianos no participaron en la revuelta, pero sí huyeron de Jerusalén (Wright N.T., *Jesus and the Victory of God* [Jesús y la victoria de Dios], pp. 151-160, 250-253, 268-271, 296, 385). Así que fueron liberados de la guerra, y por su amor ellos propagaron el evangelio entre los mismos romanos que eran tan odiados. Ellos mostraban el camino de la liberación.

La profecía de Jesús, la cual fue cumplida en el año 70, es al mismo tiempo una profecía de la segunda venida del Mesías con su liberación.

En la revelación que se le dio a Juan, los seguidores de las bestias cometen violencia, pero los seguidores del Cordero no. Más bien, un tema central a lo largo del libro es que los seguidores del Cordero hacen las obras enseñadas por Jesús (Apoc. 2:2, 19, 23, 26; 3:8, 10; 9:20, 21; 12:17; 14:4, 12; 16:11; 19:8, 10; 20:4, 12, 13; 22:11). A los cristianos se les da una enseñanza clara contra el hacer la violencia, haciendo eco de Mateo 26:52: "Vuelve tu espada a su lugar, porque todos los que toman espada, a espada perecerán". El versículo, pues, hace un llamado para la resistencia y la fe. Tal vez el erudito neotestamentario más perceptivo en cuanto a libro de Apocalipsis, Richard Bauckham, concluye:

> Sin duda, dentro de los círculos judíos con los que Juan y sus iglesias tenían contacto... eran bien conocidas las ideas de una guerra santa escatológica contra Roma, tal como contemplaba la comunidad de Qumrán y a las que se adherían los celotes... Por consiguiente, en vez de simplemente repudiar una militancia apocalíptica, [Juan] la *reinterpreta* con un sentido cristiano, asumiendo así su lectura de la profecía antiguotestamentaria y convirtiéndola en una lectura específicamente cristiana del Antiguo Testamento. Él tiene el propósito de demostrar que la batalla decisiva en la guerra santa escatológica de Dios contra todo el mal, incluso el poderío de Roma, ya había sido ganada por el fiel testimonio y la muerte sacrificial de Jesús. A los cristianos se les llama a participar en esta guerra y su victoria, pero por los mismos medios empleados por él: Llevando el testimonio de Jesús hasta el martirio (Bauckham R., *The Climax of Prophecy* [El climax de la profecía], pp. 233 ss.).

Y G. B. Caird escribe:

> A lo largo de toda la letanía de imágenes antiguotestamentarias en los capítulos que siguen, casi sin excepción el único título para Cristo es **el Cordero**, y este título tiene el propósito de controlar e interpretar todo el resto del simbolismo. Es casi como si Juan nos estuviera diciendo en un punto tras otro: "Cada vez que el AT dice '**león**', se debe leer '**Cordero**'". Cada vez que el AT hable de la victoria del Mesías o la derrota de los enemigos de Dios, hemos de recordar que el evangelio no reconoce otro modo de alcanzar estos fines, salvo el camino de la cruz (Caird G. B. A., *Commentary on the Revelation of St. John the Divine* [Un comentario sobre la Revelación de San Juan], pp. 74 ss., la letra oscura está en el original).

De modo que, cuando en Apocalipsis 6:10 los mártires claman, "¿Hasta cuándo, oh soberano Señor, santo y verdadero, no juzgas y vengas nuestra sangre sobre los que moran en la tierra?", a cada uno de ellos "le fue dado un vestido blanco; y se les dijo que descansaran todavía un poco de tiempo". Esto cuadra con Romanos 12:19 ss., donde se nos dice que nunca nos venguemos, sino que dejemos la venganza a Dios. A los mártires se les dice que esperen pacientemente la victoria de Dios más bien que buscar vengarse.

Ellos reciben vestidos blancos, que simbolizan su inocencia, en contraste con los que los mataron.

De forma semejante, los dos testigos de Apocalipsis 11:5, cuyos modelos eran Moisés y Elías, matan con el fuego que procede de *sus bocas*, al igual que Cristo (19:15) mata con la espada que sale de su boca. De la boca de ellos sale la palabra profética, una espada figurativa, como "la espada del Espíritu, que es la palabra de Dios" en Efesios 6:17. Así que a Cristo se le llama "la Palabra de Dios" (Apoc. 19:13). La espada que sale de la boca es la palabra profética en Apocalipsis 1:16; 2:12, 16; 19:15, 21; 4 Esdras 13:25-39; Isaías 11:4; y Jeremías 5:14, que dice: "Porque dijisteis estas palabras, he aquí que yo pongo mis palabras en tu boca como fuego,... y el fuego los devorará".

Apocalipsis 11:3-13 demuestra que el testimonio profético y el martirio de los dos testigos "pueden lograr un resultado que la profecía del pasado no logró": Las naciones son convertidas y dan la gloria al Dios de los cielos. "El AT lleva a Juan a esperar a un Mesías que sea un león de Judá, pero los hechos del evangelio le presentan a un cordero listo para ser inmolado (5:5, 6). El AT predice el aplastamiento de las naciones por una barra de hierro, pero la única arma empleada por el Cordero es su propia cruz y el martirio de sus seguidores (2:27; 12:5; 19:15)" (Ibíd., p. 293; véase también pp. 243-245). Así, Apocalipsis 12:10, 11 dice: "¡Ahora ha llegado la salvación y el poder y el reino de nuestro Dios, y la autoridad de su Cristo!... Y ellos lo han vencido por causa de la sangre del Cordero y de la palabra del testimonio de ellos, porque no amaron sus vidas hasta la muerte".

Los que pensaban que la respuesta correcta ante los enemigos romanos era hacerles la guerra, sí tenían cierto apoyo en el AT. Véase, por ejemplo, la así llamada tradición de la guerra justa tal como se halla en algunas partes de Josué, tanto como en Deuteronomio 20 y 1 Samuel 15, donde al pueblo se le manda: "destruye completamente todo lo que le pertenece. No tengas compasión; mata a hombres y mujeres, a niños y bebés, vacas y ovejas, camellos y asnos" (1 Sam. 15:3). Pero otros pasajes en Isaías, Miqueas, Oseas, Jeremías y Jonás mandan la pacificación hacia otros pueblos. Las Escrituras hebreas son una narrativa rica y diversa. El pueblo de Israel era un pueblo diverso —originalmente un pueblo idólatra que adoraba y servía a muchos dioses, inclusive los dioses de guerra— que se debatía acerca de cómo interpretar la palabra de Dios para ellos. Jesús les enseñó cómo interpretar esa rica narrativa. Él nunca citaba los pasajes que favorecían el matar, la guerra o la supremacía nacional. Él citaba únicamente los pasajes que favorecieran la pacificación. Nuestro método de interpretación es afirmar a Jesucristo como plenamente Señor y plenamente Salvador, y como la clave para interpretar las Escrituras (véase el capítulo cuatro).

En el capítulo seis examinamos Mateo 5:21-26 y 5:38-42, que pertenecen al Sermón del monte. Vimos el camino de liberación de Jesús mediante las iniciativas transformadoras y la pacificación. Cuando algo provoca el enojo y nos divide a uno de otro, hemos de tomar la iniciativa de ir y hacer las paces. No hemos de tomar represalias vengativamente por medios malignos, sino hemos de usar las iniciativas transformadoras de la pacificación. Cuando los soldados romanos exigían que los judíos les llevasen su carga una milla, la iniciativa transformadora no era simplemente refrenar el hacer la violencia y no únicamente cumplir con la demanda, sino sorprender a los opresores por tomar la iniciativa de la reconciliación. Cuando se les demandaba en las cortes la entrega de la camisa, se debía entregar también el saco. Esto quiere decir que estamos allí desnudos, revelando así la avaricia del demandante en toda su desnudez ante toda la corte, confrontando así la injusticia de modo no-violento y presionando porque haya justicia. Cuando un pordiosero o uno que pide prestado nos pidan plata, el ayudar es también una forma no-violenta para solventar la brecha entre el rico y el pobre. Cada una de estas iniciativas presenta una acción para oponerse a la injusticia, abogar por la dignidad humana e invitar a la reconciliación. Cada uno participa en el camino de la liberación de los ciclos viciosos del odio y el resentimiento. Hemos de amar a nuestro enemigo, al igual que Dios.

Algunos han procurado limitar la enseñanza de Jesús sólo a las relaciones individuales. Pero Jesús se dirigía no tan sólo a sentimientos privados sino también de modo directo, contraponiéndose a la enseñanza resentida de los principales movimientos políticos, incluyendo a muchos fariseos:

- Ellos enseñaban un futuro apocalíptico triunfal para Israel sobre las demás naciones; Jesús enseñaba una escatología profética de juicio sobre Israel tanto como sobre las demás naciones.
- Ellos enseñaban que Israel debía separarse de todo lo inmundo, y por ende, ellos marginaban a los cojos, los leprosos, las prostitutas, los extranjeros, los pecadores, los soldados romanos, los publicanos, los niños, las mujeres y los pobres que no pudieran pagar los costosos impuestos del templo y sus demás costos. Ellos enseñaban que la santidad de Dios significaba que Dios se separaba de todo lo impuro. En contraste, Isaías enseñaba que la santidad de Dios no significaba su separación de lo impuro sino su compasión redentora e inclusión del forastero. Vez tras vez, él hablaba de Dios como el que redime a los pecadores en vez de separarse de los pecadores. Jesús cumplió las profecías de Isaías.
- Ellos odiaban a los samaritanos; Jesús describía al samaritano como una persona compasiva (Luc. 10:33, 37), actuando él mismo con compasión hacia una mujer samaritana (Juan 4:1-26).

- Ellos pronunciaban ayes sobre los gentiles; Jesús pronunciaba ayes sobre esta generación en Israel, no tan sólo sobre los gentiles (Luc. 10:13).
- Ellos enseñaban una estrategia de insurrección al igual que los celotes; Jesús abogaba por una política de iniciativa hacia el enemigo, inaugurándola él mismo, y de arrepentimiento por la enemistad propia de uno (Mat. 7:4).
- Ellos odiaban a los soldados y a los centuriones romanos, buscando matarlos; Jesús les daba la bienvenida cuando demostraban fe; al igual que recibía a los publicanos y a las prostitutas cuando demostraban fe.

Algunos quieren argumentar, con base en el silencio, diciendo que Jesús recibió a un centurión sin exigirle que dejara la espada, de modo que bendice a sus seguidores sin son parte de la violencia. Pero esto es un anacronismo. En el tiempo de Jesús, el problema no era si sus seguidores debieran unirse al ejército romano o desistir; sus seguidores eran judíos, y a los judíos no se les invitaba a que formasen parte del ejército romano. La cuestión para los seguidores de Jesús era si debían hacerles la guerra a los romanos. Jesús les enseñaba que no mataran a sus enemigos, sino que los amaran. Él elogiaba la fe de los gentiles, las prostitutas, los samaritanos, los publicanos y aun la de un centurión.

Richard Hays ha escrito lo que generalmente se considera como el mejor libro sobre la ética del NT (*Moral Vision of the New Testament* [Una visión moral del Nuevo Testamento]). Además de presentar mucha evidencia a favor de lo argumentado arriba, él lidia con los dos versículos (Mat. 10:34 y Luc. 22:36) en los cuales Jesús advierte a los discípulos que ellos podían esperar la oposición, el arresto, los azotes y la difamación. Jesús dijo: "No penséis que he venido para traer paz a la tierra. No he venido para traer paz, sino espada", y ellos debían esperar necesitar una espada. Difícilmente abogan estas palabras por hacer la guerra, sino son advertencias de una persecución inminente. Cuando uno de los discípulos no captó la idea, tomándola literalmente, diciendo que ya tenían dos espadas, la respuesta de Jesús en la traducción griega "es una impaciente reacción, indicando así que habían perdido el punto: '¡Basta, ya!'". Cuando un discípulo hizo uso de una espada en el huerto, Jesús le dijo que no intentara vivir por la espada, porque ese es el camino del ciclo vicioso de matar y tomar represalias (Ibíd., pp. 332, 333). Concluye Hays:

> ¿Refuerzan los otros textos en el canon la enseñanza del Sermón del monte respecto a la no-violencia, o proveen otras opciones que posiblemente permitan o requieran que los cristianos tomen la espada? Cuando la pregunta se hace de esa manera, el resultado inmediato —como observara Barth— es que se subraya cuán impresionantemente habla con una sola voz el testimonio de los escritores del NT sobre este punto. Los evangelistas son unánimes en representar a Jesús como el Mesías que subvierte todas las expectativas anteriores al

> asumir la vocación del sufrimiento más bien que la del conquistar a los enemigos de Israel. A pesar de su crítica acerba de aquellos que ocupaban puestos de autoridad, él nunca intenta ejercer la fuerza como medio para adueñarse del poder político o social (p. 329).

Y Hays señala cuán consiste es esto a lo largo del NT.

> No hay sílaba alguna en las cartas paulinas que pueda citarse a favor de que los cristianos usen la violencia. El uso ocasional por Pablo de las imágenes militares (por ejemplo, 2 Cor. 10:3-6; Fil. 1:27-30) en realidad producen el efecto contrario: Las imágenes guerreras son adoptadas para servir al evangelio, no al revés... "Pues aunque andamos en la carne, no militamos según la carne; porque las armas de nuestra milicia no son carnales" (2 Cor. 10:3, 4)... La lucha de la comunidad no es contra adversarios humanos sino contra "fuerzas espirituales de las tinieblas", y su armamento son la verdad, la justicia, la paz, la fe, la salvación y la palabra de Dios. Entendidas correctamente, estas metáforas testifican poderosamente *contra* la violencia como una expresión de obediencia a Dios en Cristo (p. 331).

También, estas metáforas nos recuerdan una vez más de las características del reino de Dios: Justicia, paz, salvación y la palabra (la presencia) de Dios.

Jesús entró a Jerusalén montado sobre un asno en la Pascua, cumpliendo así la profecía de Zacarías de un Mesías de paz que pone fin a la guerra y que ordena la paz para las naciones (Zac. 9:9, 10). Los Evangelios nos reportan esta entrada con énfasis diferentes, originándose, aparentemente, en tradiciones diferentes; no obstante, los cuatro, de maneras diferentes, enfatizan el tema de la pacificación como símbolo de la misión de Jesús (Mar. 11:1-10; Mat. 21:1-9; Luc. 19:28-38; Juan 12:12-18).

La próxima acción profética de Jesús fue la limpieza del templo, poniendo fin, por un tiempo breve, a la venta de animales sacrificiales en la plaza de los gentiles; él cita Isaías 56, un texto que da la bienvenida a los gentiles en el templo (Mat. 21:10-17). Este fue un acto de inclusión para con los gentiles, y por ende, amor hacia los enemigos, conforme a Isaías, y con la justicia. El texto griego en los tres primeros Evangelios dice que Jesús "echó fuera" o "sacó" a los vendedores y compradores (Mat. 21:12; Mar. 11:15; Luc. 19:45). *Ekbalo* quiere decir echar fuera, expulsar, arrojar fuera, sacar, remover. Puede significar que se hace uso de la fuerza o no. Esto es distinto a la violencia: Se puede echar fuera a alguien, aun sacarlo, sin actuar con violencia en el sentido de hacerle daño a la persona. Juan 2:15 dice, "Y después de hacer un látigo de cuerdas, los echó fuera del templo, junto con las ovejas y los vacunos". El griego hace claro que Jesús usó el látigo de cuerdas contra los animales. Juntos, los cuatro pasajes implican fuerza o poder, como cuando volteó las mesas y el poder carismático o fuerza de convicción, pero no la violencia, con intención de lastimar a las personas. "*Ekbalo* (echar fuera), que se halla en la Septuaginta en 2 Crónicas 29:5 en el relato de la limpieza del templo por Ezequías, sugiere la fuerza (véase también en la Septuaginta

Oseas 9:15)" (Davies y Allison, *Critical and Exegetical Commentary* [Un comentario crítico y exegético], 2:137. "Aquí no hemos de pensar en Jesús como violento... Jesús quería que la acción se viera como una señal escatológica, más bien que una reforma práctica de las costumbres objetables" (Hagner D., *Matthew 14—28* [Mateo 14—28] 2:600). Myers lo contempla como una probable alusión al juicio en Oseas 9:15 "sobre la clase reinante de Israel" (Myers Ch., *Binding the Strong Man* [Atando al hombre fuerte], p. 299; véase también Yoder, *Politics of Jesus* [La política de Jesús], p. 43). No se puede forzar a este pasaje a mostrar como si Jesús fuera un partidario de la violencia.

La siguiente acción profética fue la Cena del Señor por la que aclaró que su camino era el del autosacrificio y el perdón, no el camino de la dominación y la insurrección violenta.

En el huerto, Jesús resistió la tentación a rehusar la copa de la muerte. Él no quería que su discípulo usara su espada en una rebelión defensiva, ni quería que una legión de ángeles viniera para librar una guerra de rebelión defensiva (Mat. 26:52, 53).

> Como Yoder ha sugerido persuasivamente, la tentación a rehusar la copa es precisamente la tentación a recurrir a la resistencia armada. Jesús, sin embargo, escoge el camino de la obediencia sufriente en vez del camino de la violencia... En el momento del arresto de Jesús, él amonesta al discípulo que quería intentar la resistencia armada: "Vuelve tu espada a su lugar, porque todos los que toman espada, a espada perecerán" (Mat. 26:51-54). Tal como observa Ulrich Mauser, "Jesús no cede ante la tentación de preservar su vida al resistir el mal con el armamento propio del mal" (Hays R., *The Moral Vision of the New Testament* [La visión moral del Nuevo Testamento], p. 322).

Luego vino la crucifixión. Esta reveló la espantosa pecaminosidad del camino de la dominación mediante la violencia, y otras dimensiones de nuestro pecado. Desde la cruz, Jesús perdonó a los que lo crucificaban, demostrando y encarnando el camino del perdón más bien que el de la venganza.

La resurrección y el día de Pentecostés —y la expansión del evangelio a todas las naciones que, antes de Jesús, habían sido odiadas y esquivadas por los judíos como enemigas— fueron la reivindicación por Dios del camino de Jesús en contra del pecado, la violencia y la separación entre las distintas lenguas.

El testimonio es consistente y cabal: Jesús cumplió la profecía de Isaías de que la pacificación sería una característica clave del reino de Dios. Jesús enseñó, vivió y murió el camino de la pacificación, o sea, el camino de la liberación del vicioso ciclo de la violencia.

Las ocho reglas de la teoría de la guerra justa

La primera ética cristiana que presentamos respecto a la paz y la guerra, la de la guerra justa, fue originada por Ambrosio y Agustín en el siglo cuarto. La teoría de la guerra justa se desarrolló en el contexto de un Imperio Romano oficialmente cristiano, el cual en ese tiempo sufría la amenaza de una invasión por los bárbaros, que fue devastadora. La teoría era un esfuerzo por ver la lógica del testimonio bíblico, pero también claramente se veía influenciada por los filósofos estoicos, que ya habían desarrollado bastante la tradición de una guerra justa.

Comprobada y revisada a lo largo de los siglos, la teoría de la guerra justa ha tenido su impacto sobre la ley internacional, sobre los manuales militares para el entrenamiento de las fuerzas armadas y sobre los escritos de los filósofos. Esta saca a relucir el punto lógico de que para poder justificar la matanza que tiene lugar en una guerra, tiene que haber una razón sumamente importante para que se haga caso omiso de la verdad de que el matar a seres humanos no es correcto. Nosotros compartimos la postura de Ralph Potter que la teoría de la guerra justa, si se entiende bien, "está fundada en una fuerte suposición en contra del uso de la violencia, dicha suposición ha sido establecida para el cristiano por el ejemplo de la no-resistencia de Jesús y para el no-cristiano racional por una preocupación prudente en cuanto al orden y la seguridad mutua. Esta suposición contra el recurso de la violencia puede ignorarse sólo por la necesidad de vindicar la justicia y para proteger al inocente contra los agresores injustos" (Potter R., *War and Moral Discourse* [La guerra y el disertar moral], pp. 53 y 61). "La teoría moral de la 'guerra justa'... principia con la suposición que unifica a todos los cristianos: No debemos hacerle daño a nuestro prójimo; cómo tratamos a nuestros enemigos es la prueba clave de si amamos al prójimo o no; y la posibilidad de quitar siquiera una vida humana es un concepto que debemos revisar con temor y temblor" (U.S. National Conference of Catholic Bishops [La Conferencia Nacional de Obispos Católicos Estadounidenses] *Challenge of Peace* [El desafío de la paz], número 80). La guerra puede ser justificada por razones únicamente primordiales. ¿Cuáles son las razones válidas?

Las razones se presentan en forma de criterios para determinar cuándo es o no justa una guerra. Todos los cristianos, y los demás, necesitan saber y recordar los ochos criterios de la teoría de la guerra justa. Sólo sabiendo las reglas que determinan si una guerra es o no justa podemos ejercer nuestra responsabilidad conciente de decidir si hemos de apoyar u oponernos a una guerra que un gobierno se proponga enfrentar a favor nuestro. Las siete primeras reglas tratan la necesidad de la justicia para que se decida si hay que ir a la guerra o no (*jus ad bello*); la octava razón trata de la necesidad de la justicia en los métodos que se usan para hacer una guerra (*jus in bello*).

1. Una causa justa. Las causas que se anteponen a la suposición contra el matar son detener la masacre de grandes números de personas y detener la sistemática y extendida violación de los derechos humanos de la vida, de la libertad y de la comunidad.

Algunos afirman que sólo la defensa de un país contra el ataque por otro cuenta como una causa justa para la guerra. El respeto por las fronteras sí ayuda a evitar las guerras. Pero se ha propagado internacionalmente el concepto de que si un país está masacrando grandes números de su población, existe el derecho de una *intervención humanitaria* para poner un alto a las masacres. En el Pakistán Oriental (ahora Bangladesh), el ejército pakistaní estaba masacrando a la gente. India lo invadió, detuvo la masacre, y luego salió. De manera semejante, en Uganda el dictador, Idi Amín, masacraba mucha gente. Tanzania invadió, depuso a Amín y salió. En contraste, masacres horrendas también se dieron en Rwanda, pero ningún país intervino hasta que fue demasiado tarde. El mundo, y el pueblo de esos países, juzgaron que India y Tanzania actuaron justamente, y que alguien debería haber intervenido en Rwanda.

Algunos agregan el criterio de que el país que va a la guerra justamente debe tener una causa comparativamente más justa que su contrincante para "enfatizar la suposición contra la guerra" y recalcar que "ningún estado... tiene la 'justicia absoluta' de parte suya". Pero casi todo el mundo piensa que su propia causa es más justa que la del otro. Por ende, nosotros nos quedamos con la definición un tanto más objetiva de que la guerra debe librarse sólo para frenar una violación sistemática y de larga duración de los derechos de vida, de libertad y de comunidad de un conglomerado grande de personas. También añadiríamos que la definición de una causa justa para librar una guerra ahora tiene que ser más conservadora que antes de la Revolución Industrial, ya que los armamentos de hoy hacen que la guerra sea mucho más destructiva.

2. Una autoridad justa. Comprometer a una nación para que haga la guerra, en la que muchos morirán y serán mutilados, es una responsabilidad enorme. Nadie lo puede hacer sin que tenga una autoridad justa. Los procesos constitucionales deben seguirse, para que la gente que pagará con su vida y recursos tenga representación en la decisión. Por ejemplo, la constitución de los Estados Unidos de América otorga el poder "para declarar la guerra" al Congreso, no al presidente.

Es más, la aprobación por las Naciones Unidas o por un cuerpo representativo o coalición internacional generalmente debe conseguirse por dos razones. El costo en recursos, heridos y muertos tendrán que pagarlo varias naciones; y las naciones que optan por ir a la guerra a menudo están equivocadas. Todos pecan (Rom. 3:23), y eso incluye a las naciones que actúan colectivamente. Por lo tanto, una nación necesita los controles provistos por otras naciones en consulta.

Para que funcionen estas dos clases de autoridad justa, se requieren la veracidad gubernamental tanto como la libertad de prensa con el fin de que el pueblo pueda juzgar la situación con precisión. La autoridad que engaña es una autoridad injusta, especialmente cuando el engaño existe para que las personas se maten en una guerra (véase el capítulo dieciocho).

3. El último recurso. Hay que agotar todo medio de negociación, resolución de conflicto y prevención antes de recurrir a la guerra. La lógica está clara: Lo que justifica la matanza en una guerra es que es la única manera de detener el gran mal que provee la causa justa. Si el mal puede ser detenido por un recurso no-violento, entonces no hay causa justa para la guerra.

En varias de las últimas guerras no se agotaron todos los recursos, y de allí que el resultado ha sido más complicaciones.

4. Una intención justa (causa última o meta futura). "La única intención legítima es asegurarse de una paz justa para todos. Ni la venganza, ni la conquista, ni la ganancia económica, ni la supremacía ideológica se justifican" (Holmes A., "Just War" [La guerra justa], p. 120). Después del ataque sobre el *World Trade Center* y el Pentágono, los Estados Unidos de América inicialmente bautizaron a la guerra contra el terrorismo con el nombre "Justicia infinita". Pero la justicia *infinita* no se nos da antes de la Segunda Venida; lo único que podemos tener es una justicia *mejor.* "Los líderes islámicos se quejaban, porque sólo Dios puede otorgar la justicia infinita" (*Los Angeles Times*, 21 de septiembre del 2001, A6). Los fieles cristianos dicen lo mismo. Cuando se libra una guerra por propósitos ideológicos, normalmente significa que los políticos quieren fomentar el fervor del pueblo en pro de una guerra, tornándose en una cruzada que mata a mucha gente inocente, justifica cualesquier medios para destruir al enemigo, echa por la borda las reglas contra la matanza de civiles, excediendo así todos los límites de la guerra justa. De modo que se cambió el nombre a "Libertad duradera". Este cambio de nombre funciona como un símbolo de la dimensión de intencionalidad en el concepto de la guerra justa.

"A los estados enemigos hay que tratarles, tanto moral como estratégicamente, como futuros compañeros en algún tipo de orden internacional" (Walzer M., *Just and Unjust Wars* [Guerra justa e injusta], p. 116). El propósito de la guerra, "dentro de los confines del argumento a favor de la justicia", es para que haya un mundo más seguro, "menos vulnerable a la expansión territorial, más seguro para los hombres y mujeres comunes y para sus autodeterminaciones domésticas". Es incorrecto exigir una conquista absoluta en busca de fines absolutos, por causa de las vidas que se pierden, tanto de parte del enemigo como de la otra parte. Así que, el propósito no es ser absolutamente invulnerable sino menos vulnerable; no absolutamente seguro sino más seguro. "Las guerras justas son guerras limitadas; existen razones morales para que los estadistas y los soldados que las llevan a cabo sean prudentes y realistas" (Ibíd., pp. 120-122).

5. La probabilidad de éxito. Es malo entrar a una guerra que matará a mucha gente, privándole del derecho a la vida, la libertad y la comunidad, para lograr una meta mayor, si es que seguramente hemos de perder sin lograr esa meta; todas esas personas morirán de balde. "Con demasiada frecuencia las vidas se han perdido en vano por guerras ciegas y fútiles" (Mott S., *Biblical Ethics and Social Change* [La ética bíblica y el cambio social], p. 188).

6. La proporcionalidad de costo. "La proporcionalidad requiere que el bien total logrado por una victoria... sea mayor que todo el mal y sufrimiento que la guerra ocasionará. Nadie debe recetar una medicina que sea peor que la enfermedad" (Clark D. y Rakestraw R., *Readings in Christian Ethics* [Lecturas en la ética cristiana], 2:490). Esta es la regla más enfatizada por los obispos católicos cuando condenaron la guerra en Vietnam como injusta. Ellos dijeron que su destrucción excedió en mucho el bien que se buscaba. Por ende, "pidieron su conclusión rápida, la reconstrucción del Sureste de Asia, perdón y amnistías para los que se opusieron a la guerra, la rehabilitación de los veteranos y los prisioneros de guerra, y el perdón y la reconciliación para con todos los estadounidenses" (Musto R., *The Catholic Peace Tradition* [La tradición católica de la paz], p. 257).

7. Una clara advertencia. El gobierno que esté próximo a hacer la guerra tiene que anunciar su intención de hacerla y las condiciones para impedirla. Estipular las condiciones para poder evitar la guerra capacita al otro bando para que sepa lo que hace falta para evitar o detener la guerra. Un anuncio público también permite a la gente ejercitar su responsabilidad consciente de sopesar la justicia e importancia de la causa *versus* la matanza que provocará. Provee una transparencia para que la gente sepa lo que su gobierno hace a nombre de ella, comprometiéndola al horror de una guerra.

8. La guerra ha de ser librada por medios justos. En algunas culturas pragmáticas, un error frecuente es enfatizar la justicia de la *causa*, pero luego pasar por alto el requisito de que *los medios* por los que se hace la guerra sean justos. Para corregir este error, necesitamos enfatizar *la justicia en* *la guerra* o, según el latín tradicional, *jus in bello*. La regla de la proporcionalidad del costo tiene que aplicarse no tan sólo a la decisión de ir a la guerra sino también a los medios empleados *en la guerra*. En un mundo con tantos armamentos nucleares, cuyo uso pleno resultaría en "la casi total destrucción recíproca de un país al otro, sin hablar de la gran devastación que seguiría en el mundo y los posteriores efectos mortíferos por el uso de tales armamentos", el uso de los tremendos arsenales nucleares ocasionaría mucha más destrucción que cualquier beneficio alegado, de modo que cualquier guerra nuclear sería injusta. El aterrador poder destructivo de muchos armamentos no-nucleares ahora hace que esta dimensión de proporcionalidad sea un asunto crítico que considerar en toda guerra.

Este criterio de *justicia en guerra* "prohíbe los ataques directos e intencionales contra personas civiles" (Clark D. y Rakestraw R., *Readings in Christian Ethics* [Lecturas en ética cristiana], 2:490). "Los individuos que no contribuyen activamente al conflicto (incluso prisioneros de guerra y heridos, tanto como no-participantes civiles) deben ser inmunes de los ataques" (Holmes A., "Just War" [La guerra justa], p. 121). Todos los ciudadanos de una nación enemiga han de seguir con la inviolabilidad de sus vidas, porque fueron creados a la imagen de Dios. La única razón por la que la guerra justa hace caso omiso del derecho a la vida de los soldados enemigos es que no hay manera de hacer una guerra sin atacar a soldados. Son ellos los que hacen la guerra, oponiéndose a la causa justa. Una vez que se rinden los soldados, no pueden ser asesinados ni torturados. Los no-combatientes no hacen la guerra, de manera que su derecho a la vida prohíbe que sean matados intencionalmente. "Cualquier fuerza letal que se libre contra los no-combatientes es, por ende, un asesinato. Cualquier violencia terrorista contra los civiles queda excluida... La tortura es infligida sobre un cautivo, que por definición" ya no puede ser agresor, "sino más bien es débil e impotente. La tortura constituye un mayor asalto sobre la dignidad de la vida humana, aún más que el matar. La tortura es uno de los indicios más claros de la negación de la justicia" (Mott S., *Biblical Ethics and Social Change* [La ética bíblica y el cambio social], p. 190.

El bombardear un blanco militar, como un tanque o una fábrica de armamentos, posiblemente tenga el efecto indirecto de matar a algunos civiles. Esta es una consecuencia realista y admisible de la guerra (aunque sea horrenda) siempre que sea verdaderamente no-intencional e indirecta, y el costo en vidas sea proporcional al mérito del fin buscado. Este es el principio del *efecto doble*, es decir, el efecto primario de la guerra es matar soldados y destruir blancos militares, pero el efecto secundario es la muerte (de civiles) y la destrucción (de blancos no-militares). Walzer añade que, ya que los civiles tienen el derecho a vivir, los soldados tienen que tomar gran precaución para que no los maten. Él cuenta de algunos pilotos franceses de bombarderos durante la Segunda Guerra Mundial que volaban a poca altura, a gran riesgo personal, para poder bombardear con más precisión fábricas de municiones, evitando así el destruir casas en la Francia ocupada por los alemanes. Lo que estos pilotos sabían acerca del derecho a la vida se aplica a todos los civiles, ya que son seres humanos.

El terrorismo es la práctica de atacar a cualquiera que esté en el lugar del blanco —sea una farmacia, centro comercial o edificios de oficinas— con el fin de hacer cundir el pánico entre los civiles. No tiene respeto para el derecho a la vida de los no-combatientes, siendo así singularmente maléfico. Para conservar el derecho a la vida y a la ética fundamental, es crucial no hacer borrosa la definición por fines ideológicos. Algunos políticos llaman "terrorista" a cualquier rebelde contra el orden gubernamental. Pero "terrorista" no es lo mismo que un "rebelde", "guerrillero" o "revolucionario". Los guerrilleros, que disparaban contra las tropas británicas, colocándose detrás de árboles y bardas de piedra durante la revolución estadounidense, no eran terroristas. Los guerrilleros son terroristas únicamente si atacan intencionalmente a los civiles. El terrorismo es especialmente maligno, y el término debe usarse con precisión para describir el mal que constituye. "Hemos de condenar toda represalia contra gente inocente" (Walzer M., *Just and Unjust Wars* [Guerras justas e injustas], pp. 197, 198, 215). Lo mismo se aplica a gobiernos que atacan hogares, aldeas, barrios y civiles. Esto es "terrorismo estatal", tal como lo describe Michelle Tooley en la narrativa con la que comienza este capítulo.

La guerra que falle en siquiera uno de estos criterios es injusta y, conforme a la lógica de la teoría de la guerra justa, hemos de oponernos a ella. No basta tener una causa justa si no se recurre a otras posibilidades, ni tampoco es suficiente tener una causa justa si la guerra es librada por medios injustos. Es fácil ver cómo la aplicación severa de la teoría de la guerra justa limita drásticamente el hacer la guerra en dos sentidos: Si se debe o no efectuar la guerra, y cómo se la debe llevar a cabo.

Cómo no abogar por la teoría de la guerra justa

Al ver el mundo, hay motivos poderosos para la venganza, odio, nacionalismo, racismo, avaricia económica, avaricia de poder, un estereotipar odioso del enemigo, cruzadas ideológicas y la autojusticia (véase Gén. 4:7). Todos estos buscan usar la teoría de la guerra justa como una racionalización para matar, poniendo poca atención a su lógica y sus criterios. Siempre que alguno apele a la teoría de la guerra justa para afirmar que ciertas guerras son correctas, sin que juzgue la guerra en cuestión por los criterios que hemos visto, él o ella hace uso de palabrería ética para racionalizar su deseo para que haya una guerra. Al usarse dicha palabrería en torno a la guerra justa, esta sólo es una máscara para tapar otras actitudes: El "realismo" maquiavélico acerca del autointerés, una cruzada o actitudes de tipo "Rambo", o una mentalidad que dice "la guerra es el infierno", y una vez comenzada la guerra, no hay reglas que se apliquen.

Hemos procurado aclarar que todo uso cristiano legítimo de la teoría de la guerra justa tiene que basarse en la no-violencia y la justicia, tal como Jesús lo enseñó. El cristiano que apoye la teoría de la guerra justa ha de verla como la forma más eficaz de minimizar la violencia y la injusticia, no meramente racionalizar la guerra. "La teoría de la guerra justa no intenta justificar la guerra. Más bien, procura que la guerra se sujete a la justicia" (Holmes A., "Just War" [La guerra justa], p. 119). Michael Walzer la fundamenta en la justicia como el derecho a la vida, libertad y comunidad (*Just and Unjust* [Lo justo y lo injusto], pp. xv, xvi, 53, 54, 59, 61 ss., 72, 108, 134-137, 254), y en la oposición a la dominación (29, 70, 71). Su énfasis sobre el derecho a la vida representa un compromiso con la reducción de la matanza y la violencia. Walter Wink denomina las reglas de la teoría de la guerra justa "criterios para la reducción de violencia" (*Engaging the Powers* [Enfrentando los poderes], pp. 220-227).

La lógica de Tomás de Aquino y Agustín es que hay que justificar la guerra, porque ella involucra matar, y por consiguiente, la apelación al amor o a la justicia es necesaria para anteponer la suposición fuerte en contra del matar. Reconocemos que algunos posiblemente fundamenten la teoría de la guerra justa en el derecho del estado de hacer la guerra, aseverando luego que la suposición contra la violencia es irrelevante. Pero la consecuencia directa es que se declara que el camino de Jesús es irrelevante, ya que el camino de Jesús afirma la no-violencia. Es más, creemos que es moralmente peligroso colocar el derecho del estado por encima del requisito de justificar lo que un estado haga moralmente. Eso debilita el control contra la dictadura, el nacionalismo e imperio. Llega a ser una idolatría funcional.

La teoría de la guerra justa no debería fundamentarse en el argumento de que durante el tiempo de guerra, Jesús ya no es Señor y su camino ya no es relevante. *La privatización* arguye que el señorío de Jesús y sus enseñanzas sobre la pacificación sólo se aplican a relaciones individuales privadas, no a la obligación de los gobiernos a que busquen la paz. Otros arguyen que en nuestro actual mundo pecaminoso, hemos de usar la teoría de la guerra justa *en vez de* las enseñanzas de Jesús, como si las enseñanzas de Jesús fuesen para un ideal y futuro mundo escatológico sin pecado. Hemos demostrado que la ética de Jesús de forma regular nombraba los ciclos viciosos del verdadero mundo pecaminoso, oponiéndose a las enseñanzas de los partidos políticos que querían una guerra de insurrección contra Roma. La ética de Jesús es precisamente para este mundo pecaminoso. Aun otros se enfocan en la afirmación de que el gobierno tiene la autoridad para hacer la guerra (citando usualmente a Rom. 13), fallando luego en no aplicar los criterios para juzgar si esta autoridad se ejerce justa o injustamente.

Nos parece que todas estas maneras de orillar y encajonar el señorío de Jesús establecen algún otro señor —el gobierno, la necesidad de retribución o el nacionalismo— como el señor sobre el resto de la vida. Son, por lo tanto, idolatría. Ellas también crean el secularismo, ya que enseñan que fuera de la privatización o una esfera futura o una esfera ideal, Jesús no tiene relevancia. Más bien, lo que sí son relevantes son las normas o autoridades seculares sin que Jesús esté inmiscuido. De manera que ellas apartan la teoría de la guerra justa de cualquier corrección por la ética del evangelio, sirviéndole así a otro señor y permitiendo que la teoría sea usada deshonestamente para justificar guerras que no son justas. Nosotros argüimos que la teoría de la guerra justa no es autónoma; o sirve para reducir la violencia y buscar la justicia bajo el señorío de Cristo, o sirve a alguna lealtad idolátrica tal como el racionalizar una guerra que se nos ocurre hacer. O Jesús es Señor sobre la teoría de la guerra justa, o la teoría de la guerra justa sirve a otro señor que no sea Jesús.

Una vez que los cristianos definen la teoría de la guerra justa como medio para hacer decrecer la violencia y la injusticia, ellos reciben un segundo beneficio: De una forma clara, están afirmando la no-violencia y la justicia. Así que pueden ser más honestos en afirmar la enseñanza de Jesús sobre la pacificación y la justicia. Ya no necesitan negar que Jesús enseñe la pacificación con el fin de defender su lealtad para con la teoría de la guerra justa. Esa negación era un argumento perdedor. Las enseñanzas de Jesús son clarísimas. Los teóricos de la guerra justa son sabios si aceptan esta verdad. Lo que ellos necesitan argumentar no es que la enseñanza de Jesús no sea aplicable. Más bien, si desean argumentar a favor de la teoría de la guerra justa, necesitan argumentar que ella es la manera más eficaz para implementar el camino de la paz y la justicia de Jesús en un mundo pecaminoso.

La no-violencia/pacifismo

Durante los tres primeros siglos del movimiento cristiano, la iglesia era casi unánimemente pacifista. A lo largo de la historia eclesiástica numerosos grupos orientados hacia el discipulado, como los franciscanos, los husitas, los valdenses, los anabaptistas, los cuáqueros, los hermanos y los pentecostales originales, también han sido pacifistas. El número de pacifistas dentro de las denominaciones tradicionales ha aumentado durante las últimas décadas debido a un mayor énfasis sobre los Evangelios y la destrucción cada vez mayor de la guerra.

El pacifista cristiano se compromete a dar un testimonio claro en cuanto al camino de Jesús. Conforme a esta postura, el tratar de testificar de Jesús y abogar a la vez por el matar personas es incorrecto, no tan sólo porque aboga por el matar a la gente sino que también desobedece a Jesús y distorsiona el testimonio cristiano respecto a su camino. El ejemplo histórico más claro de esta distorsión es los cuatro siglos de cruzadas cristianas contra los musulmanes durante la Edad Media. Soldados cristianos, con cruces pintadas sobre sus corazas y banderas, marchando para matar a musulmanes, dieron un testimonio que hizo que el islam se opusiera más militantemente a la fe cristiana, la que tiene sus implicaciones hasta el día de hoy.

Esta distorsión de la fe cristiana fue repetida por los serbios al cerrar el siglo veinte cuando entraron en sus tanques de guerra a Kosovo, sonriendo y alzando tres dedos como símbolo de la Trinidad, rumbo a cumplir con su misión de matar musulmanes. Un teórico de la guerra justa respondería que la ética de las cruzadas es precisamente a lo que se opone, buscando corregirla. El más destacado teólogo pacifista de los últimos cuarenta años del siglo veinte, John Howard Yoder, está de acuerdo con que los pacifistas y los teóricos de la guerra justa debieran considerarse aliados en su esfuerzo por oponerse a las cruzadas tanto como a las guerras usuales, ya que los gobiernos deciden que tales guerras les convienen sin que pongan atención seria a las reglas de la teoría de la guerra justa. Empero, también él critica la teoría de la guerra justa por ser usada a menudo para justificar guerras libradas por otras razones.

El primer argumento a favor del pacifismo es que este acepta el camino de Jesús y el testimonio del NT como autoritativos para nuestro testimonio. El punto es ser fiel al camino de Jesús, y claramente Jesús enseñaba la no-violencia, ejemplificándola en su vida y en su muerte en la cruz.

Lisa Cahill ha destacado a dos clases de pacifistas cristianos. Uno que se compromete a la no-violencia como una regla obligatoria: no hacer nunca la guerra ni ser violento. El otro está comprometido con la no-violencia como un modo de vida, un modo de discipulado; no necesariamente porque sea una regla obligatoria, sino en virtud de su lealtad a Jesucristo y a la presencia del reino de Dios como a su realización futura. El pacifista que lo es como un modo de vivir, se compromete no tan sólo a evadir la violencia, sino también a practicar la pacificación de manera positiva en toda relación. Cahill argumenta que algunos teóricos de la guerra justa proyectan erróneamente sobre el pacifismo su ética de regla-excepción, arguyendo demasiado contra el pacifismo como sencillamente una regla, perdiendo así el profundo significado de la no-violencia como un discipulado y un modo de vivir (Cahill L., *Love Your Enemies* [Amad a vuestros enemigos], pp. 210 ss.; véase también nuestra discusión sobre las normas morales en el capítulo cinco).

Señalamos que el pacifista-discípulo posiblemente sea un poco más flexible que el pacifista-regla. Por ejemplo, Dietrich Bonhoeffer se veía comprometido con la pacificación y la no-violencia como un modo de vivir, pero él se oponía al absolutismo de reglas. Por consiguiente, después de mucha angustia, él apoyó el complot para llevar a cabo un golpe de estado contra Adolfo Hitler con el fin de poner un alto a la matanza ocasionada por él. La ventaja es que Bonhoeffer podía estar comprometido con el discipulado y la no-violencia, y *por ende*, como testimonio de la no-violencia de Jesús, podía buscar detener la violencia de Hitler. El peligro de esta postura es que posiblemente sea un terreno resbaloso, pudiéndose resbalar hacia una racionalización de la guerra, y la confusión de testificar de Jesús mientras se busca detener a Hitler por los únicos medios aparentemente disponibles, los cuales significaban su asesinato. Bonhoeffer recalcaba su necesidad de la gracia y el perdón de Cristo por causa de su propio involucramiento en el pecado.

No obstante esto, John Howard Yoder distingue entre 28 variedades del pacifismo. Él aclara que una fuerza policíaca *bien entrenada y disciplinada* difiere radicalmente de un ejército que se prepara para la guerra, de modo que los pacifistas pueden apoyar lógicamente el trabajo de la policía: (1) La amenaza de violencia de parte de la policía se aplica únicamente al grupo ofensor. (2) La violencia de parte de un policía está sujeta a un estudio por autoridades más elevadas. (3) La fuerza autorizada se da dentro de un estado cuyas leyes el criminal sabe aplicarse a sí mismo. (4) Existen garantías que buscan evitar que la violencia por la policía se aplique generalmente contra el inocente. (5) El poder policial generalmente es lo suficientemente grande como para aplastar al ofensor, de modo que la resistencia no tiene caso (*Politics of Jesus* [La política de Jesús], p. 204).

Yoder señalaba que algunos, deseosos de socavar el pacifismo, lo confunden con el pasivismo; las dos palabras no tienen nada en común. El pacifismo viene del latín, *pax facere*, o sea, hacer la paz. Los pacifistas como Martin Luther King, Jr. eran y son admirablemente activos, buscando siempre maneras para hacer la paz. En realidad, los pacifistas cristianos, por lo general, han tomado más iniciativas y han testificado más claramente respecto a las iniciativas para hacer la paz que los no-pacifistas. Muchos distorsionan las enseñanzas de Jesús, afirmando que "dar la otra mejilla" quiere decir la pasividad. Hemos intentado corregir esa interpretación, enfatizando que las enseñanzas de Jesús no son meras prohibiciones, sino son iniciativas activas y transformadoras.

A Yoder se le conoce por argumentar que el propósito del discipulado es la fidelidad, no la eficacia. Procurar edificar una ética basándose en lo que sea más eficaz en el logro de una meta dada, es basar la ética en cálculos complejos respecto a qué factores probablemente influyan sobre el resultado, sobre qué sorpresas históricas posiblemente ocurran, y sobre nuestra propia habilidad de controlar la historia. Cálculos como estos se basan en lo desconocido, y en las percepciones egoístas y con prejuicios de los que toman decisiones más bien que en el sufrimiento de aquellos que serán impactados por estas. Nos vemos demasiado limitados en nuestro conocimiento y demasiado pecaminosos en nuestras percepciones como para poder controlar la historia. Es mucho más sabio actuar con fidelidad respecto a lo justo, y dejar que Dios controle el desenlace (Ibíd., capítulo 12).

En "The Political Meaning of Hope" [El significado político de la esperanza] Yoder J., *War of the Lamb* [La guerra del cordero]), Yoder argumenta que Tolstoi, Gandhi y King tenían fe en que el cosmos es gobernado por alguna especie de discernible coherencia moral de causa y efecto. A King le gustaba decir que "el universo se dobla hacia la justicia". Si el rechazo de la violencia se basa cósmicamente, como en el caso de Tolstoi, Gandhi y King, y no meramente en lo pragmático, el impacto de esta clase de compromiso será de hecho de una mayor eficacia. La perseverancia ante el sacrificio y la creatividad ante la consternación se ven realzadas para los que creen que el universo marcha a su lado.

Es más, si Dios realmente es Señor, si el universo de verdad se dobla hacia la justicia, entonces tiene sentido argumentar que la acción fiel es generalmente más eficaz. Así, en "Alternatives to Violence" [Las alternativas a la violencia], Yoder ofrece sus argumentos por la eficacia de la acción directa no-violenta. Argumenta que la no-violencia no debería juzgarse como ineficaz sólo porque a veces no gana. La acción militar funciona menos de la mitad del tiempo, ya que para cada ganador de una guerra también hay un perdedor, y a veces las guerras son tan malas que ambos bandos son perdedores. Tampoco se debe juzgar la no-violencia como ineficaz porque algunas veces la gente resulta muerta; muchos más pierden la vida en la acción militar que en la acción no-violenta. En lo que Yoder llamaba "la discrepancia de King y el Che", afirma que muchos concluían que la no-violencia había sido refutada cuando fue asesinado Martin Luther King. Pero, al mismo tiempo, pocos concluían que el hecho de que al Che Guevara se le acribillara en la sierra boliviana significara que la violencia de la guerrilla hubiera sido refutada permanentemente.

También, Yoder arguye que la teoría de la guerra justa no ha pasado la prueba histórica. Ella ha sido usada más persistentemente para bendecir cualquier acción bélica que nación alguna quisiera librar. Raras veces las iglesias han usado la teoría de la guerra justa para condenar la guerra hecha por su propio país. Una respuesta parcial para esa crítica es que la teoría de la guerra justa ayudó muchísimo para aclarar lo injusto de la guerra en Vietnam. Permitió que muchos vieran que la guerra nuclear sería terriblemente mala, debiéndola evitar. Ayudó también para asegurar que el enfoque de los bombardeos deben ser blancos militares, no civiles.

Cómo no argumentar a favor de la no-violencia

Algunos pacifistas han argumentado que el camino de Jesús es sólo para cristianos. Los cristianos tienen que seguir a Jesús y renunciar a la violencia, pero no podemos esperar que los no cristianos renuncien a la violencia. El evangelio sólo es para los cristianos, y no tenemos nada que decir a los no cristianos. Podemos esperar que el gobierno hará violencia, porque no es cristiano; eso no nos atañe. Existe una larga historia de esta postura entre los pacifistas cristianos.

Pero justo como el argumento de la teoría de la guerra justa orillaba a Jesús como relevante sólo para las relaciones privadas, esta manera de argumentar del pacifismo hace que Jesús sea algo menos que plenamente Señor. Enseña que Jesús no es relevante para la ética pública de los no-cristianos, produciendo así el secularismo dentro de la esfera pública.

Yoder y Bonhoeffer argumentaban con una cabal persuasión que Jesús realmente es Señor y, por ende, las prácticas de la pacificación enseñadas por Jesús para la iglesia también tienen su relevancia normativa para el mundo. Ellas representan la voluntad de Dios. Dios es Señor sobre todo el planeta, no sólo sobre nuestras vidas privadas o sobre la iglesia.

Esto quiere decir que los cristianos, sean pacifistas o sean teóricos de la guerra justa, son llamados a que insten al gobierno y a los no-cristianos para que adopten políticas que sean lo menos violentas posible, y que sean propicias a tomar iniciativas pacificadoras. No podemos esperar que los no cristianos hagan esto a causa de la fe cristiana; pero ya que creemos que el evangelio revela la voluntad de Dios, hemos de buscar persuadirles a que hagan la pacificación, basándose en la ética que sí reconozcan.

La teoría de la pacificación justa

Durante la década de los ochenta, ciertos grupos eclesiales hicieron largas declaraciones porque mediara el arrepentimiento y que se redujera la cantidad de armamentos nucleares. Decían que el debate entre el pacifismo y la teoría de la guerra justa es inadecuado. El debate reduce la discusión a la viabilidad de la guerra o no. Pero la guerra es tan destructiva que necesitamos una ética de prevención, una ética de iniciativas que sean obligatorias para las naciones, evitando así la guerra y haciendo la paz. Necesitamos una teología de pacificación positiva.

Ahora ha surgido *una teoría de pacificación justa,* un tercer paradigma para la ética de la guerra y la paz. Tras el horror de la Segunda Guerra Mundial y la amenaza de una Tercera Guerra Mundial durante la Guerra Fría, más la devastación mundial amenazada por los armamentos de destrucción masiva hasta hoy, ha surgido una conciencia mundial de que hemos de desarrollar prácticas eficaces en contra de la guerra. Es un don de Dios que diez de tales prácticas hayan sido desarrolladas en la literatura interdisciplinaria y ecuménica de pacificación; cuando reciben apoyo de parte del pueblo y sus gobiernos, se evitan las guerras. Tras la amenaza del terrorismo, personas pensantes sienten que no basta debatir si es bueno o malo hacer la guerra; necesitamos enfocarnos en medios eficaces para evitar el terrorismo y la guerra.

Las prácticas de la pacificación justa son confirmadas, no sólo por estudios empíricos en las relaciones internacionales, sino también por los datos en el capítulo ocho respecto a lo que funciona para hacer mermar los homicidios. Los datos en ambos casos apuntan hacia la resolución de conflictos, las iniciativas preventivas más que la represalia violenta, las estrategias de la acción no-violenta, la justicia económica, la organización comunitaria, la reducción en armamentos y el desarrollo de grupos de apoyo espiritual, como el medio eficaz para evitar la violencia.

La teoría de la pacificación justa cumple con la intención original de los dos otros paradigmas. Alienta a los pacifistas a que sean lo que implica su nombre, derivado del latín *pacem-facere*, o sea, *hacedores* de paz. También, hace un llamado a que los teóricos de la guerra justa realcen el contenido de sus principios subdesarrollados de último recurso e intención justa. Pregunta ¿exactamente qué recursos han de probarse antes de recurrir a la guerra? ¿Qué acciones deben tomarse para restaurar una justa y paz perdurable? Es más, encaja bien con la enseñanza de Jesús respecto a iniciativas transformadoras de pacificación. Jesús no tan sólo enseñaba no hacer violencia; él enseñaba *iniciativas de pacificación*. Basándose en el camino de Jesús de la pacificación tanto como en la obligación de hacer lo que sea eficaz en la prevención de la guerra, los partidarios de la pacificación justa argumentan que estas prácticas sí pueden guiarnos en una formación del futuro que cumpla con la voluntad de Dios y nuestra necesidad. Son más que obligaciones. Son la manera que se nos da para que participemos de la gracia que Dios imparte en nuestro tiempo. Las diez prácticas de la pacificación justa se dan a continuación:

1. Apoyar la acción directa no-violenta. La acción directa no-violenta, tal como fue practicada por Gandhi en la India y por Martin Luther King en los Estados Unidos de América, se está extendiendo extraordinariamente, acabando así con la dictadura en las Filipinas, produciendo revoluciones no-violentas en Polonia, Alemania del Este y Europa Central, fomentando el cambio democrático en América Latina, Sud África y muchas otras regiones. Se basa en el camino de Jesús (Mat. 5:38 ss.), y comprueba ser eficaz.

2. Tomar iniciativas independientes para reducir la amenaza. Las iniciativas independientes están diseñadas para hacer decrecer la amenaza y la desconfianza que socavan el apoyo a favor de soluciones negociadas. Ellas (a) son acciones visibles y verificables, no meras promesas; (b) son acompañadas por un anuncio de que su propósito es hacer decrecer la amenaza y la desconfianza, invitando así a la reciprocación; (c) no dejan débil al iniciador; (d) no esperan por el proceso lento de las negociaciones; (e) con antelación presentan un horario que se mantiene pese a las bravatas del otro bando; (f) se presentan en una serie: si el otro bando deja de reciprocar, continúan pequeñas iniciativas para seguir invitando a la reciprocidad. Por ejemplo, la estrategia de las iniciativas independientes libraron a Austria del dominio soviético en la década de los cincuenta; produjeron el Tratado de Prohibición de Pruebas Atmosféricas de 1963 después de que los presidentes Eisenhower y Kennedy cesaron unilateralmente las pruebas atmosféricas; logró una reducción dramática de armamentos nucleares gracias a las series de iniciativas del presidente Gorbachev y el Congreso de los Estados Unidos de América y por George Bush, padre; también llevó a adelantos por los adversarios en Irlanda del Norte. Después de años de ocupar la parte sureña de Líbano, el gobierno israelí anunció en el 2000 que retiraría todas sus fuerzas y pidió que el gobierno libanés reciprocara, logrando así que los grupos insurgentes dejaran de disparar contra el norte de Israel. Ellos se retiraron según el horario, cesaron los disparos, y el pueblo de Israel, de Líbano y del mundo aplaudió el resultado raro y feliz en esa región. En el momento actual, hace falta una serie similar de iniciativas israelíes de retirarse de la ocupación de la Ribera Occidental y de Gaza, permitiendo un viable estado de Palestina que no esté interrumpido por asentamientos israelíes y caminos militares, para luego ser reciprocado por el fin de los ataques terroristas palestinos. Los pueblos de Israel y la Palestina tienen demasiada desconfianza para apoyar la pacificación a no ser que un bando tome una serie de iniciativas que demuestren una voluntad de hacer la paz y crear la esperanza.

3. Hacer uso de la resolución cooperativa de conflicto. La resolución de conflicto está llegando a ser una práctica bien conocida, vista dramáticamente en el logro de la paz por el presidente Carter en los acuerdos del *Camp David* entre Egipto e Israel, y en su resolución pacífica de los conflictos con Haití y Corea del Norte. Una prueba clave de la seriedad de las afirmaciones gubernamentales en cuanto a la búsqueda de la paz es si se inician las negociaciones o se rehúsan, y también si el gobierno desarrolla algunas soluciones imaginativas que demuestren su comprensión de las perspectivas y necesidades de su adversario. Jesús dijo que cuando hay enojo entre nosotros y otro, hemos de dejar todo, ir al otro para hacer la paz. Es un mandato, no una opción (Mat. 5:23 ss.).

4. Reconocer la responsabilidad por el conflicto y la injusticia; buscar el arrepentimiento y el perdón. Esta práctica fue iniciada por Dietrich Bonhoeffer, y luego por las iglesias en Alemania, confesando el pecado de haber apoyado a Hitler y su inimaginable violencia e injusticia. Desde entonces, no tan sólo el gobierno alemán, sino también, el gobierno de los Estados Unidos de América, Japón, y la Comisión de la Verdad y Reconciliación en Sud África han curado el grano infestado de las injusticias históricas mediante el reconocimiento de su responsabilidad, buscando cambio y perdón (Mat. 7:1-5; véase el capítulo diecinueve respecto a la aplicación de este principio al problema del racismo).

Las dos siguientes prácticas vienen de la enseñanza de los profetas y Jesús de que la injusticia es la causa de la destrucción que produce la guerra, y que la remoción de las amargas injusticias es esencial para la pacificación.

5. Promover la democracia, los derechos humanos y la libertad religiosa. El esparcir los derechos humanos, la libertad religiosa y la democracia es eficaz para construir la paz. Por sorprendente que parezca, durante todo el siglo veinte, las democracias con derechos humanos no libraron *guerra alguna* la una contra la otra. El trabajo realizado por iglesias y grupos de derechos humanos para insistir en los derechos humanos ha ayudado a convertir las dictaduras latinoamericanas en democracias o democracias-en-proceso, y la tendencia sigue en Asía, África y Europa Oriental. El esparcir la paz se realza por medio de redes de personas deseosas de trabajar unidas para lograr la atención pública a favor de la protección contra las violaciones de los derechos humanos.

6. Fomentar un justo y sostenible desarrollo económico. Una paz justa requiere una economía mundial equitativa por la que grandes inequidades de riqueza, poder y participación sean vencidas progresivamente. Las economías de Asia Oriental, especialmente las de Corea y Taiwán, han crecido rápidamente a causa de su reforma agraria que distribuyó la riqueza más equitativa y ampliamente. Eso multiplicó el número de clientes para los negocios, estimulando así la economía. En contraste, la riqueza de América Latina es acaparada por unas cuantas familias ricas. Los comercios locales carecen de clientes para sus productos. Sin un mercado, las industrias no pueden crecer (véase el capítulo veinte).

El último juego de prácticas implementa el mandato de Jesús a que incluyamos a los enemigos en la comunidad de prójimos (Mat. 5:43-48).

7. Trabajar con emergentes fuerzas cooperativas en el sistema internacional. Redes de comunicación internacional, la migración, el trabajo internacional realizado por las iglesias y el comercio internacional están uniendo a las naciones en una sociedad internacional por la cual los enemigos son incluidos en una continua interacción constructiva. La evidencia empírica muestra que mientras más se incluyan las naciones en estas redes de interacción, menos es la probabilidad de que hagan la guerra.

8. Fortalecer las Naciones Unidas y las organizaciones internacionales. Actuando a solas, las naciones no pueden resolver los problemas del comercio, la deuda, las tasas de interés, la polución, la desaparición de la ozonósfera, la lluvia ácida, el agotamiento de la existencia en los criaderos de peces, el calentamiento global, las migraciones y los refugiados que buscan asilo, la seguridad militar cuando los armamentos penetran rápidamente las fronteras y el terrorismo internacional. Los problemas son internacionales. Por ende, la práctica de apoyar la acción cooperativa vía la ONU y las organizaciones regionales es crucial. Estas organizaciones resuelven conflictos, controlan, fomentan y hasta obligan a que se cumplan las treguas, y reemplazan el conflicto violento por los principios de cooperación. La evidencia empírica muestra que las naciones que se relacionan más con estas organizaciones tienden a evitar más las guerras.

9. Reducir los armamentos ofensivos y el comercio de armamentos. Los armamentos se han vuelto tan destructivos que hacer la guerra no vale lo que cuesta. Los ofensores no pueden destruir a los defensores antes de sufrir una horriblemente alta destrucción como represalia. La reducción en armamentos ofensivos y el aumento en armamentos defensivos fortalece la ecuación. Hace que la guerra sea menos probable. Por ejemplo, el presidente Gorbachev retiró la mitad de los tanques de guerra de la Europa Central junto con todo su equipo para cruzar ríos, reduciendo así la amenaza de un ataque soviético en Europa. Esto permitió que la OTAN se deshiciera de todos sus armamentos nucleares de corto y mediano alcance en Europa Occidental, el primer paso dramático en terminar pacíficamente la Guerra Fría. Las guerras de Serbia contra Bosnia, Croacia y Kosovo son los ejemplos contrarios que prueban la regla: los serbios controlaban el ejército de la antigua Yugoslavia y sus armamentos. Ellos tenían los armamentos ofensivos para hacer la guerra sin esperar un contraataque destructivo, hasta que por fin el rechazo mundial acabó con sus ataques.

Al aproximarse las naciones hacia la democracia y los derechos humanos, sus gobiernos ya no necesitan grandes fuerzas militares para mantenerse en el poder. Pueden reducir los gastos militares y dedicar sus economías a la lucha contra la inflación, el pagar las deudas y satisfacer las necesidades humanas básicas. Las importaciones de armamentos por las naciones en desarrollo en el año 1995 disminuyeron una cuarta parte de las que hubo en el año 1988. Las naciones con derechos humanos y democracia, las cuales superan en la satisfacción de las necesidades básicas de sus pueblos, casi nunca generan terroristas. Tenemos la oportunidad actualmente de movernos del autoritarismo a los derechos humanos, de la guerra a la justicia, de altos gastos en armamentos ofensivos a menos gastos.

10. Alentar a grupos pacificadores de base y a asociaciones voluntarias. Los partidarios de la teoría de la pacificación justa enseñan estas prácticas eficaces junto con sus bases bíblicas en iglesias y otros grupos ciudadanos. También, prueban las acciones gubernamentales, si es que los gobiernos afirman favorecer la paz, para ver si están dando estos pasos obligatorios que, de hecho, conducen a la paz. Ellos resisten las afirmaciones de los políticos de que se debe votar por ellos porque afirman ser creyentes cristianos si en realidad no hacen las cosas que promueven la paz, tal como Jesús enseñara.

La lucha actual contra el terrorismo demanda que los musulmanes tanto como los cristianos sean fieles en sus prácticas concretas de la pacificación y la justicia. Necesitamos corregir las amargas injusticias y sanar los resentimientos latentes que engendran terroristas. El creciente movimiento popular mundial de grupos pacificadores constituye una fuerza histórica que admite la pacificación justa. Una red transnacional de grupos, incluso eclesiales, puede trascender parcialmente la cautividad a las estrechas perspectivas ideológicas y nacionales. Pueden servir como las voces de los sin voces, tal como hicieron en la Alemania Oriental y en grupos de mujeres en Guatemala. Pueden ayudar a iniciar, fomentar y apoyar las iniciativas transformadoras que se arriesguen en salir de los ciclos que perpetúan la violencia y la injusticia. Pueden alimentar la espiritualidad que sostenga la valentía cuando la pacificación justa es impopular, que cree la esperanza cuando la desesperación y el cinismo son tentadores, y que fomente la gracia y el perdón cuando la pacificación justa fracasa.

Cómo no argumentar a favor de la teoría de la pacificación justa. La pacificación justa fue desarrollada por éticos cristianos, algunos de los cuales son pacifistas y la mayoría de ellos son teóricos de la guerra justa. Es apoyada por muchos de ambas tradiciones, porque pregunta y contesta lo que el debate usual entre el pacifismo y la guerra justa no contesta: ¿Cuáles son los pasos que se deben tomar para evitar la guerra? ¿Cuáles son las prácticas que promueven la paz? La pacificación justa no procura contestar la pregunta que el pacifismo y la teoría de la guerra justa sí contestan. Si la pacificación justa falla, ¿es correcto hacer la guerra, o debemos acogernos a la no-violencia? Todo el mundo necesita una respuesta para esa pregunta, porque, a no ser que suceda la Segunda venida de Cristo, la pacificación justa no evitará toda guerra. Y, al darse la guerra, necesitamos ser teóricos de la guerra justa o pacifistas. De no ser así, seremos llevados a dondequiera por todo viento de interés ideológico (Efe. 4:14).

Por lo tanto, le amonestamos a que no diga, "Yo apoyo la teoría de la pacificación justa. Es mejor que el pacifismo o la teoría de la guerra justa; yo la apoyo, no a ellos". Sí, le amonestamos a que apoye la teoría de la pacificación justa por la verdadera contribución de ella, y que la enseñe en su iglesia, y que exija sus principios de parte de su gobierno. También, le amonestamos a que discutan cuidadosamente tanto el pacifismo como la teoría de la guerra justa en su comunidad cristiana, buscando discernir por medio de la oración y la comunidad cuál sea su llamamiento. Luego, cuando todo lo demás falle, y el gobierno esté a punto de declarar la guerra, usted puede dar un testimonio claro.

8

SEMBRANDO LAS SEMILLAS DE LA PAZ

Ve, reconcíliate primero con tu hermano y entonces vuelve y ofrece tu ofrenda...
Amad a vuestros enemigos, y orad por los que os persiguen...
No juzguéis, para que no seáis juzgados... Saca primero la viga de tu propio ojo, y entonces podrás ver para sacar la brizna del ojo de tu hermano.

Mateo 5:24, 44; 7:1, 5

La escuela secundaria Columbine[1] llegó a ser un símbolo que hizo que la violencia juvenil llamara la atención a todos. El asesinato de varios jóvenes el 20 de abril de 1999 en ese lugar, junto con el ataque terrorista del 11 de septiembre del 2001 a las llamadas Torres Gemelas han provocado muchas preguntas acerca de la violencia.

En este capítulo nos enfocaremos especialmente en la juventud porque:

1. Los jóvenes son responsables de mucha de la violencia, y al mismo tiempo son víctimas de ella.
2. Las iglesias pueden ser muy eficaces en alcanzar a la juventud, combatiendo así la violencia juvenil.
3. El ministerio entre los jóvenes representa una misión crucial de las iglesias.
4. En los años de la juventud es cuando muchos toman decisiones fundamentales acerca de su vida, sus compromisos éticos y sus compromisos para ser seguidores de Jesús.
5. El enfocarse en la juventud es una estrategia clave para esparcir el evangelio y hacer crecer las iglesias.
6. La juventud es nuestro futuro.
7. El enfocarse en la juventud, a la que amamos, puede ayudar a que las personas sean preventivas y no punitivas, tal como manda Jesús.

[1] En este capítulo se usan estadísticas y otros datos que se aplican en forma directa a la situación en Estados Unidos de América, pero que pueden ser aplicados, en mayor o menor grado, a otros países.

Entendiendo lo que funciona en la prevención de la violencia

Ya hemos visto que en el Sermón del monte Jesús nombró varios ciclos viciosos de violencia. Jesús se preocupaba profundamente por lo sagrado de la vida humana, indicando el camino de liberación de la violencia por medio de sus iniciativas transformadoras de la pacificación. Jesús enseñaba acerca del reino de Dios; él declaraba: "Aquí es donde se encuentra Dios".

Jesús puede tomar nuestra discusión de la violencia, como se ha mencionado, que parece partir de una ira frustrada, del cinismo impotente y de una autocondena debilitante, convirtiéndola en iniciativas transformadoras. Imitando a Jesús, queremos enfocarnos en las iniciativas que en realidad sí funcionan para evitar la violencia. Pero inmediatamente nos damos cuenta de que estamos en una cultura que acusa, una cultura que juzga, que desea señalar la paja en el ojo ajeno (Mat. 7:1-5). Además, ciertas ideologías políticas interpretan la violencia de tal manera que la emoción acerca de la culpa pueda servir para su causa.

La enseñanza de Jesús "no juzguéis" significa "no condenéis". No quiere decir "No procuréis discernir la diferencia entre lo bueno y lo malo". Jesús discernía esa diferencia, y nos pedía que hiciéramos igual. Pero lo que no ayuda es condenar a otros, poniendo la atención en la paja en el ojo ajeno. Jesús recibía a marginados tales como los pecadores y los cobradores de impuestos, los leprosos y las mujeres adúlteras, sin condenarlos.

Conforme al enfoque que esbozamos en el capítulo seis, Mateo 7:1, 2 es *enseñanza tradicional*, encontrando su eco a lo largo del NT (Mar. 4:24; Luc. 6:37-42; Rom. 2:1; 14:4; 1 Cor. 4:5; 5:12 y Stg. 4:11, 12; 5:9). Aquí Jesús detalla las virtudes de la humildad, el arrepentimiento continuo y la misericordia que vimos en las Bienaventuranzas (véase el capítulo dos).

El *ciclo vicioso* se nombra en Mateo 7:3, 4. Davies y Allison (*Critical and Exegetical Commentary* [Un comentario crítico y exegético], 1:673) lo expresa perceptivamente: "Los seres humanos desdichadamente poseen una tendencia innata de mezclar una ignorancia acerca de sí mismos con una arrogancia hacia otros".

La *iniciativa transformadora* (Mat. 7:5) principia por aceptar la responsabilidad por los prejuicios nuestros en ver a otros, aun a los violentos, dentro de nuestro contexto social. Nuestros propios prejuicios, al percibir y mal percibir nuestra situación social, son causados por nuestras lealtades mal puestas en otros señores de nuestra vida que no sea Dios (Mat. 6:21-23) y por nuestra propia autojustificación. Por consiguiente, cómo percibimos e interpretamos lo que sucede en nuestro derredor es un problema ético. En realidad, necesitamos pasar toda una vida sacando las vigas de nuestro propio ojo. La norma es la clarísima compasión de Dios, es decir, poder vernos a nosotros mismos y a otros bastante claramente como para poder ser de ayuda. A menudo Jesús hace que enfoquemos nuestra atención en la ceguera respecto al reinado actual de misericordia de Dios, contraponiéndose al ver con claridad por la fe la presencia poderosa de Dios. Nos hace falta una ética de percepción, *una ética perceptiva.*

Tal como discutimos en el capítulo tres, el cómo se perciben las cosas moldea lo que hacemos. Recuerde que encontramos cuatro variantes que moldean la percepción de muchos problemas éticos:

1. La amenaza: Nuestras suposiciones tocantes a la causa del problema.
2. La autoridad: Cómo percibimos el lugar, la legitimidad y los límites de los poderes y autoridades.
3. El cambio social: Nuestra actitud respecto a este cambio y a nuestras suposiciones en cuanto a cómo efectuarlo.
4. La información, la integridad, la veracidad y la apertura: Nuestra adquisición y comunicación de información.

La variante de la *percepción de amenaza* tiene que ver con la *causa* del problema, *cuán urgente* sea, y *hasta qué punto* se relaciona con otros problemas o amenazas dentro de la sociedad. Cómo la gente percibe las causas de la violencia moldea poderosamente la clase de soluciones por las que abogarán. De modo que nuestra pregunta es: ¿Qué causas de violencia podemos identificar que podamos remediar?

La actitud de la gente hacia la *autoridad* influencia poderosamente sobre su percepción de las causas de la violencia y cómo evitarla. Las personas con una marcada perspectiva autoritaria tienden a ver la solución a la violencia en la imposición de autoridad sobre la gente, en hacer que los padres castiguen más severamente, en tener un sistema judicial que imponga penas más duras y el uso por parte de ellos de una airosa retórica que puede llegar al abuso físico o al uso de armas para poder controlar al pueblo. Las personas con una exagerada perspectiva permisiva, con cierta alergia contra la autoridad, tienden a ver la solución en la autonomía individual, la libertad, el permitir al pueblo hacer lo que desee, y el tolerar una gran variedad de lo que antaño se consideraba como una conducta inapropiada. ¿En dónde encontramos el equilibrio correcto?

La actitud de la gente hacia *el cambio social*, y la clase de cambio social propuesto por ella, dan forma a las clases de soluciones por las que abogan. ¿Qué clase de cambio social puede efectuar la prevención de la violencia, o por lo menos hacer que esta disminuya?

Deseamos arrojar algo de luz sobre esta discusión al recibir algún discernimiento desde dos fuentes. Primero, ha habido estudios empíricos muy extensos de los factores que influencian sobre cuánta violencia se da en la sociedad y qué funciona para evitarla. Hemos hecho un repaso de estos estudios extensamente, y aquí presentamos algunos de los resultados de la investigación, corroborados por múltiples estudios con distintas metodologías. Segundo, preguntamos cómo estos estudios corresponden con las enseñanzas de Jesús sobre el camino a la paz. Jesús lloró sobre Jerusalén, diciendo: "¡Ojalá que conocieras las prácticas que conducen a la paz!" (traducción del autor de Luc. 19:41). Él señalaba esas prácticas como el camino de Dios a la liberación. Su enfoque estaba, no meramente en echar la culpa, sino en las iniciativas transformadoras que previenen la violencia.

Algunas personas no piensan poder aprender mucho de las ciencias sociales o de la Biblia. "Se puede probar cualquier cosa por las estadísticas", dicen. O "Se puede probar cualquier cosa por la Biblia". De modo que no preguntan si se puede aprender algo de los estudios o de la Biblia que corrija sus percepciones. Ellos se niegan a buscar maneras de autocorrección. O, simplemente se encogen de hombros para decir que no entienden, y luego se hunden en el fatalismo o el cinismo. Esto demuestra nuestra cuarta variante: *la integridad informativa*, o *la veracidad* y *la apertura*.

Hay enfoques *cerrados* a la integridad informativa que se contraponen a los enfoques *inquisitivos*. Todos somos pecadores. Necesitamos ser inquisitivos, siempre buscando información nueva, y dedicándole más atención a la evidencia que parezca contradecir lo que pensábamos antes. Los científicos piensan que la evidencia contradictoria se presta a que aprendamos más, ya que nos lleva a encontrar mejoras para nuestras teorías. O puede confirmar las teorías y llevarnos a mejorar nuestros métodos de recolección e interpretación de datos. Conforme a los términos de Jesús, la evidencia puede ayudarnos a que veamos la viga en nuestro propio ojo.

También, hay usos *manipuladores* de información, los cuales son contrarios a los usos *veraces* o *respetuosos* de la información. Necesitamos el mayor respeto posible por la información, porque la verdad proviene de Dios, y nosotros mismos no siempre tenemos toda la verdad. En este capítulo examinaremos críticamente los métodos de investigación y sus resultados, y buscaremos resultados que sean confirmados por múltiples estudios y métodos diferentes, que sean estadísticamente relevantes, y que expliquen gran parte de la variación. Los citaremos extensivamente para poder revelar sus resultados con la máxima precisión posible. Estos son nuestros criterios. Nos hemos quedado sorprendidos al observar cuán parecidos son los resultados a las prácticas de la pacificación de la teoría de la pacificación justa.

Un libro que resume los resultados de una investigación y que parece hacer eco del énfasis de Jesús sobre las iniciativas transformadoras dice: "Este libro fue inspirado por la creencia fundamental de que las políticas actuales que tienen la mira de abordar la violencia personal... son obsoletos, ineficaces, y engañadores ante el público... También, somos guiados por la creencia de que, a la larga, la *prevención* es más barata, más eficaz y más humana que la vasta mayoría de nuestros actuales esfuerzos por detectar, detener, castigar o contener" (Wolfe D., Weberle C. y Scott K., *Alternatives to Violence* [Alternativas a la violencia], p. ix]). Pero el papel de los prejuicios ideológicos también se anticipa: "Desdichadamente, la nueva evidencia científica acerca de las causas de la violencia o acerca de la eficacia de cierta intervención también posiblemente se rechace solamente porque sus implicaciones están en conflicto con" los ya formados valores políticos, ideológicos y éticos (Reiss A. y Roth J. A., *Understanding and Preventing Violence* [Comprendiendo y evitando la violencia], pp. 38, 39). Intentemos algo mejor aquí.

Tomar una acción directa que se oponga a la violencia en la televisión

"Según el informe del grupo de operaciones de la Asociación Psicológica Estadounidense sobre la televisión y la sociedad estadounidense... para cuando el niño promedio... que mira la televisión por 2 a 4 horas diarias termine la escuela primaria, él o ella habrá presenciado por lo menos 8.000 asesinatos y más de 100.000 otros actos de violencia en la televisión" (Wolfe D., Weberle C. y Scott K., *Alternatives to Violence* [Alternativas a la violencia], p. 85). Esto representa un acondicionamiento muy poderoso.

Los estudios indican que "la exposición a la violencia en los medios masivos a una tierna edad puede tener... consecuencias duraderas y negativas. Si se aprenden tempranamente en la vida los hábitos agresivos, puede ser que formen el fundamento para un comportamiento antisocial posteriormente". Un equipo investigativo "concluyó que el ver prematuramente la violencia en la televisión estimula la agresividad, y que es un precursor estadístico a un comportamiento criminal posterior... Sus análisis indican que aproximadamente el 10% de la variabilidad en un comportamiento delictivo posterior puede atribuirse a la violencia televisada" (Geen R. y Donnerstein E., *Human Aggression* [La agresión humana], pp. 177, 178; Benson P. *et. al.*, *Fragile Foundation* [Un fundamento frágil], p. 42). La ciencia social adecuada pone atención no tan sólo al significado estadístico sino a la cantidad de variación-variabilidad que pueda atribuirse a la causa bajo investigación. *El significado estadístico* dice que el resultado no es ocasionado por casualidad. *La variación* viene siendo cuánto del resultado parece ser producto de la causa bajo estudio. El equipo de investigación concluyó que la televisión explica alrededor del 10% de la violencia. Así que la televisión no es una explicación completa. Pero, 10% de la violencia es mucha violencia.

El ético cristiano Henlee Barnette ha dicho: "Los productores de películas violentas afirman que sus programas repletos de violencia no tienen ninguna influencia sobre la conducta de los niños. Pero es absurdo argumentar que los medios masivos no tengan ninguna influencia sobre los televidentes cuando se les pagan millones de dólares para que persuadan a la gente a que compre desde comidas para niños hasta bebidas para adelgazar" ("My Millennium" ["Mi milenio"]).

¿Qué se puede hacer? Los padres pueden boicotear los programas de televisión que influencian a la gente a que sea violenta. Estos son los programas por los cuales a los autores de la violencia se les galardona o no se les castiga; es decir, a los autores se les pinta como admirables o semejantes a los televidentes. La violencia es pintada como justificable por las circunstancias; la violencia es pintada como un verdadero evento; los actos violentos se pintan para que agraden al televidente; los televidentes son niños pequeños.

Más allá del boicotear, los padres pueden llamar y escribir a las estaciones de televisión y a las redes de información, alentando así que pongan programas que ejemplifiquen la ética y la resolución de conflictos. Durante el decenio de los años 80 (en los EE. UU. de A.), las tres redes principales de televisión redujeron en 80% el número de horas dedicado a la programación pro-social y educativa para niños. Sin embargo, necesitamos desesperadamente programas que enseñen conceptos pro-sociales tales como "el compartir, la identificación, los conceptos del bien y del mal, la gratificación deferida, el ahorrar, el oponerse al estereotipar, y el aprecio para con pueblos, culturas y religiones diferentes" (Hampton R., Jenkins P. y Gullotta T., *Preventing Violence in America* [Evitando la violencia en los EE. UU. de A.], pp. 133, 134).

"A los padres se les puede enseñar que la televisión es un recurso que necesita ser *manejado*". El proceso de fijar prioridades y hablar sobre preferencias familiares "hace que los niños piensen en torno a los problemas del sexo gratuito y la violencia, los conceptos del bien y del mal, y lo que constituye una diversión viable. Esto ayuda a los niños a formar sus propios sistemas de valores dentro del contexto familiar" (Ibíd., p. 152). Es semejante a la acción directa no-violenta ejemplificada por Martin Luther King, Jr.: Los boicots como forma de protestar y como presión económica para que haya cambios, y la acción directa para afirmar programas pro-sociales por medio de contactar las estaciones y manejar la televisión para nuestras familias.

En el Sermón del monte, Jesús enseña la cultura de la pacificación en vez de la violencia. El reducir la influencia de programas violentos concuerda con la enseñanza de Jesús.

Comenzar tempranamente el adiestramiento en la resolución de conflictos

Los resultados de la investigación indican que "los eventos más violentos son precedidos por una intensificación del conflicto verbal mediante insultos y amenazas" (véase Mat. 5:22: "si te enojas con un hermano... si insultas a un hermano... si le dices '¡Fatuo!'"). Además, la investigación demuestra que el enseñar a la gente a interrumpir la intensificación mediante la mediación y la resolución de conflictos es eficaz y duradera siempre que se le enseñe en los primeros años escolares. El enseñar los métodos de resolución de conflictos es mucho menos eficaz si no se da hasta llegar a la educación media, puesto que respuestas habituales ante el conflicto ya han sido formadas y reforzadas por años de práctica (Reiss A. y Roth J. A., *Understanding and Preventing Violence* [Entendiendo y evitando la violencia], pp. 8, 108, 109). Es más efectivo enseñar la resolución de conflictos y hablar sobre las cosas tempranamente en la vida dentro de la familia, más bien que recurrir como padres al dominio físico y al castigo corporal.

"La investigación sobre los niños y adolescentes abusados muestra claramente que en sus interacciones con los padres, estos niños reciben menos interacción verbal, menos aprobación, menos instrucción, menos recreo compartido... y menos razonamiento durante situaciones de conflicto". La investigación sobre los adolescentes violentos también demuestra que sus relaciones cuentan con bajas cantidades de expresión emocional positiva y comunicación. Es más, "lo que los jóvenes valoran *más que nada* son las relaciones. Ellos desean buenos lazos interpersonales, y quieren ser amados". (Wolfe D., Weberle C. y Scott K., *Alternatives to Violence* [Alternativas a la violencia], pp. 97-99). Este hallazgo iguala la investigación sobre el cariño, la cual muestra que *el calor y la sensibilidad de la madre* producen un cariño seguro y un comportamiento positivo y un ajuste del niño. Pero, si los niños y jóvenes no aprenden con sus padres a hablar acerca de sus sentimientos y a razonar durante situaciones de conflicto, entonces probablemente van a ser débiles en esa destreza al convertirse en adultos. "Por ser incapaces de hablar eficazmente hasta encontrar una solución al problema, los individuos abusivos 'actúan', usando acciones violentas para recobrar el control" (Ibíd., pp. 95, 97).

Esto se asemeja a los descubrimientos tocantes a los varones que creen que deben dominar. "Típicamente, los padres que abusan sexualmente a sus hijas mantienen estrictos sistemas patriarcales en los que ellos son la cabeza indiscutible del hogar... Muchos hogares en los que ocurre la violencia, son caracterizados por estructuras familiares patriarcales donde los tradicionales papeles sexuales se promueven. Los hombres criados en estos hogares son más propensos... a ponerse violentos como adultos" (Hampton R., Jenkins P. y Gullotta T., *Preventing Violence in America* [Evitando la violencia en América], pp. 214, 216).

En cambio, las familias cuyos padres son pasivos, sin ocuparse de cómo se comportan sus hijos, o sin involucrarse en la enseñanza y la disciplina, también tienden a producir hijos con problemas. Ni el autoritarismo patriarcal ni la autonomía *laissez-faire* funciona tan bien como el involucramiento activo de los padres, la cooperación familiar mutuamente respetuosa, la enseñanza de patrones de comportamiento, la manera correcta de hacer las cosas, el control y el autocontrol.

Puede ser que la gente piense que los hombres que dominan sobre sus familias por la violencia física se creen poderosos. Pero, en realidad, usualmente ellos se sienten relativamente impotentes. Carecen de la destreza para hablar respecto a sus propias emociones, y así les falta el poder para lidiar con esas emociones. Los investigadores encuentran que cuando las mujeres están siendo abusadas por los hombres, el enseñar a las mujeres a responder de maneras distintas a menudo no es exitoso para poner un alto al abuso. Lo que sí funciona es lograr que los hombres entren a grupos de consejo. Allí ellos pueden aprender las destrezas de hablar a otros acerca de sus sentimientos de una manera que logre alguna respuesta positiva, y de una manera que logre la intimidad que necesitan profundamente. Allí pueden aprender el control; pueden aprender a identificar su propio enojo sin hacerlo manifiesto, aprendiendo más bien a hacer la paz.

Una destreza de más larga duración involucra el aprendizaje de cómo los sentimientos dependen de las percepciones y sus interpretaciones asociadas. De manera que cuando algo ocasiona que una persona se enoje y se sienta impotente, necesitamos aprender a reinterpretarla, conservando nuestro juicio hasta que tengamos todos los hechos, viéndola desde la perspectiva del otro.

"Numerosos estudios han mostrado que la violencia en el hogar crea un patrón y una expectativa entre los niños y los jóvenes de que la violencia es una reacción apropiada al estrés y una manera eficaz de expresar el enojo. Los niños que son abusados en el hogar mucho más probablemente llegarán a ser unos jóvenes violentos" (Ibíd., p. 164). Un estudio sobre los adolescentes descubrió "tres factores que más se relacionaban con su perpetración de violencia: estar expuestos a la violencia y su persecución dentro de la comunidad, el grado visto de violencia familiar, y la severidad de castigo corporal empleado en el hogar" (Ibíd., p. 69). "Entre los más prometedores enfoques para evitar la violencia están: el refuerzo de la conducta social positiva, la provisión de un modelo positivo por parte de los adultos, y la enseñanza a los niños de destrezas tales como cómo resistir la presión negativa de sus compañeros y cómo resolver los conflictos pacíficamente" (Ibíd., pp. 171, 172).

Es notorio cuánto esto se asemeja a la enseñanza de Jesús sobre la prevención del asesinato en Mateo 5:21-24. Si te das cuenta que se está suscitando cierta hostilidad entre tú y otro, deja a un lado lo que estás haciendo, ve y habla con ese otro, buscando la paz. Seguramente, esta es la interpretación que Jesús da a la primera historia de violencia entre hermanos de una familia, Caín y Abel (Gén. 4). Un paso crucial en la resolución de conflicto es procurar entender cómo piensa y siente la otra persona. "Amad a vuestros enemigos", dice Jesús. "Gozaos con los que se gozan. Llorad con los que lloran", dice Pablo en Romanos 12:15, en donde él habla de cómo relacionarse con los enemigos. Él dice que debemos identificarnos con los intereses de la otra persona, afirmándolos. Esto requiere que conversemos juntos para enterarnos de los intereses de cada uno. "Por tanto, recibíos unos a otros como Cristo os recibió para la gloria de Dios" (Rom. 15:7). De nuevo, Pablo habla aquí de cómo relacionarnos con las personas con quienes estamos en desacuerdo. Él quiere decir que hablemos juntos, que comamos juntos, que tengamos compañerismo los unos con los otros. Es el proceso de la resolución de conflictos, actuado por las prácticas del compañerismo. Los cristianos practican las destrezas de hablar lo suficiente como para entender los sentimientos de otros, afirmándolos. Esto necesita ser una práctica regular en la iglesia, en la familia y en las escuelas.

Fomentar la justicia económica

La privación económica es causa principal de homicidios, especialmente cuando se pone peor de lo que se espera. "La tasa nacional de homicidios ha llegado a su punto más alto dos veces durante este siglo; cada 'cima' fue seguida por una disminución. El primer 'pico' fue durante los años 30", cuando sucedió la "Gran depresión económica". Al ir mejorando los trabajos y los ingresos reales, "la tasa de homicidios mermó durante los próximos treinta años, llegando a su punto más bajo al principio de los años 60". Cuando comenzó a estancarse la economía después de la guerra en Vietnam, la tasa de homicidios empezó a aumentar, llegando a su cenit alrededor del año 1989; esto tuvo lugar en un tiempo cuando el gobierno cancelaba programas de trabajo, cuando los verdaderos ingresos de los obreros y los pobres disminuían, permitiendo que la riqueza se transfiriera a los pudientes, duplicándose la tasa de ingresos de los ricos en comparación con la de los pobres. Luego, en los años 90, al ir mejorando los trabajos y los sueldos, la tasa de homicidios bajaba cada año (Reiss A. y Roth J. A., *Understanding and Preventing Violence* [Comprendiendo y evitando la violencia], pp. 3, 51, 64, y el capítulo 2).

El efecto de esta privación económica se confirma de otra manera: "Las tasas de abuso, físico y sexual, son seis veces más elevadas para los niños de familias con menos de $15.000 (dólares) de ingresos que para otros niños" (Ibíd., p. 10). Muchos otros estudios descubrían que "los homicidios se concentraban desproporcionadamente en áreas de pobreza... Este patrón se ha mantenido sin importar qué grupo étnico ocupara las áreas... Las diferencias raciales en las tasas de crímenes violentos tienden a desaparecer cuando se incluye la pobreza como una explicación" (Ibíd., pp. 132, 133). Entonces, el adiestramiento laboral, la ayuda a los obreros pobres y una mayor justicia en la distribución de ingresos son medios eficaces para reducir los homicidios.

También, esto va de acuerdo con la enseñanza de Jesús en el Sermón del monte. En el tiempo de Jesús, al igual que en el nuestro, los ricos se hacían más ricos y los pobres se hacían más pobres, perdiendo su tierra y su base económica. Roma, tanto como el gobierno local basado en el sistema del templo, cobraban impuestos injustamente a los que tenían ingresos marginales (véase el capítulo diecisiete). Jesús censuró este sistema, abogando porque se les perdonara las deudas, y practicando el "jubileo" para que el medio de trabajo y la tierra no se les quitara a las personas; él enfatizaba en la ayuda al necesitado, que era el sistema de bienestar público de ese tiempo; también enfatizaba la justicia en el uso del dinero (véase el capítulo veinte). En la pacificación justa este es el énfasis que se le da al desarrollo económico sostenible y la justicia económica.

Enfocarse en la detección temprana y la prevención de la violencia

¿Cuán severamente debemos castigar el crimen juvenil?, o en su defecto, ¿cuánto debemos insistir en una positiva acción preventiva? Cómo la gente contesta esto es, en gran parte, influenciado por su concepto de la *autoridad y el cambio social*. La realidad de nuestra cultura política es que el deseo por castigar más severamente ocasiona que leyes y dinero se inviertan en la construcción de más cárceles, y que los legisladores y ejecutivos retiren dinero y esfuerzos de medidas preventivas. Es como si los que trabajan en los fundamentos ideológicos para los candidatos políticos vieran en la prevención al enemigo del castigo. Ellos creen que es cuestión de debilidad contra fuerza. Si la causa de la *amenaza* de la violencia es vista como la carencia de temor por el castigo de parte de los potenciales criminales, entonces la solución propuesta será un castigo más duro.

Pero si la causa del crimen juvenil es la desorganización personal y social, entonces la solución requiere un mayor énfasis sobre la reforma personal y social. En este caso, la autoridad que necesitamos es la que trabaja para que las comunidades desorganizadas se organicen. Las iglesias pueden hacer una gran diferencia mediante la organización de actividades y grupos juveniles, programas de tutoría y programas para ayudar a los jóvenes en la búsqueda de empleo. John DiIulio, un excelente científico social y el primer director del programa del presidente Bush (en los EE. UU. de A.) conocido por el nombre "*faith based initiatives*" [programas sociales con la ayuda de personas y organizaciones religiosas], ha encontrado, por un lado, una clara correlación entre la presencia de bares en los barrios y tasas más elevadas de criminalidad y, por otro lado, la presencia de iglesias en los barrios y una criminalidad más baja.

Vimos en el capítulo seis que Jesús advierte en Mateo 5:39 que no debemos tomar represalias ni resistir violenta y vengativamente por medios malignos. Indicamos que esto queda confirmado por la manera en la que el apóstol Pablo presenta la enseñanza en Romanos 12:17-21: "No paguéis a nadie mal por mal... Amados, no os venguéis vosotros mismos, sino dejad lugar a la ira de Dios." Esto nos advierte que el impulso de la autojusticia es echar la culpa, odiar y castigar; el impulso a buscar venganza puede distorsionar nuestra visión. No dice que no debe haber castigo, pero sí nos advierte contra la distorsión ocasionada por el impulso a desquitarnos. El buscar un chivo expiatorio es un fenómeno humano muy extendido. La mayoría de nosotros sabe como padres, que el enojo y el impulso a castigar vengativamente a nuestros hijos pueden ocasionar fracasos muy dolorosos. Es más efectivo explicar y demostrar el patrón que queremos que nuestros hijos adopten, ayudándoles luego a practicarlo correctamente. Algo de esa verdad se aplica al crimen. Como Jesús dijera, la venganza y el odio no son el camino de liberación. Más bien, Jesús enseñó los patrones positivos que conducen a la liberación: La pacificación, la reconciliación y el perdón.

Durante la década de los años 80 en los EE. UU. de A., cuando se reducían drásticamente los fondos gubernamentales para el adiestramiento para el empleo y la colocación en trabajos, se dio mayor prominencia al impulso de castigar. ¡Fuera con la compasión! ¡Venga la dureza! Las condenas a cárceles se aumentaron, a los jóvenes se les encarcelaba junto con los adultos, y las penas por la posesión de drogas ilegales se incrementaron grandemente. Se renovó la pena de muerte. Sin embargo, después de diez años de este enfoque doblemente punitivo, para finales de los años 80, la tasa de homicidios llegó a su punto más elevado en la historia.

¿Qué nos muestra la investigación? Mejores relaciones entre la policía y la población, junto con ayuda comunitaria en el trabajo de la vigilancia, sí ayudan a reducir los homicidios, porque la policía puede capturar a los delincuentes más pronto. Pero el aumentar el tiempo en la prisión y el poner a los jóvenes al lado de delincuentes adultos no ayuda. "Aunque el promedio de tiempo en la cárcel por *un delito violento* más o menos se triplicó entre 1975 y 1989, los niveles de delitos violentos serios" no se redujeron (Ibíd., p. 291). Una pequeña fracción de delincuentes cometen cientos de delitos por año, y ellos sí tienden a ser capturados, dándoseles penas largas, porque su historial es malo. El aumentar las sentencias tiende a aplicarse a los delincuentes que cometen pocos delitos, de manera que no se reduce en mucho el número de delitos. "La incapacitación se presta a tener resultados marginales cada vez menores, porque la mayor parte de las carreras delincuenciales es bastante corta... El aumentar la posibilidad del encarcelamiento reduce los niveles de criminalidad más eficazmente que el aumentar la extensión del tiempo en la cárcel". El aumentar la posibilidad de ser llevado preso facilita que los delincuentes sean encarcelados más pronto. Esto también ayuda a impedir la criminalidad, porque su efecto se realiza más pronto, mientras el efecto de la sentencia más larga llega mucho más tarde (Ibíd., pp. 293, 294). El aumentar la posibilidad de ser capturado requiere que se incremente la fuerza policial, que haya más participación comunitaria en vigilar, y que se mejoren las relaciones entre la policía y la comunidad. Este fue el énfasis durante los años 90, y la tasa de homicidios se reducía cada año durante esa década. El poner personas en la cárcel con sentencias más largas no remedia la extendida cultura de violencia (Hampton R., Jenkins P. y Gullotta T., *Preventing Violence in America* [Evitando la violencia en EE. UU. de A.], pp. 197, 202-206).

Es más, la evidencia sugiere que el poner a jóvenes en prisiones para adultos resulta en "una probabilidad mucho menor de que haya tratamiento bajo custodia, y un riesgo más elevado de ofensas subsecuentes después de su liberación" (Elliott D., Hamburg B. y Williams K., *Violence in American Schools* [La violencia en las escuelas estadounidenses], pp. 10, 11, 171). En este caso, el deseo de "ser duro con el crimen" simplemente resulta en más crimen más tarde.

Fortalecer la organización comunitaria

La disgregación comunitaria es una causa poderosa que engendra violencia. Cuando no funcionan bien los vecindarios, la violencia aumenta por la inhabilidad de los padres de "distinguir entre la juventud del barrio y la de afuera, de agruparse con otros padres para resolver problemas en común, de cuestionar a los hijos los unos de los otros, de participar en organizaciones voluntarias y redes de amistad, y de vigilar las áreas que la comunidad tiene en común. Los padres solteros que trabajan tienen menos tiempo para tales actividades; el constante cambio de residentes en grandes complejos residenciales hace que estas tareas sean más difíciles en realizar" (Reiss A. y Roth J.A., *Understanding and Preventing Violence* [Comprendiendo y evitando la violencia], p. 15).

Cuando las familias de la clase media se mudan del gueto, las redes informales de control social se desbaratan. Los residentes que quedan experimentan una fuerte ruptura y el desbaratamiento de las redes informales de control social. Es más, "en estudios de las tasas vecinales de delito violento, la cantidad de la densidad en las unidades habitacionales multifamiliares, la movilidad residencial y el predominio de estructuras familiares trastornadas explicaban la variación más que la cantidad de pobreza e inigualdad de ingresos" (Ibíd., pp. 131-135).

La desorganización comunitaria dentro de las escuelas también ocasiona la violencia escolar. Un estudio por el Instituto Nacional de Educación de los Estados Unidos de América "informa tasas más elevadas de violencia estudiantil en las escuelas donde los estudiantes perciben evidencias de control social inefectivo: es decir, aulas sin disciplina, una laxitud en el cumplimiento obligatorio de las reglas escolares y un director débil". Una identificación con los valores escolares es importante: "En las escuelas secundarias, las tasas de violencia aumentaban con el porcentaje de los estudiantes que no aspiraban a buenas calificaciones, que no creían ser relevante su currículo, y que no creían que su experiencia escolar pudiera influenciar positivamente sus vidas". (Ibíd., pp. 155, 156).

El antídoto está en el fortalecimiento de la vecindad, de la organización comunitaria y escolar. En Boston, los pastores de algunas iglesias locales afroamericanas se organizaron en "La coalición de diez puntos". Ellos veían que varios jóvenes de Boston estaban siendo asesinados semanalmente, preguntando finalmente a los vendedores de drogas porqué sucedía esto. Los vendedores de drogas le dijeron al pastor Eugene Rivers: "Cuando salen los muchachos de la escuela por la tarde, nosotros estamos allí y ustedes no. Cuando salen por la noche, estamos allí, y ustedes no. Y el resultado es que nosotros estamos ganando y ustedes no". Los pastores decidieron que ellos y los miembros de sus iglesias necesitaban salir a la calle, sin esperar que los jóvenes vinieran al templo. Ellos desarrollaron y se comprometieron al plan de diez puntos. Este incluía el evangelismo juvenil en las calles, incluso el evangelismo entre los jóvenes traficantes de drogas. También, involucraba el reclutar a los miembros de la iglesia para que establecieran relaciones desesperadamente necesarias con la juventud en calidad de mentores y tutores. Ellos desarrollaron programas en la iglesia para ayudar a los jóvenes a adiestrarse para un trabajo, ayudándoles a encontrarlo. Las iglesias trabajaron para involucrar a la juventud en las actividades juveniles y servicio comunitario. En realidad, las iglesias adoptaron a algunas pandillas, demostrando su interés en ellos, y trabajaron con ellos activamente.

También, la ciudad de Boston desarrolló una red de coaliciones. Además de La coalición de diez puntos, la "Operación alto al fuego" luchó contra la violencia juvenil con armas. Los oficiales se reunían con los miembros de las pandillas, diciéndoles que cesaran la violencia o tendrían que enfrentar la acusación federal. La "Operación luz nocturna" aseguraba que los jóvenes involucrados en pandillas cumplieran con los términos de las órdenes de libertad condicional. La oficina del Fiscal federal acabó con varias operaciones de tráfico de armas, consiguiendo fuertes penas federales para los líderes clave de las pandillas. La policía introdujo una vigilancia vecinal descentralizada para combatir problemas locales. En la red de proveedores de servicios juveniles, los policías entregaban a trabajadores sociales los jóvenes que estaban a un riesgo más elevado; los trabajadores sociales eran empleados de los "Clubes de niños" de Boston. Los trabajadores sociales ayudaban a los jóvenes y sus familias a que encontraran programas diseñados especialmente para las necesidades de la juventud.

El resultado de la combinación de estos programas eclesiásticos, policiales y de mentores fue así: En 1997 las muertes de los que contaban con veinticuatro años o menos cayó en un 70% debajo del promedio de los años 1991-1995; entre los jóvenes los homicidios por el uso de armas cayó en un 90% en 1997 comparado con 1990. Una encuesta en 1997 reveló que el 76% de los residentes se sentían más seguros de noche en sus barrios; esto representó un alza en comparación con el 55% en 1995. (Véase el sitio en la red del Concilio Nacional de Prevención de Crímenes (www.ncpc.org/boston.htm). Esta es una confirmación dramática de las prácticas de la pacificación justa que se centran en la edificación de la comunidad. En las prácticas de la pacificación justa, este es el énfasis que se pone en el apoyo de las fuerzas que edifican la comunidad.

Reducir la disponibilidad de armas

Marian Wright Edelman, directora del Fondo de Defensa de los Niños (CDF), dijo en 1994 que 25 niños estadounidenses, el equivalente de todos los niños de una aula escolar, son asesinados por armas cada dos días (Hampton R., Jenkins P. y Gullotta T. *et al.*, *Preventing Violence in America* [Evitando la violencia en EE. UU. de A.], p. 58). Conforme a un estudio del CDF, un promedio de 135.000 niños por día llevan armas al aula. "Un estudio en 1991 encontró que los Estados Unidos de América tenía tasas de homicidio entre los jóvenes ocho veces más elevadas que las tasas en otros países industrializados" (Hampton, *Preventing Violence in America* [Evitando la violencia en América], p. 160).

"En 1989 los ataques armados resultaron en unos 12.000 homicidios, aproximadamente el 60% de todos los homicidios. Además... por cada homicidio ocurren 5,7 lesiones no letales por armas... Para el año 1985 Reiss y sus asociados calculan el costo total de las lesiones intencionales y no-intencionales por armas en más de 14 mil millones de dólares. En homicidios por armas, de los cuales se conocía la clase de estas, la pistola se usaba el 80% de las veces en 1989, comparado esto con el 8% de rifles y el 12% de escopetas" (Reiss A. y Roth J. A., *Understanding and Preventing Violence* [Comprendiendo y evitando la violencia], pp. 255-260).

Un estudio del Condado de King, en el estado de Washington, entre 1978 y 1983, descubrió que el 2% de las muertes por armas tuvo lugar en situaciones de autodefensa; el 98% fueron suicidios, homicidios o accidentes. La gente procura justificar las pistolas porque tienen la intención de ser usadas en autodefensa, pero, abrumadoramente, su verdadero uso es para la autodestrucción. Otro estudio de 88 casos, en los cuales niños pequeños en California mataron a tiros a un compañero o a sí mismos, concluyó que "el 75% tuvo lugar cuando los niños jugaban con un fusil o demostraban su uso" (Ibíd., p. 267). "Comparando las experiencias en Seattle con las de Vancouver, dos jurisdicciones vecinas que son similares demográfica y socioeconómicamente pero que tienen leyes diferentes en torno a las armas, ...no se encontró diferencias en... tasas de robos y asaltos, pero Seattle, que tiene leyes más permisivas sobre el control de armas, tuvo una tasa de homicidios generales más del 60% más elevada y una tasa de homicidio por armas unos 400% más elevada" (Ibíd., p. 268).

La ley aprobada en 1977 en Washington, D. C., que virtualmente prohibía que alguien fuese dueño de un arma de fuego excepto los policías, los guardias de seguridad y dueños previos, fue evaluada por tres estudios. "Durante períodos de aplicación rigurosa, la ley del Distrito de Columbia (D. C.) sí redujo las tasas de robo con armas de fuego, de asalto y de homicidios durante los tres años después de la implementación de la ley. El efecto fue especialmente fuerte respecto a los homicidios que se daban por disputas entre miembros de la misma familia y sus amigos". Hubo "una reducción como de una cuarta parte en el D. C. de los homicidios y suicidios por armas de fuego inmediatamente después de la aprobación de la ley... El efecto no se reflejó en los homicidios y suicidios sin el uso de armas de fuego en el D. C.; tampoco se reflejó en los barrios aledaños al D. C. donde la ley no estaba vigente." (Ibíd., p. 278). Este último comentario indica que otros factores no ocasionaban una disminución en los homicidios en general, independientemente de los efectos de la ley.

Nótese que el problema es el arma de fuego, no los rifles de cacería. Las armas de fuego pueden colocarse en un bolsillo o una mochila, llevándose por el barrio o la escuela sin que nadie se percate; los rifles no caben dentro de un bolsillo. Es difícil ocultar los rifles, siendo improbable que se usen en un asalto. Es más probable que se usen en la cacería o en el tiro al blanco, o hasta en la autodefensa. Ellos tienen una innata transparencia. No hay ninguna ambigüedad respecto al que porta un rifle: está armado. Las pistolas contrastan con esto en todos los puntos. Existe el mismo problema respecto a las armas automáticas, diseñadas para matar a las personas en guerra, no en la cacería.

"El debate sobre el control de armas se concentra en el delito realizado por desconocidos más bien que por las formas más comunes en que las armas se usan, es decir, entre conocidos y miembros familiares" (Hampton R., Jenkins P. y Gullotta T., *Preventing Violence in America* [Evitando la violencia en

América], p. 44). En el tiempo de Jesús la gente usaba espadas en lugar de pistolas. Jesús le dijo a su discípulo que guardara la espada: "Vuelve tu espada a su lugar, porque todos los que toman espada, a espada perecerán" (Mat. 26:52). Demostramos en el último capítulo que este no es meramente un texto de prueba aislado, sino un tema en la enseñanza y práctica de Jesús.

La controversia sobre el control de las pistolas revela diferentes maneras de entender la relación con la autoridad. Los que se oponen al control de las pistolas tienden a ver la autoridad como algo impuesto por la fuerza. Por un lado, ellos parecen ser libertarios, defendiendo así la libertad individual para tener pistolas, contrastándose con la autoridad gubernamental para defender el derecho a la vida y hacer decrecer las muertes. Por otro lado, parecen ser autoritarios, defendiendo su propia autoridad a tener la fuerza y el poder para disparar contra los intrusos. Lo que estas cosas opuestas tienen en común es la suposición de que la autoridad es impuesta por la fuerza.

Por otro lado, los que favorecen el control de las pistolas tienden a ver la autoridad como algo que resulta del consentimiento y la cooperación. Ellos ven al gobierno como que tiene la obligación legítima de defender el derecho a la vida contra la violencia, basándose en el consentimiento de la vasta mayoría que desea el control de las pistolas. Y ellos piensan que nuestra propia seguridad depende de nuestra cooperación en el trabajo unido que nutre una comunidad más saludable, basándose su autoridad en la libre discusión, el consentimiento y la legitimidad. Ambos bandos piensan que la autoridad está limitada, pero los partidarios de las pistolas ven la provisión constitucional que permite a la gente formar una milicia armada como una crucial limitación a la autoridad gubernamental; los partidarios del control de pistolas, en cambio, contemplan que el consentimiento del pueblo dentro de las provisiones constitucionales sea la limitación crucial de la autoridad gubernamental. En la práctica de la pacificación justa, esto se llama "la reducción de armas ofensivas y del comercio de armamentos".

Alentar la espiritualidad y otras fuerzas para la capacidad de recuperación

Otro rumbo de la investigación se deriva de la observación de que, pese a un trasfondo conflictivo, algunos jóvenes aun así tienen éxito y evitan problemas serios. Los eruditos bautizan este hecho con el nombre de "capacidad de recuperación". El enfocar la atención en los factores que conducen a esta capacidad hace que cambiemos nuestra investigación respecto a lo que causa a algunos a volverse violentos y lo que causa que la mayoría se vuelva en noviolentos. Tal cambio ha sido una tendencia reciente entre los investigadores. Véase, por ejemplo, el programa de prevención de la violencia para los lugares de trabajo, diseñado por Joseph Kinney, el cual se centra en algunas "anclas" como la vida familiar segura, las finanzas estables, los intereses externos, la vida religiosa, las amistades, la estabilidad emocional, una positiva historia laboral y la carencia del abuso de drogas (VandenBos G. y Bulatao E., *Violence on the Job* [La violencia en el trabajo], p. 273).

El Instituto de Investigación de Minneapolis comparte este enfoque. Ellos han identificado 40 factores que "ayudan a la juventud para que se conviertan en personas saludables, compasivas y responsables". Ellos comprobaron estos factores al pedir a más de un millón de jóvenes de educación secundaria a que se evaluaran a sí mismos. Luego, ellos preguntaron a los mismos jóvenes si ellos participaban en ciertas clases de "comportamiento riesgoso". El autoinforme de los jóvenes indica que aquellos que tienen un número mayor de los 40 factores son dramáticamente menos violentos y menos envueltos en una conducta autodestructiva. (Esta y la información siguiente proviene de su sitio en la red www.search-institute.org tanto como de Benson P. *et al.*, *Fragile Foundation* [Un fundamento frágil]).

Veinte de las preguntas estaban diseñadas para indicar "factores externos". Un joven con todos los 20 factores, lo más improbable, daría respuestas afirmativas como las siguientes: Tengo una vida familiar con altos niveles de amor y apoyo, y una comunicación positiva con mis padres por la cual estoy dispuesto a pedir consejo. Tengo respaldo de parte de tres o más adultos que me quieren y una comunidad y vecindad que valora la juventud; tengo una escuela que me depara un medio comprensivo y alentador; mis padres se involucran para ayudarme a tener éxito en la escuela. Los adultos valoran a la juventud, dándonos papeles útiles que desempeñar en la comunidad; yo sirvo en la comunidad una o más horas por semana. Me siento seguro en casa, en la escuela y en el barrio. Mi familia tiene reglas y consecuencias muy claras, sabiendo donde me encuentro; la escuela también lo hace, y los vecinos también se hacen responsables. Los padres y los demás adultos son ejemplos de una conducta positiva y responsable; mis padres y maestros me alientan a que tenga éxito. Paso bastante tiempo cada semana en mis lecciones o el ensayo en la música, el teatro u otras artes; en los deportes, los clubes u organizaciones en la escuela o la comunidad; o en actividades de una institución religiosa, y no paso más de dos noches semanales con amigos "sin nada que hacer".

Las 20 otras preguntas estaban diseñadas para indicar "factores internos": Yo estoy motivado a tener éxito en la escuela, dedicándome activamente al aprendizaje; dedico por lo menos una hora cada día lectivo a las tareas, me intereso en la buena marcha de mi escuela, leo por placer tres o cuatro horas semanalmente, estimo altamente el poder ayudar a otros y el poder promover la igualdad y el reducir el hambre y la pobreza. Me conduzco conforme a mis convicciones, defendiendo a cada paso mis creencias; puedo resistir la presión negativa de mis compañeros, digo la verdad aun cuando sea difícil, me hago responsable personalmente, y creo que es importante no ser sexualmente activo o usar drogas o bebidas embriagantes. Sé planificar con antelación y tomar decisiones; tengo compasión por otros, soy sensible, y sé hacer amigos; tengo un conocimiento y me siento cómodo con personas de otros trasfondos culturales, étnicos o raciales. Busco resolver conflictos no violentamente. Mi vida tiene un propósito, y soy optimista en cuanto a mi futuro personal.

Los investigadores concluyen: "Estos factores son influencias poderosas en el comportamiento de los adolescentes, protegiendo a la juventud de mucha conducta nociva, promoviendo actitudes positivas y buen comportamiento. Este poder se hace evidente a través de todos los grupos culturales y socioeconómicos. También, existe una evidencia de otra investigación que indica que los mismos factores tienen relevancia para niños más pequeños".

La gráfica que sigue resume lo que los investigadores han descubierto acerca de estos factores. Entre los hallazgos clave es que los que tienen 31 o más de los factores tienen únicamente una décima parte de sus miembros involucrados en la violencia u otra actividad autodestructiva en comparación con el primer grupo.

Gráfica 8.1. Mientras más factores saludables, menos conducta riesgosa hay

Factores para la recuperación	0-10	11-20	21-30	31-40
Problema del uso de alcohol	53%	30%	11%	3%
Uso de drogas	42%	19%	6%	1%
Actividad sexual	33%	21%	10%	3%
La violencia	61%	35%	10%	6%

Pareciera muy claro que es sumamente importante alentar la clase de comunidad que provea los factores externos y que aliente a la juventud a desarrollar los factores internos. El Instituto de Investigación concluye:

> Aunque los factores son poderosos moldeadores de la vida y las elecciones de la juventud, muy pocos de los jóvenes experimentan estos factores. El joven promedio estudiado experimenta sólo 18 de los 40 factores. En general, el 62% de la juventud estudiada experimenta menos de 20 de los factores. En resumen, la mayoría de los jóvenes en los Estados Unidos de América no tienen en sus vidas muchos de los bloques básicos para la construcción de un desarrollo saludable (Ibíd.).

Hay ciertas críticas que pueden darse respecto a la metodología y el enfoque que se usaron en el estudio (véase Baumeister R. y Boden J., "Agresion and Self" [La agresión y el yo], p. 132 ss.). No obstante, las correlaciones, que encontraron entre los factores y la evasión del comportamiento destructivo son dramáticas. El Instituto de Investigación ha desarrollado varias publicaciones prácticas y útiles para que se fomenten estos factores en familias, iglesias, barrios y escuelas. Estos factores se asemejan a las prácticas de la teoría de la pacificación justa dentro de las categorías de "comunidad" y "asociaciones voluntarias".

Poca investigación establece lazos entre la espiritualidad y el desarrollo de los adolescentes; cuando lo hace, normalmente se enfoca en el control social más bien que en el apoyo social. El repaso de la literatura por Thomas y Carver, sin embargo, "demuestra que el involucramiento y compromiso religiosos se relacionan consistentemente con aumentos en las habilidades y destrezas requeridas para poder funcionar bien en la sociedad y también en la disminución de la probabilidad de participar en actividades desvaloradas por la sociedad". También, ellos muestran que una relación con un mentor espiritual puede ayudar al joven a que fije metas socialmente favorables (Hampton R., Jenkins P. y Gullotta T., *Preventing Violence in America* [Evitando la violencia en EE. UU. de A.], p. 122). El Instituto de Investigación concluye que "cuando los padres se portan de una manera congruente con sus creencias profesadas y proveen una atmósfera cálida y de apoyo para sus jóvenes en la casa y la iglesia, probablemente desarrollarán valores similares a los de sus padres... la *discusión* en torno a los valores tanto como *la consistente demostración* de ellos son necesarios para que la transferencia se dé" (Ibíd., pp. 122, 124).

Robert Coles cuenta cómo la fe en Dios de una niña afroamericana transformó una situación violenta en una de paz:

> Yo estaba sola, y esa gente [segregacionista] gritaba, y de repente vi a Dios sonriendo, y me sonreí... Una mujer estaba allí [cerca de la puerta de la escuela], y ella me gritó: "Eh, pequeña negra, ¿de qué te ríes?". Yo le miré directamente a la cara y dije: "De Dios". Luego, ella miró hacia el cielo y luego me miró a mí, y ya no me decía más insultos (Ibíd., pp. 124-127).

9

PENALIDADES DE RESTAURACIÓN POR HOMICIDIO

Porque si perdonáis a los hombres sus ofensas, vuestro Padre celestial también os perdonará a vosotros. Pero si no perdonáis a los hombres, tampoco vuestro Padre os perdonará vuestras ofensas.

Mateo 6:14, 15

El visitar a la familia de una víctima de homicidio convence a cualquiera, y rápidamente, de que el homicidio deja más de una víctima. Es una experiencia devastadora, y sus efectos son duraderos. Pensamos en una familia que desesperadamente quería la pena capital para el asesino de su hijo, esperando así que esto rectificara todo. Ellos iban al juicio, esperando que esto les proveyera alguna catarsis o salida de sus sentimientos de incredulidad, conmoción, luto, incapacitación, peligro, enojo y resentimiento. Al homicida sí se le dio la pena de muerte tal como ellos habían esperado, pero esto no disminuyó en nada su conmoción interior. Hasta fueron a la ejecución, pero tampoco les ayudó. Su sobrino observa que el resentimiento y la sensación de incapacidad y trato injusto están acabando con ellos. Su resentimiento está matando a su espíritu, convirtiéndoles también en víctimas.

En contraste, mi (Glen) pastor anterior, Jim Cook, cuenta como asesinatos trágicos ocurrieron a dos personas distintas en nuestra iglesia, pero los miembros de la iglesia rodearon de amor a las familias de las víctimas. Ellos les ayudaron a estas familias para que pudieran salir del sufrimiento y la angustia, sustituyéndolos por un extraordinario sentido de perdón y sanidad mediante la solidaridad de los demás miembros de la iglesia. Fue un testimonio dramático del poder del evangelio para sanar ante la comunidad donde estaba la iglesia.

De forma semejante, Mary Sue Penn cuenta cómo al principio Bill Pelke estaba de acuerdo con la sentencia de muerte dada a Paula Cooper por haber matado insensatamente a su abuela durante un robo (Stassen G., *Capital Punishment* [La pena capital], pp. 10 ss.). Pero, cuatro meses después, Bill estaba turbado por el fracaso de su matrimonio y su propia inminente bancarrota. Al estar orando con lágrimas, Dios le dio a Bill un discernimiento respecto a las necesidades de otros:

> Y fue en ese momento cuando empecé a contemplar a otra persona con muchos más problemas que yo. Podía ver a Paula Cooper desplomada y llorosa en el rincón de su celda diciendo, "¿Qué he hecho? ¿Qué he hecho?"...
>
> Luego de repente veía a su abuela... Pero esta vez corrían lágrimas por sus mejillas. "Para mí, no había duda de que eran lágrimas de amor y compasión para Paula y su familia. Yo estaba convencido de que ella quería que alguien de nuestra familia tuviese ese mismo amor y compasión. En ese momento yo me puse a pensar acerca del perdón, recordando cómo se me había enseñado lo que la Biblia decía. Recordaba cómo Cristo fue crucificado con clavos en las manos y los pies, con una corona de espinas en su cabeza, y cómo él miró hacia el cielo diciendo, 'Padre, perdónales, porque no saben lo que hacen'. Básicamente yo pensaba que así era Paula. Quiero decir que ella no sabía lo que hacía, que ese fue un acto de locura que tuvo lugar en la casa de mi abuela".

De modo que Pelke empezó a orar a Dios, pidiéndole que le diera amor y compasión para con Paula y su familia. En ese momento, él tomó la decisión de escribir a Paula para compartir con ella la fe de su abuela. "De inmediato, yo sabía que ya no quería que ella muriera, y que ya no tenía que esforzarme por perdonarla, a estas alturas el perdón era automático".

Desde entonces, ha intercambiado más de 200 cartas con ella. Él se ha enterado de que Paula, una víctima de abuso como niña que asistió a diez escuelas diferentes para cuando la arrestaron, ha recibido el equivalente de su diploma de secundaria estando en la prisión; además ha estado recibiendo materias universitarias por correspondencia. Le ha dicho a Pelke que siente remordimiento por el sufrimiento que le ha causado a él y su familia. Se da cuenta de que tendrá que vivir con sus acciones pasadas. Quiere ayudar a los jóvenes para que eviten los tropiezos que ella ha experimentado.

El perdón cambió todo. Para Pelke, ya no tenía sentido guardar rencores. El participar en grupos dedicados a la prevención de homicidios es un modo mucho más eficaz para capacitarse que la aceptación del papel de víctima impotente. De manera que Pelke se hizo miembro de *Murder Victims' Families for Reconciliation* [Las familias de víctimas del homicidio pro la reconciliación]. Juntos buscan sobreponerse a su enojo y la prevención del homicidio.

Esta manera de ver las cosas cuadra con la enseñanza de Jesús en las Bienaventuranzas respecto a la virtud de la misericordia. Recuerde que la misericordia en la enseñanza de Jesús tiene dos dimensiones de significado. La misericordia significa el perdón que lo libera a uno de la esclavitud de la culpa, tal como vemos en el compromiso depurador con la misericordia experimentado por Bill Pelke. La misericordia significa una acción que libera de la necesidad, aflicción y esclavitud, tal como vemos en su participación en el grupo que ayuda para liberarnos de los ciclos viciosos que causan el homicidio. Los discípulos que siguen a Jesús practican el perdón, y también practican las acciones de liberación. Ellos practican el perdón aun en el caso de homicidio y practican las acciones que evitan los asesinatos. Esto es lo que Jesús enseña en Mateo 5:21-24, 38-42 y 43-48, tal como vimos en el capítulo siete. El camino de la liberación involucra el convertir las preocupaciones por el homicidio y la venganza en iniciativas transformadoras que sanen desde sus raíces las causas del homicidio, evitando así que tengan lugar más asesinatos. El camino de Jesús no es el del enojo y el resentimiento, sino un camino de liberación de los ciclos viciosos y la provisión de iniciativas transformadoras que edifiquen la comunidad.

Muchos políticos hacen que verdaderas preocupaciones por el homicidio y el deseo de venganza se cambien en propaganda a favor de la pena de muerte. Un respaldo mayoritario para la pena de muerte en la mayoría de las urnas donde no existe una alternativa ha hecho que aun políticos con dudas respecto a la práctica aboguen a su favor públicamente.

Pero muchos concienzudos estudios estadísticos a lo largo de decenios han demostrado que este es el camino de la impotencia. Estos demuestran claramente que, pese a la satisfacción que algunos reciban de su existencia, la pena de muerte no reduce la tasa de homicidios. Por un lado, pareciera que por sentido común debe tener un *efecto preventivo* sobre aquellos asesinos potenciales que calculan racionalmente lo que la posible pena pudiera ser antes de tomar la decisión racional de cometer el homicidio. (Aunque, como señala el fiscal John O'Hair de Detroit, que ha sido juez y fiscal de distrito y fiscal del estado por treinta años: "La mayor parte de los homicidios son acciones impulsivas, crímenes de pasión, en las que los asesinos no consideran las consecuencias de lo que hacen" (Bonner R. y Fessenden F., "States Without the Death Penalty" [Estados sin la pena de muerte, A19]. El hecho de que sólo un número reducido de homicidas se ejecutan reduce aún más cualquier valor preventivo que tenga).

Por otro lado, parece clara la evidencia de que la pena de muerte tiene un *efecto imitativo* paradójico en otros asesinos potenciales: Esta presenta un ejemplo gubernamental oficial de que el matar a alguien es una forma apropiada de resolver los sentimientos de resentimiento y de satisfacer el deseo de vengarse. Esto termina reduciendo el valor de la vida humana, causando, en realidad, un efecto de bumerán que aumenta la tasa de homicidios. El *efecto imitativo* puede verse de cuatro maneras.

1. Después de llevar a cabo una ejecución el gobierno, la tasa de homicidios tiende a incrementarse en el área donde tiene lugar la ejecución.
2. La tasa de homicidios es más elevada en los estados que tienen la pena de muerte.

3. Al ir a la guerra una nación, el gobierno inevitablemente, aunque tal vez sin querer, pone el ejemplo de que el matar al enemigo es correcto. La tasa de homicidios aumenta en esa nación durante tiempo de guerra.
4. Los veteranos que vuelven, que han participado en la guerra, desdichadamente presentan un cuadro mayor de homicidios.

Todos estos cuatro datos apuntan a *un efecto imitativo*. El efecto directo de tener la pena de muerte es un aumento de la tasa de homicidios. Un estudio extenso realizado por el *The New York Times* (Ibíd., A1) muestra que los estados (de EE. UU. de A.) sin la pena de muerte tienen una tasa menor de homicidios que los estados que sí la tienen. Diez de los doce estados sin la pena de muerte tienen una tasa de homicidio menor que el promedio nacional, mientras la mitad de los estados con la pena de muerte tienen una tasa por encima del promedio. Durante los últimos veinte años, los estados con la pena de muerte han tenido entre 48 a 101% mayor tasa de homicidios que los estados sin la pena de muerte. Comparando estados que sí tienen la pena de muerte, con estados similares que no la tienen, como Dakota del Sur con Dakota del Norte, Virginia con Virginia Occidental, Connecticut y Rhode Island con Massachussets, se nota que la tasa de homicidios es mayor en los estados que ejecutan a sus homicidas.

En 1972 la Corte Suprema de los EE. UU. de A. prohibió provisionalmente la pena de muerte por existir prejuicio racial y económico, y ser demasiado arbitraria en su aplicación, pero la mayoría de los estados cambió sus leyes, reanudando la pena de muerte después de permitirla de nuevo la Corte Suprema en 1976. En los 21 estados que realizaron sus primeras ejecuciones para 1993, la tasa de homicidios decreció en un 5% después de los primeros cuatro años posteriores a la ejecución. Pero la tasa decreció en 12% en los estados que no habían tenido ejecuciones en los mismos años.

El convencer a las familias de las víctimas a que aboguen por la pena de muerte desvía sus emociones hacia lo que no funciona. Hace que sientan una mezcla de impotencia y resentimiento aun cuando se llevan a cabo las ejecuciones. Peor todavía, hace que ellos se desvíen de los métodos probados que sí sirven para evitar los homicidios (véase el capítulo ocho). El capturar pronto a los homicidas, juzgando y apresándolos rápidamente, castiga el homicidio tanto como hace que decrezca la tasa de homicidios. Nosotros creemos que este es el mejor enfoque, ya que cuadra con el camino de Jesús; procuraremos demostrarlo posteriormente.

La clave: Principiar con Jesús como Señor

Una manera de estudiar la enseñanza bíblica respecto a la pena de muerte es comenzar con Jesucristo como Señor y con el compromiso de ser seguidores de Jesús, negando que haya otro señor que deberíamos seguir. Entonces, preguntamos primero ¿qué enseñó Jesús sobre la pena de muerte como respuesta al homicidio?

Mateo 5:21-24 habla de cómo evitar el homicidio. Jesús comenzó citando la enseñanza tradicional de los Diez Mandamientos, "No cometerás homicidio" (Éxo. 20:13). Los Diez Mandamientos no indican ninguna pena específica. Tampoco prescribió Jesús la pena de muerte. Él dijo, "Habéis oído que fue dicho a los antiguos: *No cometerás homicidio*; y cualquiera que comete homicidio será culpable en el juicio", pero no llegó a decir qué sería el castigo. No citó los pasajes antiguotestamentarios que prescriben la pena de muerte para los homicidas, tales como Éxodo 21:12, Números 35:16-34 o Levítico 24:17. En esto Jesús es consecuente con un patrón que observamos a lo largo de los Evangelios: Siempre que Jesús citaba una enseñanza antiguotestamentaria, omitía cualquier parte de la enseñanza que abogara por la violencia o el triunfo nacionalista contra los enemigos. Él evitaba las partes violentas de la enseñanza tan sistemáticamente que no puede ser casual. Las enseñanzas de Jesús siempre son consistentes con lo sagrado de la vida humana y con las iniciativas que sanan los viciosos ciclos del matar.

Luego Jesús señalaba las prácticas que ocasionan el homicidio: El seguir un enojo cada vez mayor, llamando así al hermano "fatuo" (Mat. 5:22). Aquí él diagnosticaba, nombrando los ciclos viciosos que conducen al homicidio. Como un camino de liberación de estas causas de homicidio, él mandó que hiciéramos las paces con el que está enojado con nosotros o nos acusa (Mat. 5:23-26).

De manera similar, Mateo 5:38-42 tiene que ver con la prevención de las represalias violentas. "La ley contra las represalias" (*lex talionis*) se enseña únicamente en tres lugares del AT; no es correcto caracterizar el AT, contrastándolo con el NT, como enfatizando o demandando consistentemente la represalia. Nótese lo que Jesús omitió al citar los tres pasajes antiguotestamentarios: Éxodo 21:23, 24 dice "vida por vida, ojo por ojo, diente por diente". Deuteronomio 19:21 dice, "vida por vida, ojo por ojo, diente por diente". Levítico 24:20, 21 dice, "ojo por ojo, diente por diente... el que mate a un hombre morirá". De nuevo, vemos el patrón: Él citaba los pasajes del AT, pero específicamente omitía la parte que aboga por la solución violenta que toma la vida del homicida.

Luego, Jesús clasificó el ciclo vicioso como violento o vengativo (Mat. 5:39). Tal represalia vengativa lleva a más homicidios. Él dijo que no debíamos tomar una represalia vengativamente contra el mal o por medios malignos. Nos mandaba, más bien, a que tomáramos cuatro iniciativas transformadoras que nos libran del ciclo vicioso de la represalia y que evitan el matar (Mat. 5:39-42).

Si la enseñanza antiguotestamentaria de "vida por vida" se entiende como un mandato que limita la venganza al homicida y no a sus familiares, tal como cree la mayoría de los eruditos, entonces aquí Jesús estaba dando un gran paso por el mismo rumbo, limitando así la venganza homicida a cero. Si "vida por vida" se entiende como justificando o requiriendo la pena de muerte, entonces Jesús tajantemente se oponía a ella. "No tomen represalias vengativamente" [traducción del autor] ("No resistáis al malo" RVA; Mat. 5:39). Sea como fuere, Jesús se oponía a la toma de una vida como venganza. El apóstol Pablo hizo esto muy claro en Romanos 12:19, el cual la mayoría de los eruditos cree reflejar la enseñanza de Jesús contra la represalia: "Amados, no os venguéis vosotros mismos, sino dejad lugar a la ira de Dios, porque está escrito: *Mía es la venganza; yo pagaré*, dice el Señor".

La tercera enseñanza se encuentra en Mateo 5:43-48. Aquí Jesús enseñaba que nuestra respuesta al enemigo ha de ser el amor, no el odio. Hemos de dar a nuestros enemigos amor y oración, no odio y venganza, tal como Dios da sol y lluvia a los enemigos de Dios.

Si nuestra única fuente para pensar en la pena de muerte fuera la enseñanza de Jesús en el Sermón del monte, si nos olvidáramos de todos los demás hábitos, costumbres, prácticas y enseñanzas, y sólo tuviéramos la enseñanza de Jesús como nuestra Escritura, seguramente diríamos que los seguidores de Jesús no son personas que buscan la represalia, tomando vida por vida, sino que, más bien, buscan maneras de librarse de tales ciclos viciosos de una muerte tras otra. Ellos buscan tomar las iniciativas que libren de los ciclos viciosos que conducen al homicidio (véase el capítulo ocho). La enseñanza de Jesús no es el único recurso que tenemos en la Escritura sobre este tema, pero algunos intérpretes actúan como si esta no estuviera allí.

Jesús es confrontado directamente por la pena de muerte en Juan 8. Los escribas y fariseos hacían que una mujer se presentara delante de él para ser juzgada. "Maestro, esta mujer ha sido sorprendida en el mismo acto de adulterio. Ahora bien, en la ley Moisés nos mandó apedrear a las tales. Tú, pues, ¿qué dices? Esto decían para probarle, para tener de qué acusarle" (Juan 8:4, 5). Si él hubiera respondido de plano: "La misericordia de Dios prohíbe la pena de muerte", le podrían haber acusado de blasfemia por estar en desacuerdo con Moisés, lapidándole. Jesús contestó: "'El de vosotros que esté sin pecado sea el primero en arrojar la piedra contra ella'... Pero cuando lo oyeron, salían uno por uno, comenzando por los más viejos. Sólo quedaron Jesús y la mujer, que estaba en medio. Entonces Jesús se enderezó y le preguntó: 'Mujer, ¿dónde están? ¿Ninguno te ha condenado?'. Y ella dijo: 'Ninguno, Señor'. Entonces Jesús le dijo: 'Ni yo te condeno. Vete y desde ahora no peques más'" (Juan 8:7-11).

El teólogo Raymond E. Brown concluye: "El delicado equilibrio entre la justicia de Jesús en no condenar el pecado y su misericordia en perdonar al pecador es una de las grandes lecciones evangélicas" (Brown R., *Gospel According to John* [El Evangelio según Juan], pp. 336 ss.). Jesús libró a la mujer de la pena de muerte. Pero le amonestó que no cometiera el adulterio de nuevo.

El Obispo Lowell Erdahl dice que los acusadores "se convencieron de sus propios pecados y aceptaron el hecho de no haber justificación para la ejecución vengativa de un pecador por otro pecador. Si todos los creyentes hubieran seguido su ejemplo, no hubiera habido una bendición sobre la pena de muerte en la historia cristiana" (Erdahl L., *Pro-Life/Pro-Peace* [Por la vida y por la paz], p. 114). Él señala que esto cuadra con el carácter consistente de Jesús y su enseñanza. "Los acusadores de la mujer sabían lo suficiente acerca de Jesús como para esperar que él se opusiera a su ejecución. A nosotros tampoco nos sorprende... Nos alteraríamos si Jesús hubiera dicho... 'Vayan, maten a esta mujer pecadora'".

¿Es Génesis 9:6 la clave?

Aquellos que favorecen la pena de muerte, argumentando a favor de ella bíblicamente, a menudo se basan, no en la enseñanza de Jesús, sino en Génesis 9:6 que dice: "El que derrame sangre de hombre, su sangre será derramada por hombre". Ellos aceptan este versículo como un mandato legal, como parte del pacto de Dios con Noé y obligatorio para toda la humanidad. Ya que es premosaico más bien que ley judía, argumentan ellos, es universalmente aplicable y no se limita a Israel. Ellos esquivan el abogar por lo que enseñaría este pasaje si fuera interpretado como ley universal, o sea, que todos los que matan, incluso por accidente, homicidio involuntario, homicidio defensivo, homicidio con factores atenuantes o matar en una guerra han de ser matados. En su lugar, ellos abogan únicamente por lo que correspondería generalmente a la práctica legal en países como los Estados Unidos de América. De manera que es justo concluir que la práctica secular estadounidense moldea su interpretación bíblica, sea concientemente o no.

Luego, ellos permiten que su interpretación de este pasaje gobierne su interpretación del resto de la Biblia. Usualmente, ellos pasan por alto los ejemplos de los homicidas a quienes Dios no quería que se mataran, como Caín, quien mató a su propio hermano por celos premeditados. Habiendo sido descubierto, él exclamó: "'Seré errante y fugitivo en la tierra, y sucederá que cualquiera que me halle me matará'. El SEÑOR le respondió: 'No será así. Cualquiera que mate a Caín será castigado siete veces'. Entonces el SEÑOR puso una señal sobre Caín para que no lo matase cualquiera que lo hallase" (Gén. 4:14, 15). Asimismo, Moisés fue visto matando a otro, y en vez de recibir la pena de muerte, fue escogido por Dios para que liberase a su pueblo de la esclavitud (Éxo. 2:11—3:12).

David cometió adulterio con la hermosa Betsabé, mandando luego que el esposo de ella fuese matado, mereciendo doblemente la pena de muerte según la ley Mosaica. Natán el profeta lo confrontó, diciendo "Has matado a espada a Urías el heteo; has tomado a su mujer por mujer tuya". Ante esto, David confesó su pecado, "Y Natán dijo a David: 'el SEÑOR también ha perdonado tu pecado; no morirás'" (2 Sam. 12:9, 13). Siendo acusada de adulterio, Tamar admitió que ella había cometido adulterio con su suegro, un acto que específicamente requería la pena de muerte. A ella se le permitió vivir, y su adulterio produjo un ancestro de David y Jesús (Gén. 38; Mat. 1:3; Luc. 3:33). El libro de Oseas cuenta que Gomer cometía adulterio repetidamente, y Oseas, no sin gran dolor, la perdonaba, recibiéndola de nuevo a su pacto matrimonial. En este perdón Oseas veía un cuadro de la disposición de Dios de perdonar a su pueblo por "prostituirse" tras los otros dioses.

También, estos intérpretes tienden a obviar el hecho de que los cinco primeros libros de la Biblia exijan la pena de muerte en los siguientes casos: el dueño de un animal que mataba a gente (Éxo. 21:29), el que secuestra a alguien (Éxo. 21:16; Deut. 24:7), el que diera falso testimonio contra un acusado en un juicio con pena de muerte (Deut. 19:16-21), el que desobedeciera a su padre o madre, o los maldijera o golpeara (Éxo. 21:15, 17; Lev. 20:9; Deut. 21:18-21), el que cometiera adulterio (Lev. 20:10), el que practicara la bestialidad (Éxo. 22:19), el que practicara el homosexualismo (Lev. 20:13), el que practicara la brujería o hechicería (Lev. 20:27), el que quebrantara la ley del sábado (Éxo. 31:14), el que afirmara falsamente ser profeta (Deut. 18:20-22) y el que blasfemara (Lev. 24:15, 16). Los proponentes de la pena de muerte o pasan por alto estos otros delitos que requieren la pena de muerte o dicen que "Jesús libró a los creyentes de la autoridad jurídica de la ley" (House H., "In Favor of the Death Penalty" [En pro de la pena de la muerte], p. 60). Pero pareciera que Jesús no libró a los creyentes de la ley en Génesis 9:6. Ellos dicen que Génesis 9:6 es un pacto con Noé, el padre de todos los que sobrevivieron el diluvio y por ende, se aplica a todos; en su defecto, la ley está hecha basada en que nosotros fuimos creados a la imagen de Dios, haciendo que la ley sea distinta a todas las demás leyes del AT (Ibíd., pp. 39, 40).

Génesis 9:6 también domina su interpretación acerca de Jesús. Ellos enseñan mediante tres maneras que Jesús no agregó nada a la conclusión a la que han llegado, partiendo de Génesis 9:6. (1) Jesús "no dijo nada específico tocante a la pena de muerte" (Ibíd., p. 61). "La pena capital nunca llegó a ser problema para Jesús" (Ibíd., p. 65). (2) Jesús "se centra en respuestas personales... en la actitud más que en el acto" (Ibíd., p. 62). (3) Sus enseñanzas no eran "dirigidas a las autoridades gubernamentales de su día" (Ibíd., p. 62).

House llega a una conclusión triple: Jesús (a) "la [la pena de muerte] aceptaba, (b) era un ejercicio válido de la autoridad gubernamental y (c) era una parte válida del código mosaico" (Ibíd., p. 63). Esta conclusión, que Jesús aceptaba la pena de muerte, es hecha por el mismo autor, que, dos páginas antes, había dicho que Jesús no dijo nada específico tocante a la pena de muerte. La conclusión de que Jesús la aceptaba "como un ejercicio válido de la autoridad gubernamental" es hecha por el mismo autor que, una página antes, había dicho que Jesús no dirigía sus enseñanzas a las autoridades gubernamentales. La conclusión de que Jesús afirmaba el código mosaico es hecha por el mismo autor que, tres páginas antes, había dicho que Jesús libraba a los creyentes del código mosaico. Lo que pudiera aparecer tres veces contradictorio es explicado por el compromiso de House con el mantener a Génesis 9:6 como la ley para los gobiernos. A Jesús no se le permite decir nada que pudiera diferir de su interpretación de Génesis 9:6, sino sólo se le permite confirmar esa interpretación.

Es llamativo cuán diferente es esto del enfoque que presentamos. El método de House y otros sistemáticamente evita aprender nada que sea positivo de Jesús, más bien, tienen en Génesis 9:6 la autoridad dominante. De modo que Vellenga (en Stassen G., *Capital Punishment* [La pena capital], pp. 132-135) establece la enseñanza antiguotestamentaria, basándose en Génesis 9:6 y los pasajes sobre la ley de las represalias en el AT, declarando luego que el NT no añade nada nuevo: "Las enseñanzas del NT están en armonía con el AT". Y las enseñanzas de Jesús "no se inmiscuyen en las leyes", no dijeron "que las leyes debían cambiarse" y "no eran una propaganda para cambiar la jurisprudencia". "Más bien, toda la tendencia es que la iglesia deje cuestiones de justicia y cumplimiento de las leyes al gobierno que esté en el poder... La ley natural y el orden tienen que prevalecer". Así que, de dos maneras Vellenga aísla a Jesús para que no diga nada nuevo en torno al tema, y dice, más bien, que los cristianos dejen que el gobierno nos establezca las normas.

Asimismo, House margina la enseñanza de Jesús tocante a la pena de muerte referente a la mujer tomada en adulterio. Él dice que se aplica únicamente al adulterio, no al homicidio. Además, sólo tiene que ver con el perdón, no la pena de muerte.

En contraste, nosotros recibimos la enseñanza de Jesús como la clave e interpretamos el pasaje en Génesis por Jesús, no viceversa. Jesús hacía eco de Génesis 9:6 cuando su discípulo tomó la espada para cortar la oreja de uno de los soldados. Jesús le dijo que guardara su espada: "Vuelve tu espada a su lugar, porque todos los que toman espada, a espada perecerán" (Mat. 26:52). Aquí, Jesús interpretaba la enseñanza no como un mandato a que a todo el que tomara la espada le fuese dada la pena de muerte, sino como un proverbio que predice la probable consecuencia de depender de la espada: es decir, probablemente terminará siendo matado.

Por cierto, un estudio cuidadoso de Génesis 9:6 hace que algunos de los mejores eruditos bíblico concluyan que es un proverbio, no un mandato. Claus Westermann, el erudito antiguotestamentario que ha escrito lo que se reconoce como el comentario más autoritativo sobre Génesis, apunta que lo penoso es que los eruditos no se pongan de acuerdo si Génesis 9:6 sea una pena legal, una admonición profética o un proverbio (Westermann C., *Genesis 1—11* [Génesis 1—11], p. 467).

El desacuerdo se ha dado porque el pasaje muestra la influencia de antiguas leyes tradicionales de venganza, pero tiene la forma de un proverbio, no la de una ley. En otras palabras, tal como dice en Génesis, no ordena la pena de muerte, sino que da un consejo sabio, basándose en la probable consecuencia de la acción: Si se mata a alguno, probablemente se acabará en ser matado. Westermann en su comentario sobre Génesis tanto como Hagner en su comentario sobre Mateo piensan que Jesús interpreta el significado de Génesis 9:6 en Mateo 26:52; y claramente Jesús lo interpreta como un proverbio, enseñando "el principio generalmente veraz de que la violencia engendra la violencia" (Hagner D., *Matthew 14—28* [Mateo 14—28], p. 789). Ambas enseñanzas en los idiomas bíblicos originales están puestas en el orden de un quiasmo y enseñan una sabiduría proverbial. Esto cuadra con el hecho de que en ningún otro lugar del AT encontramos un caso real donde lo que parece ser prescripciones de la pena de la muerte por varias ofensas fuesen llevadas a cabo por un sistema criminal israelita. En realidad, funcionan más como declaraciones de la gran seriedad moral de estas ofensas. No funcionan como leyes criminales.

John Howard Yoder también interpreta a Génesis 9:6 desde la óptica de Jesús como Señor. Él piensa que Génesis 9:6 tiene su significado como un proverbio tanto como una expiación sacrificial por el pecado (Clark D. y Rakestraw R., *Readings in Christian Ethics* [Lecturas en ética cristiana], 2:474-480). También se ha hecho un argumento fuerte de que la pena de muerte en la sociedad estadounidense funciona como un ritual casi religioso de expiación sacrificial de pecado y del rito del chivo expiatorio. Yoder argumenta que puesto que la muerte de Jesús es un sacrificio una-vez-por-todo de expiación del pecado, entonces es herético insistir en que otros paguen la pena de muerte como expiación de pecado otra vez. Es necesario castigar sus malos actos; no es necesario exigir de ellos un sacrificio de sangre.

Debiéramos probar "todas las cosas para ver si son compatibles con Cristo (1 Cor. 12:1-3; 1 Jn. 4:1, 2)". "Nuestro interés debiera ser... discernir, *en medio de* esta complejidad, lo que el evangelio cristiano nos dice" (Yoder J., "Against the Death Penalty" [En oposición a la pena de muerte], p. 159). La culminación de la historia evangélica "es que la cruz de Cristo pone fin al sacrificio por el pecado... La epístola a los Hebreos tiene por tema central cómo la muerte de Jesús en la cruz es el fin de todo sacrificio" (Ibíd., pp. 159,

176; Yoder en el libro de Clark y Rakestraw, *Readings in Christian Ethics* [Lecturas en la ética cristiana], 2:474 ss.).

> Los cristianos empiezan a negar a su Señor cuando confiesan que hay ciertas áreas de la vida en las cuales sería inapropiado hacer que el reinado de Cristo se efectúe. Por supuesto, los incrédulos insistirán en que debemos mantener nuestra *religión* fuera de su *política*. Pero la razón de eso no es que Jesús no tenga nada que ver con la esfera pública; más bien, es que ellos no quieren tener nada que ver con Jesús como Señor... Lo que creemos acerca de Jesús tiene que aplicarse a todo nuestro comportamiento, sin importar cuántos de nuestros vecinos permanezcan no convencidos (Yoder J., "Against the Death Penalty" [En oposición a la pena de muerte], p. 144).

¿Fue injusta la crucifixión de Jesús?

Tanto los proponentes como los opositores de la pena de muerte tienden a interpretar la cruz de manera diferente. Los opositores dicen que el juicio de Jesús fue injusto, y el complot de parte de las autoridades a que Jesús fuera crucificado era pecaminoso. Una parte de la obra de la cruz en su expiación por el pecado es su descubrimiento de la profundidad del pecado de la humanidad: Somos tan pecaminosos que matamos al Hijo de Dios. Tal como Jesús enseñaba, "...los labradores tomando a sus siervos, a uno hirieron, a otro mataron y a otro apedrearon. Él envió de nuevo otros siervos, en mayor número que los primeros, y les hicieron lo mismo. Por último, les envió a su hijo, diciendo: 'Tendrán respeto a mi hijo'. Pero al ver al hijo, los labradores dijeron entre sí: 'Este es el heredero. Venid, matémosle y tomemos posesión de su herencia'. Le prendieron, le echaron fuera de la viña y le mataron...". Jesús luego predijo que vendría juicio contra ellos. "Los principales sacerdotes y los fariseos... entendieron que él hablaba de ellos" (Mat. 21:35-45).

Todos han pecado profundamente: cristianos, judíos y gentiles. Jesús fue traicionado por un discípulo y abandonado por sus discípulos; su crucifixión fue exigida por las autoridades judías; fue crucificado por la autoridad romana gentil y sus soldados. Los relatos de los Evangelios aclaran que Jesús fue falsamente acusado y condenado injustamente (por ejemplo, Juan 18:38). Irónicamente, Barrabás, que en realidad era culpable del crimen de insurrección, del que fue acusado falsamente Jesús, fue puesto en libertad en lugar de Jesús. Esto fue claramente injusto. Jesús dijo desde la cruz, "Padre, perdónalos, porque no saben lo que hacen" (Luc. 23:34). La razón por la que necesitaban el perdón es que ellos cometían un terrible mal. El testimonio del NT es que Dios usó su mal para traer el perdón y la redención, y esto incluye el descubrimiento de su pecado e injusticia al crucificar a Jesús. Los creyentes que recuerdan que a su Señor se le dio cruel e injustamente la pena de muerte tienen un gran problema en imponer la pena de muerte a otros. La cruz puesta en los templos cristianos significa, no que debiéramos abogar por más cruces para otros, sino que todos somos pecadores, necesitando la misericordia ofrecida en la cruz. No hemos de buscar la venganza (Rom. 12:19). Hemos de amar a nuestros enemigos, buscando hacer misericordia (Luc. 6:35, 36).

Los proponentes de la pena de muerte argumentan que la cruz muestra que Jesús aprobaba la pena de muerte. Por ende, usualmente ellos evitan mencionar que esta pena de muerte era pecaminosa, un mal terrible e injusta. Si se les preguntara, ellos seguramente estarían de acuerdo en que la cruz descubre el pecado humano, pero argumentan que ella revela que la pena de muerte está en lo correcto. William H. Baker (*On Capital Punishment* [Sobre la pena capital], pp. 57 ss.) alude a una conversación en Juan 19 entre Jesús y la autoridad gubernamental romana colonial, Poncio Pilato, en el momento en que está por sentenciar a Jesús a la muerte. Pilato afirma que tiene la autoridad para crucificar a Jesús. Jesús contestó: "No tendrías ninguna autoridad contra mí, si no te fuera dada de arriba. Por esto, el que me entregó a ti tiene mayor pecado".

Claramente Jesús decía que lo que Pilato hacía era incorrecto, era pecado. No obstante esto, Baker argumenta que esto muestra que Dios aprueba la pena de muerte y que la autoridad gubernamental debe administrarla. Ambos, Baker y Pilato, *creen* que la conversación tenía que ver con la autoridad secular de Pilato. Pero, leído dentro de su contexto, Juan claramente muestra que Pilato malentendía el tema discutido. Jesús hablaba del poder de Dios para traer la hora de redención por la muerte de Jesús con el fin de que nosotros viviéramos. Pilato jugaba un papel en *esta* muerte sólo porque Dios lo permitía. Pilato creía que se trataba de su poder para ordenar legiones y matar gente. Jesús, en cambio, hablaba de la dádiva de Dios en la redención, no discutía si Dios aprobaba la pena de muerte o no (Culpepper A., *Anatomy of the Fourth Gospel* [La anatomía del cuarto Evangelio], pp. 161, 172). Como dijera Raymond Brown, "Nadie puede quitarle la vida a Jesús; sólo él tiene el poder para ponerla. Sin embargo, ahora Jesús voluntariamente ha entrado a la 'hora' señalada por su Padre (12:37) cuando habría de poner su vida. En el contexto de la 'hora', pues, el Padre ha permitido que los hombres tengan poder sobre la vida de Jesús" (Véase Brown R., *Gospel According to John* [El Evangelio según Juan], pp. 892, 893).

Los Evangelios aclaran que las autoridades gubernamentales actuaban injustamente al sentenciar a Jesús a la muerte. De ninguna manera enseñan que el dar la pena de muerte a Jesús fuera justo. El mismo Baker confiesa que "Pilato permitió que se hiciera una injusticia". Usar esta injusticia como argumento en pro de la pena de muerte sugiere una desesperación por encontrar una racionalización neotestamentaria para una convicción preconcebida.

Todas las penas de muerte en el Nuevo Testamento son injustas

Baker presenta un argumento similar en torno a Hechos 25:11, aunque sí admite que el pasaje carece "del propósito explícito de enseñar algo acerca del tema de la pena capital". (*On Capital Punishment* [Sobre la pena capital], pp. 62 ss.). El meollo del pasaje es la defensa del apóstol Pablo contra los acusadores que lo quieren matar. Pablo dijo: "*si*... he hecho alguna cosa digna de muerte". Él sabía que no merecía la pena de muerte. Dos veces las autoridades declararon explícitamente que "él no había hecho ninguna cosa digna de muerte" (Hech. 25:25; 26:31). Lo que Pablo dijo no era que aprobaba la pena de muerte sino que no temía morir. Asimismo en Filipenses 1:21 él dijo: "Porque para mí el vivir es Cristo y el morir es ganancia". En su defensa contó cómo una vez había votado a favor de la pena de muerte para los cristianos por blasfemos, habiéndose arrepentido de su acción (Hech. 26).

En ninguna parte del NT abogaban los seguidores de Jesús por la pena de muerte. El NT describe 10 veces en las que la pena de muerte era sugerida o aplicada. En cada caso la pena de muerte es presentada como una injusticia: la decapitación de Juan el Bautista (Mat. 14:1-12); la crucifixión de Jesús (Juan 18:38); el apedreamiento de Esteban (Hech. 7); el apedreamiento de otros creyentes (Mat. 21:25; 23:37; Juan 10:31, 32; Hech. 14:5); la muerte de Jacobo por Herodes (Hech. 12:2); la amenaza de la pena de muerte contra Pablo (Hech. 25:11, 25; 26:31); la persecución a los cristianos en el libro de Apocalipsis. Es más, en la carta a Filemón, Pablo escribió de una forma muy persuasiva "para salvar la vida del esclavo fugitivo, Onésimo, el cual, según la ley romana, merecía la ejecución" (Barnette H., *Crucial Problems* [Problemas cruciales], p. 129).

Lo visto hasta ahora no ha de verse como el NT contra el AT. La orientación del AT se mueve de la antigua práctica de la pena de muerte hacia su abolición. Hemos visto que Génesis 9:6 probablemente es un proverbio, no un mandato. Sea como sea que lo interpretemos, todos concuerdan en que se basa en la creación de toda persona según la imagen de Dios, afirmando fuertemente el mandato de Dios que valoremos la santidad de la vida de la persona. Este valor de la vida de la persona subyacente, que se basa en la creación por Dios de todas las personas según su imagen, funciona a lo largo del AT para oponerse a la realización de la pena de muerte.

Esto explica porqué todos los mandamientos en los cinco primeros libros de la Biblia que parecieran aprobar la pena de muerte por una gran variedad de ofensas, en realidad no funcionan como mandatos a que se maten a los ofensores, sino que son mandatos para que todas estas ofensas sean tomadas con gran seriedad. Dios desea que el primer homicida, Caín, tanto como Moisés, David, Tamar y Gomer no sean matados. No existe ningún ejemplo de la pena de muerte llevada a cabo en el caso del adulterio en todas las

Escrituras hebreas. Ninguno de los libros de los profetas o de los escritos más tardíos como Salmos, Proverbios, Eclesiastés o Job afirma la pena de muerte para una de las ofensas descritas.

La *Mishnah* es el registro de la interpretación oral autoritativa de la ley escrita, la *Tora*, por los líderes religiosos judíos desde alrededor del año 200 a. de J.C. hasta el año 200 d. de J.C. Aquí la pena de muerte es casi imposible. Para poder llevar a cabo un juicio con pena capital, se requerían veintitrés jueces. La ley bíblica (Deut. 19:15), que requería por lo menos dos testigos oculares del crimen, "impedía que muchos casos fueran llevados a la corte siquiera, puesto que tales crímenes raras veces se cometen con tanta publicidad". En la *Mishnah* el testimonio de parientes cercanos, mujeres, esclavos o personas con mala reputación no se admite. Si los jueces se enteran de que un testigo habla falsamente con intención maliciosa, al testigo se le aplica la pena que se le habría dado al acusado, tal como prescribe Deuteronomio 19:16-19. "Parece claro que con tales procedimientos un fallo en casos capitales sería casi imposible, y que esta era la intención de los que formaron las reglas es igualmente claro" (Moore G., *Judaism in the First Centuries* [El Judaísmo durante los primeros siglos], 2:184-87; Horowitz G., *The Spirit of the Jewish Law* [El espíritu de la ley judía], pp. 167-170, 176).

La *Mishnah* tilda a la corte que ejecuta a un hombre en siete años como "ruinosa" o "destructiva". Resume la enseñanza de los rabíes autoritativos: "Rabí Eliezar ben Azariah dice: 'Ni siquiera una en setenta años. El rabí Tarfon y el rabí Akiba dicen: Si hubiéramos estado en el Sanedrín, a nadie se le habría dado la pena de muerte. El rabí Simeón ben Gamaliel dice: [El que el Sanedrín diera la pena de muerte] hubiera multiplicado los derramadores de sangre en Israel" (Danby H., *The Mishnah*, 403; *Makkot* 1:10). Con la muy debatida excepción de su ejecución del nazi criminal de guerra, Adolf Eichmann, el Israel moderno nunca ha tenido una pena capital, lo cual muestra algo del entendimiento judío actual del significado de la tradición. El Congreso judío americano dice que "el castigo capital degrada y brutaliza la sociedad que lo practica, y... es cruel, injusto e incompatible con la dignidad y el amor propio de los hombres".

¿Tiene que ver Romanos 13 con la autoridad para cobrar impuestos o con la pena de muerte?

Los proponentes de la pena de muerte usualmente argumentan que la autoridad del gobierno romano para imponer la pena de muerte está aprobada específicamente en Romanos 13:1-7: "Sométase toda persona a las autoridades superiores... porque no lleva en vano la espada; pues es un servidor de Dios, un vengador para castigo del que hace lo malo... Porque por esto pagáis también los impuestos, pues los gobernantes son ministros de Dios que atienden a esto mismo. Pagad a todos lo que debéis: al que tributo, tributo; al que impuesto, impuesto; al que respeto, respeto; al que honra, honra". Dichos proponentes hacen resaltar el vocablo "espada" en el pasaje, argumentando que esto quiere decir que Pablo enseña que el gobierno romano tiene una legítima autoridad para llevar a cabo la pena de muerte. Esta era la interpretación que ofrecían Martín Lutero y Juan Calvino. La interpretación tiene un largo linaje.

Pero, de nuevo, los que se oponen a la pena de muerte ven en Jesús la norma para interpretar este pasaje. Ellos dicen que su contexto se halla en Romanos 12:14-21 y 13:8-10, los cuales son las enseñanzas de Jesús acerca del amor y la pacificación tal como Pablo escribe. El camino de Jesús es la clave para su interpretación. Romanos 13:1-7 tiene que ver con no *deber* nada sino el amor a nuestros enemigos, incluso el gobierno romano, y el hacer las paces con ellos; no tiene que ver con la aprobación del matar a la gente.

Un equipo de eruditos neotestamentarios de Alemania ha estudiado Romanos 13 y su contexto histórico (Friedrich J., Pohlmann W. y Stuhlmacher P., "Zur historischen Situation" [El trasfondo histórico], pp. 131 ss.). Estos eruditos han concluido que Pablo no enseñaba acerca de la pena de muerte sino que amonestaba a sus lectores a que pagaran sus impuestos y que no participaran en una rebelión contra el nuevo impuesto de Nerón. Una insurrección contra los impuestos había tenido lugar recién, resultando en que los cristianos, incluso Priscila y Aquila, fueren expulsados de Roma. Otra insurrección estaba por estallar. El vocablo griego para "espada" (*machaira*) en Romanos 13:4 se refiere al símbolo de autoridad llevado por los policías que acompañaban a los cobradores de impuestos. Pablo amonestaba a los creyentes a que hicieran las paces, que pagaran el nuevo impuesto de Nerón, y que no se rebelaran. Él no argumentaba a favor de la pena de muerte, como a menudo dicen. El amonestaba *contra* la violencia de la insurrección.

Una breve historia de la enseñanza eclesiástica sobre la pena de muerte

James Megivern ha escrito una historia de la enseñanza de la iglesia sobre la pena de muerte. Paulatinamente uno se da cuenta de que la historia es como una parábola, una visión penetrante de algo más profundo. Esta revela cómo la iglesia dejó de seguir a Jesús en asuntos éticos, acudiendo, más bien, a otras fuentes; también señala la manera para que la iglesia recobre su camino y su vida.

Megivern indica que, enredándose la iglesia en el problema de la pena de muerte, se enredó también en otras clases de ética en vez de seguir a Jesús. Cambió de una ética con bases en las enseñanzas de Jesús a una ética basada en argumentos tomados de analogías seculares, leyes romanas y principios filosóficos, sin que ninguno de ellos tuviera a Jesús como norma; ni siquiera mencionaban las enseñanzas de Jesús.

La iglesia comenzó oponiéndose a la pena capital, citando a Jesús en su ética. Clemente de Alejandría, notorio por su forma de acomodar el evangelio a la cultura, escribiendo después del año 202 d. de J.C., fue "el primer escritor cristiano en ofrecer fundamentos teológicos para justificar la pena capital. En esto... él apelaba a una bastante cuestionable analogía médica en vez de apelar a algo que tuviera una inspiración específicamente cristiana": Un médico amputa el órgano enfermo si amenaza al cuerpo. Esto reduce el valor de una persona humana, creada según la imagen de Dios, a una parte del cuerpo que necesita ser matada para poder salvar la vida (Megivern J., *The Death Penalty* [La pena de muerte], p. 22). Ninguno de los pasajes citados por Megivern que justifican la pena de muerte desde el siglo tres hasta el doce mencionan las enseñanzas de Jesús. La Ley de Bavaria, vigente desde finales del siglo siete, se destaca como contrastándose con las demás fuentes en que cita las palabras de Jesús en la Oración modelo: "Porque el Señor ha dicho: 'el que perdona, será perdonado'". Este rayo de luz en medio de tinieblas, tomado de Jesús, condujo a la Ley de Bavaria a que fuera excepcional al oponerse a la pena de muerte (p. 46).

La persecución a los herejes era la causa principal del involucramiento con la pena de muerte. Después de llegar a ser Constantino el primer emperador procristiano en el año 312, "los emperadores aprobaron a lo menos 66 edictos contra los herejes cristianos, y otras 25 leyes en contra del 'paganismo en todas sus formas'. La violencia de la época era extraordinaria, y los cristianos cada vez más se involucraban en ella" (Ibíd., p. 28). "Una vez convertido el cristianismo en la religión del estado, los valores imperiales articulados en la ley romana tendían a aplastar los valores evangélicos" (Ibíd., p. 50). Al principio, Agustín de plano rechazaba el uso de la fuerza contra los herejes. Lo que hizo que cambiara de parecer para el año 408 fue su persecución a los donatistas. El Código Teodosiano, una década después de la muerte de Agustín, contiene "120 leyes que prescriben la muerte como la pena apropiada; ellas son una acumulación de todas las leyes más antiguas del origen pagano más las leyes aún más estrictas aprobadas durante el siglo anterior con el propósito específico de 'cristianizar' el imperio" (Ibíd., p. 45). En el año 785, una ley fue aprobada, prescribiendo la muerte por comer carne durante la Cuaresma, por quemar un cadáver según el estilo pagano en vez de sepultarlo dentro de un cementerio cristiano, o por esconderse con el fin de no bautizarse. "Toda la problemática de la herejía siguió provocando a los miembros de iglesias a enredarse cada vez más profundamente en el uso de la pena de muerte" (Ibíd., pp. 47, 59).

Megivern pone ejemplos muy sangrientos de la violencia terrible por parte de los papas y la Inquisición, dando la muerte a miles y miles de cristianos, incluyendo a Jan Hus, Juana de Arco, los albigenses, los valdenses, los franciscanos, los Caballeros Templarios y los anabaptistas. "Este capítulo estrafalario de la historia eclesiástica demuestra que una vez que se permitió prevalecer a las tendencias más tempranas, la tendencia hacia una reducida valoración por la vida humana llevó a la aceptación de la violencia y el derramamiento de sangre como lo normal... aun en el corazón de la iglesia" (Ibíd., p. 138). Durante la persecución contra las brujas en el siglo diecisiete, entre doscientas a quinientas mil personas fueron ejecutadas a lo largo de Europa y el Nuevo Mundo (Ibíd., pp. 191, 192).

Desde el cuarto hasta el undécimo siglos, las casi incesantes guerras, incluyendo las Cruzadas, fueron la segunda fuente de conflicto que ocasionó que los valores cristianos fueran ignorados. Era "un tiempo de gran ignorancia e inmoralidad entre los clérigos, los cuales se veían incapaces de comunicar mucho del evangelio a las masas" (Ibíd., p. 61. Había matanzas contra los judíos y cruzadas para matarlos. Luego, había la brutalidad de las guerras religiosas desde año 1559 hasta el año 1648, culminando en la Guerra de 30 años la cual de forma directa y por causar hambrunas, destruyeron la salubridad y exacerbaron la plaga, dejando muerto un tercio de la población de Alemania y la Europa Central (Ibíd., p. 179).

El tema también se convirtió significativamente en una cuestión de la autoridad dada por Dios al estado. Este acercamiento penetra profundamente en la historia cristiana, y sigue siendo común entre los cristianos de hoy. Pero sostener una postura optimista de poder del estado para ejecutar es muy insensible ante los simples hechos históricos. El patrón de injusticia en el ejercicio de este poder, que ya estaba visible en la Escritura y trazada fácilmente en la historia primitiva y medieval, llegó a ser un rasgo central del poscristiano del siglo veinte. Mucha de la historia triste de ese siglo horrible es el recuento del asesinato gubernamental —en la Unión Soviética, la Alemania nazi, China y otros países— ya que el asesinato gubernamental de todo tipo cobró la vida de millones de personas. En la históricamente cristiana Alemania de los años 30, destacados teólogos luteranos como Paul Althaus y Walter Künneth sostenían la autoridad del estado como una institución dada por Dios (Rom. 13:4) para justificar la pena de muerte. No se daban cuenta en el momento, pero estaban respaldando un régimen nazi que asesinaría a millones de su propia gente y millones de otros pueblos. Es notorio que los cristianos, que a menudo son tan suspicaces al poder gubernamental, puedan tan fácilmente ofrecer un apoyo poco crítico del poder gubernamental máximo, el poder sobre la vida y la muerte. La cuestión que necesita discutirse no es si el estado tiene autoridad, sino si este uso particular de la autoridad estatal es justo o injusto, correcto o incorrecto, pro-vida o anti-vida.

Megivern afirma que los valdenses, seis siglos antes de la Ilustración, John Wyclif, numerosos líderes anabaptistas y otros de la Reforma radical y los Cuáqueros, "motivados por su entendimiento del evangelio criticaban la pena de muerte como una abominación impía mucho antes que empezaran los movimientos abolicionistas. Sus objeciones la tildaban de ser una violación de... 'los dichos difíciles' de Cristo, los cuales daban prioridad al amor y al perdón, rechazando toda venganza de parte de sus seguidores... Movimientos reformistas, queriendo traducir y distribuir la Biblia a la gente común, eran invariablemente la fuente... No había forma de eludir el impacto del Sermón del monte" (Ibíd., pp. 193, 198).

También, Megivern narra la historia del desenmarañamiento de la iglesia de la pena de muerte ya que el Papa Juan XXIII en su *Pacem in Terris* insistía en que "todo ser humano es una persona... En virtud de esto, tiene derechos y deberes propios... que son *universales, inviolables e inalienables*" (Ibíd., p. 289). La otra clave era el retorno a las enseñanzas de Jesús contra la venganza y la violencia; las enseñanzas de Jesús reaparecen repetidamente en la ética de la iglesia durante y después del rechazo de la pena de muerte (Ibíd., pp. 308 ss., 385, 392). Ahora, la mayoría de las declaraciones publicadas sobre la pena de muerte se oponen a ella (Melton, *Churches Speak on Capital Punishment* [Las iglesias se pronuncian sobre la pena capital]. Por ejemplo, la Iglesia Católica ha girado de un respaldo total de la pena de muerte a una casi total oposición.

¿Es injusta la pena de muerte en la práctica?

Walter Berns argumenta que la justicia significa retribución. Por ende, la justicia quiere decir que deberíamos preocuparnos lo suficiente por la comunidad moral y legal como para airarnos y tener la pena de muerte como desquite a los homicidas que socavan la comunidad (Stassen G., *Capital Punishment* [La pena capital], pp. 14 ss.). Asimismo, Ernest van den Haag argumenta que la justicia significa el castigar a los ofensores culpables según merezcan. Por consiguiente, la justicia demanda el castigo de la pena de muerte para cuantos homicidas culpables haya, aun si se da injustamente a los negros y a los pobres. La cuestión para van den Haag no es si hay discriminación o no, sino si aquellos que sí reciben la pena de muerte son culpables y la merecen o no (Ibíd., pp. 101 ss.).

Primero, consideremos cuán discriminatoria es la pena de muerte en su actual aplicación en los Estados Unidos de América. Los datos son clarísimos, y no se disputan. El Centro de Información sobre la Pena Capital resume dos estudios que muestran la continua injusticia de racismo en la aplicación de la pena de muerte (Dieter, "Executive Summary" [El resumen ejecutivo]).

Desde los días de la esclavitud en los que la gente afroamericana era considerada como propiedad, durante el tiempo de los linchamientos y las leyes de Jim Crow, el castigo capital siempre se ha visto influenciado racialmente. Desdichadamente, los días de prejuicios raciales en el uso de la pena de muerte no son reliquias del pasado.

Dos de los investigadores más destacados del país respecto a raza y el castigo capital, el profesor de derecho David Baldus y el estadístico George Woodworth, junto con sus colegas, han llevado a cabo un cuidadoso análisis de la relación entre raza y la pena de muerte en Filadelfia; este estudio revela que si el acusado es de la raza negra, sus posibilidades de recibir la pena de muerte son cuatro veces mayores que si el acusado es blanco. Estos resultados se obtuvieron después de analizar y controlar las diferencias que hubiera, tales como la severidad del crimen y el trasfondo del acusado.

Un segundo estudio publicado por la revista *Cornell Law Review* [La revista de la facultad de derecho de la universidad Cornell], escrito por el profesor Jeffrey Pokorak y los investigadores en la Facultad de Derecho de la Universidad St. Mary en Texas, explica en parte la razón por la que la aplicación de la pena de muerte permanece racialmente sesgada. Su estudio encontró que las personas clave que toman la decisión de aplicar la pena de muerte a lo largo del país son casi exclusivamente hombres blancos. De entre los principales fiscales de los condados que aplican la pena de muerte en los EE. UU. de A. casi el 98% son blancos y sólo 1% son afroamericanos.

Estos nuevos estudios empíricos subrayan un patrón persistente de disparidades raciales que ha aparecido a lo largo del país durante los últimos veinte años. Los estudios de la relación entre la raza y la pena de muerte, teniendo niveles variables de minuciosidad y sofisticación, se han llevado a cabo en cada estado donde se aplica la pena de muerte. En el 96% de estos estudios, había un patrón de discriminación, fuese por la raza del acusado o la de la víctima o ambas. La gravedad de la conexión estrecha entre raza y la pena de muerte se muestra cuando se compara con estudios en otros campos. La raza afecta mucho más probablemente la sentencia de muerte que el fumar afecta la probabilidad de morir a causa de problemas cardíacos. Esta última evidencia ha producido enormes cambios en las leyes y la práctica social, aunque el racismo respecto a la pena de muerte ha sido ignorado por lo general.

Un estudio de los reclusos confinados en el "corredor de la muerte" (*nota del traductor:* Esta es la sección especial de la prisión reservada para los que han sido condenados a la muerte en los EE. UU. de A.) en el estado de Kentucky revela que 100% de ellos tenía víctimas blancas, y ninguna una víctima afroamericana, pese al hecho de que mil afroamericanos han sido asesinados en Kentucky desde la reanudación de la pena de muerte (Keil T. y Vito G., "Race and the Death Penalty" [La raza y la pena de muerte]. Nacionalmente,

11 de los ejecutados desde 1976 fueron blancos condenados por matar una víctima de raza negra; 158 fueron negros condenados por matar a una víctima de raza blanca. Es difícil no llegar a la conclusión de que el sistema de justicia estadounidense piensa que la vida de los blancos es de más valor que la de los afroamericanos (véase el capítulo diecinueve).

Los datos sobre la discriminación según la clase económica son aún más claros. En su libro por el cual argumenta a favor de la pena de muerte, Walter Berns admite que a ninguna persona pudiente jamás se le ha dado la pena de muerte en la historia de los Estados Unidos de América (*For Capital Punishment* [En pro del castigo capital], pp. 33, 34).

Yo (Glen) he visitado a presos, y he testificado en varios juicios en que se dio la pena de muerte. He visto funcionar el proceso de selección del jurado de tal forma, aun en Kentucky donde la mayoría de la población es afroamericana, que a ningún afroamericano se escoge. Los fiscales, los jueces y el jurado todos eran blancos. Casi todos los acusados eran muy pobres.

Los datos respecto a *convicciones equivocadas* también son sorprendentes. En 1991, el Comité Jurídico del Senado comisionó un estudio de la frecuencia de errores en los casos de pena de muerte lo suficientemente serios como para ocasionar que los fallos fueran invertidos. Fueron estudiados casi la totalidad de los 4.600 casos en todos los estados donde se tenía la pena de muerte entre 1975 y 1995 (Liebman, James S., Jeffrey F. y West V., "A Broken System" [Un sistema roto]).

1. Nacionalmente, la tasa general de error reversible serio en los casos capitales es del 68%, casi siete de cada diez casos. El informe concluye que la tasa de error es tan grande que deja "en grave duda el que todos los casos fuesen descubiertos" (1).
2. Los errores más comunes, que provocan la mayoría de las revocaciones después de los fallos a nivel estatal son: (a) "los atrozmente incompetentes abogados defensores, mayormente nombrados por la corte, *que ni buscaban, y manifiestamente perdían, evidencia importante de que el acusado era inocente o no merecía morir*" (el énfasis está en el original). El apéndice tiene muchos ejemplos de abogados que dormían durante los juicios o parecían estar ebrios en la corte; (b) la policía o el fiscal que descubrían pero ocultaban del jurado evidencia atenuante o exculpatoria (2).
3. Ochenta y dos por ciento de los fallos revocados al nivel estatal se clasificaban como merecedores de un castigo menor que la pena capital al corregirse los errores en el nuevo juicio; el 7% fue pronunciado inocente del crimen capital (2). Sólo el 11% de las condenas capitales revocadas durante la revisión estatal fueron declaradas merecedoras de la pena de muerte al ser juzgadas de nuevo.

4. Estas elevadas tasas de error existen en toda la nación. Veinticuatro estados que tienen la pena de muerte tienen una tasa de error del 52% o más. Veintidós de los estados tienen una tasa de error del 60% o más. Quince estados tienen una tasa de error del 70% o más. Maryland, Georgia, Alabama, Mississippi, Oklahoma, Indiana, Wyoming, Montana, Arizona y California tienen una tasa de error del 75% o más (28).
5. En 1999 el gobernador del estado de Illinois impuso una moratoria sobre las ejecuciones en su estado, ya que hubo que liberar a doce presos del "corredor de la muerte" debido a que se comprobó su inocencia. El estudio mostró que la tasa de error en el estado de Illinois en los casos capitales (el 66%) es levemente menor que el promedio nacional de 68% (3 y 28). El llamado por una moratoria sobre la pena de muerte se está fortaleciendo a lo largo de la nación, sin importar el partido político al que se pertenezca.

El estudio concluye que el proceso de un juicio capital está tan lleno de errores que no tan sólo es injusto sino también irracional. "Errores serios en los juicios capitales han llegado a proporciones epidémicas" (20). Después de dedicar muchas páginas para discutir el alto costo de este proceso, el estudio llega a una fuerte conclusión: "Si lo que está en juego fuera la fabricación de tostadoras... o el procesar reclamos del Seguro Social... etc., nadie toleraría esta elevada tasa de error, la cual los que pagan impuestos en Estados Unidos de América han venido tolerando por décadas en su sistema de castigo capital. Cualquier sistema con tanto error y gasto hubiera sido suspendido inmediatamente, examinado y reformado o desechado" (pp. 121-123).

La pena de muerte condena a morir a gente inocente. El libro *In Spite of Innocence* [Pese a la inocencia] se fija en que ha habido 416 casos documentados de personas inocentes que han sido condenadas y sentenciadas a la muerte, sin contar casos recientes como las doce personas liberadas en Illinois en virtud de haber sido comprobada su inocencia.

Berns y van den Haag afirman que la justicia quiere tomar represalias contra aquellos que son culpables. Sin embargo, bíblicamente, aunque hay una dimensión retributiva en la justicia, el énfasis se da a la liberación de los que están en esclavitud y restauración a la comunidad. El cuadro normativo de la justicia es el éxodo del oprimido de la esclavitud, dándole entrada a la comunidad. Se recalca la justicia para los pobres y los indefensos. En las Bienaventuranzas Jesús nos enseña la virtud de tener hambre y sed de *entregar una justicia* que restaure a los débiles y a los marginados a la comunidad del pacto. En el capítulo diecisiete procuraremos establecer más firmemente el concepto bíblico de la justicia. Es una cuestión crítica, porque el significado de la justicia en realidad es una de las problemáticas más contenciosas de la ética. El hacer justicia, la justicia restauradora de la comunidad, significa una justicia restauradora para víctimas de crimen y los que lo cometen.

Empezamos este capítulo por enfatizar la restauración de las familias de las víctimas y por señalar la experiencia depuradora del perdón. Concluimos señalando que la pena de muerte discrimina contra las minorías raciales, los pobres y los condenados erróneamente. Es más, a diferencia de otras penas, una vez ejecutadas las personas equivocadamente, no hay corte que pueda corregir el error. Y no hay manera para que se arrepientan y así experimentar la redención, lo cual es una preocupación bíblica central. La justicia bíblica pone una especial atención en los pobres, los impotentes y los oprimidos. Esto se enfatiza desde el éxodo de los hebreos oprimidos de Egipto hasta la redención de los seguidores perseguidos del Cordero en Apocalipsis. "No pervertirás el derecho del necesitado en su pleito. Te alejarás de las palabras de mentira, y no condenarás a morir al inocente y al justo; porque yo no justificaré al culpable" (Éxo. 23:6, 7).

La justicia bíblica sí incluye el castigo contra el mal proceder. Concordamos en que el mejor estudio del castigo y la ética neotestamentaria puede ser el libro por Christopher Marshall, *Beyond Retribution: A New Testament Vision of Justice, Crime and Punishment* [Más allá de la retribución: una visión neotestamentaria de la justicia, el delito y el castigo]. La mayoría de los estados en EE. UU. de A. tienen la opción de imponer el castigo de encarcelación perpetua sin la posibilidad de libertad condicional. Cuando se les ofrece la alternativa a los que responden a encuestas, la mayoría de los estadounidenses apoyan la cadena perpetua sin libertad condicional en vez de la pena de muerte. Cuando se les ofrece la alternativa de cadena perpetua sin libertad condicional además de trabajo en la prisión para que lo ganado pase a la familia de la víctima como símbolo de responsabilidad y restitución, los estadounidenses favorecen esto sobre la pena de muerte dos por uno (Bowers en Stassen G., *Capital Punishment* [Castigo capital], pp. 34 ss.). Hace falta que esto sea conocido más ampliamente.

En el Sermón del monte, Jesús no simplemente se oponía a males tales como el matar, el mentir o el odiar al enemigo; *de forma consistente Jesús enfatizaba una iniciativa transformadora que nos librara del ciclo vicioso de la violencia o la alienación.* Simplemente oponerse a la pena de muerte probablemente no va a ser efectivo. La gente siente demasiado enojo acerca del homicidio como para deshacerse de la pena de muerte a no ser que haya una alternativa que tome en serio la justicia, haciendo algo acerca de la violencia asesina de nuestra sociedad. La pauta bíblica es buscar iniciativas transformadoras que puedan empezar a librarnos de los ciclos de violencia que experimentamos. Identificamos tales eficaces iniciativas en el capítulo ocho.

Algo del apoyo a favor de la pena de muerte es porque muchos posiblemente hayan temido que la elevada tasa de violencia en la sociedad estadounidense era una amenaza al orden social. Al centrar nuestra atención en maneras para combatir esa amenaza que sean efectivas en la reducción de la tasa de homicidios, el apoyo de la pena de muerte se reducirá a una minoría de la población, tal como se vio durante las presidencias de Eisenhower y Kennedy en los EE. UU. de A. Las encuestas indican que un fuerte elemento de buscar chivos expiatorios en tiempos de frustración y polarización sociales aumenta el apoyo de la pena de muerte. Sólo después de las presidencias de Eisenhower y Kennedy, cuando la sociedad llegó a sentirse tan amenazada por la polarización de la guerra de Vietnam y el Watergate, surgió el aumento en el apoyo mayoritario de la pena de muerte, sosteniéndose después. Si Estados Unidos de América permanece fuera de tales violencias y ataques sobre el orden civil, y si las diferencias entre los partidos políticos pueden aminorarse, es probable que el apoyo a favor de la pena de muerte siga disminuyendo. Esto es especialmente cierto si el testimonio de los cristianos y otros respecto a la santidad de la vida humana llega a ser cada vez más eficaz.

10

Valorando la vida desde sus comienzos

Habéis oído que fue dicho a los antiguos: No cometerás homicidio, y cualquiera que comete homicidio será culpable en el juicio... y ve, reconcíliate primero con tu hermano, y entonces vuelve y ofrece tu ofrenda.

Mateo 5:21, 24

El tema de esta sección es el de evitar la violencia, guardando así la santidad de la vida humana enseñada por Jesús. La violencia juvenil, la guerra, el homicidio y la pena de muerte son asuntos clave que han sido revisados. Hemos visto que Jesús no sólo ofrece una oposición a la violencia, basada en principios, sino que él nombra los ciclos viciosos que nos llevan a escoger la muerte más bien que la vida; también, él señala el camino de la liberación que los discípulos pueden emplear. Las enseñanzas de Jesús siempre son consecuentes con la santidad de la vida humana, siendo también siempre prácticas al mostrarnos cómo resistir aquellas fuerzas que disminuyen y destruyen la vida.

En este capítulo fijamos nuestra atención en el problema controversial del aborto. La mayoría de los libros de texto ofrecen maneras muy estandarizadas y predecibles para abordar este tema; estas maneras siempre se relacionan estrechamente con la óptica ideológica-política de los autores. Los conservadores culturales-teológicos tienden a oponerse al aborto como una violación de la dignidad humana o la santidad de la vida humana; los liberales culturales-teológicos tienden a favorecer los derechos al aborto por ser esenciales para los derechos femeninos o como cuestión de libertad personal dentro de una sociedad pluralista. En este capítulo articularemos lo que creemos que es un enfoque que procura seguir a Jesús, uno que busca lidiar con las perspectivas ideológicas y teológicas polarizadas, aprendiendo de ellas, siempre sometiéndose al reino de Dios y a la enseñanza de Cristo. Queremos demostrar un honesto enfrentamiento con los problemas más bien que simplemente procurar ofrecer la postura "correcta."

La Escritura y el aborto

La Escritura no registra ninguna enseñanza de Jesús en torno al aborto; de hecho, no hay pasaje alguno en toda la Escritura que ataque de forma directa dicha problemática. Esta realidad debería obligar a todo cristiano a tener cierta humildad epistemológica. Sin embargo, sería un gran problema pensar que una carencia de atención directa a la problemática significara una falta de materiales bíblicos relevantes.

Estamos basando nuestro enfoque general a todas las problemáticas de esta sección en nuestra exégesis de las tres enseñanzas de Jesús tocantes a la violencia en Mateo 5:21-26, 38-42, 43-48. En estos pasajes se nos enseña que dejemos de matar o herir a otro; se nos ofrece un diagnóstico de cómo nos enredamos en patrones de conducta que nos llevan a seguir matando e hiriendo; y también, se nos enseñan varias iniciativas transformadoras que nos llevan a una obediencia que preserva y atesora la vida humana, toda vida humana, tal como lo hace el Padre celestial (Mat. 5:45, 48).

Desde luego, el repasar estos pasajes clave y el considerar su aplicación al aborto demandan nuestra consideración de algunos problemas que causan perplejidad: *¿Es el niño en formación un ser humano?* ¿Es él o ella parte de aquellos a quienes Jesús nos dice que dejemos de matar o herir? O ¿debemos considerar el estatus del niño concebido pero no nacido como algo diferente? Aquí podemos ver la variante "convicción básica" de *la naturaleza de la persona* (capítulo tres) y cómo ella juega un papel central dentro de la problemática.

No hay ninguna palabra de Jesús respecto a tales preguntas. No hay ninguna alusión al estatus del niño concebido pero no nacido en el resto del NT. No hay enseñanza específica alguna ni a favor ni en contra del aborto en el AT o en el NT. Sí hay una prohibición explícita del aborto en la *Didajé*, un primitivo manual de enseñanza cristiana: "No matéis a ningún feto por el aborto ni matéis a ninguna criatura recién nacida" (*Didajé* 2:2). Enseñanzas contra el aborto también se encuentran en *La Epístola de Bernabé* y el *Apocalipsis de Pedro*, dos textos no canónicos primitivos. Los cristianos primitivos eran conocidos por su rechazo al aborto y al infanticidio en medio de un contexto grecorromano depravado en el que ambas prácticas eran muy comunes. La misma *Didajé* se veía muy influenciada por el Sermón del monte. Esta es una evidencia significativa para nuestra consideración.

Algunos eruditos cristianos encuentran una perspectiva diferente en el AT. El teólogo Edmond Jacob dice que el AT considera que el hálito en el nacimiento es una marca del llegar a ser una persona humana, y que la cesación de la respiración es la marca de la muerte (Jacob E., *Theology of the Old Testament* [La teología del Antiguo Testamento], pp. 158-163). Walter Brueggemann añade que Dios no tan sólo nos da la primera respiración, sino que dependemos de Dios para que nos dé cada aliento. "Esto quiere decir que la persona humana, en su origen y siempre, depende de la dádiva atenta de Yahvé para que vivamos" (véase Sal. 104:29, 30; Brueggemann W., *Theology of the Old Testament* [Teología del Antiguo Testamento], p. 453). Y, por supuesto, es en el momento de nacer que respiramos. Ciertamente, la corona del matrimonio se veía como el nacimiento de niños (Sal. 127—128, etc.), y la esterilidad era vista como gran tragedia (Gén. 16—18; 1 Sam. 1—2; Luc. 1:5-7, 24, 25). Pero que el AT vea al niño en el vientre como teniendo el mismo estatus de un niño ya nacido se disputa acaloradamente. Repasemos algunos de los pasajes clave.

Génesis 2:7 representa la creación del primer hombre del polvo de la tierra. Dios "sopló en su nariz aliento de vida, y el hombre llegó a ser un ser viviente". Algunos, basándose en este texto, argumentan que el *aliento* se declara como la marca decisiva de transición a la plenitud personal. En el vientre, las criaturas en desarrollo reciben el oxígeno por medio de la placenta, más bien que por respirar independientemente. Es sólo en el nacimiento que los niños toman la primera respiración. Así, según este argumento, el estatus de una plena humanidad o pertenece a las personas nacidas que han respirado por su cuenta o, más conservadoramente, ese estatus pertenece a aquellas criaturas aún no nacidas pero quienes *podrían* respirar por su cuenta si el proceso del nacimiento hiciera que salieran prematuramente. Un argumento contrario aquí sería —si quisiéramos forzar esta historia primitiva para lograr esta clase de norma moral, cosa que no haríamos— que sólo el primer hombre y la primera mujer llegaron a existir por la creación directa como adultos. Todos los demás entramos a la vida por la concepción y la gestación, de modo que el pasaje no habla al contexto en el cual los seres humanos son traídos a la existencia ahora.

Otro asunto crítico se relaciona con la interpretación de la provisión legal en Éxodo 21; 22; 25. La sección de leyes en Éxodo 21:12-36 tiene que ver con la compensación por lesiones personales. En la *New International Version* (Nota del editor: Aquí se usa la version en inglés para poder seguir el argumento de los autores. Se encuentran problemas similares si se comparan las diferentes traducciones en español), Éxodo 21:22, 23 dice: "Si hombres que pelean dan un golpe a una mujer encinta y ella da a luz prematuramente sin que haya una lesión seria, el ofensor tiene que ser multado lo que el esposo pida y la corte permita. Pero si hay una lesión seria, hay que tomar vida por vida". Esta traducción pudiera sugerir que una vida humana en desarrollo sea lo suficientemente valiosa para que aun un golpe que ocasione un parto prematuro (aunque exitoso) se deba castigar por una multa, y un golpe que cause un daño mayor (presumiblemente un aborto) invoque la *lex talionis*, o sea, vida por vida. Esta es la interpretación más común del pasaje en los ámbitos evangélicos y fortalece el caso bíblico contra el aborto.

Sin embargo, resulta que esta es una interpretación que se ve en pocas traducciones inglesas. En verdad, el texto es muy difícil. La primera cuestión es cómo ha de leerse el término hebreo *yatsa*. Literalmente quiere decir "salir". Los hombres pelean, dan un golpe a una mujer encinta, y su hijo "sale". Eso es todo lo que el texto dice. La siguiente frase, traducida por la NIV en "pero no hay ninguna lesión seria", puede ser traducida más literalmente en "y, pero no hay ningún daño". La palabra "seria" en la traducción de la NIV es una interpretación. Lo mismo puede decirse de la primera frase en Éxodo 21:23: "ningún daño". El texto hebreo no dice más nada. No hay ningún adjetivo en el pasaje que se aproxima a la idea de "serio". No se sabe a ciencia cierta si la "salida" o el aborto ocasionara que la criatura muriera, de modo que la multa es por el aborto y la muerte de la criatura; y no se sabe si el daño, además del aborto, sea contra la mujer o la criatura, de modo que lo de "vida por vida y ojo por ojo" es por un daño adicional a la mujer o a la criatura.

En pocas palabras, la frase traducida por la NIV en "da a luz prematuramente sin que haya lesión seria", también puede traducirse en "hay un aborto, y sin embargo no hay más daño". La RSV [Revised Standard Version] traduce así la frase, y representa la tradición rabínica judía también. La KJV [*King James Version*] tiene una traducción ambigua, diciendo: "de modo que su fruto saliera de ella", sin indicar que el daño adicional sea contra la mujer o la criatura. La NEB [*New English Bible*] dice: "de modo que ella sufre un aborto, pero no sufre de más lesiones". La Biblia Católica Nueva Jerusalén dice: "y si ella sufre un aborto, sin morir a causa de él, el hombre responsable tiene que pagar la compensación... Pero si muriera, habrá que pagar vida por vida". Si esto está correcto, el significado cambia dramáticamente. En el contexto, no se define un aborto como una lesión seria o siquiera (un tanto desconcertante) un "daño", y el castigo por causar un aborto es una multa más bien que la muerte. La criatura sin nacer pero en vía de desarrollo goza de un estatus legal y moral lo suficiente como para requerir una multa, pero ese estatus no es equivalente al de un ser humano nacido ya. Conforme a esta postura, al ofensor aparentemente se le da el castigo de vida por vida si hay un daño a *la madre misma*.

Este texto parece ser lo suficientemente turbio como para no servir como fundamento para ninguna postura particular sobre el aborto, a no ser que sea una afirmación mínima de que una conducta irresponsable que ocasione que una mujer dé a luz prematuramente (sea muerta o viva la criatura) era digna de castigo, reflejando así alguna valoración del estatus de la criatura sin nacer y los derechos legales de la madre y el padre.

Los que se oponen al aborto a menudo citan el Salmo 22:9, 10; 139:13-16 y Jeremías 1:5. El Salmo 139:13, 14 agradece a Dios:

> Porque tú formaste mis entrañas;
> me entretejiste en el vientre de mi madre.
> Te doy gracias, porque has hecho maravillas.
> Maravillosas son tus obras.

Por medio de lenguaje poético estos textos afirman que Dios forma cual artesano al ser humano, que esta formación artesanal se efectúa en el vientre, y que Dios tiene conocimiento de la persona y de su futuro antes de que nazca. Los cristianos que creen en la libertad de la mujer para escoger el aborto dicen que estos pasajes no son tratados científicos ni tratan del estatus moral de la vida fetal. Más bien, tienen que ver con la gracia preveniente y el conocimiento de Dios. Ellos afirman y celebran con oración la bondad de Dios y una vida humana con propósito, tal como Dios la ordena. En el Salmo 22:10 se lee: "Desde el vientre de mi madre, tú eres mi Dios", y algunos cristianos que militan contra el aborto entienden esto como que significa desde el momento de existir ya en el vientre. Pero, en realidad, habla del tiempo del nacimiento, la salida del vientre, no del tiempo de entrada a este. El texto forma un paralelo con el renglón anterior: "Sobre ti fui echado desde la matriz", y sigue después del versículo que dice: "Pero tú eres el que me sacó del vientre; me has hecho estar confiado desde que estaba a los pechos de mi madre".

Estos pasajes son oraciones de gratitud por la gracia preveniente y el conocimiento de Dios, y no pueden ser usados para resolver el problema del aborto. Se leen mejor como celebraciones rebosantes y reverentes de la gracia de Dios vista en el desarrollo de la vida física humana y la identidad personal. Sus alusiones al desarrollo humano dentro del vientre sí enseñan que la vida fetal tiene un profundo significado, ya que Dios está involucrado en el proceso que lleva al nacimiento de las personas humanas.

Una palabra bíblica final nos lleva a la narrativa central del NT y al centro de nuestro enfoque de la ética: Jesús. La carrera del Mesías comienza con un anuncio angelical a María, "He aquí, concebirás en tu vientre y darás a luz un hijo" (Luc. 1:31), y una concepción milagrosa. El Espíritu Santo viene sobre María, y ella concibe. María abre su corazón para recibir con gozo al niño que ella no concibió por medios humanos, pese a las repercusiones negativas y potencialmente desastrosas para ella (Mat. 1:18-25; Luc. 2:34, 35). Ella visita a su prima Elisabet, que ya llevaba en su vientre al futuro profeta Juan, y "la criatura saltó en su vientre. Y Elisabet fue llena del Espíritu Santo" (Luc. 1:41) y exclamó a gran voz, diciendo: "Porque he aquí, cuando llegó a mis oídos la voz de tu salutación, la criatura saltó de alegría" (Luc. 1:44). Sería posible abordar esta alusión pasajera al "salto" de Juan como evidencia de un comportamiento resuelto de parte de un niño en vía de formación pero sin nacer aún, aunque probablemente es mejor tratar el evento como reflejando la experiencia de toda mujer que ha sentido a su niño moverse durante las etapas centrales y finales del desarrollo fetal.

Es aun mejor exégesis notar que Lucas 1:5—2:14 repetidamente celebra el *gozo* de la *presencia* y poder milagrosos de Dios que actúan para efectuar el nacimiento de Jesús y la liberación de todas las personas favorecidas por Dios. Es el *gozo de la presencia* de Dios *para liberar* que destaca el reino de Dios en Isaías tanto como en Jesús, tal como vimos en el capítulo uno. (En cuanto al *gozo*, véase especialmente Lucas 1:14, 19, 41-45, 64, 68-79; 2:10-14, 18-20, 28-32, 38). Las palabras *gozo* y *regocijar* se dan nueve veces en el griego (traduciéndose a veces como "estar favorecido", "bendito", "alegría"). Las palabras "Espíritu Santo" ocurren seis veces, y una revelación de la *presencia* de Dios por la cual el ángel les dice que "no temáis", o se recibe una visión seis veces. *Paz, derecho y justicia, liberación-salvación* y *reino* también se mencionan varias veces. Así que todas las marcas del reino-liberación, de las que hicimos mención en el capítulo uno, están aquí. Esta es una maravillosa celebración de la gracia preveniente de Dios, no de la inteligencia precoz de Juan. Aquí, la venida del reino está siendo anunciada con todas sus características, ¡exactamente tal como esperábamos por nuestro estudio de los pasajes sobre la liberación en Isaías!

¿Qué podemos decir con justicia acerca de la evidencia bíblica, sin que digamos mucho o poco? Tal vez lo siguiente:

- El niño es una profundamente deseada creación y dádiva de Dios.
- La Biblia reconoce el misterio y la majestad del proceso del desarrollo fetal y articula el papel de Dios en la formación del niño no nacido.
- Dios tiene conocimiento de aquellos que nacerán aun antes de que nazcan.
- El niño en desarrollo dentro del vientre era tratado como digno de alguna protección legal en la ley del AT.
- La Encarnación principió con la milagrosa concepción de Jesús y no sólo con su nacimiento.
- María demostró una hospitalidad para recibir al niño que ella no esperaba y cuya presencia traía gran sufrimiento a su vida.

Reflexionando sobre la persona fetal

Un sorprendentemente elevado porcentaje de embarazos termina en aborto natural. Según un cálculo, más del 50% de las concepciones ni siquiera llegan a la etapa de la implantación uterina; en tales casos puede ser que la mujer nunca sepa que estaba embarazada. Las estadísticas del censo en los Estados Unidos de América registran que en 1996, el 16% de los embarazos terminaron en abortos espontáneos o en la muerte del feto, y el 22% terminaron en abortos electivos. El proceso de hacer que los niños lleguen a nacer sigue siendo plagado de dificultades. Es un recordatorio de la maldición sobre Eva en Génesis 3:16, porque los seres humanos sí tienen grandes dolores en la llegada de un niño, no tan sólo en el parto, sino también en todo lo relacionado con la concepción, la nutrición y la crianza de los niños. Después de tres embarazos exitosos, mi (de David) esposa y yo perdimos a dos criaturas en inexplicables muertes fetales a mediados del embarazo. No había explicación, sólo dolor y tristeza. Pronto nos enteramos de muchos que habían tenido experiencias similares.

Por ende, se pudiera decir que la naturaleza caída ejerce su propia violencia al feto, una violencia que ningún ser humano es capaz de evitar. La ubicuidad de la pérdida fetal posiblemente tenga relevancia respecto a cómo pensamos acerca del estatus moral del embrión de muy poco tiempo o más generalmente del niño en vía de desarrollo. Pero aun así, *el aborto electivo* y *el aborto espontáneo* son dos eventos moralmente muy distintos.

El aviso de un embarazo llega inesperadamente. La criatura está en el largo proceso de desarrollo de nueve meses, asiéndose del útero de la madre para vivir, con una dependencia tan completa que sirve como una metáfora de otra clase de dependencia y vulnerabilidad humanas.

La madre, bajo cualesquier circunstancias, busca el servicio de un especialista para poner fin a la vida fetal. Este especialista, generalmente, introduce un bisturí dentro del útero de la mujer, raspando la pared del útero para desalojar al feto y despacharlo al olvido. Los abortos que ocurren más tarde involucran métodos aún más horribles. *Pero todos los abortos electivos involucran la destrucción voluntaria de una vida humana en desarrollo.* Si se le deja desarrollar sin interrupción, esa vida humana en vía de desarrollo normalmente emergerá después de nueve meses, respirará por primera vez, saludando así al mundo. Pero el aborto termina el proceso de desarrollo, acabando con esa existencia.

Muchos cristianos que se oponen al aborto insisten en clasificar a esta vida humana en vía de desarrollo como *una persona humana*. Ellos basan su argumento contra el aborto de la siguiente manera: El aborto en cualquier etapa es una forma de homicidio, porque mata un miembro de la especie humana, uno de esa clase de criaturas llamadas personas humanas, dotado por su Creador con valor inmedible, sin importar el estatus de desarrollo de sus funciones particulares o capacidades. Esta postura es llamada *el esencialismo, el principio de especies* o la perspectiva de *la plena calidad de persona*.

Esta clase de argumento tiene la ventaja de atribuir el máximo de estatus moral a la vida humana en vía de desarrollo, sea que esté en la etapa embrionaria de cuatro células, que tenga ocho semanas de gestación o seis meses.

Esta entidad, se argumenta, es una persona a quien hay que entender y tratar como si fuera él o ella tan valiosa como cualquier otro ser humano sobre el planeta. Esta es una postura muy impresionada por el hecho científico de que el proceso de desarrollo que pasa de la etapa del cigoto al embrión, al feto y luego al niño, al adolescente y luego al adulto sea "un ordenado desarrollo serial de etapas diferentes en el ciclo completo de la vida humana (Harvey J., "Distinctly Human" [Distintivamente humano], p. 13).

Se pueden señalar varios hitos dentro de este proceso de desarrollo, tales como la implantación en el vientre (7 días), la aparición de la raya primitiva (14 días), un latido del corazón (22 días), movimientos fetales (20 semanas), la viabilidad (20-22 semanas), o el nacimiento en el que hay respiración independiente (normalmente 38 semanas). Pero también se puede señalar toda clase de hitos en el desarrollo *después* del parto: El primer llanto, la primera palabra, el primer paso, el primer día de escuela, la primera cita... En realidad, en la máxima vida humana el desarrollo *nunca* cesa... hasta la muerte, ¡pero aun entonces tenemos razón para esperar que una nueva clase de desarrollo de nuestra humanidad nos aguarde!

La postura de una plena calidad de persona también tiene la virtud de evitar que cualquier laguna se forme entre los conceptos del *ser humano y la persona humana*. Un buen número de éticos muy influyentes, tal como el filósofo de la Universidad Princeton Peter Singer, argumentan que la persona humana debe verse como consistiendo de varias funciones específicas y singulares, las cuales pueden ser resumidas en "una capacidad desarrollada para una conciente inteligencia de autorreflexión" (Wennberg R., "Right to Life" [El derecho a la vida], p. 36). Dentro de la literatura técnica sobre el aborto a veces esto se llama *el principio (o enfoque) real*. Los embriones y fetos son sólo uno de varios tipos de seres humanos que carecen de tales capacidades personales; otros incluyen a los que están en un persistente estado vegetativo, a los recién nacidos, a los que están en un coma irreversible y a los terriblemente retrasados. Se argumenta que aunque las vidas de estos *seres humanos* merecen una medida de respeto, ellos no gozan del mismo estatus que las *personas plenamente humanas,* y así se les debe tratar como teniendo menos derechos. Singer, por ejemplo, contempla circunstancias por las que aun el *infanticidio* sería moralmente permisible (véase Singer P., *Practical Ethics* [Una ética práctica]; Preece G., *Rethinking Peter Singer* [Repensando a Peter Singer]), precisamente por la supuesta falta de la calidad de persona del infante. Singer también es un "utilitario preferente", para el cual el fin que justifica una acción es la mayor satisfacción preferencial para el número mayor de personas. Las personas humanas tienen valor en la medida en que tengan preferencias complejas que puedan satisfacerse. Así él ilustra la distinción entre el razonamiento teleológico y el deontológico que explicamos en el capítulo cinco.

Al igual que nosotros, Gilbert Meilaender es uno entre muchos éticos cristianos que están profundamente desconcertados por este uso horripilante del concepto de la calidad de persona para así excluir a ciertos seres humanos de una plena membresía en la comunidad humana (Meilaender G., *Bioethics* [La bioética], pp. 31-33). El concepto de todos los seres humanos como iguales e igualmente valiosos, como personas dignas de respeto y trato igual ante la ley, es un reciente logro relativamente raro en la historia humana. El concepto de que las mujeres, los niños, las minorías raciales, los inmigrantes, los refugiados y los pobres han de ser tratados no tan sólo igualmente sino con *cuidado especial* en virtud de su frecuente marginación y vulnerabilidad es una enseñanza bíblica central que raras veces se cumple en la vida pública. Meilaender, cuya propia postura es que la calidad de persona puede atribuírsele al feto en aproximadamente la segunda semana de desarrollo, argumenta a favor de la inclusión de "los *miembros* más débiles y de menos ventajas de la comunidad humana" en nuestro concepto de la calidad de persona (Ibíd., p. 33, las letras en cursiva están en el original), incluso el embrión humano en vía de desarrollo.

Encuentro que una versión de la postura de la plena calidad de persona me satisface más. Reconozco que no es posible *probar* con la Escritura o con la ciencia que un embrión o un feto primitivo sea, ante Dios, una persona de la misma manera en que un ser humano ya nacido lo sea. La calidad de persona es una noción metafísica más allá de la posibilidad de prueba. Ni los teólogos pueden ponerse de acuerdo respecto a los componentes de la calidad de persona humana: ¿Somos un dualismo de cuerpo-alma, o cuerpos inspirados, o un compuesto tripartito de cuerpo-espíritu-alma, o una unidad monista u otra cosa? También reconozco que intérpretes cristianos serios a lo largo de los siglos han ofrecido una variedad de teorías que identifican la emergencia de una reconocible calidad de persona en varias etapas del proceso de gestación. Algunos cristianos contra el aborto no han querido reconocer estas verdaderas variaciones conceptuales y dificultades. Sin embargo, respecto a la inclusión o la exclusión del ser humano en vía de desarrollo dentro de esa categoría de criaturas que deben ser tratadas como miembros plenos de la comunidad humana —es decir, como personas— pareciera mejor errar por el lado de la caución. Mucho preferiría equivocarme en atribuir demasiada calidad de persona al feto que atribuirle muy poca. Seguramente la tendencia más perniciosa de la historia humana ha sido errar en excluir con demasía de la comunidad del pacto más bien que incluir a demasiados, con resultados desastrosos y crueles.

Empero, es posible articular una postura cristiana que se opone al aborto sin abrazar la postura de una plena calidad de persona desde la concepción. Algunos éticos cristianos creen que esta afirmación ligeramente más "suave" respecto al estatus moral de la vida en gestación posiblemente cuadre mejor con la evidencia bíblica, científica y experimental. Se le llama el enfoque de *potencialidad* o *de la calidad de persona potencial*.

El enfoque de potencialidad afirma que "las personas reales tanto como las potenciales tienen derecho a la vida (Wennberg R., "Right to Life" [El derecho a la vida], p. 37). Una persona potencial es una entidad que "naturalmente y a la larga se desarrollará en una persona" (Ibíd., p. 38), aunque no sea una persona todavía. De modo que la vida fetal representa la calidad de persona potencial más bien que una verdadera calidad de persona. Pero la calidad de persona potencial es moralmente significativa. Tal como dijera Alan Donagan: "si se le debe respeto a los seres por ocupar cierto estado, se le debe a todos, porque por su misma naturaleza se desarrollarán hasta ese estado" (Donagan A., *The Theory of Morality* [La teoría de la moralidad], p. 171). Wennberg argumenta que un feto carente del encéfalo (sin desarrollo del cerebro o la posibilidad de que se desarrolle) y un paciente irreversiblemente comatoso (o un paciente en un estado persistentemente vegetativo) gozan de membresía en la especie humana, pero no tienen ninguna potencialidad de poseer los aspectos cruciales de la imagen de Dios. Si a estos pacientes se les define como personas plenas, con todos los derechos humanos de las personas plenas, entonces hay la obligación de que se les trate igualmente que a las personas plenas, y "esto sí parece extraño".

Este modo filosófico de expresar la cuestión puede ser agudizado con el lenguaje bíblico más familiar que hemos estado considerando. El niño humano es una creación divina y una dádiva de Dios que ha de ser recibido por el mundo con gozo, tal como María recibió a Jesús. E igual que Jesús, la carrera mundial de todo ser humano comienza con la concepción, se extiende por la gestación y, si todo va bien, pasa a ver la luz del día en el nacimiento. Aun si no definimos esta entidad como una persona hasta el nacimiento, todavía nos vemos obligados a reconocer nuestros deberes morales para con él o con ella. Es interesante notar que históricamente la tradición judía se oponía al aborto excepto para salvar la vida de la madre, aunque el feto era definido como sólo una persona potencial.

Cuando es deseada la criatura, sus padres tienden a hablar de ella como su *hijo* desde el momento en que se confirma el embarazo. Moralmente, esto es muy significativo. Ellos no lo pueden ver salvo por la tecnología, pero sabiendo que está allí, ellos hacen todo lo posible por prepararse para darle la bienvenida. Además, un creciente sentido de apego a él se siente al progresar el embarazo. El abdomen de la madre va creciendo. La primera patada representa un gran hito. El último trimestre del embarazo es un tiempo de especial precaución y también de gran emoción. La vida es dominada por los preparativos para el nuevo miembro de la familia.

Al igual que la emoción se realza durante el curso del embarazo, así también el dolor que se asocia con la pérdida del feto. Si el embarazo termina en un aborto natural durante más o menos las primeras seis semanas, puede ser que la pareja esté muy triste. La pérdida del feto a mediados del embarazo tiende a ser mucho más doloroso. La perdida del feto al final del embarazo o sea, que el niño nace muerto, es una de las experiencias más devastadoras de la vida. Las parejas tienden a enterrar en cementerios a los niños que nacen muertos. Los abortos naturales son dolorosos, pero no tanto como esta experiencia. Tal vez estas diferenciaciones en las reacciones debieran considerarse al quebrarnos la cabeza sobre cómo pensar exactamente respecto al estatus moral del niño en vías de desarrollo.

Los cristianos pueden rechazar decididamente el "aborto libre" sin que necesariamente tengan que abrazar la postura del esencialismo o de la plena calidad de persona. Un enfoque de potencialidad todavía puede afirmar que el aborto es el rechazo de un ser humano dado por Dios, infinitamente precioso, en vía de desarrollo mediante un acto volitivo de violencia. Tanto la postura de la plena calidad de persona como la de la calidad de persona potencial, y una variedad de opciones entre ellas, demandan que los discípulos cristianos practiquen el acoger y el nutrir a la vida humana. Asimismo, una sociedad justa extiende su respeto y protección al feto que se desarrolla en completa vulnerabilidad dentro del vientre de su madre. Ciertamente, el feto es una forma de vida; es una forma de vida humana; cuando menos, está desarrollándose como una persona humana. La obligación de probarlo ciertamente está con la persona que intente intervenir en su vida para destruirla.

El aborto es inconcebible aparte de la realidad del pecado humano. En el dominio del reino de Dios, no hay lugar para tomar la vida adrede de ninguna persona humana. La muerte misma —especialmente la muerte prematura, especialmente la intencional y violenta muerte prematura— es parte de lo quebrantado de la vida aparte del reino de Dios. En términos bíblicos, la muerte de cualquier tipo es una consecuencia de la caída (Gén. 3:19), y la muerte violenta es una de las evidencias más prominentes de la trágica rebelión de la humanidad contra su Hacedor.

La iglesia, como representante del reino de Dios, ha de ser esa comunidad que, por su vida, da evidencia de que la muerte intencional, violenta y prematura, procedente de cualquier fuente, puede ser resistida y vencida, no tan sólo en el futuro escatológico sino comenzando ahora en el reino escatológico que está presente en la forma del grano de mostaza. La iglesia no puede hacer esto simplemente por mantener posturas apropiadas sobre problemas tales como el aborto. Tampoco es la tarea primaria de la iglesia determinar cuándo estas y otras formas de matar sean permisibles como excepciones a una regla general. Esta casuística regla-excepción ha dominado la reflexión moral en la ética cristiana tanto como en la secular que a veces es difícil imaginar otra manera para tratar con un problema moral. Pero, como argumentamos en el capítulo cinco, Jesús raras veces juzgaba sobre reglas y excepciones.

Más bien, a la luz del reino de Dios venidero, la tarea de la iglesia es participar en las prácticas transformadoras que reducen, y en algunos casos eliminan, varias formas de matar. La iglesia ha de estar a la vanguardia de todo esfuerzo creativo y concreto para reducir las fuentes y las causas de la muerte violenta que nos rodea. Precisamente en virtud de nuestra preocupación por la venida del reino de Dios, nos veremos involucrados de forma urgente en abordar y vencer los verdaderos problemas humanos y los ciclos viciosos que impiden su venida. Este patrón se aplica al aborto tanto como a cualquier otro problema.

El aborto: Dos narrativas

Glen, tanto como yo, hemos tenido que lidiar personalmente con el problema del aborto. Para mí, era una situación en mi familia que hizo que el aborto se hiciera sentir cerca. Una de mis hermanas tuvo un embarazo durante su último año de carrera universitaria. Antes de esta experiencia, ella se hubiera descrito a sí misma como terminantemente contra el aborto. Sin embargo, dentro de la crisis y temiendo que su futuro peligrara si tuviera un niño, ella arregló para efectuarse un aborto en una clínica cercana. Por varias semanas difíciles toda la familia, no únicamente mi hermana, luchaba contra los problemas reales suscitados por un embarazo de crisis.

Esos problemas eran muchos. ¿Cómo podría mi hermana enfrentar —emocional, espiritual, físicamente— la crianza de un niño sola o el mismo aborto? ¿Sería la adopción la mejor selección? ¿Cubriría el seguro médico los gastos de la maternidad? ¿Estaría presente el padre de la criatura? ¿Si estuviera él, ayudaría su presencia? ¿Cuáles serían las consecuencias para el niño en su vida sin un padre? ¿En dónde vivirían la madre e hijo? ¿Cómo podría seguir su carrera mi hermana? ¿Podría hacerle frente a los gastos para continuarla? ¿Qué clase de futuro profesional podría tener? ¿Estaría económicamente asequible el cuidado diario para el niño? ¿Qué impacto tendría sobre su desarrollo? ¿Cuál sería el impacto sobre la reputación de nuestra familia, especialmente en la iglesia local? ¿Cuál sería el impacto sobre la relación de mi hermana con el resto de la familia si eligiese el aborto o escogiera quedarse con el niño?

Las sombras de tales preguntas se hacían gigantescas, tan grandes que la verdadera posibilidad del aborto llegó a ser tema de la discusión familiar. Al fin, esa opción no se escogió —mi hermana, con gran angustia de espíritu— finalmente optó por no abortar. Mi precioso sobrino Alex es un muy revoltoso muchacho de diez años, amado profundamente por todos nosotros. Pero ahora me es más fácil comprender porqué el camino del aborto suele tomarse tan a menudo. Aquellos que se describen como pro-vida a menudo parecen no estar dispuestos a reflexionar seriamente sobre las verdaderas crisis que obligan a las mujeres a que consideren el aborto. Cuando alguien considera el aborto en medio de un embarazo no planeado, preguntas tales como ¿cómo se criará el niño?, ¿qué le pasará a la madre?, ¿cómo afectará el embarazo a las relaciones actuales?, usualmente juegan un papel muy importante en la decisión. Precisamente, esto es lo que se quiere decir por "ciclos viciosos", nos enredamos en fuerzas y preocupaciones que nos tientan a desobedecer la voluntad de Dios; a veces es a causa de preocupaciones y presiones que pensamos ser infranqueables. Una ética de iniciativas transformadoras necesita mostrarnos cómo lidiar con ellas.

Para Glen, las circunstancias en torno al tercer embarazo de su esposa, Dot, hicieron surgir la problemática del aborto de la manera más personal imaginable. Durante el segundo mes de su tercer embarazo, Dot se enfermó con una fiebre y salpullido. Ella presentaba otros síntomas: El arrastre de un pie, un dolor detrás de las orejas, y un cultivo de garganta que eliminaba la escarlatina. Todo esto sugería rubéola, o "sarampión alemán".

Glen y Dot lucharon con el qué hacer. La rubéola durante los tres primeros meses del embarazo probablemente hacía gran daño al feto. Glen consultaba con otros y oraba. Esto ocurrió en el año 1967, antes del movimiento provida, antes de que él leyese los debates en la ética cristiana sobre el aborto o hubiera oído mencionar tal cosa en la iglesia. Pero ya había orado intensamente por sus dos primeros hijos. Ya se había convencido de que la vida es una dádiva de Dios. Una cosa más: Él tenía una no muy bien articulada esperanza de que si las cosas salían mal, de alguna forma ellos podrían con el problema. Esta había sido su experiencia antes.

Dot era enfermera pediátrica. Ella había cuidado a tantos niños, indescriptible y severamente debilitados, con mucho dolor y futuros no muy halagadores, que creía que hubiera sido mejor que no hubieran nacido. No obstante, su propia lealtad como madre de la criatura en su vientre hacía que ella suprimiese mucha de la evidencia médica acerca de la rubéola.

Cuando nació su hijo David, Glen apretó la nariz contra el cristal en la parte superior de la incubadora, tratando de divisar cualquier señal de daño. Dos horas más tarde, el pediatra llegó para decirle que el niño tenía varios problemas mayores a causa de la rubéola. Él tenía tres problemas serios en el corazón. Por todo el primer mes estaba demasiado débil para ser amamantado. Le costaba una hora para tomar sólo una onza de leche, y luego él y Dot descansaban o dormían por una hora. Ese ciclo se mantenía las veinticuatro horas del día. Al terminar el primer mes, el corazón de David fallaba. Trabajaba tan duro para bombear la sangre, con todos sus defectos, que tenía el doble del tamaño que debiera tener, y no podía seguir. David estaba demasiado débil para deshacerse de las infecciones en su cuerpo, no pudiendo así recibir una cirugía mayor que necesitaba. Todas las cosas iban en su contra para vivir. Le llenaron de antibióticos y lo operaron. Después de la cirugía, seguía perdiendo peso a lo largo de dos meses.

Además de su corazón, los ojos y oídos de David estaban dañados. Sufría de daño cerebral, y durante su primer año parecía tan retrasado que Glen pensaba que jamás aprendería a sentarse solo. No podía masticar, hablar o siquiera musitar hasta tener cuatro años y medio. Su primera palabra fue "papi", sentándose sobre las piernas de Glen y haciendo un juego predilecto de los ciegos. Glen lo recuerda perfectamente. Estaba tan emocionado que pasó todo el año siguiente enseñando a David los nombres de las cosas, felicitándole por cada palabra que decía. Él ha llegado a abogar porque todo padre pase tiempo hablando con los infantes, imitando sus sonidos, alentándoles, enseñándoles palabras y felicitándoles por sus esfuerzos.

Ahora David Stassen tiene su licenciatura y maestría en alemán junto con su certificado de la Universidad de Mainz como traductor. Él traduce artículos y libros teológicos del alemán al inglés para su debida publicación, ayudando así a los eruditos a hacer su investigación.

Pero él es más bajo que sus hermanos, ha sufrido doce operaciones y tiene desventajas significativas. La vida le ha presentado luchas difíciles, significativas derrotas dolorosas e importantes victorias.

La clave de esta historia, según Glen, es *toda la ayuda de otras personas solícitas que actuaron para que David saliera adelante*: El cirujano cardiólogo Alan Lansing; compañeros miembros de la iglesia, como Jane Kent, Chris Conver, Monaei Schnur y Linda Compton; maestros de la escuela primaria y de educación especial, como las señoras Hummel, Woodie y Kelly; varios maestros afectuosos de la Escuela para Ciegos Perkins y la Escuela para Ciegos de Kentucky; el profesor de alemán Alan Leidner; Kim Kosakowski; y tantos otros que hicieron más de lo requerido. Sin ellos hubiera sido una tragedia. Juntas, estas personas formaron una comunidad de fidelidad al pacto.

Glen no sólo tiene gratitud, sino también el profundo sentido de liberación de los heridos, tristes y desesperados, que tantos hayan venido a rescatar a David y a rescatarnos a nosotros, conforme a la enseñanza de Jesús "Bienaventurados los misericordiosos", aquellos que muestran compasión en acción y en fidelidad al pacto hacia los necesitados. Glen mismo se siente como aquel a quien mucho le ha sido perdonado, de modo que su agradecimiento es mayor (Luc. 7:43). Esto hace que él se sienta con más determinación de que haya ayuda para otros que procuran hacerle frente a la vida. La mejor forma para ser pro-vida es liberar a la gente de las causas de los abortos.

Haga lo posible porque las madres potenciales reciban ayuda en la crianza de sus hijos o, en su defecto, a que den a sus hijos en adopción a una familia digna. Haga que sea posible que las personas críen a sus hijos sin tener que dejar los estudios, y que no se sientan frustradas respecto a su futuro. Ayúdeles a que tengan confianza para que puedan hacerle frente a la vida. Tantas personas se hicieron presentes para que toda la familia pudiera hacerle frente a lo difícil y que David pudiera hacerle frente a su propia vida. En años recientes, Dot se ha dedicado a trabajar como enfermera en una escuela de enseñanza secundaria para niñas adolescentes embarazadas, ha logrado que haya una guardería infantil con el fin de que las muchachas se queden en la escuela y críen a niños saludables a la vez.

El contexto inmediato del aborto: El embarazo de crisis

Dos narrativas no pueden resumir adecuadamente todo el contexto dentro del cual surge el aborto. Pero juntas señalan varios aspectos clave de este contexto.

Primero, la cuestión del aborto surge casi exclusivamente como resultado de una crisis en la vida de la (o los) que encaran esa cuestión. Aquí dejamos a un lado la pequeña minoría de mujeres para quienes los abortos son una experiencia repetida, algunas de las cuales posiblemente tengan las conciencias tan dormidas que el aborto es una decisión casual. El patrón más común es que la cuestión del aborto surge como resultado y en medio de una de las crisis más agudas que se enfrentará en toda la vida. *La mayoría piensa dentro de sí: Yo sé que no debo considerar el aborto, pero en esta crisis me siento atrapada; el aborto es mi única salida.*

La misma naturaleza de esa crisis varía grandemente. Es un error suponer, por ejemplo, que el aborto se halla únicamente entre mujeres solteras o adolescentes. Para 1996, la última fecha para la cual están disponibles las estadísticas federales, las mujeres entre 20 y 29 años de edad se hicieron el 55% de los abortos. Es claro que el 20% de todos los abortos son buscados por mujeres casadas. Así que, aunque si los embarazos de crisis suceden en la vida de las adolescentes solteras, también ocurren entre mujeres casadas más maduras.

Los activistas antiabortos a menudo acusan de que la mayoría de los abortos tienen lugar por cuestiones de "conveniencia personal" o el orgullo. Sin embargo, esto no representa toda la verdad; de hecho es una acusación despiadada si se aplica por igual a todas las que optan por un aborto. Una investigación importante por Frederica Mathewes-Green (*Real Choices* [Opciones verdaderas]) indica que la fuerza motriz tras los abortos está en la red de relaciones en las cuales las mujeres se encuentran. Dicho sencillamente, si una mujer embarazada no puede encontrar en su círculo íntimo (padres, hermanos, amigos, novio, esposo) el amor y el apoyo que necesita para llevar el embarazo hasta el final, es probable que ella buscará un aborto. Tales mujeres embarazadas normalmente tienen alguna idea del trauma que traerá a sus cuerpos y emociones. Ellas no quieren tal trauma. Sin embargo, durante los días de crisis ellas piensan en lo que pareciera peor, la amenaza de rechazo o aun de violencia de parte de aquellos cuyo amor significa todo para ellas.

Mathewes-Green nos da varias historias conmovedoras y hasta irritantes de mujeres a quienes se les dio esta simple "elección": El aborto o el rechazo. Tales historias demuestran que muchas mujeres indefensas son coaccionadas a que consigan un aborto. ¡Cuán contrarias son tales historias tristes al mito del "aborto libre" como un aspecto principal de la autonomía femenina y su autodeterminación! Pudiera ser que el aborto juegue ese papel para algunas. Pero resulta que el aborto, por lo menos en muchos casos, es sólo otro mecanismo para la represión a las mujeres. El aborto apoya la depredación e irresponsabilidad varoniles, dejando que la carga de un embarazo no deseado recaiga sobre la responsabilidad y el cuerpo de las mujeres solas. La socialmente estructurada inigualdad de los sexos asume muchas formas; esta es una de las peores.

Mientras tanto, un pequeño porcentaje de las que se someten a abortos lo hacen por una de las bien conocidas razones "periféricas". Los embarazos de algunas mujeres resultan del trauma horrendo del sexo forzado, tal como la violación o el incesto. Algunos embarazos amenazan la vida o la salud de la madre. Y algunos embarazos tienen serios problemas fetales, como en el caso del hijo de Glen y Dot.

Las mujeres (o la pareja) que sufre de mala nutrición, estando en el borde del colapso económico, a menudo consideran un embarazo no planeado una crisis grave. Mujeres que no piensan tener la capacidad para hacerle frente a la crianza de un cuarto o quinto hijo piensan en el aborto. Mujeres con serios estorbos mentales o físicos simplemente a veces no pueden criar ningún hijo que pudieran concebir. Se podrían fácilmente nombrar otras situaciones. Lo que estas situaciones tienen en común es que para todas las mujeres o parejas involucradas, el embarazo es una especie de crisis, y todos desean encontrar una manera de resolver esa crisis. Por lo menos por cierto tiempo "la opción del aborto" les parece la posibilidad "menor".

La centralidad de una ayuda de compasión

¿Cómo responderá un cristiano, que está enfocado en Jesús y conciente del reino de Dios, ante el problema de un embarazo de crisis y el problema más amplio del aborto? Hay que comenzar con la compasión de Jesucristo. Una respuesta transformadora comienza aquí.

Una mujer alterada por causa de un embarazo no deseado, resistente al aborto, es una mujer a quien Jesús habría mirado con amor (véase Mar. 10:21). Nos recuerda a las multitudes que buscaban a Jesús cuando intentaba realizar un retiro temporal de su ministerio y de su respuesta: "Y cuando vio las multitudes, tuvo compasión de ellas; porque estaban acosadas y desamparadas como ovejas que no tienen pastor" (Mat. 9:36). Mathewes-Green habla de las mujeres que han sufrido abortos: "Ellas necesitaban apoyo personal y aliento más que una ayuda económica" ("Why Women Choose Abortion" [Porqué las mujeres optan por el aborto], p. 25). Apoyo, aliento y compasión para las mujeres reales que encaran embarazos de crisis, estos son los puntos de arranque de cualquier respuesta centrada en Jesús ante el problema del aborto. Tal compasión dista mucho del grito "asesina de niños" a las mujeres que entran a una clínica dedicada al aborto.

Luego, la compasión tiene que tomar la forma de una ayuda concreta que participe en la liberación de personas necesitadas de la situación que sufren. Para Jesús, la compasión conllevaba acción, tanto en sus actos como en sus enseñanzas. No hay mejor ejemplo que la parábola del samaritano con compasión (Luc. 10:25-37; para una exposición completa, véase el capítulo dieciséis). El samaritano no tan sólo siente lástima sino también toma todas las acciones necesarias para ayudar al hombre sangrando. Le venda sus heridas, provee transporte, encuentra alojamiento, paga por el hospedaje y arregla para una ayuda continua. Sólo mediante esta acción de compasión se provee para la víctima todo lo necesario para que sane. Recuerde que Jesús identificaba esta clase de compasión en acción como una de las virtudes de sus seguidores.

La aplicación al problema del aborto es demasiado obvia. Las mujeres o las parejas que enfrentan el embarazo de crisis necesitan varias clases de ayuda concreta. Piense en el caso de una niña embarazada de quince años que está abandonada por sus padres, es pobre y soltera. Ella necesita del apoyo emocional y espiritual, el cuidado médico, la nutrición adecuada; ella necesita quien la aconseje, la instruya respecto al desarrollo fetal, la crianza de la criatura o la adopción. A menudo ella necesita de un lugar donde quedarse por haber sido expulsada de su casa. Puede ser que necesite ayuda con sus tareas escolares y, lo más probable, una ayuda económica continua hasta que ella pueda lograr una independencia económica. La respuesta cristiana al problema del aborto comienza aquí. Cuando los cristianos se organizan para proveer estas formas de ayuda concreta —sea como individuos, congregaciones o grupos mayores— sus acciones son consistentes con el camino de Jesucristo.

Por dos años trabajé en la junta de una organización llamada *St. Elizabeth's Regional Maternity Center* [El centro regional de maternidad Santa Elisabet] en el área de Louisville, Kentucky. Sobre la base de la convicción cristiana, esta institución ofrece un enfoque comprehensivo para resolver las necesidades de mujeres embarazadas. Su principio de programación es sencillo: Buscar y averiguar las necesidades reales y concretas de las mujeres que enfrentan un embarazo de crisis, y desarrollar programas que satisfagan esas necesidades. Esto ha llevado al Centro a asumir una gran gama de iniciativas sociales, médicas, legales, económicas, vocacionales, educativas, políticas, psicológicas, morales y espirituales a favor de las mujeres que están a su cargo (véase www.iglou.com/kac/stelizabeth.html).

La escuela de enseñanza secundaria de Dot Stassen tiene obreras sociales que ayudan a las muchachas a hacerle frente a sus desafíos actuales y a planear para su futuro; también hay enfermeras que les enseñan acerca de la nutrición y el cuidado de los infantes; hay una clínica médica con el fin de que tengan chequeos obstétricos y ginecológicos sin que pierdan clases; hay un cuidado de niños en el que las muchachas tienen que trabajar una hora por semana para que reciban instrucción sobre el cuidado de niños; además, hay clases nocturnas para sus hermanas y novios para evitar más embarazos de adolescentes. Desde luego, la escuela tiene mucho menos problemas que lo normal respecto a abandono de clases y el uso de drogas. También los niños nacidos tienen un peso normal y son saludables, lo que representa un cuadro mucho mejor que la mayoría de los embarazos de adolescentes. Las muchachas casi nunca se embarazan una segunda vez, y tienden a terminar sus estudios exitosamente. El 95% de las adolescentes no sufren abortos. Esta escuela pública de enseñanza secundaria lucha porque se le provea de los fondos necesarios, temiendo siempre la oposición de parte de críticos insensibles. Pero la escuela hace exactamente lo que debe hacer para evitar el aborto.

El aborto y la iglesia

Una segunda dimensión de la respuesta cristiana al problema del aborto es el desarrollo de un contexto eclesial en el que el aborto es generalmente impensable. La iglesia es la representante del reino, el lugar en el cual el reino de Dios empieza a manifestarse en el aquí y el ahora. Una iglesia enfocada en el reino puede y debe ser un lugar en el cual el azote del aborto no tiene lugar, excepto en las circunstancias más excepcionales. Debe ser así primariamente, no porque la que sufre un aborto encare sanciones negativas, sino porque existe un contexto comunal en el que se elimine la mayoría de las circunstancias por las que surgen los embarazos de crisis; dicho contexto debe ser penetrado por una afirmación inquebrantable y gozosa de la santidad de toda vida humana.

En tales congregaciones se enseñará que el sexo se reserva para el matrimonio de toda una vida. El control sexual no solamente se enseñará, sino que consistente, gozosa y fielmente se practicará. Ya que la mayoría de los embarazos de crisis surgen en contextos no maritales (el 80%), la mera práctica de la castidad sexual fuera del matrimonio y la fidelidad dentro del matrimonio tendrán un impacto revolucionario (véase el capítulo trece). Algunas iniciativas transformadoras son preventivas, estas esquivan la crisis antes de que suceda.

Si ocurre un embarazo de crisis dentro de la comunidad de fe, tal congregación ha de ir con toda compasión para socorrer a la persona(s) involucrada(s), ofreciendo toda clase de ayuda. Algunas veces existen programas estructurados, tales como el de *St. Elizabeth*; en otras ocasiones, no. En cualquier caso, las congregaciones fieles ofrecerán la ayuda que se necesite y, al hacerlo, participarán en salvar vidas y avanzar el reino de Dios. Tal congregación también tendrá la capacidad para proveer la gran ayuda que necesita la víctima embarazada por la violación o el incesto o, la que lleva dentro una criatura seriamente deformada. Los de la congregación rodearán a la mujer con amor y apoyo, ayudándole a que "ame a su criatura a que cobre vida," tal como lo ha expresado tan hermosamente Mathewes-Green ("If Wombs Had Windows" [Si los vientres tuvieran ventanas]). Es muy posible que sólo tal apoyo, basado en la fe, pueda permitir que la mayoría de las que encaran circunstancias tan trágicas vean la posibilidad de sobrellevarlas sin que aborten. La crisis del embarazo no deseado tiene que ser enfrentada por los recursos suplidos por una comunidad de fe, caracterizada por las virtudes cristianas del amor y la misericordia.

Dentro de todo esfuerzo por evitar el aborto debe haber un compromiso, resuelto y consistentemente practicado, con la santidad de la vida humana en toda etapa y todo contexto. Las congregaciones tienen la habilidad de crear un sistema de valores contracultural que respeta la vida. Tal sistema de valores gobierna la vida de la comunidad de fe comprometida en su expresión cotidiana, resistiendo así el desdén casual por la vida que caracteriza el ámbito cultural mayor, persistiendo aun si la ley autoriza el aborto libre. Este sistema de valores contracultural es precisamente lo que experimentaron las iglesias neotestamentarias (véase Hech. 2:43-45), y es lo que la iglesia es llamada a crear y sostener hoy y en toda época. Únicamente al afirmar la dignidad dada por Dios y el valor inmensurable de toda vida humana en toda etapa de su existencia, puede la iglesia resistir las corrientes llamadas correctamente por Juan Pablo II "cultura de muerte". Sólo con tal convicción sostenida profundamente pueden los hombres y mujeres que enfrentan las crisis de la vida, resistir la tentación seductora, la respuesta fácil, del aborto.

Muchos éticos cristianos ofrecen exposiciones cuidadosas y razonadas de la perspectiva de la vida, tanto como esfuerzos por responder a los argumentos pro elección y prevalecer contra ellos. Es cierto que los líderes cristianos deben, mediante sus enseñanzas y predicación, presentar el mejor argumento que puedan que respalde su propia postura, enseñando a sus miembros cómo responder a los argumentos pro elección muy difundidos. Esto es de gran valor, siempre que se opere con la ilusión de que el problema del aborto será resuelto simplemente por ganar la discusión basándose en la lógica o la racionalidad. Los teóricos cristianos en pro de la vida han estado procurando hacerlo por más de 30 años. Claramente, sobre un nivel fundamental, el "debate" en torno al aborto no es realmente un debate sino un incómodo "empate", y las mujeres que están encarando los embarazos de crisis necesitan la ayuda concreta de la iglesia mucho más que sus puntos de debate. Esta es una de las razones por las que nuestro enfoque en este capítulo no es el ganar debates sino ayudar a las mujeres en crisis.

El aborto y la ley

Una última problemática para ser considerada en una discusión sobre el aborto es el lugar de las sanciones legales. Muchos que se preocupan por el aborto se centran casi exclusivamente en la cuestión de la política pública. Hemos querido indicar el porqué este es un enfoque inadecuado para la tarea moral cristiana. Sin embargo, la cuestión de la política pública y la ley aún persiste, y hace falta una respuesta.

Por ejemplo, la actual ley estadounidense sobre el aborto tiene un precedente de 30 años, la ley *Roe versus Wade* (1973), que legalizó el aborto basándose en un modelo trimestral que actualmente es obsoleto legal y médicamente. La ley *Roe versus Wade* tenía el propósito de limitar el aborto progresivamente, al ir avanzando los embarazos, pero por una variedad de razones legales, culturales y prácticas, el aborto libre llegó a estar esencialmente disponible. Decisiones legales sucesivas, incluyendo las leyes *Webster versus Reproductive Health Services* [Webster versus los Servicios de la Salud Reproductiva] (1989) y *Planned Parenthood versus Carey* [El ser padres planeados *versus* Carey] (1992), han apoyado la ley *Roe versus Wade*, aunque la han modificado, permitiendo que los estados impongan ciertas maneras de obligar a la reflexión sobre la gravedad de la decisión y el involucramiento de los familiares en casos de embarazos de adolescentes. El principio de *stare decisis* hace que sea sumamente difícil anular un cuerpo de precedentes legales. El esfuerzo legal contra ese precedente no será problema de corto plazo. En realidad, dadas las tendencias generales de la cultura occidental, parece improbable que el aborto libre en los Estados Unidos de América o cualquier otro país occidental sea prohibido en el futuro previsible. La disponibilidad de las así llamadas pastillas RU-486 para el uso privado de las mujeres augura una aún mayor dificultad para regular o hacer ilícito el aborto.

Pero otras leyes también son relevantes cuando pensamos en el aborto. Si el aborto a menudo suele suceder como una medida drástica escogida por las mujeres que creen no tener ninguna otra "opción", debemos explorar más detenidamente los fracasos en la política pública que esta desesperación significa; o, quizá es mejor decir los fracasos en la conducta humana que la política pública ha dejado de analizar adecuadamente.

Los embarazos no deseados son productos del acto sexual, usualmente fuera del matrimonio. Las políticas estatales y federales a menudo ponen poca atención en la prevención del sexo no marital y, cuando hay relaciones sexuales, en los métodos anticonceptivos. Es más, la política pública hace muy poco para alentar la adopción o hacer que las adopciones sean más fáciles de efectuar. Nuestro ineficaz sistema de bienestar social da alguna, pero no suficiente, ayuda para aquellas cuyo motivo principal de abortar es la pobreza. Nuestro limitado sistema de financiamiento para la salud pública deja a muchas madres e hijos sin un cuidado crítico fundamental. Los abortos que suelen ocurrir dentro de la relación matrimonial también son afectados por una cobertura inadecuada del sistema respecto a los procedimientos de contracepción y esterilización. Nuestras prácticas comerciales-industriales a menudo son demasiado inflexibles, haciendo así que sea imposible para algunos que puedan trabajar y atender a la familia a la vez. Los sueldos mínimos no son suficientes para sostener una familia.

Tomados juntos, *ambos*, el aborto libre y las políticas públicas que acabamos de mencionar, contribuyen a la elección de la muerte más bien que la vida; ellos hacen que el aborto sea más atrayente y que la crianza de niños bajo circunstancias difíciles más absorbente.

En fin, ¿los cristianos deben abogar por qué cosa dentro de la política pública respecto al aborto? Aquí, la problemática estriba en el papel de "los poderes y autoridades" en la percepción o en la manera de ver las cosas según la dimensión de la ética holística de carácter (capítulo tres). En un capítulo posterior (el capítulo veintitrés), articularemos nuestra óptica más plenamente respecto al papel de la iglesia en el campo de la política pública y hasta qué punto sea apropiado que nosotros busquemos llevar la voluntad de Dios, tal como la entendemos, a la política pública de la nación. Pero, ya que la mayoría de las cuestiones morales abordadas en este libro tienen una dimensión de política pública, necesitamos decir algunas palabras al respecto ahora.

El discipulado cristiano no puede ser coaccionado. El compromiso cristiano con la libertad religiosa significa que hay límites muy reales al grado en que los cristianos deben procurar leyes que reflejen toda la gama de nuestros valores y convicciones. Es más, en una sociedad democrática y pluralista, hace falta proponer y aprobar leyes basadas en una ética pública que pueda ser afirmada por personas de distintos credos y por las que no tienen ningún credo. Esta ética pública puede ser una expresión o una traducción de la específica fe cristiana, pero esa fe tiene que expresarse en términos que otros puedan adoptar también; de no ser así es un inapropiado establecimiento de la religión. La legitimidad y el cumplimiento obligatorio de cualquier ley o política pública críticamente dependen del papel que juega por el consentimiento público. A menudo los cristianos son impacientes con estos límites al hacer que nuestros valores se conviertan en leyes públicas; pero tales frenos son parte del genio de la democracia; ellos protegen nuestra propia libertad de conciencia y el apoyarlos encaja con los principios bíblicos de la justicia y el amor.

Sin embargo, la ley es un instrumento legítimo para rectificar los males sociales aun cuando la opinión pública está vehemente y sinceramente dividida. A veces, el cambio legal conduce a cambios sociales que se conforman a los principios del reino, como en el caso del movimiento en pro de los derechos civiles en la década de los años 60. Algunas veces la ley puede ayudar a la sociedad a que salga de su temporal ceguera moral tocante a los principios morales de gran significado. El desafío está en determinar si una cuestión moral debería tratarse como asunto de legislación más bien que como una cuestión de conciencia privada y libertad personal.

Por ejemplo, Glen y Dot se unieron a otros padres de hijos con capacidades diferentes en una organización promovida por la *Kentucky Association for Retarded Persons* [La Asociación para Personas con Retardo de Kentucky] para demandar al Estado de Kentucky para que cumpliera con su obligación de educar niños con retardo y otros con capacidades diferentes que pudieran beneficiarse de la educación pública. Por dos siglos el estado de Kentucky no había provisto esta educación, resultando así en que anualmente miles de niños que urgentemente necesitaban de esta educación no la tuvieran. Ahora sí la tienen. Glen y Dot habían visto la tremenda diferencia que hacía la Escuela de la Esperanza, que funcionaba en el sótano de la Iglesia Bautista Berea, a favor de los adultos con retardo leve que nunca habían tenido educación en toda su niñez. Ellos aprendían a leer, matemáticas, higiene, destrezas personales, destrezas laborales y cómo orientarse en la ciudad; también percibían un sueldo por trabajar en un taller vigilado. ¡Les transformó la vida! Nosotros queríamos esto para otros niños con capacidades diferentes a lo largo del estado. En este caso, la iglesia guió, y el estado siguió. Este era un paso en hacer que fuera posible que los padres criasen a sus hijos en lugar de tener un aborto; pero básicamente, era el reconocimiento de un derecho humano fundamental.

Estas consideraciones nos recuerdan que es posible tener una perspectiva moralmente pro-vida y a la vez legalmente pro elección. Los proponentes apasionados de la postura pro-vida generalmente encuentran que esto es inconcebible. Pero el cristiano puede adoptar esta opinión por varias razones, incluyendo las que se dan a continuación:

1. La justicia y la autodeterminación de las mujeres.
2. El valor de la libertad personal, en particular la libertad de conciencia.
3. Una comprensión de la libertad religiosa es el establecimiento de la religión.
4. La cuestión de la aplicación de las leyes.
5. Las potenciales consecuencias de un régimen de abortos no regulado.

Hay una serie de prácticas moralmente cuestionables o aun claramente inmorales las cuales a la larga el estado posiblemente, por varias razones, opte por no prohibir, tales como la ebriedad, el fumar, el adulterio o el lenguaje abusivo. Los cristianos no han de participar en estas prácticas, y a veces se ven obligados a hacerlo cumplir dentro de su propia comunidad de fe, pero generalmente (a lo menos durante estos tiempos) no abogan porque haya leyes en su contra. La óptica cristiana pro elección entiende el aborto de una manera semejante.

No estamos finalmente de acuerdo con esta postura. Creemos que el aborto pasa la raya de un problema que el estado necesita regular. Una ética pública cristiana que se oponga al aborto libre puede basarse en una preocupación por el bienestar de la mujer tanto como por el valor de la vida humana en vía de desarrollo. En última instancia, el aborto no conviene a las mujeres que llevan las cicatrices del aborto en sus cuerpos y almas. En un nivel muy profundo, tal como las feministas pro-vida han argumentado por mucho tiempo, el aborto es una especie de violencia contra las mujeres. Las mujeres, cuyo poder para tomar decisiones autónomas a menudo es ilusorio dentro de sus contextos relacionales, pagan el precio personal, moral y social de la irresponsabilidad sexual del hombre tanto como el propio (y a veces la violencia sexual masculina) al hacerse cómplices en la destrucción de vidas que se desarrollan dentro de sus propios cuerpos.

Esas mismas vidas tienen valor. Aun la muy censurada decisión *Roe versus Wade*[1] reconoce que la vida fetal sí tiene un reclamo moral sobre la sociedad, una afirmación que crece en su significado durante el curso del desarrollo fetal. Tanto una cuestión de cultura como asunto de ley, sin embargo, la sociedad estadounidense ha demostrado a lo largo de estos 30 años lo que viene siendo un arrogante desdén por la vida humana en vías de desarrollo. Habiendo 1,2 hasta 1,5 millones de abortos cada año, acabando del 20 al 25% de todos los embarazos en un aborto, nuestra sociedad se ha apropiado totalmente del aborto. El funcionar de nuestra sociedad tristemente depende de la destrucción de más de un millón de vidas humanas en desarrollo cada año. Esta devaluación del valor de la vida humana es un tema digno de una

[1] Nota del editor: Una sentencia dictada en 1973, en el caso "Roe versus Wade" sentó un precedente de la Suprema Corte de los EE. UU. de A. Desde ese fallo nació la legislación en pro del aborto no sólo en EE. UU. de A. sino en todas las legislaciones que en el mundo implantaron el aborto.

reforma legal. Nótese que esta forma de argumentar no depende de la definición teológica de los fetos como personas ni de ninguna afirmación religiosa como tal.

Creemos profundamente en la libertad de conciencia y la libertad religiosa, pero creemos que estas preciosas libertades no anulan los derechos legítimos o los intereses personales y sociales que acabamos de articular. Cuestiones respecto a la posibilidad de hacer que se cumplan y las consecuencias de limitar el acceso al aborto son legítimas. Por esto creemos que los pasos legales relacionados con el aborto han de tomarse gradualmente.

Pensamos que el mejor camino es promover medidas que desalienten el aborto o que lo restrinjan poco a poco. Ellas abarcan lo siguiente: Un período de espera de unas veinticuatro horas antes de poder abortar, conseguir el consentimiento de los padres para que se efectúe un aborto de una adolescente y la exposición a información respecto al desarrollo fetal y los servicios para las que tienen un embarazo de crisis. La más prometedora posibilidad en el presente es una clase más abarcadora que prohíbe los abortos del tercer trimestre o sea los abortos de "parto parcial". Tales pasos escalonados representan una manera de buscar algún "terreno común" en la vida, en contraste con una prohibición total o la actual permisividad, puesto que ninguno de estos pasos logra un consenso.

Al ir aprobándose y asimilándose cada medida escalonada, se pueden considerar más restricciones. De esta forma el gobierno podría afirmar gradualmente un interés cada vez mayor en la limitación de abortos, y así establecer precedentes para más límites en el futuro. La meta a corto plazo sería aprobar cualquier medida que evite o desaliente el aborto aun de la forma más insignificante. La meta a mediano plazo sería empezar a crear una atmósfera legal y cultural por la que se desalienta oficialmente el aborto, limitándose cada vez más a circunstancias específicas.

Mientras tanto, un enfoque cristiano de compasión buscará ligar el apoyo de tales medidas restrictivas a una gama amplia de otras iniciativas de política pública relacionadas con el aborto. Estas incluyen el desarrollo y la distribución de mejores anticonceptivos no abortivos, esfuerzos para combatir la violación, el abuso sexual, el incesto y otras violaciones sexuales a las mujeres, un fuerte énfasis sobre la moralidad sexual y la responsabilidad de los hombres tanto como de las mujeres, la disponibilidad cada vez mayor de un cuidado infantil asequible y de buena calidad, el cambiar las prácticas comerciales para que haya trabajo compartido y otros arreglos que permitan un balance entre el trabajo y la vida familiar, el hacer que la esterilización y otros productos anticonceptivos sean cubiertos por los seguros, iniciativas mayores contra la pobreza absoluta que aún caracteriza la vida de millones de personas, la cual conduce a una especie de desesperanza que sofoca la responsabilidad personal, servicios mejorados de adopción y leyes alusivas y, finalmente, apoyo a favor de todos los servicios gubernamentales y privados que ayudan a las mujeres embarazadas, a las nuevas madres y a sus hijos. Los forjadores de políticas deben hacer la misma pregunta que hacen los centros eficaces contra embarazos de crisis y de cuidado maternal no lucrativos: ¿qué se requeriría para cambiar las circunstancias que actualmente hacen que muchas mujeres opten por el aborto? Una atención sistemática a todas estas cuestiones, tal vez mediante una legislación conducente a más cooperación entre el sector público y el privado, sería la forma más efectiva de reducir el aborto desde sus raíces. Y, desde luego, tal como hemos recalcado durante toda esta discusión, el testimonio cristiano sobre la política pública en torno al aborto tendrá una integridad en la medida en que nuestras comunidades de fe encarnen la posibilidad de la vida sin el aborto y tomen la batuta en ofrecer el apoyo necesario a las que encaran esos embarazos de crisis. Estos no son meros deseos. Durante la década de los años 90, la taza de abortos disminuyó ligera pero constantemente, habiendo una educación moral a favor de las relaciones sexuales responsables y en contra del aborto, con leyes como la de *Webster*, y con una disminución en la tasa de desempleo y la congruente mejoría en la economía de tal manera que las familias podían criar a sus hijos. No estamos desesperanzados. Las iniciativas constantes sí pueden hacer una diferencia.

Nosotros vemos que el aborto es una señal trágica de lo mucho que está mal en el mundo. Cada año la dádiva de una vida nueva, por la que tantas parejas anhelan, es rechazada fatalmente por millones de otras. A los médicos se les paga para que destruyan lo que hay dentro del vientre. ¿Quién puede estar cómodo ante esta realidad triste y cruel? Cada aborto representa otra victoria para el reinado de la muerte y la tristeza. Podemos hacer más. Podemos valorar la vida en sus misteriosos y milagrosos principios al rescatar a mujeres (y así a las criaturas que llevan) de aquellas presiones que las llevan a optar por la muerte en vez de por la vida.

11

VALORANDO LA VIDA AL FINAL

Id y haced saber a Juan lo que habéis visto y oído: Los ciegos ven, los cojos andan, los leprosos son hechos limpios, los sordos oyen, los muertos son resucitados, y a los pobres se les anuncia el evangelio.

Lucas 7:22

El aborto implica el terminar una vida antes de que pueda ver la luz del día; se llega sin aviso y sin el consentimiento de la víctima. El aborto acaba con todas las posibilidades de la vida.

La eutanasia nos ubica en el otro extremo de la vida. Usualmente está presente el consentimiento de la persona; puede ser inclusive que se pida con urgencia; llega cuando otras oportunidades significativas de la vida se creen perdidas.

A pesar de estas muy significativas diferencias, el aborto y la eutanasia pueden ser tratados juntos como cuestiones que se relacionan con la santidad de la vida humana, hecha a la semejanza de Dios. Ambos encierran la decisión de acabar con una vida humana. En ambos casos, esa decisión a menudo refleja una falla en la imaginación, una falla en misericordia y una falla en no valorar la vida lo suficiente debido a las tentaciones presentes dentro de contextos de sufrimiento y tristeza. Al final, ambos marcan una falla en no poder encontrar maneras para participar en el reino de Dios. Este capítulo considera cómo los cristianos pueden valorar la vida cuando llega al final.

Jesús, la muerte y el reino de Dios

Los pabellones de hospitales y los asilos para ancianos distan mucho de las polvorientas aldeas en las que los judíos del primer siglo daban su último suspiro. De modo que pudiera parecer que una ética que sigue a Jesús tenga poco que ofrecer a la problemática contemporánea de la eutanasia, pero esta conclusión sería errónea. Sin embargo, el dramático abismo cultural y contextual entre el mundo de Jesús y el nuestro no puede negarse o ignorarse. Jesús no tuvo que confrontar directamente la problemática de la eutanasia, no obstante esto, su vida y sus enseñanzas hablan a los problemas que presenta la práctica contemporánea de la eutanasia.

Jesús pasó mucho de su corto ministerio sanando a los enfermos. Tres veces él resucitó a muertos (Mat. 9:18-26; Luc. 7:11-17; Juan 11:38-44). Él envió a los doce a "predicar el reino de Dios y a sanar" (Luc. 9:2). Después de su ascensión, la iglesia primitiva seguía disfrutando y ejerciendo el poder sanador. Algunas ramas de la iglesia siguen ejerciendo ese poder hoy. ¡Cuántos de nosotros, encarando el sufrimiento de nuestros seres queridos, hemos deseado que tal poder estuviera disponible para nosotros!

¿Por qué haría Jesús que la sanidad fuese una prioridad, y aun, a veces, la resucitación de los muertos? No era porque en un ministerio breve él podía acabar con el sufrimiento o la muerte. Por lo que registran los Evangelios acerca de las multitudes de personas que buscaban la sanidad, es mucho más probable que él apenas tocó el borde de esa población enferma del primer siglo en la Palestina. Hombres, mujeres y niños seguían muriendo al caminar él por los caminos de Galilea y Judea, al igual que lo hacen hoy.

Se pueden identificar tres razones principales del porqué del énfasis de Jesús sobre la sanidad. Primero, Jesús sanaba como evidencia de que Dios obraba en él para inaugurar el reino. Los profetas prometían que en los días venideros, en los días de la intervención decisiva de Dios para redimir a Israel, él sanaría a su pueblo. "He visto sus caminos, pero lo sanaré. Lo guiaré y le daré consuelo" (Isa. 57:18; véase Jer. 30:17; Isa. 61:1, 2 en la Septuaginta/Luc. 4:18, 19; y otros pasajes en Isaías citados en el capítulo anterior). La sanidad era una señal de la irrupción del reino de Dios. Al igual que el pecado introdujo el sufrimiento en el mundo, así la redención traería la sanidad. El hecho de tener Jesús el poder para sanar ayudaba a validar su identidad como aquel en quien Dios actuaba para traer el reino.

Este tema es recurrente, por ejemplo, en el importante intercambio entre Jesús y los dos emisarios enviados por Juan el Bautista, tal como se registra en Lucas 7. Ante la pregunta de los emisarios, "¿Eres tú aquel que ha de venir o esperaremos a otro?", Jesús contestó, "Id y haced saber a Juan lo que habéis visto y oído: Los ciegos ven, los cojos andan, los leprosos son hechos limpios, los sordos oyen, los muertos son resucitados, y a los pobres se les anuncia evangelio" (Luc. 7:20-22). Cada referencia alude a un texto en Isaías acerca de la era mesiánica (Isa. 29:18, 19; 35:5, 6; 61:1, 2).

También, Jesús sanaba y resucitaba a los muertos como una expresión de su compasión por el sufrimiento con el que se topaba diariamente, revelando así de nuevo el carácter de Dios. Lucas 7 contiene la narrativa conmovedora de Jesús y la resucitación del único hijo de la viuda de Naín. "Y cuando el Señor la vio, se compadeció de ella y le dijo: 'No llores'" (Luc. 7:13). De manera que resucitó al joven, uno de los milagros públicos más dramáticos del ministerio de Jesús. Se percata que en milagros como este no vemos ningún propósito estratégico en particular, sino, más bien, vemos que rebosa la compasión divina para con la humanidad sufriente.

Finalmente, Jesús sanaba y levantaba a los muertos como una prefiguración de la venidera consumación del reino de Dios. Hubo un tiempo cuando no había pecado, sufrimiento, endecha y muerte. Ahora la vida es un recordatorio diario de lo que se perdió. Empero, Dios ha prometido por medio de Isaías la renovación del cielo y la tierra y un fin a toda esta tristeza (Isa. 65:17; 66:22). El libro del Apocalipsis llega a su clímax con esta renovada creación en la que "no habrá más muerte" (Apoc. 21:4). Al sanar a los enfermos, levantar a los muertos y siendo él mismo resucitado de entre los muertos (1 Cor. 15:12, 13), Jesús abrió nuevos caminos entre aquí y una nueva creación. Vendrá un tiempo cuando ya no habrá más muerte. Jesús es el camino entre aquí y allá.

Pablo declaró que la muerte es "el último enemigo en destruirse" (1 Cor. 15:26). La misma muerte fue vencida por la resurrección de Cristo, habiéndola ya derrotado, sin embargo, sólo al final del tiempo será sometida completamente al Hijo (1 Cor. 15:20-28). Hasta entonces, hemos de seguir lidiando con la muerte y el sufrimiento que ella trae. La vida humana es preciosa; la enfermedad y la muerte devoran a hombres, mujeres y niños hechos a la imagen de Dios, siendo ellos santos para los ojos de Dios. La muerte es un enemigo de la totalidad del hombre, el último enemigo. Sin embargo, al experimentar el sufrimiento que la enfermedad y la muerte acarrean, podemos tener la confianza de que la muerte ha sido derrotada y que la plena revelación de su derrota es sólo cuestión de tiempo.

Esta particular mezcolanza de temas dentro de la Escritura conduce a una postura en torno a la enfermedad grave y la muerte que es bastante distintiva y que ha permanecido relativamente consistente a lo largo de la historia cristiana. Ambas, la enfermedad y la muerte, se ven como evidencia de una creación desordenada. La Escritura dice que no siempre ha sido así desde la creación; esta no era la intención de Dios; la desdicha traída por la enfermedad y la muerte a los inmensurablemente preciosos seres humanos marca a estas como enemigas a causa del pecado del ser humano más bien que por el diseño divino.

De manera que la enfermedad y la muerte son enemigas, enemigas contra las cuales se puede lidiar empleando lo mejor de nuestra inteligencia y creatividad humana dadas por Dios. Lo que hoy por hoy llamamos "atención médica" es simplemente un aspecto de la respuesta humana a una trágicamente desordenada creación. El mandato de mayordomía encontrado en Génesis 1—2 llega a incluir la respuesta enérgica a la inmensa desdicha creada por el pecado humano.

Es plenamente consecuente, pues, con la verdad bíblica luchar contra la enfermedad para evitar la muerte. Por mucho tiempo los cristianos han llevado la batuta en el desarrollo y la realización de la atención médica en muchas partes del mundo, creyendo muy atinadamente, que al hacerlo ellos imitaban la lucha apasionada de Jesús contra la enfermedad y la muerte.

Empero, un límite a estos esfuerzos es establecido por la afirmación bíblica de que la muerte no será destruida o eliminada hasta que el tiempo termine. Cristo ha derrotado a la muerte, pero los seres humanos aún se mueren, y lo harán hasta que él regrese para poner fin a la historia humana tal como la conocemos. Existe una especie de resistencia a la muerte que evidencia una falla en no reconocer su inevitabilidad. La muerte nos llega a todos, y aun con la mejor atención médica moderna no puede, finalmente, ser evitada. El esfuerzo a toda costa por mantener vivo indefinidamente a un cuerpo físico (llamado peyorativamente a veces *el vitalismo*) revela una triste actitud poco dispuesta a encarar la realidad de la condición humana. Posiblemente sea la evidencia de una idolatría a la vida humana, y el temor poco cristiano a la muerte que caracteriza la cultura occidental moderna. La vida extendida no es nuestro Señor; Dios, el Dador de la vida y el Cuidador de nuestra vida después de la muerte, es nuestro Señor.

La esperanza cristiana de la vida eterna ciertamente aporta una perspectiva necesaria. Sean los que sean los pormenores del horario escatológico de uno, la creencia en "la resurrección de los muertos y la vida sin fin", tal como lo expresa el Credo Niceno, es un elemento central de la fe ortodoxa. Una confianza viva en esta resurrección nos permite, como cristianos, luchar contra la muerte tanto como al fin dejar de luchar sin la desesperanza, al percatarnos de que el tiempo finalmente se avecina.

Estas afirmaciones bíblicas no resuelven todas las preguntas morales en torno a la eutanasia, pero sí establecen algo de un horizonte para nuestro pensamiento. Sabemos que la vida humana es una dádiva de Dios, y que cada ser humano es precioso ante Dios, creado a la imagen de Dios; que la enfermedad acarrea gran sufrimiento; que somos libres para usar nuestros mejores esfuerzos para luchar contra ellos, reflejando así la voluntad de Dios para la vida humana; que al hacerlo, ganaremos algunas victorias pero que todas esas victorias son temporales hasta que Jesús vuelva; por lo tanto, debemos estar dispuestos a dejar de luchar y simplemente cuidar misericordiosamente a los moribundos cuando tal cosa sea indicada. Este horizonte de convicciones ha llevado a los cristianos a la vigorosa práctica de la atención médica y a una conformidad con la muerte cuando se hace inevitable, pero no antes.

Gilbert Meilaender concluye su discusión en este contexto para la reflexión cristiana en torno a la muerte de la siguiente manera:

> Si hemos de hablar acerca de la muerte en términos de esta historia cristiana, permanecerá ambivalente. Tenemos que decir dos cosas: Que ha de ser resistida, y que ella, en determi-

nado momento, ha de ser reconocida para todo ser humano. Podemos expresar una de ellas a expensas de la otra sólo si quitamos la muerte del contexto de la historia, definiéndola de otra manera (citado en Boulton W. et. al., *From Christ to the World* [Desde Cristo al mundo], p. 406.

La eutanasia: Definiendo nuestros términos

Las definiciones ayudan a fijar los términos para la reflexión moral, para bien o para mal, y esto es muy necesario en el problema de la eutanasia. El término *eutanasia* es derivado del griego *eu* (buen) y *thanatos* (muerte). De manera que, en su sentido etimológico, *eutanasia* simplemente quiere decir "buena muerte". Los diccionarios contemporáneos, sin embargo, generalmente definen la *eutanasia* no como una descripción de cierta clase de muerte sino como un *acto*. El Diccionario de la Real Academia de la Lengua Española dice: "Acción u omisión que, para evitar sufrimientos a los pacientes desahuciados, acelera su muerte con su consentimiento o sin él. Muerte sin sufrimiento físico". Aunque algunos bioéticos rechazan esta clase de definición, veremos que en realidad se aproxima bastante a la verdad.

Lo que pudiera llamarse "la norma estándar" al definir la eutanasia implica el hacer dos distinciones clave: El elemento de *decisión* o *elección* por parte del recipiente de la eutanasia, y la *manera por la que es efectuada la muerte*. El cuadro a continuación esquematiza los seis tipos principales de eutanasia siempre que se incluyan los dos parámetros de elección y medios.

Tabla 11.1. Tipos de eutanasia (la norma estándar)

	Voluntario	no voluntario	involuntario
Activo	voluntario/activo	no voluntario/activo	involuntario/activo
Pasivo	voluntario/pasivo	No voluntario/pasivo	involuntario/pasivo

Primero, consideremos el espectro de las elecciones que se extiende desde lo voluntario pasando por lo no voluntario hasta lo involuntario. *La eutanasia voluntaria* es definida por Megan-Jane Johnstone como lo ocurrido cuando "un paciente plenamente competente hace una elección informada y voluntaria para que le ayuden a morir asistido por los médicos; pide que le ayuden a morir y da un consentimiento informado para que el verdadero procedimiento de la eutanasia se realice" (Johnstone M., *Bioethics* [La bioética]; todas las definiciones a continuación se encuentran en la página 314). Esencialmente, según esta forma de eutanasia, el paciente *se ofrece* morir, pidiendo y recibiendo la ayuda médica para que así se haga.

Johnstone define la *eutanasia no voluntaria* como "el acto de matar a un paciente cuyos deseos no pueden conocerse o en virtud de su inmadurez, su incompetencia o ambas". Aquí la persona no tiene la habilidad de ofrecer un juicio o tomar una decisión de ninguna manera. Los dos casos más comunes serían un infante o un niño muy pequeño por un lado, y el mentalmente incompetente por el otro (lo cual pudiera incluir a los enfermos mentales o alguno que esté en un persistente estado vegetativo o alguna persona inconsciente). La eutanasia no voluntaria implicaría la terminación de la vida de alguno en tal estado.

La eutanasia involuntaria, en cambio, es definida por Johnstone como "el matar a un paciente sin el consentimiento informado de este y/o contrario a los deseos expresados de esa persona". En otras palabras, al paciente se le juzga como mentalmente incompetente para que tome esta decisión por sí mismo, pero no se le da una oportunidad para hacerlo, o si se le da esa oportunidad, este rehúsa la eutanasia, y otra persona anula esa decisión. La mayoría de las discusiones en torno a la eutanasia involuntaria recalca esta última dimensión, cosa que juzgamos correcto. La eutanasia involuntaria es matar a alguien que no desea la muerte, y que lo ha expresado así.

Reflexionemos más sobre estas distinciones en torno a la elección por un momento, antes de considerar la cuestión de la eutanasia activa en contra de la pasiva.

Típicamente, los practicantes de la medicina en el mundo occidental de hoy tratan la cuestión de la toma de decisiones en la atención médica por enfatizar *la autonomía del paciente* como base. Los mismos pacientes tienen que tomar las decisiones respecto a su atención médica siempre que sean competentes para hacerlo, y estas decisiones tienen que ser respetadas. Este fundamental pero seriamente cuestionado principio subyace en las definiciones que acabamos de dar.

Sin embargo, muchas veces los pacientes que afrontan condiciones que ponen en peligro su vida no son capaces de tomar decisiones por sí mismos. O ellos están temporal o permanentemente incompetentes (o sus habilidades cognitivas y decisivas están muy tenues). En tales casos, la autoridad para tomar decisiones es transferida a otro. A otra persona se le permite, o se le requiere, actuar como apoderado en la toma de decisiones. Esto, a veces, se llama *el juicio sustituido,* es decir, alguien toma el lugar de la persona incompetente, tomando las decisiones correspondientes a ella. Normalmente, este apoderado es un pariente cercano (padre, esposo u otro miembro de la familia que funcionan colectivamente), pero según la ley, cualquier adulto competente puede ser designado como sustituto en la toma de decisiones, siempre que los arreglos legales sean hechos de antemano por la persona enferma; esto se conoce como la obtención de *un poder legal para la atención médica.*

El lenguaje un tanto clínico-legal del *apoderado de atención médica* ofusca parcialmente la realidad de que el paciente agonizante no es simplemente un paciente sino una persona, una persona dependiente y vulnerable que, en medio de su crisis de salud, es miembro de la comunidad de la raza humana y la comunidad de una familia particular. Aun cuando la persona muy enferma permanece técnicamente como competente mental, los miembros de la familia juegan un papel clave en la toma de decisiones respecto a su atención médica. Al entrar el enfermo en un estado de inconsciencia o incompetencia, se realza el papel de la familia. Puede ser que ahora toda la toma de decisiones esté sobre ellos. En consulta con los profesionales médicos, los familiares llegan a ser una comunidad de hacedores de decisiones de vida y muerte. La experiencia de esta carga de tomar decisiones a menudo es muy pesada.

Los estudios comprueban que los apoderados en tales situaciones entienden sus responsabilidades morales de maneras drásticamente diferentes. Mucho depende de la clase de relaciones que hayan sostenido antes de la crisis de salud. Aun siendo estas relaciones amorosas y afirmadoras, surgen las diferencias. Algunos miembros de la familia creen que se supone que ellos actúen igual que la persona enferma, si ella pudiera decidir por sí misma. Ellos procuran ponerse en la situación del ser amado e intuyen una decisión desde la óptica de él o ella. Otros piensan que su papel en actuar a favor de los intereses del paciente (o los de la familia) en general, es escoger lo mejor para mamá, digamos, más bien que escoger lo que mamá misma hubiera escogido para sí. Algunas veces los familiares no pueden ponerse de acuerdo en cuanto a qué hacer debido a estas diferencias respecto a cómo tomar decisiones. Las leyes reflejan estas ambigüedades por las distintas maneras en que definen el papel del apoderado. Y, por supuesto, los sustitutos en la toma de decisiones no son meramente vasijas vacías. Ellos traen consigo su propia humanidad y sus propios intereses ante las decisiones tomadas; todos lo hacemos. Si ellos vienen a la situación de una manera interesada y carente de amor, peligran profundamente los derechos e intereses del enfermo.

Otra complejidad relacionada con las decisiones respecto a la atención médica tiene que ver con el muy difundido uso de *las directrices adelantadas y el testimonio vivo.* El Acta Federal de la Autodeterminación del Paciente de 1990 (en los EE. UU. de A.) permite y alienta el uso de directrices adelantadas para dar a los pacientes más poder sobre el curso de su propia atención médica. Típicamente, las directrices adelantadas desean detallar una variedad de opciones en la atención médica y las elecciones que las personas querrían hacer si llegaran a estar incompetentes y sin poder tomar sus propias decisiones. Así, las directrices adelantadas buscan lidiar con las cuestiones del consentimiento informado y la competencia al tomar todas las decisiones relevantes *antes de que* surja la condición que requiera la toma de tales decisiones. Es un esfuerzo por evitar o limitar el uso de apoderados, extendiéndose así la autonomía del paciente hacia atrás (hasta el momento cuando se hizo la directriz adelantada) tanto como hacia el futuro (cuando haga falta la directriz adelantada).

Teóricamente, el uso universal de las directrices adelantadas significaría que muy raras veces surgiría incertidumbre respecto al deseo del paciente, necesitando así pocos sustitutos que tomen decisiones por el paciente. Sin embargo, la falla muy pronunciada de las directrices adelantadas es su inhabilidad para tomar en cuenta tales realidades como la toma de decisiones respecto a la atención médica, las condiciones singulares creadas por emergencias médicas, el necesario e inevitable papel de las familias y los seres queridos, y las obligaciones profesionales y morales de los médicos, las enfermeras y otros profesionales médicos. El uso de directrices adelantadas puede indicar una desconfianza en los profesionales tanto como en los miembros de la familia, dificultando aún más la toma de decisiones en algunos casos de crisis.

Es más, en un sentido muy real la persona que compone una directriz adelantada, digamos, a la edad de 35 años puede ser o no la misma persona 35 años más tarde al llegar la emergencia. Posiblemente sus valores hayan cambiado; lo que ella considera ser "una vida digna de vivirse" puede ser muy distinta a lo que creía más temprano en su vida. Estas son algunas razones por las cuales las directrices a veces son ignoradas por las familias y por los profesionales médicos en la toma de decisiones en relación a la atención médica y la razón por la que la cuestión de "¿quién decide?" no es tan fácil como parecieran indicar las directrices adelantadas.

Defínase como se defina la eutanasia, la problemática de la toma de decisiones y los procesos permanecerá. Por contenciosas que sean estas cuestiones, ellas son menores que una segunda distinción que hacen Johnstone y la mayor parte de los demás bioéticos en torno a la eutanasia *activa* y la *pasiva*.

La distinción clásica entre la eutanasia activa y la pasiva normalmente se entiende como diferenciar entre *la acción de comisión y la de omisión*. Johnstone define la eutanasia activa como "el involucramiento de un acto deliberado... el cual resulta en la muerte del paciente", mientras la eutanasia pasiva es definida como "una omisión deliberada o la retención de ciertas atenciones sostenedoras vitales y tratamientos". Otras definiciones de la eutanasia pasiva agregan "el retiro" a "la retención", dando a entender que algunas veces tratamientos médicos son empezados y luego retirados eventualmente en vez de simplemente retenerlos del todo. Pero ambos caen dentro del rubro de la eutanasia pasiva tal como se define clásicamente en la literatura de la bioética.

¿Qué se entiende por la eutanasia activa? Los nazis, por ejemplo, activamente "eutanizaban" a los hombres, mujeres y niños en varios centros médicos al someterles al gas. Era el primer uso de las cámaras de gas por parte de ese régimen, llevando más tarde a muertes masivas en los campamentos de concentración. Por supuesto, esto no era otra cosa sino el asesinato estatal de los viejos, los enfermos y los incompetentes bajo el nombre de la eutanasia. La eutanasia activa también podría implicar el dar a alguien una sobredosis fatal de cualquier droga, fusilarlo o ponerle una inyección letal; se podían usar varios métodos, pero usualmente la meta es ocasionar una muerte sin dolor. Lo que constituye una eutanasia activa es una combinación de intención, acto y resultado; la meta es terminar con la vida de la persona, incurriendo así en un acto con esta intención que resulta en la muerte. La intervención, sea la que fuere, en realidad constituye la causa médica de la muerte.

En cambio, la eutanasia pasiva, si es que retenemos el término, difiere bastante de la anterior. Los pacientes, sus sustitutos y los profesionales médicos aquí deciden dejar de buscar o continuar los tratamientos médicos que pudieran extender la vida o prolongar la muerte ante una condición terminal. Se cancelan más tratamientos de quimioterapia; al paciente no se le resucita durante un infarto; se apaga el respirador de la persona que no puede respirar por sí sola. En estos casos la condición médica en realidad llega a ser la causa de la muerte; el omitir un tratamiento médico curativo (pero no medicamentos contra el dolor) permite que la condición médica tome su curso; ya no se lucha contra la muerte y al paciente se le permite morir.

Es importante ubicar la problemática visible del *suicidio con la ayuda del médico* (las siglas en inglés son PAS: *Patient Assisted Suicide*) dentro de este contexto, haciendo que las definiciones se ajusten a esto también. El suicidio con la ayuda del médico ocurre cuando una persona ayuda a otra a acabar con su vida; la PAS, pues, implica la acción de un médico para ayudar a una persona a quitarse la vida. Es una forma de *eutanasia activa voluntaria*. Los partidarios de la PAS a menudo hacen una distinción adicional entre la provisión por el médico de los medios para que termine con su vida (por ejemplo, por escribir una receta médica o proveer medicinas específicas las cuales el paciente luego ingiere) y cuando un médico participa directamente en el suicidio (por administrar las medicinas personalmente). Una legislación reciente en Holanda admite ambas clases de la PAS; la ley estatal del estado de Oregon desde el año 1997 ha permitido sólo la participación indirecta del médico, pero sí permite la PAS de esa forma (más de 90 ciudadanos de Oregon han dado fin a sus vidas con la ayuda del médico para cuando esto se escribía). Sherwin Nuland se fija en que el esfuerzo, en Holanda, para prohibir a los médicos una intervención directa en los suicidios ha resultado en varias dificultades para poder terminar el acto en casi el 20% de los casos reportados, aumentando, irónicamente, el sufrimiento del paciente (Nuland S., "The Principle of Hope" [El principio de la esperanza], p. 29).

Históricamente, una separación muy distintiva se ha hecho entre la eutanasia "activa" y la "pasiva" en los países occidentales, prohibiendo legal y moralmente aquella y (por lo menos durante los últimos decenios) permitiendo la segunda bajo ciertas condiciones limitadas. Hoy esta diferencia se está complicando teórica tanto como legalmente. Algunos argumentan que no hay ninguna distinción significativamente moral entre la eutanasia activa y la pasiva, y que ambas deben permitirse siempre que se regule apropiadamente.

Muchos bioéticos que han pensado en el asunto, rechazan la terminología de la eutanasia activa/pasiva en parte, precisamente por su susceptibilidad a esta clase de complicaciones.

Paul Ramsey estuvo entre los primeros éticos en desafiar y rechazar esta distinción. En 1978 él escribió que la eutanasia implica "el escoger la muerte como una de las elecciones de la vida" (*Ethics at the Edges of Life* [La ética en el borde de la vida], p. 148), lo que, para el pensamiento cristiano, no es permitido a los seres humanos, porque implica el "echar la dádiva de la vida en la cara del Dador" (146). Para Ramsey, la así llamada eutanasia activa es simplemente la eutanasia: el acto inmoral de escoger la muerte.

Asimismo, la así llamada eutanasia pasiva no debe retener ese nombre. Lo que sucede en realidad existe en otro universo moral diferente. Esta clase de decisión de fin-de-vida respecto a la atención médica implica el *dejar morir* o, en palabras de Ramsey, "el morir bastante bien". Esta difiere en su *intención*, porque la verdadera intención no es la muerte del paciente sino, más bien, "el evitar una infructuosa prolongación del proceso de morir" (Clark D. y Rakestraw R. V., *Readings in Christian Ethics* [Lecturas en la ética cristiana], 2:97). Ella difiere en *acto*, porque no se hace nada que implique el escoger la muerte; los esfuerzos médicos *cambian* de la curación a la atención, pero nunca al matar (Ramsey recalca que la distinción clásica entre *omisión* y *comisión* no es lo suficientemente fuerte como para describir la diferencia entre la eutanasia y el dejar morir). También difiere en resultado, ya que la eutanasia tiene la consecuencia directa de acabar con la vida de un paciente, el dejar morir permite que la persona viva lo mejor posible mientras esté muriendo de la enfermedad que a la larga le quitará la vida.

Preferimos usar el vocabulario de la eutanasia, no sólo como una cuestión técnica, sino para guardar la santidad de la vida humana al final. La eutanasia voluntaria, entonces, se vería como la elección de la muerte mediante el suicidio o el quitarse la vida. La eutanasia no voluntaria e involuntaria sería la elección de la muerte de otra persona sin que esta consienta lo cual no es otra cosa sino el asesinato, sin importar sus motivos. El retener o retirar los tratamientos curativos se definiría como el dejar morir, con el fin de morir bien. Los proveedores de la atención médica en situaciones de "dejar morir" no cesan sus actividades sino que cambian su propósito en el aliviar el dolor (a veces se le llama cuidado paliativo). Los miembros de la familia sostienen a la persona moribunda en sus decisiones, o, en su defecto, ellos toman las decisiones por la persona incompetente. Después de tomarse la decisión, ellos acompañan al moribundo a lo largo del viaje hacia la muerte mediante su presencia y su amor.

Desde luego, las definiciones no resuelven los debates éticos. El debate en torno a la eutanasia ha trastornado nuestra sociedad desde hace algunos años, y aún está con nosotros. Sigamos el resto del debate en su manifestación histórica.

El debate contemporáneo

El debate sobre la eutanasia ha cambiado dramáticamente desde sus comienzos en los años 70. Ese cambio revela mucho, no tan sólo de la ética sino de la sociedad estadounidense, su política y su economía. Queremos sugerir, por lo menos en el contexto de los EE. UU. de A., que el debate y las emisiones de leyes en torno a la eutanasia se han presentado en tres rondas o etapas, relacionándose todas a la estructura cambiante de la provisión y financiamiento de la atención médica, ocasionando cada uno problemas significativamente diferentes.

La primera ronda. El caso de Karen Ann Quinlan del año 1975 provocó un debate nacional extraordinario respecto a lo que llegó a conocerse como *el derecho a morir*, llevando a una revolución en las prácticas de la atención médica. Quinlan tenía 21 años cuando colapsó después de haber ingerido una mezcla de alcohol y tranquilizantes en una fiesta, quedándose en un estado vegetativo. Un estado vegetativo persistente es "una condición en la que no hay ninguna conciencia del yo o de su ambiente, aunque a veces el paciente parece estar despierto. La condición resulta primariamente de una lesión cerebral severa… El electroencefalograma (EEG) o está muy bajo o inexistente… La personalidad, la memoria, la acción intencional, la interacción social, los estados de sensibilidad, pensamiento y aun emociones ya no existen. Sólo las funciones vegetativas y los reflejos permanecen". Esto no es lo mismo que un coma del que algunas personas pueden salir (Ibíd., 2:119, 120).

Sin ninguna esperanza razonable para una recuperación, siendo convencida de la futilidad y el horror de la vida en este estado de su hija, la familia de Quinlan pidió que su respirador le fuese desconectado. El hospital se negó a hacerlo hasta que fue obligado a hacerlo después de muchas rondas de guerras legales, terminando en una decisión de la Corte Suprema de New Jersey en 1976 que favorecía la petición de la familia. En un sesgo irónico, después de quitarle el respirador a Karen Ann, vivió unos nueve años más. La compasión pública a favor de los Quinlan y el rechazo ante la posibilidad de ser mantenida viva indefinidamente contra la voluntad de uno llevó al Acta de Autodeterminación del Paciente y otras medidas para realzar la autonomía del paciente, temas ya abordados anteriormente.

Otro caso semejante, que abrió la cuestión de la remoción de la nutrición artificial y la hidratación, tanto como la cuestión compleja de cómo definir con exactitud la muerte, fue el caso de los Cruzan, resuelto finalmente en 1990. Un accidente automovilístico en 1983 dejó a Nancy Cruzan, de 27 años, en un persistente estado vegetativo, siendo mantenida viva sólo por un tubo de alimentación. La familia Cruzan libró una batalla legal para que se le retirara dicho tubo. El caso legal pasó por todos sus trámites en las cortes hasta que finalmente fue resuelto por la Corte Suprema en 1990. Dicha Corte falló, votando 5 contra 4, que sí existía un derecho basado en la libertad para que un paciente competente rehusara o hiciera detener un tratamiento médico que pudiera salvarle la vida, incluso la nutrición artificial, pero la mayoría de los jueces falló que los Cruzan no habían demostrado "una evidencia clara y convincente" de que Nancy Cruzan hubiese comunicado tal decisión con una claridad adecuada antes de su accidente. La única evidencia de tal postura de parte de Nancy Cruzan se había tomado de una conversación casual con una amiga un año antes del accidente. Nótese que la Corte aquí no accedía a que el juicio de las familias tuviera preferencia sobre el de los pacientes incapacitados.

Después del fallo de la Corte Suprema, los Cruzan sí ofrecieron evidencia que satisfizo los criterios de las cortes de Missouri, cosa que permitió que prevalecieran sus deseos tardíamente en 1990. Se suspendió la alimentación, y Nancy Cruzan murió unos días después. Sigue muy intenso el debate *moral* sobre la cuestión de que si la nutrición artificial y la hidratación debieran clasificarse como otros tratamientos médicos, pudiéndose retirar o suspenderlos.

Nótese la dinámica de la primera ronda del debate sobre la eutanasia: Los doctores y los hospitales ofrecían, y aun imponían, un cuidado de salud que los miembros de la familia e individuos consideraban demasiado agresivo e inútil, exigiendo así la libertad para rehusar tal cuidado. *El problema de aquel entonces se definía como un paternalismo por parte de los médicos y el hospital al imponer demasiado cuidado, y la solución se definía como un aumento de la autonomía del paciente o del sustituto y su poder para tomar decisiones.* Los que conocen el sistema de cuidado de salud en los EE. UU. de A. reconocerán cuán distantes lucen esos días ahora.

Ronda dos. Hasta cierto grado, este patrón particular aún permanece en lo que pudiéramos llamar la ronda dos del debate sobre la eutanasia, o sea, la lucha sobre la cuestión del suicidio asistido por los médicos y la eutanasia activa. Habiéndose ganado el derecho a que se les permita morir, los pacientes y sus voceros empezaron a presionar por el derecho a la *eutanasia activa*, aun porque el médico les ayudase en el suicidio. Esta acción se hacía por el empleo de varios de los mismos argumentos que se usaron en la lucha exitosa por el derecho a que se les permitiera morir. La autonomía del paciente ha sido un elemento central en el caso que se libra a favor del suicidio asistido. También, los partidarios en pro de esta libertad apelan basándose en la pérdida de la dignidad y el gran sufrimiento de muchas personas desahuciadas y moribundas, afirmando que la sociedad tiene la obligación de reducir tal sufrimiento o, por lo menos, permitir que la persona sufriente tome la decisión por sí misma para acabar con su propia vida.

Para los partidarios, un éxito en la ronda dos sería la aprobación de leyes estatales o fallos jurídicos que establecieran un derecho a la eutanasia activa o al suicidio asistido. Durante cierto tiempo en 1990, parecía que se alcanzaría esta meta. No tan sólo aprobó Oregon tal provisión mediante un referendo en 1994, implementándose en 1997 después de luchas legales en las cortes, sino que también otros estados estaban por considerar referendos iguales. Es más, dos Cortes Federales de apelación de los EE. UU. de A. fallaron a favor del derecho a un suicidio asistido a mediados de los años 90. En *Vacco versus Quill*, la corte basó su decisión sobre la Cláusula de Protección Igual de la enmienda catorce, mientras en el caso de *Gluksburg versus Washington*, se citó la Cláusula de Proceso Justo de la misma enmienda.

Sin embargo, en 1997 la Corte Suprema acabó con las esperanzas de los partidarios PAS, fallando 9 contra 0 en ambos casos ya mencionados. En cuanto a *Vacco*, la Corte se negó a aceptar el argumento basado en la protección igual, el cual había querido borrar la distinción entre la eutanasia activa y la pasiva, dándole los mismos derechos a ambas partes. Al abordar el caso de *Gluksburg*, el fallo de la corte rechazó la afirmación de que el concepto de la autonomía personal ofrecía una base suficiente como para afirmar el derecho al proceso justo para que se cometiera el suicidio o pedir la ayuda del médico en tal suicidio. Además, los fallos ofrecían razones positivas por la prohibición de suicidios asistidos por los médicos, tales como la integridad de la profesión médica en su papel sanador, la posibilidad de abuso y el valor de la vida humana. Aunque ciertamente esto no representa el fin de la ronda dos del debate sobre la eutanasia, sí marca un punto decisivo. A diferencia del aborto, el suicidio asistido no llegará a ser un derecho garantizado federalmente. Será tratado por los diferentes estados uno por uno.

Ronda tres. La gran resistencia inesperada de la Corte al suicidio asistido por los médicos reflejaba una sensibilidad ante las tendencias socio-económicas dentro del cuidado de salud que vienen a dominar el debate sobre la eutanasia de los primeros años del siglo veintiuno. Mientras que en 1975 los pacientes se preocupaban por una *exageración* en el cuidado de salud que se aplicaba a los desahuciados o a los moribundos, hoy oímos un coro de preocupación por la *carencia* de cuidado de salud.

Un término en boga en estos días es “teoría del cuidado inútil”. Los médicos, los hospitales y algunos bioéticos están argumentando que cuando el médico cree que la calidad de la vida de un paciente sea demasiado baja como para justificar los tratamientos sostenedores de la vida, entonces al médico se le permite rehusar darle un cuidado adicional basándose en la *futilidad médica*, aunque el paciente o su sustituto deseen el tratamiento. A mediados de los años 90, algunos hospitales empezaban calladamente a desarrollar políticas basadas en la teoría del cuidado de futilidad para determinar cuándo los médicos u hospitales podrían negarse a proveer los servicios médicos solicitados por los enfermos o sus familias. Se ha propuesto la aprobación de una legislación al efecto en varios estados y en el Congreso.

Se puede apreciar cierta base razonable para que haya algunas garantías aquí. La autonomía del paciente no debe significar el derecho a exigir una apendectomía para resolver un problema de amigdalitis o la amputación de un pie para calmar un dolor de cabeza. Los profesionales médicos sí tienen obligaciones morales y profesionales de rehusar proveer un cuidado frívolo o dañino a sus pacientes. Los médicos y las enfermeras no son robots al cuidado de la salud sino, más bien, son agentes morales de por sí. Si se les pide que den un cuidado frívolo o inútil, ellos necesitan maneras en que puedan objetar y rehusar dicho cuidado.

No obstante esto, la evidencia que surge en estos días muestra que en general la economía injusta del reparto del cuidado médico es la que empuja el desarrollo de la teoría de la futilidad de cuidado. Mientras que en 1975 un hospital pudiera haber forzado un tratamiento médico no deseado sobre un paciente, hoy es mucho más probable que ese mismo hospital se sienta tentado a *negar* el cuidado necesario, especialmente si el paciente es *indigente, sin seguro o con un seguro inadecuado*. La injusticia económica de nuestra sociedad se hace brutalmente palpable en el sistema de cuidado de salud; el actual y muy real temor es que nuestros pacientes ancianos, moribundos, que ocasionan muchos gastos, con limitaciones, incompetentes e impotentes sean llevados a una muerte temprana, ya que nadie que ocupe lugares elevados entre los que toman decisiones encuentra que les conviene otra cosa. O, total, puede ser que se les diga directamente que ellos tienen el *deber de morir*, basándose en las demandas de la justicia distributiva o intergeneracional.

Tal vez ahora podemos ver cómo la incipiente ronda tres del debate en torno a la eutanasia ayudó a determinar el resultado de la ronda dos. Entre aquellos que más enérgica y radicalmente se oponían a la legalización de la PAS estaban grupos protectores de los derechos de las personas con limitaciones, tales como el provocativamente llamado grupo "*Not Dead Yet*" [Aún no estamos muertos], que veía en la legalización potencial del suicidio asistido una verdadera amenaza para la supervivencia de personas tales como ellos. Atinadamente, ellos temían que una callada conspiración de compañías de seguros, hospitales, doctores y quizá miembros familiares no compasivos pudieran encontrar una manera de apresurar su entrada al otro mundo antes de su tiempo y sin su consentimiento. Sus temores eran apoyados por la evidencia procedente de Holanda de que esto es precisamente lo que ha estado sucediendo allí por algún tiempo, ya que la eutanasia voluntaria aceptada ha llegado a ser el pretexto para muchos de optar por una eutanasia involuntaria. De modo que ellos objetaban fuertemente, y sus objeciones fueron oídas.

¿Qué concluye nuestra ética basada en Jesús acerca de la problemática de la eutanasia, tal como el debate se ha realizado en la sociedad estadounidense?

Primero, creemos que la ronda uno del debate sobre la eutanasia fue decidida atinadamente. El caso Quinlan y después el de los Cruzan correctamente establecen el derecho de rehusar el innecesario y no deseado cuidado médico al final de la vida. Se entendió correctamente lo absurdo de extender la sombra física de vida humana mediante intervenciones médicas cada vez más invasivas e infructuosas. Una visión cristiana para los vivos y los moribundos establece límites contra esta pelea frenética. Es cierto que llega el tiempo cuando los proveedores del cuidado médico tienen que desviar su atención de los esfuerzos inútiles para los incurables a la provisión del mayor consuelo posible. Las familias necesitan de ayuda también, a menudo ayuda médica tanto como ayuda pastoral, para que sepan cuándo ha llegado el tiempo para que su lealtad para con el moribundo tome la forma de dejarle morir con compasión.

Segundo, la ronda dos del debate sobre la eutanasia en Estados Unidos de América también se decidió correctamente. A pesar de los argumentos de James Rachels y otros, la distinción histórica entre la eutanasia activa y la pasiva (entre el matar y el dejar morir) no ha de ser borrada sino fortalecida. El papel del profesional de salud es sanar de ser posible, de atender siempre, y nunca dañar u ocasionar la muerte. No existe ningún derecho al suicidio asistido que pueda ser encontrado en los documentos básicos de los principios de la responsabilidad médica.

La manera de satisfacer las necesidades legítimas de los sufrientes y los moribundos es por medio de un eficaz control del dolor (*cuidado paliativo*), el cuidado hospitalario para pacientes terminales, y otros esfuerzos creativos amorosos que aseguren, hasta donde sea posible, una buena muerte. El galeno Sherwin Nuland, siendo él mismo un partidario a un acceso muy limitado al suicidio asistido, argumenta que avances recientes en el cuidado paliativo "durante las últimas décadas han llegado a un nivel de eficacia tal que el sufrimiento, que al principio se creía irremediable, ahora casi siempre puede ser aliviado" (Nuland S., "Principle of Hope" [El principio de la esperanza], p. 2). La tragedia, aun el escándalo, es que la mayoría de los médicos no esté consciente de estos avances, estando así incapacitados de ponerlos a trabajar a favor de sus pacientes: "El conocimiento está disponible, pero demasiados médicos lo ignoran" (Ibíd., p. 4). El *temor* a experimentar una muerte larga y agonizante (no necesariamente el dolor actual del paciente sino el temor de una persona enferma y a menudo deprimida de que su dolor se ponga peor) es tal vez la fuerza motriz tras la eutanasia. El camino que les espera a los médicos cristianos y a otras personas preocupadas es claro: Atender a los moribundos de tal forma que se disipe el deseo de la eutanasia.

Posiblemente haya tenido razón Meilaender al afirmar en 1975 que la distinción entre el matar y el dejar morir está fundada en la fe cristiana y posiblemente sea ininteligible para la sociedad en general (Boulton W. *et al*, *From Christ to the World* [De Cristo al mundo], p. 406). El desafío a los cristianos es ayudar a que sea inteligible de todas maneras, proveyendo varios modos por los cuales la gente es librada de la tentación de escoger la muerte, bien para sí misma o para sus seres amados.

Tercero, la ronda tres del debate sobre la eutanasia exige una vigilancia de parte de los cristianos preocupados por el abandono subrepticio o abierto de los vulnerables por las presiones económicas del financiamiento de nuestro sistema injusto (o falta de sistema) de cuidado de salud. Aunque sea verdad que la autonomía del paciente, incluso el derecho a exigir atención médica, no es absoluta, el peligro mayor actualmente (y de verdad en todo tiempo, tal como nunca se cansó en decir Reinhold Niebuhr) es el abuso del poder *institucional* más bien que el *individual*. Los seguidores de Cristo tienen hambre y sed de una justicia restauradora de la comunidad, incluso la justicia en el cuidado de salud.

Hasta que Jesús vuelva y ponga un fin a la enfermedad y la muerte, la voluntad de Dios es que cada persona humana enferma sea tratada con dignidad y compasión, que reciba los tratamientos curativos necesarios, que disfrute de la comunidad familiar, que goce del alivio de su dolor, y que muera únicamente cuando en realidad ha llegado el momento. Puede ser que nos tienten los fracasos en la vida familiar, fracasos en el sistema de cuidado médico y en la sociedad en general a que terminemos con la vida de forma prematura. Pero precisamente es eso: una tentación. Los cristianos debemos protegernos contra la invasión de la realidad de la eutanasia y el suicidio asistido y, más obviamente, una eutanasia involuntaria, que es el homicidio con otro nombre. Podemos hacer algo mejor ofreciendo un cuidado con compasión que satisfaga las necesidades de los enfermos, los moribundos y sus familias.

12

NUEVAS FRONTRAS EN LA BIOTECNOLOGÍA

Mirad, no tengáis en poco a ninguno de estos pequeños, porque os digo que sus ángeles en los cielos siempre ven el rostro de mi Padre que está en los cielos.
Mateo 18:10

El día 26 de junio del 2000 los científicos Francis Collins y Craig Venter se reunieron con Bill Clinton, presidente de los EE. UU. de A. con el fin de hacer el sensacional anuncio que se había descifrado el genoma humano. El Presidente declaró: "Hoy, estamos aprendiendo el lenguaje por el cual Dios creó la vida". Habiendo aprendido ese lenguaje, los seres humanos pasarán gran parte del siglo veintiuno, sea para bien o mal, tratando de hablarlo.

El descifrar el genoma humano es sólo uno de los descubrimientos científicos que actualmente convergen para hacer que merezca nuestro naciente siglo veintiuno la etiqueta que le puso Jeremy Rifkin: "el siglo de la biotecnología". La clonación de animales, los avances en la ingeniería genética y el descubrimiento de los poderes regenerativos de las células madre están entre los otros avances principales de nuestro tiempo. Un nuevo y constantemente creciente vocabulario —la terapia de genes, el xenotrasplante, los niños "diseñados", la clonación reproductiva, etc.— desafía la habilidad del más estudioso por mantenerse al día.

Un sentido de la gravedad de los recientes avances científicos parece haber creado una apertura breve para la deliberación pública antes de que se hagan las aplicaciones tecnológicas. Si este ha de ser el siglo de la biotecnología, sus primeros años pueden representar la única oportunidad que tendrán los no especialistas para jugar un papel en la determinación o los límites de los avances tecnológicos. Este momento marca una oportunidad especial. Los cristianos deben participar en lo que ya se ha constituido en una conversación internacional respecto al papel de casi todo sector letrado de la sociedad en torno a lo que será la humanidad una vez que lleguemos a ser peritos en el manejo del idioma de la genética humana. Para personas de la fe bíblica, el jugar un rol constructivo en esa conversación probará nuestra profundidad teológica, nuestro conocimiento científico, nuestra visión moral y nuestra destreza política.

¿Qué tiene que ver Jesús con la biotecnología?
Bruce Birch y Larry Rasmussen escribieron lo siguiente:

> Aunque hay mucho de la naturaleza humana que nos une a lo largo de grandes espacios de tiempo y cultura, y mucha sabiduría moral y locura que se transmite de un tiempo a otro, es innegable que la ética cristiana de hoy tiene que lidiar contra muchas preguntas morales que nunca aparecieron en el horizonte de la ética bíblica (*Bible and Ethics in the Christian Life* [La Biblia y la ética en la vida cristiana], p. 12).

Entre las problemáticas que mencionan están la biotecnología y la bioética, la *división* de los genes y la ingeniería celular, el asesoramiento genético y las patentes genéticas. ¡Todo esto fue en 1989! Ni siquiera se podía soñar cuando se escribió la Biblia. Esta clase de problemas presentan retos significativos y complejos a las personas contemporáneas que desean regir sus vidas conforme a la fe bíblica. ¿Cómo viviremos según el camino de Jesús cuando él no tenía nada que decir, ni *pudiera* haber tenido nada que decir, acerca de ciertas cuestiones que exigen nuestra respuesta hoy? ¿Estaremos aquí chocando contra un defecto fatal en nuestra ética centrada en Jesús?

Queremos proponer varios elementos en vía de respuesta:

1. A pesar del intervalo entre el contexto de Jesús y el nuestro, la dimensión de las convicciones teológicas básicas permanece sin cambio. En otras palabras, la narrativa bíblica básica con la que hemos venido trabajando a lo largo de este tomo aún es verdad, siendo aún aplicable en una época de grandes innovaciones biotecnológicas, o en cualquier época.

   Dios es el Creador soberano y el Gobernador del universo. La tierra gime bajo el impacto del pecado humano. Dios ha obrado decisivamente en Jesucristo para reestablecer su reinado efectivo. Jesús enseñó maneras por las que podemos desenredarnos de la telaraña del pecado que creamos, pudiendo seguir adelante hacia la obediencia a la voluntad de Dios, la que incluye la compasión en acción y la búsqueda de la realización de la justicia. Los seguidores de Jesús son estudiantes diligentes de las enseñanzas y las prácticas de Jesús, buscando cumplir con la misión de la iglesia de participar en el avance del reino hasta que Jesús vuelva.
2. El entender las enseñanzas de Jesús por medio de las iniciativas transformadoras, creemos, ofrece un discernimiento para todas las áreas de la vida humana. No importa cuáles sean las cuestiones que emerjan, será posible (pero no siempre fácil) identificar la forma básica de la voluntad de Dios, los ciclos viciosos y los patrones de pecado en los que nos metemos, y las iniciativas transformadoras o creativas que nos podrán ayudar a avanzar en obediencia gozosa.

3. Jesús enseñaba y modelaba una manera de vivir que ofrece normas fundamentales que se aplican a toda clase de problemáticas diferentes, no tan sólo las cuestiones que él abordaba dentro de su contexto. En la sección cinco de este libro, identificaremos las dos normas centrales de esta clase: La justicia y el amor. No hay problemática a la que no se apliquen estas normas. Pueden describirse como los principios cardinales de la ética cristiana. Recuerde la discusión del capítulo cinco respecto a la forma y la función de las normas morales, y el papel clave de los principios para el pensamiento y la acción morales.
4. Por su ministerio de sanar, Jesús tocaba muchas de las mismas preocupaciones que impulsan hoy las innovaciones biotecnológicas. Conviene ver las actitudes de Jesús hacia la enfermedad, la muerte y la sanidad, buscando así los patrones, las prácticas y los principios relevantes. La discusión que se tuvo en el capítulo once respecto a estas cuestiones debe recordarse también en este capítulo.
5. Nuevas problemáticas morales nos recuerdan del valor de otras fuentes de autoridad para la ética cristiana. Se nos recuerda que el discernimiento moral se logra y se desarrolla de varias maneras, incluyendo la tradición, la observación científica y la experiencia humana. Cualquier fuente provechosa de discernimiento debe ser considerada en la búsqueda por comprender los nuevos poderes humanos cada vez mayores, y para discernir los límites morales apropiados que se les deba poner a estos poderes.

   Un papel singular es jugado por los expertos o autoridades de la iglesia en la biotecnología. Las cuestiones bioéticas, incluso las preocupaciones biotecnológicas, han sido el tema de varias décadas de reflexión crítica dentro de la ética cristiana. La antigua tradición de la ética cristiana médica se ha ramificado en varias especialidades, respondiendo a nuevos desarrollos. Un pequeño número de especialistas dedican la mayor parte de su investigación a cuestiones tales como la clonación, la investigación de las células madre y la ética de la manipulación genética. Esta obra es un aspecto de la tarea del discernimiento moral de la comunidad cristiana en general. Siempre necesitamos escuchar el pensamiento de la comunidad de fe como un todo; cuestiones tales como la clonación o las células embrionarias nos recuerdan esto.
6. El carácter colectivo de la iglesia como un todo es crítico en la formación de respuestas a las nuevas problemáticas morales que emergen. Un tema principal en el libro de Birch B. y Rasmussen L. es que la toma cristiana de decisiones morales tiene mucho que ver con el carácter individual y colectivo de la iglesia.

Para usar el lenguaje que hemos venido empleando en este tomo, pudiéramos decir que lo que se necesita es un encuentro bien pensado entre los seguidores de Cristo, unidos en comunidad, ya ensayados por una vida que discierne y que se dedica a buscar el reino, y las nuevas problemáticas que exigen una respuesta cristiana. Ciertas opciones, ciertas trayectorias bajo consideración, serán rechazadas (o abrazadas) por tal comunidad, según "cuadren" con la visión moral y el carácter moral de este pueblo en particular, o sea que se les permita proceder en la cultura mayor.

La nueva ciencia y sus aplicaciones

El ADN y el genoma. En 1953 los investigadores James Watson y Francis Crick describieron la estructura del ácido desoxirribonucleico (ADN), el material genético que se halla en todo organismo viviente. El ADN contiene los códigos de todas las características heredadas, no tan sólo los de los seres humanos sino de toda vida existente. Los genes son segmentos del ADN, formados en el momento de la concepción al unirse los genes de la madre y los del padre para crear una nueva persona genéticamente distinta. El genoma humano tiene 23 pares de cromosomas que contienen unos treinta mil genes.

En 1990 el gobierno de los EE. UU. de A. empezó a patrocinar el Proyecto del genoma humano, bajo la tutela de Collins, el cual buscaba ubicar la posición de todos los genes humanos. Una intensa competencia de parte de la compañía Venter impulsó el progreso de los esfuerzos. Aunque quedan por delante muchos años de investigación genética, la trayectoria general está clara: El código genético por lo menos ha sido identificado parcialmente y con el correr del tiempo, las funciones particulares de más y más genes serán identificadas. Todo esto representa un gran adelanto en el conocimiento humano. También, ahora los científicos están procurando descifrar y trazar más o menos un millón de *proteínas* humanas que son generadas por nuestros genes; se llama esto el proteoma humano. Algunos dicen que la *proteómica*, con su muy detallada información acerca de los procesos celulares, a la larga será mucho más significativa que la *genómica.*

Las aplicaciones del nuevo conocimiento genético ya están con nosotros. Por varios años los profesionales médicos han ofrecido *el asesoramiento genético*, que incluye *la exploración y la prueba genética. Las terapias genéticas* están bajo estudio, y ya comenzaron las pruebas clínicas, aunque hasta ahora generalmente los resultados han sido mínimos. Actualmente, nos encontramos en una difícil etapa intermedia por la que la medicina puede identificar algunas anomalías genéticas sin poder hacer mucho respecto a ellas; se ha abierto la puerta para que sea una realidad una posible *discriminación genética* y el *aborto selectivo* de aquellos que son juzgados genéticamente defectuosos.

La ingeniería genética. La mención de terapias genéticas nos recuerda de un avance anterior en la investigación del ADN. Conocida como la tecnología del ADN preparado en un laboratorio, este trabajo involucra la manipulación y la modificación del ADN. Esta técnica ha estado vigente desde los años 70. Los científicos no tan sólo pueden comprender el nexo entre algunos de los genes particulares y sus rasgos asociados, sino también trabajar directamente con el mismo material genético. Llamado a veces la ingeniería genética, este trabajo se ha adelantado mucho más de lo que sabemos la mayoría de los no científicos.

Se debe pensar en el desarrollo relacionado con las plantas, el alimento y los animales. Los EE. UU. de A. han producido más de tres mil millones de plantas genéticamente modificadas (GM) desde 1994. *La biofarmacología* se esfuerza por producir animales, plantas y cosechas que tengan usos farmacéuticos particulares para los seres humanos. Los alimentos genéticamente manipulados o modificados ahora se producen a granel. Más de cien millones de acres de la mejor tierra del mundo fueron sembrados para cosechas GM en el año 2000, y parece que los alimentos biomédicos llegan a ser una parte irreversible de los abastecimientos comestibles del mundo, aun sin que la etiqueta lo indique o la gente lo sepa.

Mientras tanto, continúa el trabajo para alterar las características de los animales, experimentando de varias maneras con las especies animales. Una aplicación que se ve es *la biotecnología agrícola,* la que tiene como propósito identificar los genes animales deseados y, por consiguiente, producir por clonación en masa a los animales deseados. Tales esfuerzos desean crear "supernaturalmente" a animales de granja fuertes, saludables y productivos, desarrollar productos para la salud humana y probar ciertas terapias contra las enfermedades. Hasta ahora, muchos de estos animales sufren de grotescas anormalidades o simplemente mueren en experimentos fallidos.

Desde luego, el problema mayor es la manipulación del ADN humano. Es posible que algún día los científicos puedan modificar o manipular al ser humano de la misma forma en la que actualmente manipulan las plantas y los animales. Este esfuerzo se llama generalmente *la intervención genética humana,* siendo desglosado en cuatro opciones (aunque sí se disputan las categorías; véase más adelante). *La terapia somática* buscaría reparar un defecto en los genes de un individuo viviente; *la terapia de las líneas germinales* cambiaría el ADN reproductivo de una persona, evitando así que errores genéticos se trasmitan a una generación posterior. *La manipulación genética somática* buscaría producir mejoras en los rasgos genéticos deseados de una persona. *La manipulación genética de las líneas germinales* produciría tales mejoras para pasarlas a generaciones futuras.

La clonación. Fue dentro del contexto de la obra genética relacionada con los animales que Dolly, la oveja clonada, fue parida en 1997. El doctor Ian Wilmut, un investigador del Instituto Roslin de Edimburgo, trabajaba para mejorar la ingeniería genética de las ovejas, lo que llevó a ser el primer científico en descubrir la forma cómo clonar a un mamífero adulto. La clonación implica la extracción del núcleo de una célula adulta, insertándola en una célula ovular a la que se le ha extraído su propio núcleo. Wilmut se las ingenió para reprogramar el que esta célula comenzara a dividirse como si fuera una célula embrionaria, creando así un nuevo animal completamente vía la reproducción asexual (este proceso se llama *la clonación reproductiva*). Después de 277 intentos, nació Dolly, el primer animal asexualmente duplicado de un adulto. Desde el tiempo de Dolly, varias especies animales han sido clonadas, aunque con el precio de frecuentes muertes fetales, anomalías grotescas, mutaciones y otras desviaciones. Se están haciendo ciertas exploraciones en la clonación animal a favor de la investigación médica y la biotecnología agrícola; algunos argumentan que se hacen para salvar especies en vía de extinción.

Hasta ahora, *pareciera* que nadie ha clonado a un ser humano adulto hasta el parto (*la clonación reproductiva*). Pero no podemos estar seguros del todo. Se han hecho proposiciones para que haya clonación humana, y algunos investigadores prometen continuar adelante con la clonación humana pese a lo que digan los gobiernos y la opinión pública. Mientras tanto, el asunto está bajo estudio esmerado en las principales revistas médicas y bioéticas. Los temas más comúnmente discutidos respecto a la clonación humana incluyen su uso como una forma de reproducción auxiliada (para parejas con huevos y esperma inútiles, parejas homosexuales, parejas que corren el riesgo de transmitir serios males genéticos y personas solteras). También, es buscado por aquellos que esperan concebir a un hijo cuyos tejidos hagan juego con los de un hijo moribundo que necesita un trasplante, o como reemplazo de un niño muerto o moribundo u otro ser amado. Varios otros motivos para la clonación reproductiva están bajo consideración.

Las células madre o troncales. En 1998 los científicos descubrieron que una clase particular de célula, la troncal, prometía mucho respecto a la sanidad humana. Las células troncales son células primigenias que no se han diferenciado en sus usos particulares de las 210 distintas clases de tejidos, pero sí pueden usarse donde el cuerpo las necesite para el transplante y el reemplazo de tejido. Son muy prometedoras contra el cáncer, el mal de Alzheimer, el de Parkinson, las quemaduras y gran cantidad de otras condiciones. Las células troncales se desglosan en células totipotentes, pluripotentes y multipotentes, de acuerdo a la etapa de desarrollo del embrión.

Originalmente, las células troncales fueron descubiertas por la investigación hecha en embriones humanos. Los embriones disponibles venían principalmente de fetos abortados y de algunos de los miles de embriones no requeridos después de usar las parejas los servicios de la reproducción auxiliada. Hoy, algunos abogan por la clonación como la mejor fuente de células troncales, particularmente porque la clonación de células de uno mismo es más probable que producirá células que no sean rechazadas por el cuerpo durante el tratamiento. Este tipo de clonación se llama *la clonación terapéutica*. En enero de 2001 el Parlamento de la Gran Bretaña hizo que esa nación fuese la primera en permitir la clonación humana precisamente con este fin. Mientras tanto, se ha descubierto que el cordón umbilical, la placenta y varias porciones del cuerpo adulto también tienen esta clase de células. La investigación y las terapias que usan estas fuentes están prosperando. Estrategias a favor de *la medicina* regenerativa que no ocupan las células embrionarias también están siendo exploradas.

Discerniendo las señales del tiempo

¿Cómo han de responder los cristianos a todo esto? Nuestra fe nos aporta una manera para percibir la realidad. ¿Puede la fe bíblica ofrecer un análisis significativo de lo que sucede en nuestro contorno?

La conexión científica-tecnológica-comercial. Una observación bien concreta nos orienta hacia una respuesta: No es la humanidad en general la que descubrió y practicó por primera vez la clonación de animales, sino un científico particular de una firma biotecnológica en Escocia. No es una fuerza espiritual vaga la que hoy insiste en la investigación en torno a la célula embrionaria, sino investigadores y corporaciones particulares.

Sobre cierto nivel, la fuerza motriz tras las innovaciones extraordinarias de las que hablamos aquí no es otra cosa sino la creciente industria biotecnológica misma, que ya lleva a cabo un negocio de más de ochenta mil millones de dólares sólo en los Estados Unidos de América. Al igual que todas las industrias en una economía capitalista, esta existe para maximizar las ganancias y engrandecer los mercados globales. El control privado, más bien que el público, de las innovaciones tecnológicas es uno de los rasgos más significativos de la era biotecnológica, y diferencia este reto particular del que fue presentado durante el siglo pasado por las armas atómicas y nucleares, por angustioso que fuera ese.

Los cristianos occidentales raras veces ofrecen críticas morales sostenidas sobre la dinámica del mercado libre del capitalismo, más bien nos entregamos al ídolo más grande de nuestra cultura: El mismo ídolo (Mamón) contra el cual Jesús advertía constantemente a sus oidores (véase el capítulo veinte). Pero necesitamos una visión realista acerca de la vida económica más que nunca por vivir en una era de una globalización rapaz. Los desarrollos en los productos biotecnológicos sencillamente exigen tal realismo si se va a ofrecer alguna especie de respuesta moral. Potentes fuerzas del mercado, incluso ese deseo constante de ganancia, hacen que los seres humanos se enreden en patrones de conducta que a la larga son destructivas. Por lo menos, necesitamos estar dispuestos a considerar que esto es lo que está pasando en la industria biotecnológica de hoy.

La demanda del consumidor. Suzanne Holland escribió: "Es axiomático en el capitalismo que el mercado existe para crear tanto como para satisfacer el deseo" ("*To Market, to Market*" [Al mercado vamos]). La industria biotecnológica no estaría ahogándose en el dinero de los inversionistas si no fuera por la esperanza de una gran demanda de sus productos. Los clones, los genéticamente urdidos embriones y las células troncales son productos potenciales, que se relacionan todos con aspectos fundamentales del deseo humano o de las necesidades humanas, tales como la búsqueda de la salud y el éxito, la aminoración del sufrimiento, la reproducción imperativa y aun el deseo de la inmortalidad. La industria biotecnológica estimula los deseos del consumidor tanto como responde a las demandas mercantiles de aquellos que las puedan pagar. Es difícil apostar contra una industria que procura satisfacer tales preocupaciones principales, sobre todo cuando el público consumidor ha sido preparado tan esmeradamente para que busque la felicidad en el mercado. Pero, ¿en dónde acabará? Daniel Bell argumentaba en la década de los años 60 que "las contradicciones culturales del capitalismo" en última instancia serían autodestructoras, ya que al desatar un consumismo sin límites destruiría las virtudes culturales necesarias para sostener al capitalismo. Ahora, nos preguntamos si es sólo una sociedad en particular o más bien la misma humanidad la que finalmente será devorada por las consecuencias no intencionadas de la biotecnología sin o casi sin influencia del gobierno, el ciclo vicioso final.

La fragmentación moral. En última instancia, el rumbo que tome la biotecnología será una decisión internacional. Pero el mismo desafío de llevar a cabo una coherente conversación moral internacional es pasmoso. Lo pasmoso de esto se hace evidente cuando se piensa en cuán difícil ha sido durante los últimos decenios para que se tenga una conversación *nacional* seria en los Estados Unidos de América. Larry Rasmussen puntualizó: "Nuestra sociedad actualmente vive únicamente con fragmentos morales y fragmentos comunitarios, siendo destruido ambos más rápidamente de lo que se reponen" (*Moral Fragments and Moral Community* [Fragmentos morales y comunidad moral], p. 11). Una nación moralmente fragmentada tal como la de Estados Unidos de América posiblemente carezca de lo más mínimo aun para una conversación: Un marco de significado compartido, un nivel mínimo de confianza, un compromiso con un propósito común y un vocabulario aceptado. Sin embargo, el dejar de tener una conversación y llegar así a decisiones nacionales (o internacionales) es ceder ante fuerzas y poderes existentes, cayendo así en el desastre.

Las dinámicas de una cosmovisión. Esto nos lleva a otra realidad más profunda. Ciertamente, la industria biotecnológica quiere ganar dinero, y los consumidores quieren sus productos. Pero los consumidores son más que actores económicos; somos criaturas con una conciencia cuyas acciones y motivos son impulsados por presuposiciones aún mayores. En otras palabras, somos poseedores de una cosmovisión, que está fundada en las historias particulares que contamos y creemos. Esta es la dimensión teológica de convicciones básicas de la que hemos hablado a lo largo de este libro.

Entre aquellos que más insistentemente abogan por un desarrollo ilimitado de los avances biotécnicos, podemos identificar elementos de cosmovisión tales como el naturalismo, el ateísmo, el utilitarismo y el utopismo científico. Entre nosotros, trágicamente, viven muchos sin la hipótesis funcional de Dios. Más bien, muchos creen que estamos solos en un universo sin Dios. Nuestra única tarea es hacer que la vida humana sea la mejor posible hasta que nos embista el próximo meteoro. Tenemos que usar nuestras destrezas e inteligencia para maximizar la dicha y minimizar el sufrimiento para nosotros como individuos (*el hedonismo*) o, más noblemente, para la humanidad como un todo (*el utilitarismo*). Aun después de Auschwitz e Hiroshima, muchos siguen soñando con una sociedad donde la ciencia y la tecnología eliminen la mayor parte de la miseria (una creencia que a veces se llama el *tecnoutopismo*). Sobre este tema Alison Caddick escribió: "Hoy, cada vez más, se nos unen en la adoración del nuevo sueño tecnológico... Nosotros... nos movemos por este rumbo, siendo jalados emocionalmente por su poder transcendente" ("Bio-Tech Dreaming" [El sueño biotécnico], p. 29).

La ideología *libertaria,* que consiste en *el individualismo, la privacidad, la toma de decisiones* y *la autonomía*, también es grandemente significativa aquí. Si no hay ningún límite divinamente establecido para la conducta humana, si no hay requerimientos para la humanidad, ningún código moral deontológico inmutable y ninguna obligación vinculante para perseguir el bien común, entonces a los seres humanos hay que liberarles para que busquen la buena vida tal como se les antoje definirla con toda la libertad posible, limitada únicamente por los intereses legítimos de sus vecinos y los límites de sus propios recursos económicos. Así la creencia es que no debe haber ninguna limitación a la autorrealización del individuo, siempre que esta no sea dañina a otro.

La combinación de estos dos factores quiere decir que un poderoso contingente entre nosotros argumenta a favor de la mayormente ilimitada búsqueda de la biotecnología como cuestión de la libertad reproductiva e individual; esto en una sociedad y mundo pluralistas y fragmentados carentes de consenso moral; esto en búsqueda de los bienes y beneficios promovidos vigorosamente y provistos por el mercado; esto en el contexto de una creencia explícita o implícita de que los seres humanos están solos en este universo, debiendo hacer sus propias elecciones sin ninguna referencia a un Creador divino; y esto en búsqueda de un sueño de poder superar las limitaciones de nuestra especie mediante el poder humano y el progreso científico.

Esto último vale la pena repensarlo. Si el extraterrestre proverbial fuera a visitar nuestro planeta hoy, vería una especie con habilidades extraordinarias que muestra poca vacilación en transgredir los entendimientos históricos de lo que significa ser un humano (o siquiera animal, la manipulación y explotación de la vida animal merece mucha más atención que la recibida). Algunos pensadores de hoy sugieren triunfalmente que nuestra especie está por evolucionar más allá del *homo sapiens,* convirtiéndose en lo que Gregg Easterbrook ha llamado *homo geneticus* ("La evolución médica"). Algunos hacen alarde de nuestro poder para controlar nuestra evolución humana. Nosotros nos rebelaremos contra la naturaleza, dejando atrás las limitaciones del pasado, para así rehacer la humanidad misma. Sin embargo, como sugiere el bioético Audrey Chapman (*Unprecedented Choices* [Elecciones sin precedentes], p. 76), ahora mismo las naciones como que, en general, no están seguras de que deban perseguir este canto de sirena. Parece que están vacilando momentáneamente en el límite, esperando que se les dé alguna razón por la que no deben meterse de lleno a la rehechura de la humanidad.

Forjando una respuesta moral, las células troncales

Aún no está claro si los potenciales beneficios de salud de las distintas terapias de células troncales en realidad sean tan dramáticos como algunos investigadores actualmente sugieren, pero no hay ninguna razón para limitar la investigación sobre las células troncales y su aplicación, siempre que la fuente de dichas células no sea moralmente problemática. El uso de células adultas, células del cordón umbilical y células de la placenta para la investigación y el tratamiento médico, por ejemplo, no suscita problemas morales, siempre que uno acepte la labor médica. Células tomadas de estas fuentes ya están siendo usadas en algunas terapias. En realidad, los cristianos debemos apoyar iniciativas tales como el establecimiento de bancos nacionales de donadores de células, abarcando todas estas fuentes de células. Tal banco de donadores tendría la ventaja de hacer que la investigación sobre las células madre fuese una iniciativa públicamente legítima, y haría que tales células estuviesen más disponibles que ahora.

Pero el uso de las células embrionarias suscita otras cuestiones más difíciles. Tales células pueden originarse de tres fuentes primarias: La clonación, la manipulación y destrucción de un embrión ya existente (mayormente un residuo congelado de intentos previos por realizar una reproducción auxiliada), y fetos voluntariamente abortados. Los investigadores en varios países han cultivado *líneas celulares* (originándose de una variedad de fuentes) de las que ellos esperan proveerse una existencia inacabable de células para la investigación y el uso médico. Cada una de estas fuentes de las células troncales embrionarias suscita la cuestión del estatus moral de la vida embrionaria y fetal. Como tal, esta cuestión encaja con la santidad de la vida de un ser humano, cosa que vimos en el estudio del aborto, debiendo considerarse aquí en términos similares.

Comencemos con el caso (aparentemente raro) del uso de fetos abortados para la extracción de células troncales. Creemos que la investigación que emplea fetos abortados a propósito compromete al investigador en una complicidad con un mal anterior. Este concepto de complicidad es difícil, pero esencialmente implica una asociación o cooperación con un mal proceder, aunque no se tuviera papel alguno en el mal original, y aunque los motivos del que lo hace sean irreprochables. Por ejemplo, los científicos nazis llevaron a cabo toda clase de experimentos horrendos con los presos de los campamentos de concentración. Ocasionalmente se lograba uño que otro conocimiento de valor médico. Sin embargo, la comunidad médica, para evitar una complicidad con el mal, generalmente rechazaba el uso de este conocimiento debido a las circunstancias de su adquisición.

En cuanto a los embriones congelados no usados, de los cuales se estima que hay cien mil sólo en los Estados Unidos de América, el problema moral está simplemente en la manipulación y destrucción de una vida humana en su etapa más temprana y vulnerable. Desde luego, existe un problema anterior; la práctica rutinaria de la mayormente irregulada industria de la reproducción asistida de producir más embriones para las parejas estériles, que jamás se usarán. Hay varias consideraciones económicas y prácticas conducentes a esta práctica, pero representa un excelente ejemplo de la ley de las consecuencias no intencionales. Hace veintitrés años, cuando la reproducción asistida estaba en sus inicios, nadie se imaginaba que dos décadas más tarde toda una ciudad de embriones esperaría un futuro incierto en un limbo congelado. Ahora, simplemente están ahí, un blanco vulnerable para la experimentación masiva y la destrucción, y para el argumento utilitario de que en virtud de su destino de destrucción, se debe hacer algo constructivo con ellos.

La así llamada clonación terapéutica, clonación humana para producir embriones destinados para la experimentación y la investigación, es la fuente más moralmente preocupante de las células troncales. Es así, porque (a) implica la moralmente dudable práctica de la clonación misma y subrepticiamente pudiera conducir a la clonación reproductiva, y (b) fabrica *intencionalmente* la vida humana a sabiendas de su destrucción final, más bien que usar los fetos abortados o los embriones congelados que ya existen.

Algunos investigadores presionan para la clonación terapéutica, porque creen que promete más para la producción de células troncales embrionarias. Sobre un nivel moral, ellos argumentan que la clonación terapéutica difiere de la clonación reproductiva en la que el desarrollo embrionario se detiene muy tempranamente, aún antes de poder anidarse el embrión en la pared del útero, el cual es el tercer ingrediente esencial para que se forme una persona humana: Esperma más el huevo (la fertilización) más el anidarse en el útero (la implantación). De modo que un clon tiene potencial, pero aún no tiene los ingredientes esenciales para formar un ser humano. Ellos concluyen que se puede diferenciar claramente entre la clonación terapéutica y la reproductiva.

Al ofrecer una evaluación moral, puede ser de ayuda nuestro modelo triádico. La enseñanza relevante es "no cometer homicidio". El ciclo vicioso en el cual nos encontramos involucra la tentación a responder ante los muy reales sufrimientos y enfermedades que aquejan a los seres humanos, respondiendo así de forma utilitaria manipulando y destruyendo vidas nacientes con la esperanza de aminorar esos sufrimientos. Algunos son destruidos para que otros vivan y prosperen. Ya que un embrión de tres días no es reconociblemente "humano", y porque no puede hablar por sí mismo, representando sus propios intereses, somos tentados a reducirlo a una sencilla conglomeración de células útiles para un fin benéfico.

Respondiendo a este reto muy difícil, a los cristianos se les llama a promover iniciativas transformadoras que hagan posible satisfacer las necesidades humanas, pero, a la vez, resistir de manera firme la tentación de destruir la vida humana en vía de desarrollo. Nuestra postura es análoga al argumento de Samuel Roberts (*African American Christian Ethics* [La ética cristiana afroamericana], p. 248): "La vida humana es sagrada, aunque sea el resultado de las iniciativas médicas... Usar este método para lograr una cura para la anemia de célula falciforme está plagado de mucho desorden moral y, a primera vista, no puede tener ninguna justificación según creo".

Como cuestión de política pública, los cristianos y otros que valoran la vida fetal tienen el derecho y la obligación de presionar por la exención de las células troncales embrionarias de los esfuerzos investigativos actuales. Esto es especialmente pertinente a la luz de la disponibilidad y la aparente promesa acerca de otras fuentes de células troncales y otros caminos para las metas de la medicina regenerativa. El descubrimiento de curas para enfermedades tales como el mal de Parkinson, el de Alzheimer y la anemia de célula falciforme sería uno de los grandes logros de la mayordomía humana del orden creado; pero moralmente no se nos permite perseguir ni siquiera esta alta meta por medio de la destrucción de la vida humana en su etapa más temprana.

El presidente de los EE. UU. de A., George W. Bush, procuró resolver esta cuestión en el contexto de su país, o a lo menos el involucramiento federal en la investigación de las células troncales, al permitir que los fondos federales para la investigación se gastaran sólo en las sesenta y tantas líneas celulares que existían a la hora de su decisión en agosto del año 2001. Esta decisión abrió paso para que hubiera fondos federales para la investigación de las células troncales embrionarias, pero no permitió que se usaran en la destrucción de embriones nuevos. Aunque esta decisión era un tanto ingeniosa políticamente, en un nivel moral es más problemática. Sí implica al gobierno en una complicidad con los males previos, y posiblemente tenga la consecuencia de crear un impulso para el relajamiento de las regulaciones bajo presión o bajo otro presidente. También, hay que recordar que nuestra economía política con la menor participación del gobierno significa que continuará sin regulación toda clase de investigación de las células troncales embrionarias moralmente odiosa, ya que no cuenta con fondos federales para tal operación.

La clonación

Una cosa fascinante sucedió durante el debate internacional sobre la clonación humana luego de que apareciera Dolly; se podía observar a grandes segmentos de la comunidad marcando una raya en la arena para decir: "Esto cruza la raya; esto no debe hacerse". Varios gobiernos en el mundo se apresuraron para prohibir la clonación reproductiva. Científicos seculares, filósofos y médicos pusieron argumentos en su contra. Las voces religiosas no estaban solas.

Esto no quiere decir que voces poderosas y claras dentro del ámbito biotécnico no estén argumentando lo mejor posible a favor de la clonación reproductiva. Tampoco quiere decir que ya haya cesado la investigación. Es muy posible que alguien intente la clonación reproductiva, o que alguien ya lo haya hecho. Pero tal vez quiere decir que la familia humana realmente se despertará para marcar una raya antes de que la clonación llegue a ser un hecho.

El mejor argumento en contra de la clonación reproductiva humana ha sido hecho por Leon Kass de la Universidad de Chicago, jefe del concilio asesor bioético del presidente George W. Bush. Kass resume su argumento en los siguientes cuatro puntos: Constituye una experimentación inmoral, amenaza la identidad e individualidad humanas, convierte la procreación en una fabricación, y significa un despotismo sobre los niños y la perversión del papel de ser padres.

La clonación es una experimentación inmoral porque, entre otras razones, el sujeto no puede dar su consentimiento, y porque la clonación animal, hasta ahora, revela un altísimo índice de fracasos y un elevadísimo índice de incapacidades mayores y deformaciones. Ningún científico ético procedería con la clonación humana bajo las condiciones actuales.

La clonación amenaza la identidad e individualidad al permitir la réplica genética intencional de una persona cuya vida está en proceso. Kass puntualiza: "Él (el clon) no será una completa sorpresa para el mundo; probablemente la gente siempre querrá comparar sus acciones con las de su otro ego" ("Preventing a Brave New World" [Evitando un mundo nuevo valiente], p. 34).

La clonación convierte a la procreación en una fábrica al permitir que se haga la selección con antelación de un anteproyecto genético total. Las cosas *se fabrican* pero las personas son *engendradas*. En la clonación esta frontera se borra. "En la procreación natural, los seres humanos... dan existencia a otro ser, que es formado exactamente como nosotros, por nosotros... En la reproducción por clonación... planeamos y diseñamos" un niño humano en particular (Ibíd., p. 34). (Acertadamente Kass se fija en que la fabricación de niños ya comenzó desde el principio de la fertilización *in vitro*).

La clonación significa el despotismo sobre los niños y la perversión del papel de ser padres al convertir a los niños en posesiones genéticamente planificadas con el propósito de más bien satisfacer los deseos de los padres, como lo expresa Sondra Wheeler: Los seres humanos son recibidos hospitalariamente como si fueran forasteros incapaces de ser poseídos por nosotros ("Making Babies?" [¿Haciendo niños?]). Algunos argumentan que muchos niños ya son traídos al mundo por razones particulares de los padres sin que estas sean el puro deseo de dar la bienvenida a una nueva vida. La respuesta correcta a este argumento es sencillamente rechazar (¡al fin!) el convertir a los niños en cosas o instrumentos sin importar la forma como nazcan, más bien que extender más tales tendencias. Hay que acabar con los ciclos viciosos, no extenderlos.

Varios argumentos más pueden hacerse en contra de la clonación reproductiva. Representaría la primera vez en que los seres humanos fueran reproducidos por la replicación asexual, alterando así radicalmente la naturaleza de la procreación humana y eliminando el origen genético dual. En un ensayo sobre la ley, Cathleen Kaveny ha demostrado cuán dramáticamente la clonación confundiría los linajes y relaciones familiares. Si se hiciese puramente impulsada por el mercado y la capacidad de pagar, contribuiría a la injusticia distributiva. Debilitaría las relaciones entre hombres y mujeres al borrar aún más el nexo matrimonial-sexual-reproductivo y, por primera vez permitiría la reproducción sin ninguna clase de representación de los dos sexos. Ahondaría el sufrimiento de los niños después de un divorcio, ya que mamá tiene que mirar todo el día al clon joven del odiado papá (Kass L., "*Preventing a Brave New World*" [Evitando un nuevo mundo valiente], p. 34).

La clonación contribuiría a nuestra epidemia de narcisismo al permitir la autocreación sin ayuda de otro; permitiría la autoclonación múltiple, creando así un show de fenómenos. Se podría utilizar sin el consentimiento de nadie. O, alternativamente, ciertos genotipos pudieran ser vendidos por los famosos o simplemente por intereses corporativos a aquellos que deseen una garantía ilusoria del éxito de sus hijos. Finalmente, al fin y al cabo, la clonación no satisface ninguna legítima necesidad humana. Muchas clases de tecnología reproductiva existen para los infértiles. El esfuerzo por resucitar a un niño muerto por medio de la clonación (citado a menudo en la literatura propagandística) sería un horriblemente triste y erróneo intento de rescatar un lamento que no puede ser rescatado, y también se haría al costo de la explotación de otro ser humano que es creado a la imagen de las proyecciones, expectativas y deseos de uno mismo.

La clonación reproductiva humana claramente debe ser prohibida. Las naciones deben unirse para prohibir la clonación antes de que ya no haya regreso. Actualmente, estamos muy irresponsablemente atrasados; debemos insistir en un acuerdo internacional, ya que el problema no puede ser resuelto por un solo gobierno.

Terapias genéticas

La problemática de distintas clases de terapias genéticas puede ser la más difícil de las tres que estamos considerando aquí.

Como ya lo hicimos notar, se ha reconocido una distinción entre las terapias somáticas y la manipulación y las terapias y *las líneas germinales* en este campo desde la década de los años 80. Generalmente, los éticos aprueban las terapias somáticas pero desaprueban las terapias que tienen que ver con las líneas germinales o cualquier otra clase de manipulación genética. Pero ahora se han hecho preguntas acerca de la precisión científica y la relevancia moral de estas distinciones. Un grupo de estudio de la Asociación americana en pro del avance de la ciencia (AAAS, por sus siglas en inglés) ha sugerido que se abandone la terminología, distinguiendo así sólo entre las modificaciones genéticas heredables y las no heredables. Consideremos primero las modificaciones genéticas no heredables para así enfocar la enfermedad tanto como para realzar las capacidades genéticas.

Francis Collins ha escrito que actualmente la meta de la medicina genética realmente es mucho más modesta de lo que los reportes de la prensa nos harían pensar: Identificar las variantes genéticas que posiblemente *aumenten* (junto con otros factores genéticos y ambientales) el riesgo que corre la gente en desarrollar varias enfermedades ("Heredity and Humanity" [La herencia y la humanidad], p. 28). Basados en esta información, los investigadores esperan que a la larga sea posible diseñar programas individualizados de medicina preventiva y tratamiento de enfermedades. Suponiendo que *las terapias somáticas* (las modificaciones genéticas no heredables) de esta clase sean seguras antes de usarse, no parece haber ninguna razón moral persuasiva para resistir tales avances terapéuticos. Ellos representarían un importante avance nuevo en el cuidado de la salud.

¿Qué diremos acerca de las modificaciones de las líneas germinales (u otras heredables) que tengan la intención de evitar la expresión de enfermedades genéticamente transmitidas? Varias cosas parecen favorecer la terapia de líneas germinales: Posiblemente se curen algunas enfermedades, también puede ser que sea la única manera de atacar algunas enfermedades y la prevención cuesta menos que la curación. Por ejemplo, si el gen del mal de Tay-Sachs o Huntington pudiera ser eliminado del ADN reproductivo de todos aquellos que lo llevan, presumiblemente estas terribles enfermedades verdaderamente podrían ser vencidas.

Hay varias preocupaciones. Una es simplemente científica. Tal como Collins argumenta, basándose en la mejor información actual del proyecto genoma, si el papel de los genes es complejo y no determinista, y si los genes interactúan impredeciblemente con el ambiente y el libre albedrío, entonces la supuesta promesa de las intervenciones de las líneas germinales posiblemente sea exagerada. Puede ser que simplemente estemos hasta el cuello y podamos terminar haciendo males mayores para los individuos y la raza humana. El informe de la AAAS declara llanamente que las modificaciones heredables actualmente no pueden llevarse a cabo con seguridad en los seres humanos.

Es más, la modificación de las características heredables afectaría no tan sólo al individuo sino a toda su prole. Las intervenciones rutinarias de esta clase afectarían la fuente genética general de la raza humana. Otra preocupación es distributiva, a no ser que creemos un régimen de cuidado de salud en el que todo el mundo tenga acceso a las terapias de líneas germinales, entonces se puede imaginar el desarrollo de una sociedad dual, dividida entre los genéticamente ricos y los genéticamente pobres. También, existe la cuestión del reparto de recursos. En una sociedad sin cuidado médico para los pobres, ¿cómo se puede proceder con tales terapias exóticas para los privilegiados? Los patrones existentes de ventaja y poder sociales sólo quedarían exacerbados. Hay la preocupación de que los esfuerzos por erradicar las enfermedades genéticas contribuyan a la estigmatización social de los que las tienen. Finalmente, es difícil ver cómo se puede evitar la manipulación de líneas germinales si permitimos la terapia de líneas germinales. Por estas razones y otras, el informe de la AAAS asume una posición marcadamente cautelosa en cuanto a cualquier uso de la modificación genética heredable.

La problemática se agrava si se considera la *manipulación* de líneas germinales. Aquí, una excelencia empaquetada de varias clases sería impuesta sobre la próxima generación. Todas las críticas hechas en contra de la clonación —especialmente la experimentación sobre sujetos sin su consentimiento, el despotismo de los padres, una individualidad reducida y la fabricación de niños— son aún más relevantes aquí. Las preocupaciones sobre la terapia de líneas germinales sólo se realzan, ya que los riesgos usuales de la manipulación de líneas germinales tienen que ser comparados con un bien mucho más dudoso que la prevención de enfermedades heredables.

Hay bajo consideración entre los éticos una variedad de enfoques interesantes para resolver estas problemáticas. Una proposición útil en cuanto a una nueva manera para establecer límites fue hecha en un libro llamado *From Chance to Choice: Genetics and Justice* [De suerte a selección: la genética y la justicia] (Buchanan A. *et al.*). Los autores simplemente proponen que la compra de lo que pudiera llamarse "la manipulación de la excelencia narcisista" debía ser prohibida por la ley. Esto se aplicaría o a las intervenciones somáticas o las de líneas germinales. Sin embargo, ellos abogan socialmente a favor de un pequeño núcleo de capacidades humanas básicas y por el acceso de parte de todos los ciudadanos, sin importar las capacidades que tengamos para pagar por los servicios médicos, a las terapias genéticas (siempre que las deseen) que pudieran ser útiles en la consecución de tales capacidades. En un sentido, este es el modelo que prevalece en el cuidado de salud (aunque está profundamente corrompido por un acceso desigual debido a fallas en la forma de distribuir la atención médica). Simplemente sería extendido a la medicina genética. Asimismo, James Peterson aboga por una reconsideración del rechazo absoluto de las intervenciones en las líneas germinales, aunque con un espíritu de muy cautelosa deliberación y aplicación progresiva de las terapias nuevas (*Genetic Turning Points* [Puntos genéticos decisivos], pp. 306-321).

Eventualmente, la distinción fundamental respecto a esta problemática posiblemente sea entre las manipulaciones de excelencia narcisista y las legítimas terapias genéticas como una dimensión aceptada del cuidado de salud. Aunque el conocimiento incompleto actual en torno a las modificaciones genéticas heredables exige por lo menos una moratoria sobre cualquier aplicación de tales intervenciones, se debe permitir que la investigación continúe. Es posible concebir una situación del futuro en la que ciertas enfermedades genéticas cuidadosamente señaladas sean eliminadas nacional y aun internacionalmente mediante terapias rigurosamente probadas y ofrecidas a todos los que las necesiten y las requieran.

Sin embargo, puede ser que esta distinción entre la terapia y la manipulación genética sea imposible de mantener en la práctica y que la humanidad (por lo menos algunos de nosotros) no pueda refrenarse de cruzar ese umbral. Pero parece ser un buen lugar para comenzar a poner límites. Estamos llamados a sanar a los enfermos y promover la vida *humana*, no a construir otra especie totalmente diferente.

Conclusión: En el umbral

Anteriormente argumentábamos que el mundo, especialmente la industria biotecnológica, hace esta pregunta a la iglesia: *¿Por qué no hemos de proceder con la rehechura de la humanidad ya que estamos desarrollando el poder para hacerlo?* Nuestra respuesta es esta: Acertadamente ustedes han asumido el mandato de aliviar el sufrimiento humano. Ustedes tendrán nuestro apoyo al perseguir tales esfuerzos legítimos. Pero necesitan seguir este mandato dentro de los parámetros del bienestar humano bajo la soberanía de Dios. Estos parámetros incluyen límites sobre los medios usados para lograr la meta perseguida. Los seres humanos no pueden ser fabricados, planificados o destruidos. No se puede experimentar sobre los que son vulnerables ni ellos pueden ser usados sin su consentimiento. Los beneficios de sus innovaciones no pueden estar limitados a los privilegiados. Ustedes no pueden tomar sus decisiones sin el consentimiento del resto de la humanidad. Ciertamente, los cristianos seguirán dando su testimonio público procurando vivir conforme a tales principios al tomar sus propias decisiones.

Audrey Chapman pregunta: "¿Tendrá la sociedad la sabiduría, los poderes de discernimiento y los compromisos adecuados para aplicar su nuevo conocimiento y capacidades para fines éticos?" (*Unprecedented Choices* [Opciones sin precedentes], p. 2). Que Dios guíe nuestros pasos para que la respuesta a esa pregunta refleje un ejercicio sabio de nuestra mayordomía.

SECCIÓN IV:

VARÓN Y MUJER

En esta sección nos dedicamos a una serie de cuestiones escabrosas que pertenecen a las relaciones humanas y la sexualidad. Los temas abarcan el matrimonio, el divorcio, las relaciones sexuales premaritales, el control de la concepción, la homosexualidad y las relaciones de género en la familia, la iglesia y la sociedad.

Esta sección presenta una buena prueba de nuestra metodología centrada en el reino. Muchos escritos clásicos cristianos sobre estas cuestiones ofrecen enfoques con raíces en la ley natural o las órdenes de creación. Pensamos que el retener nuestro enfoque sobre las enseñanzas de Jesús aporta ideas frescas. El Sermón del monte ofrece unas perícopas críticamente importantes que enfocan explícitamente en el matrimonio, el divorcio y el sexo, encerrando implicaciones para toda la manera en que pensamos acerca de las relaciones entre los sexos y los roles que estos desempeñan. Esta sección del libro también es importante para que pongamos más atención en el concepto bíblico fundamental del concepto de pacto.

13

MATRIMONIO Y DIVORCIO

También fue dicho: Cualquiera que despide a su mujer, déle carta de divorcio. Pero yo os digo que todo aquel que se divorcia de su mujer, a no ser por causa de adulterio, hace que ella cometa adulterio. Y el que se casa con la mujer divorciada comete adulterio.

Mateo 5:31, 32

Yo (Dave Gushee) conozco a un hombre que, con veinte años y recién regresado del trauma de una guerra, se casó con la primera mujer con quien se relacionó. Él era el tercer esposo de ella. Pronto se comprobó que le era infiel, durmiendo con los amigos de él y compañeros de trabajo sin que se preocupara por ocultarlo. Pero a este hombre se le había enseñado que era malo divorciarse y creía que la gente no debía deshacerse fácilmente de sus problemas. Finalmente, al cabo de siete años horribles, él puso fin al matrimonio. Más tarde, él conoció a otra mujer de la que se enamoró y con quien se casó. Ya llevan más de cuarenta años de estar casados felizmente y han criado cuatro hijos.

Una segunda historia: Estando en el seminario, mi esposa y yo nos hicimos muy amigos de una pareja recién casada, igual que nosotros. Juntos pasamos por el seminario y juntos nos preparamos para vidas en el ministerio. Recuerdo gratamente haber salido juntos con esta pareja, viendo el amor que libre y abiertamente ellos demostraban tener entre sí.

Terminamos los años de seminaristas, y nos separamos. Pasaron diez años, y a ambos matrimonios nos nacieron tres hijos. Al cabo de algún tiempo, supimos que nuestros amigos habían comenzado a tener problemas maritales. Después, hubo mejoras en la relación. Luego, más problemas y sesiones de consejos matrimoniales, finalmente con la decisión de la mujer de terminar el matrimonio. Mi esposa le rogaba a que reconsiderase la decisión. De por medio no había habido ningún adulterio, ninguna crueldad, ningún abuso de drogas, ninguna violencia. Los problemas giraban en torno a la acumulación de pequeños resentimientos, conduciendo así a la lenta muerte del amor que alguna vez esta esposa tenía para su esposo.

Así que se divorciaron, sumando así a los tres pequeños al otro millón y pico que anualmente tienen que ajustarse a tener dos familias, dos hogares y dos vidas. Observaban con dolor que la madre a quien amaban tanto y el padre que amaban igual ya no se amaban. Varios años después, yo asistí a la boda de mi amigo. No podré olvidar la belleza de la ceremonia ni la manera en que la nueva madrastra hacía todo lo posible por forjar una familia, basándose en toda esta desgracia. Tampoco olvidaré la valentía de los tres niños "pequeños pero viejos", "felices pero tristes" al participar en el nuevo matrimonio de su padre y otra vez la reelaboración de su mundo más íntimo.

Una tercera historia: Durante mi primer año de enseñanza en la universidad, di con una muchacha profundamente preocupada cuya historia familial era un revoltijo de casamientos, separaciones, divorcios y cohabitaciones. En su corta vida había experimentado cinco matrimonios de parte de su madre y cuatro de parte de su padre. Era producto del primer matrimonio, y era muy claro que hacía mucho que sus padres habían dejado de mostrarle afecto. En realidad, lo expresa con demasiada delicadeza, porque también contaba de ocasiones de abuso de parte de algunos de los (supuestos) adultos que entraban y salían de su vida cuando niña. Para cuando yo la conocí, estaba profundamente herida. Será muy largo el camino de la recuperación de la salud.

Haciendo las preguntas incorrectas

Uno de los propósitos de este libro es rehacer la manera por la cual se definen y se abordan los temas dentro de la ética cristiana. Narrativas como estas nos ayudan a pensar más plenamente respecto a lo que está en juego al hablar sobre las cuestiones morales. Estas nos llaman la atención a cuestiones que de otro modo posiblemente nos sintiéramos tentados a obviar. También nos hacen ir más allá de una ética fría y puramente deductiva, impulsándonos hacia Jesús en búsqueda de las respuestas y las preguntas correctas.

Cuando se trata del divorcio, estas funciones de las narrativas son muy significativas. Primero, nos recuerdan que la problemática del divorcio tiene que ser abordada por las iglesias. Con pocas excepciones, el cristianismo simplemente ha capitulado ante la epidemia de divorcios que ha barrido durante los últimos 35 años. A veces las iglesias han procurado recoger los pedazos rotos de la vida familiar mediante un ministerio a los divorciados. Pero han tenido poca respuesta teológica moral que ofrecer ante el mismo divorcio: No han iniciado ningún contraataque estratégico.

Pero las narrativas también nos recuerdan que el divorcio merece que lo manejemos con cuidado. Como veremos en este capítulo, un contingente de eruditos bíblicos evangélicos no se ha mantenido callado. Estos eruditos han procurado interpretar las enseñanzas bíblicas sobre el divorcio lo más fielmente posible, aun siendo que la cultura ha cambiado dramáticamente.

Sin embargo, estos eruditos e iglesias tienden a reflejar un enfoque muy legalista a la interpretación de la Biblia y su aplicación Se centran en reglas y sus excepciones más bien que en el carácter de Dios, en los principios escriturarios que reflejen ese carácter, en las verdaderas situaciones humanas que reflejan nuestra esclavitud al pecado y en las prácticas transformadoras. Ellos tienden a preguntar sobre las cuestiones permisibles: *¿Bajo qué circunstancias es moralmente permisible divorciarse o casarse de nuevo?* ¿Es permisible que una persona divorciada trabaje como pastor? ¿Deberá el pastor oficiar en la boda de alguien que ha estado divorciado? Demuestran poca sensibilidad ante el contexto humano dentro del cual toda ética cristiana se da. El resultado es que la enseñanza moral se separa de todo contacto con la experiencia humana, terminando a veces o en la irrelevancia o hasta en la crueldad.

En este capítulo nos avocaremos a los puntos detallados de la interpretación bíblica. Preguntaremos acerca de las reglas que deberán gobernar la vida cristiana en el ámbito del matrimonio. Pero lo haremos dentro del contexto de un diferente paradigma moral. Buscaremos desarrollar la ética cristiana mediante el camino de Jesús y, al hacerlo, el centro de gravedad de nuestra ética sobre el matrimonio y el divorcio se cambiará considerablemente.

Sobre el divorcio: ¿El Jesús de Mateo o el de Marcos?

Respecto a la problemática del matrimonio y el divorcio, somos dichosos de tener disponible la enseñanza explícita de Jesús. Desdichadamente, los textos son notoriamente difíciles de interpretar. Las muchas tradiciones eclesiales tocantes al divorcio, casi todas, se remontan a este pequeño grupo de enseñanza, porciones de la misma se pueden encontrar en cada uno de los tres Evangelios Sinópticos (Mat. 5:31, 32; 19:3-12; Mar. 10:2-12; Luc. 16:18; véase 1 Cor. 7:10-16). Este relativamente pequeño cuerpo de enseñanza escrituraria ha suscitado una tremenda gama de interpretaciones diferentes y tradiciones eclesiásticas.

Hay cuatro textos dentro de los Evangelios que hay que considerar. Uno, tomado del Sermón del monte, da origen al título de este capítulo. Otro es un resumen de una sola oración de un elemento de la enseñanza de Jesús (Luc. 16:18). Luego, dos textos de gran peso: Mateo 19:3-12 y Marcos 10:2-12.

Los dos últimos pasajes son similares de muchas maneras. Ambos registran un encuentro de Jesús con los fariseos en el cual ellos buscan "probarle" públicamente. Ambos conciernen a la problemática del divorcio, de si contradice la ley judía o no. En ambos pasajes Jesús se niega a contestar con los mismos términos en que fue planteada. Más bien, él se ubicó más allá de las provisiones de la ley judía en las intenciones originales de Dios el Creador. En ambos casos él hizo declaraciones fuertes por las que mandaba a sus oyentes a que obedecieran la voluntad de Dios para el matrimonio, evitando el divorcio. En ambos casos él hizo alguna conexión entre los actos del divorcio y el volverse a casar, por un lado, y el adulterio por el otro. Finalmente, en ambos casos él consideró las preguntas de sus discípulos después de terminar su enredo con los fariseos.

Sin embargo, las diferencias son significativas: Los fariseos en Mateo no preguntaron sólo si el divorcio era legal o no sino, más bien, si era legal *kata pasan aitian*, una frase que se traduce mejor como "por cualquiera motivo" (Mat. 19:3, NVI). Los fariseos en Mateo no preguntaban si el divorcio en sí era legal, porque conforme al AT y la ley rabínica, sí lo era, tal como indica la alusión a "la carta de divorcio" (Deut. 24:1-4). Ellos pedían que Jesús se identificara con un bando en un continuo debate rabínico tocante a las bases legales y moralmente legítimas para el divorcio. Al principio, Jesús se negó a que lo metieran en ese debate. Pero en su culminante palabra pública sobre el tema, el Jesús de Mateo incluía una *cláusula de excepción* al complejo de divorcio-volverse a casar-adulterio. "Cualquiera que se divorcia de su mujer, a no ser por causa de *porneia*, y se casa con otra, comete adulterio" (Mat. 19:9). Pareciera que ahora Jesús se alineaba con uno de los partidos rabínicos, el más conservador, respecto al divorcio, pero, ¿en realidad lo hacía?

Estas variaciones en el relato de Mateo nos presentan un instructivo estudio de caso dentro de la exégesis bíblica y su nexo con la ética cristiana. Aquellos que toman a Mateo como el punto de partida tienden más fácilmente a enredarse en una lectura legalista de la enseñanza de Jesús sobre el divorcio y el volverse a casar. Más probablemente ellos formarán la pregunta de la manera que esbozamos antes: "¿Sobre qué bases es permisible?". Es decir, probablemente ellos harán la pregunta *exactamente como la hicieron los fariseos*. Sin embargo, la mayoría que sigue la lectura marcana hallan esto más difícil de hacer. Porque en Marcos, al igual que en Lucas, no se da ninguna cláusula de excepción. Jesús nos pone con la espalda a la pared. O creemos que Jesús nos daba una nueva regla sin que hubiera ninguna excepción a ella —o sea, que *ningún* divorcio es legítimo, que *todo* volverse a casar es un acto de adulterio— o, ante "los dilemas crueles y estrafalarios" creados por esta interpretación, nos vemos obligados a cambiar el paradigma. Nuestro enfoque aquí refleja la última opinión. Sea lo que Jesús dijera, su enfoque no eran leyes y reglas con sus excepciones. Él quiere que hagamos una pregunta diferente.

El matrimonio, la creación y el reino

No nos debe sorprender que Jesús respondiera a sus inquisidores hablando sobre las intenciones de Dios para el matrimonio en la creación. Siempre hemos hecho notar que el corazón de la misión y enseñanza de Jesús era la irrupción del reino de Dios. Al llegar el reino, la redención sería demostrada por las evidencias gloriosas del cumplimiento de la voluntad de Dios. A través de los siglos, la intención de Dios en cuanto a la creación se había distorsionado. Pero ahora llegaba el tiempo del fin por el cual la eterna voluntad de Dios se vería y se realizaría nuevamente.

De modo que cuando se le preguntó a Jesús respecto al divorcio, él volvió a los relatos de la creación. No se interesaba por enfocarse en la legislación deuteronómica, que cuando más era una concesión a la *sklerokardia* humana (Mar. 10:5), la dureza de corazón, o en las capas de concesiones adicionales que se habían fabricado alrededor de esta primera concesión. Más bien, él demandaba que sus oyentes, y especialmente sus seguidores, recordasen los propósitos de Dios en la creación respecto a la relación matrimonial. Él quería que sus oyentes recobrasen un sentido de la tragedia envuelta en la terrible destrucción del matrimonio. Él quería que ellos se adentrasen en la (renovada) era del reino por la cual los propósitos de Dios para la creación, después de mucha espera, ahora llegaban a una complacencia en y por sí mismos.

Entonces, según Jesús, ¿qué implica el vivir en el reino en el matrimonio? El texto marcano, sin el problema de la cláusula de excepción, es un buen lugar para investigarlo.

1. El matrimonio es un pacto de asociación entre varón y mujer, establecido por Dios para los propósitos de Dios. La historia de la creación está en el corazón del enfoque de Jesús en torno al matrimonio. Jesús dijo primero que "Dios los hizo varón y mujer," aludiendo a Génesis 1:27. En ese pasaje, Dios creó a la humanidad a la imagen divina y el varón tanto como la mujer llevaban esa imagen. En su contexto bíblico original, "la imagen de Dios" alude primariamente a las tareas particulares dadas por Dios en relación con el resto de la creación (Gén. 1:26-31). El varón y la mujer juntos representaban a Dios al lograr los propósitos de él a favor de él y al mandato de él. Tal como lo expresa Vigen Guroian, "Por medio del matrimonio y la familia Dios capacita a los seres humanos para que participen en su actividad creadora y sus propósitos redentores" (Guroian, "Ethic of Marriage and Family" [La ética del matrimonio y la familia], p. 323). Estos propósitos incluían la *procreación*, el propagar la especie humana, el poblar el planeta y así por extensión el criar a los hijos (Gén. 1:28; véase Mal. 2:15). También, incluían el ejercicio de una *mayordomía* cotidiana sobre la creación y sus criaturas. El cuadro es de los varones y mujeres juntos haciendo la obra de Dios en la creación de Dios. Los propósitos de Dios también implican la *intimidad* relacional y la *unión* sexual (Gén. 2:24). Tomadas juntas estas actividades *profundizan y fortalecen la relación compromisoria* entre el marido y su esposa para que cumplan con la voluntad de Dios respecto a los vínculos y la comunidad.

El testimonio del NT respecto al discipulado tanto como al matrimonio se construye sobre este entendimiento sin cambiarlo fundamentalmente. El propósito central del matrimonio, como en toda la vida, es buscar primeramente el reino de Dios (Mat. 6:33). Los discípulos de Jesucristo no han de vivir para sí mismos sino para Dios y sus propósitos. Como en la vida "regular," así en el matrimonio, al dar sus propias vidas para Dios y el uno para el otro, al entregarse al camino de la cruz (Luc. 9:23-25), ellos descubren la más rica realización posible dentro del matrimonio. Pero, si hacen que el matrimonio sea únicamente una forma de su propia autorrealización, probablemente encuentren cualquier cosa en el matrimonio menos la realización.

Ya que la institución del matrimonio fue establecida por Dios y para los propósitos de Dios, su deseo es que se extienda a todo matrimonio, sea que la pareja casada se preocupe por el matrimonio o no. Dios es el testigo en todas las bodas, sea que se le invite o no. El matrimonio es una ocasión sagrada, sea que la pareja lo reconozca como tal o no.

2. El matrimonio es el compañerismo gozoso entre el varón y la mujer mediante la unión carnal. En su siguiente declaración Jesús alude a lo que a menudo se llama la "segunda" historia de la creación. En esta historia (Gén. 2:18-25), el hombre (*ja adán*) estaba "solo", y Dios declaró que esta situación no era "buena" (Gén. 2:18). De modo que Dios decidió crear una *ezer kenegdo* (una ayuda idónea, Gén. 2:18-20). La insuficiencia de los animales demostraba que no cualquier clase de compañera serviría sino sólo una persona igual que el hombre. Finalmente, Dios tomó del mismo cuerpo del hombre a la mujer, presentándola, produciendo en él un grito de gozosa satisfacción: "Ahora ésta es hueso de mis huesos y carne de mi carne" (Gén. 2:23). Del hombre se tomó la mujer; de uno se hicieron dos. Pero en el matrimonio, como dice Génesis citado por Jesús, los dos llegaron a ser uno de nuevo. Ellos quedan "reunidos" al unirse en una unión de "una sola carne," una franca relación sexual en una intimidad personal y relacional (Gén. 2:24, 25; Mar. 10:7-9). Los que han disfrutado el matrimonio al máximo saben que esta (re)unión de una sola carne es uno de los mejores regalos de Dios dado a los seres humanos.

3. El matrimonio es una relación de pacto que ha de ser fiel y permanente. Con suma claridad e intención, Jesús dijo: "lo que Dios ha unido, no lo separe el hombre" (Mar. 10:9). Dios tiene la intención de que el matrimonio sea permanente. Ha de perdurar hasta la muerte de uno de los contrayentes (véase Rom. 7:1-3; 1 Cor. 7:10, 11). Aunque el matrimonio no se extiende por toda la eternidad (Mat. 22:30), es un compromiso de toda la vida. Jesús no nos dijo exactamente porqué esto es así. Si pensamos teleológicamente, es decir, en términos de los propósitos divinos para el matrimonio —la procreación y la crianza de niños, la mayordomía sobre la tierra, el compañerismo de pacto, el buscar el reino de Dios— fácilmente podemos intuir la superioridad de la permanencia sobre la transitoriedad dentro de la relación matrimonial. Mientras tanto, si uno piensa en términos de la preocupación de Dios por nuestro bienestar y felicidad, también es aparente, intuitivamente tanto como experimentalmente, que los matrimonios estables y gozosamente duraderos contribuyen al bienestar humano mucho más que las alternativas.

La Escritura *es* clara y explícita por su manera de entender el significado de la permanencia en el matrimonio. Este tema no tan sólo es recalcado por Jesús sino que lo es a lo largo de la Biblia. Aquí vemos el significado del lenguaje del *pacto*, tal como se relaciona con el matrimonio. Toda la historia de la salvación, tal como la Escritura la narra, es una serie de relaciones de pacto irrevocables (Rom. 11:29) entre Dios y los seres humanos, comenzando con Noé (Gén. 9).

Un pacto, tal como la Escritura lo entiende, es una relación sagrada, atestiguada por Dios, pública y mutuamente comprometedora, entre dos personas que voluntariamente prometen vivir conforme a sus términos. Dios escoge relacionarse con toda criatura, con Israel y con la iglesia por medio de pactos. ¡Qué significante, pues, que las Escrituras inspiradas también escogen el lenguaje de pacto para describir la naturaleza de la relación matrimonial! También ellas intencionalmente usan la figura del pacto entre Dios y los hombres para representar dicha relación (Eze. 16:8; Oseas 2:19; Mal. 2:14-16; Efe. 5:21-33).

Es esta clase de entendimiento acerca del matrimonio lo que Jesús quería poner delante de sus oyentes. El vivir dentro del reino en el área del matrimonio encierra el edificar y preservar relaciones de pacto gozosas, sociables, justas, permanentes, comprometidas con realizar los propósitos de Dios para el matrimonio como institución. Donde exista un matrimonio como este, se hace la voluntad de Dios, y el reino de Dios es anunciado. Donde un matrimonio como este venza una tentación que pudiera arruinarlo, o se salve de un conflicto que lo amenaza, o de una ruptura que lo envenena, se hace la voluntad de Dios. Jesús les decía a sus seguidores: hagan la voluntad de Dios en torno al matrimonio y dejen de preguntar cuándo será permisible hacer menos.

Así que Jesús reorienta nuestra atención. Él esquiva las preguntas legalistas que nosotros queremos hacer tales como: ¿Cuándo se permite el divorcio? ¿Pueden los pastores volverse a casar? Si la ética cristiana está siguiendo el camino de Jesús, las preguntas acerca del divorcio deben hacerse de la siguiente manera: *¿Cómo colaboraremos con Dios en crear, nutrir y preservar matrimonios que reflejen la intención de Dios para este santo pacto y que perduren toda la vida?* Esto nos lleva a dos preguntas adicionales:

¿Cuáles son algunas de las actitudes y conductas que destruyen los matrimonios? ¿Cuáles son algunas prácticas concretas que debiéramos desarrollar como esposos e iglesias que nos liberen de la discordia marital y la alienación, fortaleciendo y preservando así el matrimonio?

Si nuestra sugerencia respecto a la estructura general de la enseñanza de Jesús es acertada, entonces deberíamos poder confiar en él para las respuestas a las preguntas que acabamos de hacer. En realidad, conforme a nuestra lectura triádica del Sermón del monte, debemos poder encontrar (a) alguna declaración de la *piedad tradicional* o una enseñanza concerniente a la voluntad de Dios referente al matrimonio, (b) alguna enseñanza tocante a los *ciclos viciosos o mecanismos de esclavitud* que impiden que hagamos la voluntad de Dios y (c) algunas *iniciativas transformadoras* que nos liberen de estos ciclos viciosos. Puede ser que este enfoque brinde alguna perspectiva fresca sobre estos textos difíciles.

La piedad tradicional: El uso y el abuso de la carta de divorcio

Primero, consideremos el texto corto sobre el divorcio en el Sermón del monte (Mat. 5:31, 32). A menudo se ha leído legalistamente este texto, dándole una atención especial a la cláusula de excepción y la asociación entre el divorcio, el volverse a casar y el adulterio. Pero, más bien, si buscamos la tríada de la piedad tradicional, el ciclo vicioso y las iniciativas transformadoras, lo que encontramos primero es la siguiente piedad tradicional: "También fue dicho: *cualquiera que despide a su mujer, dele carta de divorcio*". Aquí sí tenemos un fragmento de la piedad tradicional judía y su práctica. ¿Qué diremos al respecto?

La referencia es Deuteronomio 24:1-4, el más importante de los cuatro textos antiguotestamentarios que versan en términos legales sobre la problemática del divorcio (los demás son Deut. 22:13-21; 22:28, 29; Lev. 21:7, 14; véase Isa. 50:1). Interesantemente, una lectura cuidadosa del texto de Deuteronomio 24 muestra, tal como ha argumentado Charles C. Ryrie, que en él no manda que haya la práctica del divorcio, no lo aprueba, ni lo permite explícitamente ("Biblical Teachings on Divorce and Remarriage" [La enseñanza bíblica sobre el divorcio y el nuevo matrimonio], p. 233). Más bien, aquel texto *supone* la existencia del divorcio como una práctica cultural. "Supóngase que un hombre se casa con una mujer, pero ella no le agrada ya que halla en ella algo objetable, de manera que le hace una carta de divorcio, se la entrega y la saca así de su casa" (Deut. 24:1).

El texto sigue para describir una variación particular sobre ese escenario por la cual la pobre mujer en cuestión es divorciada por su primer esposo, se casa con un segundo, siendo divorciada también por él. La problemática que se suscita es si ella puede volverse a casar con el primer esposo. La respuesta es no, ya que ella "ha sido mancillada" (Deut. 24:4). Es claro que desde el AT y el Talmud la gente judía de hecho sí empleaba este método de la "carta de divorcio" para disolver los matrimonios. La carta era más o menos un documento legal formal que incluía la confirmación oficial del esposo de haberse divorciado de su esposa, estando ella ahora libre para volverse a casar. La mujer no tenía ningún derecho legal para iniciar el divorcio ni para evitar que su esposo se divorciara de ella.

Parece que el propósito principal de esta ley era ofrecer alguna mínima protección para las mujeres abandonadas dentro de una sociedad profundamente patriarcal. Como tal, es consecuente con gran número de otras leyes antiguotestamentarias que igualmente querían velar por los intereses de los vulnerables. En el Israel antiguo, una mujer abandonada por su esposo no tenía forma de sostenerse a sí misma, tampoco tenía esperanzas de que un hombre la sostuviera, porque a nadie se le permitía casarse con ella. Esta regulación por lo menos aclaraba el estatus de una mujer y, por principio, le permitía una segunda oportunidad para casarse. Desde luego, en *realidad*, las perspectivas para que una mujer divorciada volviese a casarse no eran muy buenas. Fundamentalmente esta regulación no cambió la condición de impotencia y extrema vulnerabilidad de las mujeres. Si el divorcio llegaba a verse como rutinario, las mujeres estaban en gran riesgo. Parece que esto fue precisamente lo que ocurrió.

En la historia posterior de la interpretación rabínica y la práctica judía durante el tiempo de Jesús, este mismo texto cobró un significado más importante. En realidad, la situación para las mujeres y para el matrimonio se había empeorado. La mayoría de los comentaristas se fija en el debate, tal como se registra en la *Mishnah*, entre las escuelas rabínicas de Hillel y Shammai (con el comentario de Akiba) sobre el divorcio.

> La Escuela de Shammai dice: Ningún hombre puede divorciarse de su esposa a no ser que encuentre en ella una falta de castidad, porque está escrito: *Ya que encontró en ella una **indecencia** respecto a cualquier cosa.* Y la Escuela de Hillel dice: [Él se puede divorciar de ella] aun si le echó a perder una comida, porque está escrito: *Ya que encontró en ella una indecencia respecto a **cualquier cosa***. R. Akiba dice: Aun si él encontraba a otra más hermosa que ella, porque está escrito: *Y será que si ella no es agradable para sus ojos.* (*Gittin* 9:10, en Hays R., *Moral Vision of the New Testament* [La visión moral del Nuevo Testamento], p. 353).

Las palabras en cursiva son tomadas de Deuteronomio 24:1. El debate rabínico giraba en torno a la interpretación correcta de estas palabras, especialmente de las palabras hebreas *erwath dabar* (Deut. 24:1), una frase incómoda que literalmente dice "la desnudez de una cosa". Ellos preguntaban acerca de las bases legítimas para el divorcio tal como Moisés "mandó" (Mat. 19:7) en Deuteronomio 24. Por supuesto, esto mismo indicaba un malentendido del pasaje dentro de su contexto original. Un texto que tenía la mira de proteger a las mujeres de ser divorciadas por sus esposos por una cosa superficial ahora estaba siendo examinado con el fin de encontrar mandatos y permisos que permitieran a los hombres saber cuándo podían iniciar un divorcio.

¿Qué encontraban los rabíes? El enfoque "conservador," reflejado en la enseñanza de Shammai, consideraba que el divorcio era moralmente legítimo ("legal") sólo en el caso de la "indecencia" de una esposa; es decir, alguna forma de indebida conducta sexual (probable pero no necesariamente una conducta sexual inapropiada sin que llegara al adulterio, ya que este era castigado por la muerte). Sin embargo, la opinión prevaleciente, y aparentemente la práctica prevaleciente, parecía ser la de Hillel, que interpretaba la frase muy generalmente para que significara "cualquier cosa que no agradaba". Tanto Filón como Josefo conocían y aprobaban esta opinión. De modo que, se podía divorciar a las esposas por no ser tan hermosas como una rival (Akiba), por no ser buena cocinera (Hillel) o por cualquier cosa. Así que la carta de divorcio había sido transmutada desastrosamente en una manera de desobedecer la voluntad de Dios. Jesús llamaba a sus seguidores a que volvieran a la intención original de Dios para el matrimonio: La permanencia, la mutualidad y la pacificación.

Los ciclos viciosos: Repensando la conexión entre el divorcio y el adulterio

La corrupción de la práctica del "certificado de despedida" no es el único mecanismo de esclavitud identificada por Jesús. Él continuaba diciendo: "Todo aquel que se divorcia de su mujer, a no ser por causa adulterio [*porneia*], hace que ella cometa adulterio, y el que se casa con la mujer divorciada comete adulterio" (Mat. 5:32).

Otros dichos semejantes son reportados por Mateo en el capítulo 19 tanto como en Marcos y Lucas.

> Y os digo que cualquiera que se divorcia de su mujer, a no ser por causa de fornicación, y se casa con otra, comete adulterio.
>
> Mateo 19:9

> Y él les dijo: Cualquiera que se divorcia de su mujer y se casa con otra, comete adulterio contra ella. Y si la mujer se divorcia de su marido y se casa con otro, comete adulterio.
>
> Marcos. 10:11, 12

> Cualquiera que se divorcia de su mujer y se casa con otra comete adulterio. Y el que se casa con la divorciada por su marido comete adulterio.
>
> Lucas 16:18

Primero hay que notar que este aspecto de la enseñanza de Jesús sobre el divorcio es disputado acaloradamente. También, tenemos que estar conscientes de lo que *nosotros* traemos a estos textos. Los lectores pueden traer un contexto cultural por el que el divorcio y un segundo casamiento son parte de la sociedad y la iglesia. De modo que al leerlos hoy, estas enseñanzas están entre las más difíciles de todas las enseñanzas de Jesús para ser aceptadas de parte nuestra. Hay que tener mucho cuidado en no seguir nuestra tendencia inmediata de neutralizarlas.

Primero, debemos considerar sus semejanzas y sus diferencias.

1. Los textos mateanos. Nótese la manera en que estos dos pasajes se diferencian el uno del otro.

> Mateo 5:32: "Todo aquel que se divorcia de su mujer... hace que ella cometa adulterio, y el que se casa con la mujer divorciada comete adulterio".

> Mateo 19:9: "Cualquiera que se divorcia de su mujer... y se casa con otra, comete adulterio".

El texto en Mateo 5 tiene la siguiente lógica: "Si me divorcio de ti, hago que *tú* cometas el adulterio; y si alguien se casa contigo (mi ex esposa), *él* comete el adulterio". En el texto de Mateo 19 la lógica es: "Si me divorcio de ti y me caso con otra, *yo* cometo adulterio".

Una importante cuestión exegética para estos textos mateanos es el significado, si es que lo hay, del tiempo verbal pasivo en Mateo 5 (*moicheuthenai*). Algunos intérpretes piensan que esta palabra debe entenderse con el significado de que si yo me divorcio de mi esposa, ella será *vista por otros* (estigmatizada) como que ha cometido adulterio. Esto tiene algo de sentido superficialmente, sin embargo, la interpretación tiene el inconveniente del uso por parte de los demás textos, que hablan sobre la conexión entre el divorcio y el adulterio, el uso de verbos activos. Una interpretación más probable del verbo pasivo en Mateo 5:32 tiene que ver con la impotencia de las mujeres dentro del contexto judío legal. Ella puede ser divorciada por su esposo, pero no puede iniciar ella misma el divorcio. Otro hombre puede tomarla por esposa, pero no se le describe como tomando a otro hombre por esposo. Toda la situación *le sucede a ella* más bien que ser el resultado de su propia decisión. Otra posibilidad es que el estar divorciada hace que la mujer cometa el adulterio por estar en una situación desesperada por la cual ella tenga que involucrarse en un nuevo matrimonio ilegítimo para poder sobrevivir.

Mientras tanto, ambos textos mateanos difieren de los de Marcos y Lucas de forma crítica: Por su inclusión o adición de alguna forma de la así llamada cláusula de excepción: "A no ser por causa de adulterio" (*parektos logou porneias* en Mat. 5). Esta cláusula ha generado mucha discusión, tal como veremos a continuación.

2. Marcos. El texto marcano tiene la siguiente lógica: "Si yo me divorcio de mi mujer y me caso con otra mujer, *yo* cometo el adulterio *contra ella*" (presumiblemente, mi ex esposa). También contiene un elemento que no se encuentra ni en Mateo ni en Lucas; la aplicación recíproca de la misma enseñanza a la mujer: "Si *ella* se divorcia de mí y se casa con otro hombre, *ella* comete adulterio". Richard Hays señala el carácter asombroso de la formulación por Marcos del dicho de Jesús:

> Esta declaración propone una fundamental redefinición del adulterio. En la ley y tradición judías, el adulterio era una ofensa contra la propiedad de otro, una especie del robo de la propiedad personal al "tomar" a su esposa. Así, el adulterio por definición podía cometerse únicamente contra un hombre, porque el esposo no era, de ninguna manera, considerado como una "propiedad sexual" de su esposa. La enseñanza de Jesús, sin embargo, cambia las reglas del juego con un solo golpe (Hays, *Moral Vision of the New Testament* [La visión moral del Nuevo Testamento], p. 352).

Jesús desbarató la tradición al remontarse más allá, a la intención de Dios. El matrimonio es una relación recíproca con derechos recíprocos. El esposo o la esposa pueden ser fieles o infieles dentro del matrimonio, y ambos son responsables por su comportamiento. Respecto a la cuestión de que una mujer iniciara el divorcio, cosa que era normalmente imposible para las mujeres judías, muchos intérpretes creen que Marcos adaptó la tradición para hablar a la situación legal que los lectores de su Evangelio enfrentaban en el mundo grecorromano, al igual que Mateo adaptó la tradición para hablar a sus propios lectores judeocristianos.

3. Lucas. La versión lucana de la misma enseñanza tiene una importante diferencia, combinando así sutilezas encontradas en Mateo tanto como en Marcos. Su lógica es la siguiente: "Si yo me divorcio de ti y me caso con otra mujer, *yo* cometo el adulterio; si alguien se casa *contigo* [mi ex esposa], *él* comete el adulterio". La primera cláusula paralela los pasajes similares en Mateo 19 y Marcos 10; la segunda paralela la cláusula final de Mateo 5.

Todos estos textos comparten la convicción de que el matrimonio es un pacto de toda la vida, siendo el divorcio una trágica violación de ese compromiso. Esto es lo más importante de ellos. Todos ellos también hacen alguna conexión entre el divorcio, el adulterio y el casarse de nuevo. El divorcio y el volverse a casar, que eran muy comunes en la vida judía del primer siglo, de alguna forma equivalen al adulterio, un pecado para el cual la ley exigía la muerte. ¡Seguramente estas palabras son originales de Jesús, y seguramente ellas llamaban la atención a sus oyentes originales!

Los escritores de los Evangelios difieren exactamente en cómo registran esta conexión entre divorcio, volverse a casar y adulterio. Sus diferencias probablemente tienen que ver con cómo se redactaran y cómo se usaran las tradiciones orales y tal vez las escritas en los contextos particulares de las comunidades de los escritores de los Evangelios. Nosotros pensamos que lo más probable es que Marcos ofrece la versión más cercana a las palabras originales de Jesús, aunque, tal vez, adaptadas a sus lectores gentiles helenísticos, y que Mateo claramente adaptó su material para sus lectores judeocristianos. Lucas era un gentil que escribía primariamente para un auditorio grecorromano, pero él sitúa la enseñanza de Jesús sobre el divorcio dentro de una polémica contra la interpretación de la ley judía por parte de los fariseos.

En todo caso, las leves pero verdaderas diferencias de sutilezas entre estos cuatro pasajes han dejado perplejas a muchas generaciones de intérpretes. También han suscitado una variedad de tradiciones eclesiásticas las cuales han buscado ser fieles a una de las susodichas versiones o han intentado lograr una armonización de todas ellas.

La tradición católica romana histórica interpretaba la evidencia como para permitir la *separación*, no el divorcio, por causa del adulterio, sin permitir nunca la real disolución del matrimonio (es decir, el divorcio) ni el permiso para casarse de nuevo. Martín Lutero hacía una distinción entre las verdaderas bases para la separación, por un lado, y el divorcio; y por el otro permitía el divorcio genuino cuando bíblicamente era justificable, permitiendo el volverse a casar en los casos donde había fundamento bíblico para el divorcio.

Hoy, algunos intérpretes protestantes conservadores argumentan que ni el divorcio ni el casarse de nuevo *jamás* son moralmente permisibles. Algunos argumentan que el divorcio nunca es moralmente "justificable", pero que el casarse de nuevo es permisible después de un arrepentimiento apropiado. Otros argumentan que la separación o el divorcio son moralmente permisibles por el adulterio, pero que el volverse a casar nunca es moralmente aceptable. Aun otros argumentan que el divorcio es moralmente permisible por el adulterio y, donde este sea el caso, el casarse de nuevo es moralmente permisible, por lo menos por parte de las víctimas. Otros concuerdan con esta última postura pero amplían las bases para incluir el abandono de parte del cónyuge incrédulo. Algunos permanecen abiertos al divorcio por otras ofensas contra el matrimonio, tales como el abuso físico o varias formas de inmoralidad crasa. Otros hablan en términos generales acerca de "situaciones por las que la intención divina [para el matrimonio] ha sido borrada por el pecado y el fracaso" (Grenz S., *Sexual Ethics* [La ética sexual], p. 109). La postura evangélica más abierta argumenta que el divorcio es moralmente legítimo cuando un matrimonio "muere" y no puede ser resucitado, y que el casarse de nuevo es permisible en caso de que tal cosa sea aconsejable.

Nosotros creemos que pese al resultado particular de cada argumento esbozado anteriormente, la mayoría de ellos sucumben ante el estilo de razonamiento moral regla-excepción que caracterizaba a los fariseos, no a Jesús. Puede ser que esta sea una de las razones por las que son ignorados cuando los cristianos toman sus decisiones respecto al divorcio. Es posible que la disciplina eclesiástica y las demandas prácticas de la moralmente seria vida congregacional requieran la formulación de una postura sobre el divorcio y el nuevo casamiento que tenga, hasta cierto grado, una estructura de reglas basada en la interpretación de estos textos. Pero la clase de argumentación que se encuentra en la mayoría de los tratados evangélicos sobre el divorcio parece, por lo general, despistada e incompleta. Puede ser que la misma diversidad de la opinión erudita y eclesial ayude a apoyar esta afirmación.

Nos gustaría sugerir una consideración de la conexión entre el divorcio y el adulterio en términos de la estructura triádica de la enseñanza moral de Jesús. Creemos que al ligar el divorcio y el nuevo casamiento con el adulterio, Jesús no estaba escribiendo una nueva ley sino, más bien, afirmaba que el divorcio y el volverse a casar están vinculados con el adulterio al igual que la causa se vincula con el efecto y, tal vez, como el efecto se vincula con la causa. En otras palabras, hay un ciclo vicioso que los une:

Primero, el divorcio y el nuevo casamiento causan el adulterio, en el que la libertad para acabar con el actual matrimonio, con el fin de comenzar otro puede crear una vulnerabilidad ante la tentación de "codiciar la mujer ajena" (Éxo. 20) *más bien que permanecer comprometido en su matrimonio.* Si el matrimonio realmente es la unión de un solo hombre con una sola mujer, siendo indisoluble hasta la muerte esta unión, entonces no queda más remedio que profundizar "la relación con la esposa (el esposo) de mi juventud" más bien que buscar "campos más verdes". Pero si el matrimonio puede disolverse fácilmente, entonces puedo escapar de mis problemas por medio de una nueva compañera. Interesantemente, la búsqueda de una nueva compañera a menudo asume la forma inicial del adulterio en el sentido más estricto, un primer acto de infidelidad sexual con una posible compañera futura. El siguiente paso, a menudo, es el adulterio en el sentido amplio, la rotura del pacto con mi compañera original con el fin de formar una nueva relación con mi nueva compañera.

Segundo, la rotura del compromiso matrimonial original a menudo conduce a compromisos matrimoniales más débiles la segunda, tercera y cuarta veces. Una vez que se rompe el sentido sagrado del pacto matrimonial, especialmente por el adulterio, el segundo y el tercer matrimonios son menos capaces de recobrar o recrear ese significado. Son inherentemente más precarios, tal como muestran las estadísticas. Si tú y yo tuvimos aventuras amorosas con otros que acabaron con el primer matrimonio de ambos, haciéndolo con impunidad por no estar contentos con nuestros cónyuges, ¿qué impediría que uno de los dos hiciera lo mismo en el curso de este matrimonio? ¿Por qué debo yo confiar en ti cuando no eras confiable en tu primer matrimonio? ¿Por qué debes confiar en mí? ¿Cuál es el significado de nuestro compromiso el uno con el otro?

Un tema subyacente en nuestro argumento a favor de la ética de pacto es la profunda necesidad que hay en nuestra sociedad autocentrada por el reestablecimiento de relaciones de confianza más bien que las de desconfianza y manipulación. Necesitamos recobrar el concepto del pacto sobre los muchos niveles de compromiso y fidelidad en los cuales entramos en varias esferas de nuestra vida de las que el matrimonio es el más formal y explícito. Desesperadamente necesitamos relaciones de confianza; desesperadamente necesitamos discernir las relaciones de pacto y no la simple manipulación dentro de nuestras relaciones con otros.

Tercero, el divorcio causa el adulterio por su impacto sobre los hijos. Inevitablemente el divorcio altera la relación de los hijos con sus padres. Es muy alta la probabilidad de algún abandono de los compromisos de pacto entre los padres y los hijos. Piensen en las ex esposas que usan a sus hijos como instrumentos en la tramitación del divorcio; piensen en el padre que deja de pagar el sostén de los hijos; piensen en la madre que se muda a una distancia de mil kilómetros con el fin de casarse con otro, desapareciendo así de la vida del hijo. De modo que el divorcio y el nuevo casamiento están ligados al adulterio en el sentido general del quebrantamiento de pacto. Es más, los hijos que pasan por el divorcio de sus padres empiezan su propio proceso de relación con el otro sexo con una tremenda desventaja. Ellos pueden vencer esta desventaja, pero sin una atención esmerada, ellos más probablemente batallarán en sus propios matrimonios que los de un hogar feliz e intacto. Así que el divorcio se convierte en más divorcios cuando los pecados de los padres llegan a influenciar a los hijos y a los hijos de los hijos. Si los hijos han presenciado la infidelidad y la inestabilidad relacional durante su niñez, ellos no tendrán sino modelos negativos a seguir.

Nosotros sugerimos que cuando Jesús ligaba el divorcio y el nuevo casamiento con el adulterio, él pensaba concretamente en los ciclos viciosos de la infidelidad y la falta de permanencia relacional. Él quería liberar a sus seguidores de la esclavitud de estos ciclos para que pudieran experimentar el gozo del matrimonio tal como Dios quiso.

La notoria cláusula de excepción

Aún no hemos visto la cláusula de excepción en Mateo. Esta cláusula resulta ser problemática para la tradicional, orientada a reglas acerca de la enseñanza de Jesús sobre el divorcio. También es difícil asimilarla dentro del marco de nuestro propio enfoque de estos textos.

El enfoque predominante sobre la "cláusula de excepción" mateana es revelado por su nombre histórico: Tratar la expresión griega *parektos logou porneias* (Mat. 5:32) y *me epi porneia* (Mat. 19:9) como una excepción a la prohibición general del divorcio. Conforme a este razonamiento, para Mateo el divorcio (y quizá el volverse a casar) no es moralmente permisible excepto cuando uno de los cónyuges peca contra el matrimonio mediante algún acto de *porneia*. Esta ha de ser la regla para la comunidad de fe.

Varias interpretaciones diferentes se han ofrecido para el significado del término *porneia*. Tradicionalmente se ha traducido en "adulterio". Así que muchos han creído que la enseñanza prohíbe el divorcio por cualquier causa que no sea el adulterio de parte de uno de los cónyuges, pero si esto ocurre, entonces se permite el divorcio (y quizá el nuevo casamiento). En el contexto judío, esto haría que la enseñanza de Jesús se asemejara a la postura de Shammai respecto al divorcio. Muchos cuerpos eclesiásticos han asumido esta postura.

Sin embargo, no todo el mundo está convencido. Algunos argumentan que el término no puede significar el adulterio tal y como lo entendemos hoy, porque para los judíos el adulterio era castigado con la muerte. La aplicación de la pena de muerte por el adulterio, por lo menos a veces, es ilustrada por la historia de la mujer tomada en adulterio relatada en Juan 8, aunque la historia no está incluida en los manuscritos más tempranos de ese Evangelio.

Más significativa es la elección de la palabra *porneia* más bien que *moicheia*, que es la palabra griega para adulterio. Generalmente, *porneia* se usa para denotar el pecado sexual en un sentido amplio, incluyendo la relación sexual premarital ("fornicación") y otras formas de "falta de castidad" o "pecado sexual", tal como *La Biblia, la Palabra de Dios para todos* traduce el término en el uso por Mateo. Que haya una distinción para Mateo entre los dos términos es indicado por Mateo 15:19, una enumeración de acciones malignas en las que ambos términos, *moicheia* y *porneia* son nombrados separadamente (la RVA traduce al primero como "adulterio" y el segundo como "inmoralidad sexual" en este caso).

Algunos intérpretes han argumentado que el uso del término *porneia* tiene el propósito de ampliar las causas legítimas del divorcio. Según esta manera de leerlo, el divorcio puede ser moralmente legítimo, no tan sólo en los casos de adulterio sino también, más ampliamente, cuando un cónyuge se porte incasta o indecentemente, por lo menos como un patrón de comportamiento. Se puede idear una amplia gama de comportamientos sexualmente inmorales o inapropiados, sin que sea el adulterio, que constituyan una ofensa fundamental contra el pacto del matrimonio, tales como un repetido uso de pornografía, el exhibicionismo, el contacto sexual con otros que no sea el acto sexual en sí, etc. Se vislumbra que la meta implícita de algunos de estos intérpretes es aflojar un poco las reglas a favor de la humanidad y la caridad. Otros sencillamente creen que la palabra griega *porneia* se traduce mejor en el sentido amplio de la carencia de castidad sexual.

Una sugerencia muy interesante nos llega de otro rumbo totalmente diferente. Algunos han argumentado que *porneia*, en Mateo, tiene que entenderse como la falta de *castidad premarital;* esto por la interpretación única de Mateo en torno a la historia de la navidad (véase Mat. 1:18-25). En esta historia José se entera de que su prometida está embarazada; al principio supone que ella ha tenido relaciones sexuales con un hombre, y por ende, hace planes para *apolysai (*"dejarla", RVA o "divorciarse de ella", NVI). La palabra puede ser traducida legítimamente de cualquiera de las dos formas. El narrador le describe como "justo", y por ende, su comportamiento lo es. No se hace ninguna crítica de su intención de acabar con su compromiso de una forma soslayada. Luego, por supuesto, interviene el ángel, y la historia sigue su curso. Algunos han sugerido que esta *excepción* es lo que Mateo tenía presente en su cláusula de excepción. El divorcio no es permisible excepto cuando una mujer comprometida ha sido culpable de *porneia* (véase Juan 8:41), donde los opositores de Jesús lo tildan de ser un producto de *porneia*. En tales casos la palabra correcta sólo puede ser *porneia* más bien que *moicheia*, porque el compromiso, aunque un compromiso serio, aún no es el matrimonio.

Este relato de la cláusula de excepción en Mateo también pudiera explicar la misma existencia de la cláusula en Mateo y únicamente en Mateo, una problemática con la que todo intérprete tiene que lidiar. Porque únicamente es en el Evangelio de Mateo que se cuenta la historia del plan del José "justo" para despedir a su comprometida. De modo que sólo Mateo hubiera sentido la necesidad de explicar a sus lectores que José, de hecho, era justo al pensar en despedir a María, aunque todo otro episodio de divorcio es moralmente ilegítimo.

Puede ser que la mejor forma de interpretar la excepción singularmente mateana sea verla simplemente como su regla-orientada a la adaptación de las enseñanzas incondicionales de Jesús contra el divorcio. Hays piensa que Mateo es el máximo "político eclesiástico" y el "reconciliador de diferencias", que adaptó la enseñanza de Jesús para que funcionara como una rigurosa pero misericordiosa regla de vida para su comunidad. Si de esta forma se ha de leer la cláusula de excepción, entonces tiene más sentido una lectura amplia de su significado: falta de castidad sexual general como la base del divorcio cuando sea necesario (Hays R., *Moral Vision of the New Testament* [La visión moral del Nuevo Testamento], pp. 355, 356).

La pacificación marital: Repensando "el privilegio Paulino"
Hemos visto una declaración de la piedad tradicional y la de un mecanismo de esclavitud en el área del matrimonio y el divorcio. Enseguida pensaríamos encontrar alguna declaración de una iniciativa transformadora que rompiera esta esclavitud, permitiendo así que se haga la voluntad de Dios. Pero no la hay. No hay nada en Mateo 5:31, 32 que tome la forma de la esperada iniciativa transformadora. Trece de las catorce enseñanzas dentro del corazón del Sermón del monte (Mat. 5:21—7:12) tienen la triple estructura triádica, pero aquí claramente falta; esto nos asombra. Al menos ello demuestra la objetividad de nuestras tres categorías: Claramente hay una piedad tradicional, claramente hay un ciclo vicioso y claramente también falta una iniciativa transformadora.

Pero en 1 Corintios 7:10, 11 sí encontramos una enseñanza de Jesús que ofrece una iniciativa transformadora que evita el divorcio. El pasaje dice como sigue: "Pero a los que se han casado mando, *no yo, sino el Señor*: que la esposa no se separe de su esposo (pero si ella se separa, que quede sin casarse o *que se reconcilie* con su esposo), y que el esposo no abandone a su esposa" (las letras en cursiva han sido añadidas).

Es importante entender el contexto de este pasaje. Pablo respondía a preguntas hechas por los creyentes en Corinto. Todo el capítulo 7 contiene sus repuestas a sus preguntas tocantes a asuntos de la sexualidad y el matrimonio. Anteriormente él escribía de los mutuos derechos sexuales, pertenecientes a ambos, el esposo y la esposa, urgiéndoles a que no se abstuvieran de las relaciones sexuales (1 Cor. 7:2-6). Es posible que se estuviera desarrollando un movimiento por el cual algunos creían que la santidad requería el ascetismo sexual. Pablo rechazó esto tajantemente.

Este es el probable contexto del pasaje bajo consideración. Las mujeres de la comunidad estaban considerando el divorcio para salvaguardar la santidad y la devoción al Señor. En particular, las mujeres que tenían matrimonios mixtos consideraban el divorcio, porque hallaban que era difícil reconciliar sus relaciones sexuales con un incrédulo y la participación santa con el cuerpo de Cristo (véase 1 Cor. 6:12-20). También, el texto da evidencia de que la discordia dentro de tales matrimonios, no sólo su preocupación por la santidad, era un problema.

Al responder, Pablo ofrecía lo que aquí él describe como un dicho de Jesús: Los cónyuges no debían separarse el uno del otro, pero si lo hicieran, ellos debían "permanecer sin volverse a casar o, en su defecto, reconciliarse". En otras palabras, si ya tuvo lugar la separación, que no se divorcien. Si el divorcio ya tuvo lugar, no se vuelvan a casar. Más bien, que busquen la reconciliación mientras todavía exista la oportunidad. Ahora bien, tenemos una enseñanza explícita de Jesús, reportada por Pablo, de la clase que esperábamos: Mandando iniciativas transformadoras que sanen los matrimonios enfermos.

El mismo corazón de un matrimonio en dificultad es la rotura relacional y la alienación. A veces la alienación resulta de un acto principal que daña el matrimonio, tal como una impetuosa aventura amorosa. Sin embargo, normalmente la alienación marital resulta de un lento "taponamiento de las arterias maritales" por un aumento de resentimiento debido a conflictos no resueltos. Las así llamadas diferencias irreconciliables y la avería marital a las que se atribuye la mayoría de los divorcios, no suelen darse de la noche a la mañana. El milagro del perdón es su habilidad de "destapar" las arterias de las relaciones humanas obstruidas para así remover los resentimientos acumulados, permitiendo de nuevo una interacción pacífica dentro de una relación reconciliada.

La reconciliación no se da sola. Es el producto final de un ciclo de pacificación, que Jesús enseña a lo largo del Sermón del monte: reconociendo que estamos atrapados en un ciclo vicioso y buscando participar de la graciosa liberación de Dios, tomando la iniciativa de ir al otro, *buscando la reconciliación*, rehusando el vengarse, afirmando los intereses válidos del otro, arrepintiéndose más bien que juzgando, perdonando más bien que reteniendo el perdón, orando por el adversario y, sobre todo y por todo, el amor. Estos pasos no son más aplicables en otra parte que en la relación matrimonial. Pensamos que Jesús enseñaba que los esposos y las esposas debían tomar iniciativas tales como estas para hacer la paz el uno con el otro, y esta enseñanza se registra aquí.

El mismo énfasis sobre la reconciliación continúa en 1 Corintios 7:12-16. Pablo ofrece una instrucción que no se describe como un dicho de Jesús, pero que es un intento por Pablo, como siempre, de ser fiel a la enseñanza de Jesús tal como se aplica a un nuevo contexto. Aquí, en busca de una reconciliación, al cristiano que está en un matrimonio religiosamente mixto, se le instruye a que permanezca en lo que a todas luces es una relación profundamente complicada. "Si algún hermano tiene esposa no creyente, y ella consiente en vivir con él, no la abandone... Porque el esposo no creyente es santificado en la esposa, y la esposa no creyente en el creyente. De otra manera vuestros hijos serán impuros, pero ahora son santos" (1 Cor. 7:12, 14).

Es muy interesante ver el contraste entre la respuesta a los matrimonios religiosamente mixtos y la del líder antiguotestamentario, Esdras, durante el período de la restauración de la historia de Israel, que tuvo lugar después del exilio. En aquel entonces, Esdras mandó a los israelitas a divorciarse de sus esposas extranjeras y a abandonar a los hijos de esos matrimonios para evitar el peligro de la idolatría y la impureza religiosa (Esd. 10). Pablo, en cambio, enfatizaba las *posibilidades* más bien de que los peligros de un matrimonio mixto (una vez que ya se está en tal matrimonio; Pablo desaprueba la iniciación de un matrimonio mixto; véase 1 Cor. 7:39). Bajo el impacto de la enseñanza de Jesús, él se enfocaba en la reconciliación entre los cónyuges más bien que en los peligros de la impureza religiosa. En realidad, él trastocaba el asunto, pareciendo así hacer la sugerencia extraordinaria de que el incrédulo recibe algunos efectos rebosantes de la buena relación con Dios del creyente, más bien que al revés. Primariamente, Pablo se interesaba por la reconciliación, no sólo entre los cónyuges, sino entre el incrédulo, los niños y Dios.

Pensamos que este es un pasaje crítico para tener un acercamiento cristiano al matrimonio y al divorcio, entendiéndosele en un estilo de "participación en el reino" más bien que en el estilo de razonamiento moral "regla-excepción". Pero el pasaje se ha usado principalmente de la última forma. El énfasis se ha puesto en 1 Corintios 7:15: "Pero si el no creyente se separa, que se separe. En tal caso, el hermano o la hermana no han sido puestos bajo servidumbre".

Este pasaje, siguiendo la histórica tradición católica romana, ha llegado a denominarse el "Privilegio Paulino". Interpretado de una forma casuística, se ha entendido como significando que *la deserción o el abandono del matrimonio por un cónyuge incrédulo* constituye una excepción adicional a la regla que prohíbe el divorcio. Así, algunos lectores creen que las bases legítimas para el divorcio son dos en realidad: El adulterio y la deserción. Otros piensan que son bases legítimas para la separación pero no para el divorcio. Muchos las ven como bases para el divorcio y *el volverse a casar*, por lo menos de parte del lado inocente, basándose en el término griego *ou dedoulotai* en el versículo 15, que se ha traducido usualmente como "no ha sido puesto bajo servidumbre".

Al igual que con el paradigma regla-excepción en el caso de *porneia* en Mateo 5 y 19, algunos intérpretes buscan ampliar la aplicación de esta nueva excepción. Por ejemplo, el abuso físico brutal a un cónyuge, aunque no se menciona específicamente aquí, se ve como una base legítima para el divorcio, porque tal comportamiento no es cristiano, siendo así el *equivalente* o al abandono o a la conducta de un incrédulo. Asimismo, el someter al peligro al cónyuge o a los hijos mediante la conducta criminal, la drogadicción o la crasa inmoralidad es considerado semejante al abandono del pacto matrimonial. John Jefferson Davis se ha concentrado en el significado de "consentimiento" (*syneudokei*) en 7:13 para poder argumentar que algunas formas de comportamiento, tal como el abuso físico, se constituyen en un dejar de *consentir* a vivir en un matrimonio viable (Davis, *Evangelical Ethics* [La ética evangélica], pp. 90, 91).

Esfuerzos como estos son importantes intentos por ajustar el paradigma regla-excepción de una manera que tome en cuenta y responda humanamente a la desdicha de tantos matrimonios de nuestro tiempo. Hay cierto valor en tal enfoque siempre que se recuerde que este no es el peso principal de este pasaje. El foco de 1 Corintios 7:10-16 no es la casuística regla-excepción sino la búsqueda de reconciliación. Debemos leer este pasaje primero como un mandato hacia la reconciliación; sólo entonces podemos hablar de lo que sucede cuando falle la reconciliación. "Dios os ha llamado a vivir en paz" (1 Cor. 7:15). Esto quiere decir primero la paz de la reconciliación marital. Sólo de forma secundaria, y como una trágica excepción, significa la fría y triste paz del divorcio.

Conclusión

Hemos descubierto el corazón de la enseñanza de Jesús sobre el matrimonio y el divorcio. *Lo que Dios ha unido, ¡permanezca unido! ¡Vayan, reconcíliense!* Esta manera de ver la problemática nos conduce a un asunto mucho más fructífero de prácticas morales cristianas en el área del matrimonio. Estas prácticas se enfocan concretamente en la *edificación del matrimonio y la prevención del divorcio* más bien que en el desarrollo de una sofisticada casuística de excepciones a la norma de un matrimonio de toda la vida o de una igualmente tortuosa casuística de juicios respecto a qué categorías de seres humanos ofrezcan o reciban el ministerio de las iglesias cristianas.

Hablar con algún detalle sobre las prácticas que se necesitan hoy para edificar los matrimonios va más allá de lo que podemos pretender en este capítulo. Cerramos, sin embargo, con las diez mejores prácticas. Para ir hacia la obediencia a las enseñanzas de Jesús, necesitamos trabajar para:

1. Formar discípulos cristianos saludables y comprometidos que tengan las destrezas y el carácter necesarios para tener éxito en el matrimonio.
2. Reorientar radicalmente la visión moral de la iglesia respecto al matrimonio, distanciándola del autocentrismo, acercándola a la visión del reino.
3. Desarrollar destrezas relacionales y de resolución de conflictos que sean útiles en el matrimonio y en otros aspectos de la vida eclesial también.
4. Enfatizar y modelar la pureza sexual y la fidelidad al dejar de enfatizar la expectativa de una utopía marital sexual.
5. Nutrir un clima de equidad relacional y justicia en el matrimonio que es crítico para el éxito duradero en la vida matrimonial.
6. Crear y mantener relaciones de apoyo en la intimidad, y la responsabilidad tanto como los procesos para intervenir en los matrimonios conflictivos.

7. Recobrar un entendimiento de pacto y de permanencia marital.
8. Enfatizar un discipulado de segunda oportunidad y de una orientación futurista más bien que enfocarse en la exclusión de personas por sus errores pasados.
9. Hacer resaltar los modelos de matrimonio saludable en cada etapa de desarrollo, empleando tal vez a tales personas como mentores de las parejas jóvenes.
10. Nutrir un sistema de valores eclesiásticos radicalmente contraculturales por el que se entiende el discipulado como incluyendo un matrimonio *de toda la vida* y también que ayude a todos los discípulos casados a alcanzarlo.

14

SEXUALIDAD

Habéis oído que fue dicho: No cometerás adulterio. Pero yo os digo que todo el que mira a una mujer para codiciarla ya adulteró con ella en su corazón. Por tanto, si tu ojo derecho te es ocasión de caer, sácalo y échalo de ti. Porque es mejor para ti que se pierda uno de tus miembros, y no que todo tu cuerpo sea echado al infierno. Y si tu mano derecha te es ocasión de caer, córtala y échala de ti. Porque es mejor para ti que se pierda uno de tus miembros, y no que todo tu cuerpo sea echado al infierno.

Mateo 5:27-30

La problemática de la expresión apropiada de la sexualidad humana es permanente, no tan sólo para la ética cristiana sino para todo sistema ético, en realidad, para toda sociedad humana. Nunca ha habido un orden social que no reflexionara sobre esta poderosa y misteriosa dimensión de la persona humana, prescribiendo reglas y principios para ella. Que sepamos, nunca ha habido un orden social en el cual la sexualidad no haya rebasado desordenadamente las fronteras establecidas.

La ética sexual luce muy diferente, dependiendo del contexto de uno en la vida y de la comprensión de uno de la naturaleza humana. Cuando yo (David) era un adolescente cristiano, la ética sexual se expresaba primariamente en términos de la norma moral referente a la abstinencia de la relación sexual, contraponiéndose al tremendo y creciente impulso de transgredir esa norma. En esa etapa de la vida, antes de tener una profunda relación de pacto con mi compañera para toda la vida, y durante la lucha adolescente contra la autoridad paternal, la naturaleza humana y la ética mayormente tenían que ver con el obedecer o desobedecer las reglas.

Al comenzar el tiempo de salir con las muchachas de forma seria durante los últimos años de la adolescencia, seguido por la relación que me llevaría al matrimonio a la edad de veintidós años, hubo necesidad de cambiar el enfoque. Aunque la abstinencia permanecía siendo la norma moral central ofrecida por la iglesia, había un muy leve reconocimiento de un significado más profundo de la sexualidad —el propósito de relaciones como el servicio mutuo, la lealtad, la confianza, el darse mutuamente, el amor como pacto— y el lugar legítimo de un limitado lazo sexual para la pareja comprometida que pronto se casaría. Comenzó la discusión de "¿hasta qué punto se puede llegar?" pero, desde luego, nunca se abordaba en el sermón dominical. Sin embargo, pronto el foco se ahondó en una cuestión más importante: "¿A quién puedo confiar mi vida en matrimonio para serle fiel a ella y ella a mí?".

Una vez que la boda estaba ya concertada, algunos adultos que se interesaban en nosotros, nos daban libros sobre las relaciones sexuales en el matrimonio. La norma cambió dramáticamente de la abstinencia a disfrutar, de refrenar las relaciones sexuales a la realización mutua en la sexualidad. ¡Qué cambio más grande! No mucho después, el foco de la instrucción moral se ahondó aún más para incluir la fidelidad al cónyuge en el matrimonio.

Ahora, dieciocho años más tarde, las normas de fidelidad y realización mutua en la sexualidad siguen siendo centrales, felizmente. No obstante, en un sentido más amplio, la experiencia vivencial más extendida revela la sorprendente multiplicidad de los problemas sexuales y los pecados. El problema más frecuente es que "mi compañera no se preocupa por las cosas que a mí me interesan y que me hacen falta, además de mis metas personales; de modo que ¿por qué debo seguir con mi lealtad a ella?". Más drásticamente, el adulterio, el abuso sexual de los niños, la violación, la pornografía, el sadismo, el incesto, la paidofilia están entre las ofensas contra la voluntad de Dios en el área de la sexualidad que he visto como pastor y profesor. Y, por supuesto, el pecado sexual no se da únicamente *allí* sino *aquí* también.

Comenzamos observando que la ética sexual luce muy diferente conforme al contexto de la vida y a la comprensión de la naturaleza humana que se tengan. Para empezar a fijarnos en la sexualidad, ponemos atención en las variantes de la ética de carácter holístico de *lealtades* y *percepciones del contexto de la persona*, y la comprensión que se tenga de *la naturaleza humana* (ver el capítulo tres). Al ir madurando, la cuestión del sexo llegaba a ser más un asunto de relaciones que de reglas. Las reglas aún importaban, pero empezaban a ser entendidas dentro del contexto más profundo: el de las relaciones, habiendo confianza y apoyo mutuos. La naturaleza humana es tal que necesitamos y buscamos las relaciones, la confianza, la preocupación mutua, la lealtad y la fidelidad (Gén. 2:24). El drama de Adán y Eva en Génesis 2 y 3 nos dice algo profundo acerca de nosotros mismos: En nuestra búsqueda del amor somos personas heridas, exiliadas y alienadas, obligadas a encontrar la reconciliación, la comunidad fiel y la afirmación mutua que venzan nuestra alienación y aislamiento. Podemos buscar la aceptación en relaciones de pacto donde experimentemos la fidelidad y la lealtad que trasciendan los fracasos y desilusiones de la vida, o podemos buscarla en las relaciones momentáneas, basadas en la habilidad de atraer, que acaban cuando encontremos a otra persona más atractiva. En este último caso, la búsqueda de la reconciliación y comunión lleva a una desconfianza más profunda, al egocentrismo, al interés personal y al impulso de encontrar lo que nos falta en la vida por impresionar a otros más bien que por la lealtad a otros. El resultado es una alienación más profunda.

Dentro de nuestra cultura de consumismo, existe un entendimiento superficial del sexo como la autosatisfacción momentánea, como cuando satisfacemos un capricho, algo que los participantes pueden clasificar como insignificante. Pero esto contradice el conocimiento psicológico y la experiencia. Tenemos una comprensión mucho más profunda en el evangelio, y el mundo la necesita desesperadamente. El realismo de Jesús estipula que la manera en que relacionamos nuestro ser interior con otros es lo que nos da forma y nos define (Mar. 7:21), y el sexo seguramente relaciona nuestro ser interior con otras personas: Este es el entendimiento bíblico-hebraico realista de la unión en una sola carne (1 Cor. 6:12-20; Gén. 2:24). Nos convertimos en lo que somos por la manera en que nos relacionamos con otros, en nuestras prácticas, y esto es cierto respecto a las profundidades incontrolables de nuestro relacionar sexual. El entendimiento consumidor-encuentro momentáneo queda contradicho por Freud y la psicología profunda, tanto como por nuestra experiencia social. La relación sexual no es tan sólo un momento de placer, tal como el comerse un dulce, sino una acción que da forma al carácter. La manera en que una sociedad practica su sexualidad da forma no tan sólo al pueblo de la sociedad sino a la sociedad misma. Si una sociedad usa su sexualidad dentro de contextos de egoísmo, manipulación, desconfianza y traición, esta tiende a convertirse en una sociedad egoísta, manipuladora, desconfiada y traicionera. Esto, sencillamente, es la realidad de la naturaleza humana.

De modo que Jesús enseña acerca de las relaciones sexuales dentro del contexto de relaciones de pacto. La teología cristiana clásica argumenta que todo aspecto del ser humano ha sido creado bueno tanto como que ha sido corrompido por el pecado, que no hay rasgo del ser humano que no sea básicamente bueno sino que está dañado y "caído". Los distintos usos, mal usos y abusos de la sexualidad evidencian ampliamente la verdad de esta importante doctrina cristiana. En una forma más amplia, entonces, la ética sexual no tiene que ver con lo que puedo o no hacer, lo que debo hacer o no, durante las varias etapas de mi vida y dentro de sus varios contextos de relación. La ética sexual sí tiene que ver con la integridad sexual, con el carácter sexual, con la total recuperación de la sexualidad humana para los propósitos de pacto para los cuales Dios la creó. Es importante que la sexualidad, con sus profundos anhelos personales, tenga lugar dentro de un contexto de fidelidad, perdón, justicia mutua y respetuosa y lealtad permanente, un pacto fiel y duradero, y no en un contexto de rivalidad, temor de no ser aceptado, manipulación para la autosatisfacción y eventual abandono. Esto último deja cicatrices muy profundas.

Cómo nos relacionamos sexualmente es un área crítica para la proclamación e instrucción, pero es una que a menudo se desatiende por temor a ofender o hacer pasar un dolor a alguien o por la simple vergüenza. Tal vez nuestra discusión pueda proveer algunos recursos necesarios.

Mateo 5:27-30: Una interpretación del pasaje

Tal como Mateo la presenta, la enseñanza de Jesús sobre la sexualidad en el Sermón del monte viene en la segunda tríada de seis en Mateo 5, justo después de las enseñanzas sobre el enojo y la pacificación, y antes de la discusión sobre el divorcio.

Cuando este pasaje se ve como una antítesis, se toma un enfoque como el que sigue: El mandato antiguotestamentario de no cometer adulterio es intensificado, o aun abrogado, por la nueva enseñanza más profunda de Jesús, que no es sólo la acción de relaciones sexuales ilícitas o adulterio que Jesús prohíbe, sino el simple pensamiento en ello. Su enseñanza representa una interiorización radical del mandato sobre el adulterio. Sin embargo, conforme al argumento, ya que es imposible para el ser humano (o por lo menos el varón) mirar sin codiciar, la enseñanza de Jesús tiene que entenderse como una prohibición dura o un ideal imposible de ser alcanzado por nuestro esfuerzo humano (o, en su defecto, tomarla a broma de forma resignada).

Más bien, nosotros argumentamos a favor de una interpretación triádica. Jesús primero ofreció una redeclaración de la tradicional enseñanza hebraica, luego explicó las trampas o los ciclos viciosos de pecado en los cuales nos vemos atascados, y finalmente articuló una estrategia de iniciativas transformadoras que capacitaran a sus oyentes para que hicieran la voluntad de Dios en esta área de la existencia humana.

La enseñanza tradicional: No al adulterio. El mandato contra el adulterio, como es bien sabido, se halla en el pacto de los Diez Mandamientos (Éxo. 20:14; Deut. 5:18). Así que cuando Jesús citó esta enseñanza particular tradicional, él llegaba al mismo corazón del testimonio bíblico moral respecto a la ética del pacto. Dado lo que ya hemos afirmado acerca del enfoque de Jesús en torno a las Escrituras, no creemos que él estuviera abrogando el mandato antiguotestamentario. La estructura triádica de la enseñanza aclara eso; él no enseñaba una antítesis contra la enseñanza de Moisés.

Dentro del AT, la centralidad de la fidelidad de pacto en el matrimonio es revelada no tan sólo por sus enseñanzas morales sino también por el uso metafórico del lenguaje de fidelidad al pacto. Jeremías (3:8, 9; 5:7; 23:14), Ezequiel (16:32; 23:37) y especialmente Oseas (1:2; 2:2) emplean el lenguaje de adulterio, incluso el mismo vocablo hebreo (*zanah*), para lamentar la infidelidad de Israel en su pacto con Dios. De hecho, el énfasis sobre la fidelidad al pacto con Dios posiblemente haya precedido e influenciado el énfasis sobre la fidelidad al pacto del matrimonio. El AT describe la poligamia, el concubinato (¡aun de los sacerdotes levíticos!) y el divorcio obligatorio de las esposas extranjeras bajo Esdras aun después del tiempo de los profetas. La comparación de la relación entre Dios y los hombres y la conyugal es desarrollada profundamente por Pablo (Efe. 5:21-33), aunque el uso del término *adulterio* para describir la infidelidad a Dios se halla en labios de Jesús (Mat. 12:39; 16:14) tanto como en Santiago (Stg. 4:4).

El pacto es un concepto central de la ética teológica de las Escrituras hebreas. Algunos eruditos creen que no llegó a ser importante hasta los escritos de los profetas, pero ciertamente es importante para ellos y para el AT tal y como existe hoy, y Jesús a menudo se refería a la enseñanza de los profetas. Pero la idea sola del pacto es inadecuada: primero viene la narrativa. Primero, está el éxodo; luego vienen los Diez Mandamientos. Primero viene la gracia de la demostración de la fidelidad de Dios por una historia de la liberación de la dominación, y una historia de cuidado providencial; el pacto se basa en el carácter de Dios, y toma su forma del carácter de Dios revelado en su accionar. Dios cuida a los necesitados, libera a los débiles y a los oprimidos, actúa con misericordia y perdón, justicia y derecho, y es fiel; por lo tanto, en la relación de pacto con Dios, hemos de cuidar a los necesitados, liberar a los oprimidos y actuar con misericordia, perdón, justicia, derecho y fidelidad.

Pero, también, por el otro lado, la narrativa sola es inadecuada; la narrativa de la fidelidad de Dios conduce a una entrada mutua en un pacto con estipulaciones concretas respecto a las clases de acciones y maneras de relacionarse que encajan con la relación de pacto. La gracia sin un pacto sería la gracia barata (Brueggemann W., *Theology of the Old Testament* [Teología del Antiguo Testamento], pp. 419, 420; véase pp. 164 ss., especialmente pp. 417 ss. y 451 ss.). Si comprendemos las relaciones sexuales por medio del pacto que describe el carácter de Dios y su voluntad, esto significa dos cosas: (1) Somos creados para formar una comunidad, para unirnos mediante relaciones de pacto y no meramente para el avance personal dentro de un mercado de consumismo y ganancias. (2) Nuestras relaciones sexuales están en armonía con la marcha del universo y nuestras propias naturalezas si cuidan a los necesitados, liberan a los oprimidos (porque los dos somos necesitados y oprimidos aun en nuestras relaciones de amor, y nuestro pacto el uno con el otro tiene como meta un propósito mayor de servir a otros, no únicamente a nosotros mismos), y si son misericordiosas, perdonadoras, justas y fieles.

La fidelidad a los compromisos de pacto interrelaciona las dos clases de relaciones. Está muy claro, tempranamente en el registro bíblico, que la fidelidad será un requerimiento fundamental para todo individuo o pueblo que quiera relacionarse con Dios (Éxo. 20:3). La fidelidad es el primerísimo mandamiento que se da en el Sinaí al pueblo hebreo, y su violación (la idolatría) es condenada reiteradamente y castigada severamente cuando ocurra a lo largo del AT.

Asimismo, la fidelidad sexual es el corazón de la relación matrimonial. La mayoría de los mandatos morales del AT tanto como del NT exigen la *inclusión:* El pueblo de Dios ha de acoger e incluir al forastero, al extranjero, a la viuda y al huérfano. Han de compartir liberalmente con los que están en necesidad. La *inclusión* está en todo, excepto en el lecho matrimonial. Aquí tiene que existir la exclusión de los rivales para que ambos cónyuges se *incluyan* en un vínculo de pacto que sea confiado, leal, mutuamente afirmador, vencedor de problemas, sanador de alineaciones. Tal como escribiera el padre de la iglesia, Tertuliano: "Todas las cosas tenemos en común menos nuestras esposas" (en Wogaman P., *Christian Ethics* [La ética cristiana], p. 44). El adulterio (griego, *moicheia*) es una especie de inclusión sexual en el matrimonio por el que la promesa de pacto de la exclusividad sexual se abandona. En el NT no hay ni la redefinición del matrimonio que permita la inclusión sexual ni ninguna bendición de la violación de una prometida exclusividad sexual. No hay enseñanzas más claras.

Considerada dentro del contexto contemporáneo, la relación sexual sí tiene el riesgo de la concepción de niños. Los niños concebidos fuera del matrimonio corren el riesgo de ser abandonados, de ser desatendidos, y aún de una muerte violenta. El desarrollo emocional y moral de niños atrapados en un hogar caracterizado por la infidelidad marital probablemente sea impedido. Es más, debido a la unión misteriosamente emocional-psíquica, que normalmente tiene lugar en la relación sexual, el adulterio hiere profundamente el espíritu del cónyuge tratado injustamente y daña o destruye el lazo que existe con su compañero. En virtud de la pasión que Dios siente por la justicia, muchos mandamientos bíblicos tienen la intención de proteger al inocente de cualquier daño. El mandato contra el adulterio debe verse así, es decir, en términos de los daños ocasionados a los niños, al cónyuge herido y finalmente al adúltero.

En todo caso, la revelación bíblica es clara. Tiene que haber una exclusividad sexual en el matrimonio. No puede haber adulterio. Desde luego, es cierto que el AT contiene mucha evidencia del quebrantamiento de este mandato. La poligamia practicada por los patriarcas, los reyes y otros dio pie a lo que puede llamarse, respecto a la relación matrimonial, un adulterio sancionado a favor del hombre en una sociedad patriarcal. También, el registro bíblico incluye repetidos ejemplos de la dificultad en mantener las relaciones polígamas ante los inevitables celos e intrigas entre las esposas e hijos, que estaban en rivalidad por la atención del esposo y padre y su bendición (véase las narrativas patriarcales en Gén. 12—50). Aunque este punto es argumentado por algunos, es importante notar que la poligamia es descartada por la enseñanza de Jesús, por lo menos implícitamente (Mat. 19:1-9), cuyas palabras hacían que sus oyentes volvieran a acatar la intención original de Dios para el sexo y el matrimonio: la gozosa unión vitalicia de un hombre con una mujer.

Ciclos viciosos: La mirada codiciosa y el corazón solo. Jesús reafirmaba el mandato bíblico contra el adulterio. Precisamente debido al significado de ese mandamiento, él procedía a señalar el camino tomado a menudo por el corazón humano hacia el quebrantamiento del mandato. Es decir, él se movía de una declaración en forma de mandato a una observación astuta para así diagnosticar las maneras por las cuales nos atascamos en los patrones de comportamiento que nos llevan a pecar.

Su declaración es compacta: "Pero yo os digo que todo el que mira a una mujer con la intención de codiciarla ya adulteró con ella en su corazón" (Mat. 5:28, traducción del autor). Esta sola oración está entre las más dañosamente malentendidas dentro de todo el registro escriturario. Mucho depende de una traducción correcta de la frase clave *pros to epithymesai*. La Traducción en Lenguaje Actual acierta al traducir: "si un hombre mira a otra mujer y desea tener relaciones sexuales con ella…". Donald Hagner afirma al traducir: "todo aquel que mira a una mujer con el fin de codiciarla" (*Matthew 1—13* [Mateo 1—13], p. 119).

Una interpretación menos precisa ha contribuido grandemente a una interpretación idealista-irrealista de la enseñanza de Jesús. Si Jesús está diciendo que la primera chispa de atracción que uno siente para con otra persona sea igual que el acto de adulterio, entonces seguramente el adulto promedio, especialmente el varón promedio, habrá cometido muchos actos tales. Si es así, entonces la enseñanza de Jesús tiene el objetivo simplemente de avergonzarnos o indicarnos cuán lejos nos quedamos de la perfección que él exige.

Sin embargo, esta no es la naturaleza de la enseñanza de Jesús. Más bien, si leemos su enseñanza como una indicación concreta de cómo hacer la voluntad de Dios y así disfrutar la existencia del reino aquí y ahora, entonces él tiene que querer decir algo semejante a lo que el texto griego parece decir en realidad. Jesús está identificando un acto de la voluntad humana (o un patrón de premeditación humana) la cual nos lleva a desacatar la voluntad de Dios, atrapándonos en la miseria.

Una descripción precisa de este proceso o patrón de conducta comenzaría con el reconocimiento de que, precisamente porque somos seres corpóreos sexuados, la atracción sexual es una dimensión ineludible de la existencia humana. Somos atraídos misteriosamente a la hermosura física y a la forma de otros, ciertos otros en particular. Al topar con personas, que por alguna razón, ya sea su cara o su figura nos atraen, a menudo experimentamos un momentáneo "escalofrío" de emoción, una chispa de atracción. Esto parece ser una parte del orden creado y no debe identificarse como pecaminoso (también, debe notarse que a veces somos atraídos a la hermosura interior de otros; es un camino que puede llevar al mismo resultado. Desarrollaremos este tema más adelante).

La cuestión, entonces, llega a ser ¿qué sucede después de ese momento de "chispa"? Con una sola persona, aquel hombre o aquella mujer que llega a ser nuestro cónyuge, esa chispa es avivada correctamente hasta convertirse en llamas, reservándose la plena comunión sexual para el lecho matrimonial (ni Jesús ni ninguno de los escritores neotestamentarios jamás hablan negativamente del deseo sexual *dentro* de la relación matrimonial). Sin embargo, respecto a toda *otra persona*, sea antes del matrimonio o dentro del matrimonio con nuestro cónyuge, esa chispa ha de ser avivada y debidamente redirigida a nuestro propio cónyuge.

El ciclo vicioso de pecado sexual, particularmente el adulterio, comienza con la decisión de la voluntad a no redirigir esa chispa de atracción. Al contrario, la chispa es avivada hasta llegar a ser una llama cada vez más fuerte. Ese proceso a menudo comienza precisamente como Jesús indicaba aquí: Se mira a otro con la intención de codiciarlo. Así que el rápido fijarse en la belleza de otro se rezaga convirtiéndose en lo que Dallas Willard (*The Divine Conspiracy* [La conspiración divina], p. 161) llama "la mirada". La mirada, o el mirar lujurioso, es tan agradable que buscamos otras oportunidades de encontrarnos con la misma persona con el mismo fin. Nuestros pensamientos privados se cambian en fantasías de un encuentro sexual con esta persona. Nos proponemos hacer contacto con el objeto de nuestro deseo para poder crear una oportunidad sexual. Hacemos la llamada telefónica y arreglamos este particular juego de circunstancias para tener esa particular clase de conversación. Aprovechamos la oportunidad creada, y finalmente tenemos el encuentro sexual fantaseado y deseado por tanto tiempo. Desde luego, lo que describo aquí puede ir más allá de una singular atracción, llegando a ser un patrón de conducta que principia con la mirada lujuriosa. Podemos convertirnos en personas caracterizadas por "ojos llenos de adulterio" (2 Ped. 2:14), una manera de vivir que pudiera describirse como la antítesis de la integridad sexual.

En el capítulo maravilloso de Job 31, que en otra parte he llamado "el código de un hombre de honor" (Gushee D. y Long R. H., *A Bolder Pulpit* [Un púlpito más audaz], pp. 118, 119), Job se defiende contra la acusación de que su pecado ha traído sobre él los desastres que le sucedieron. Esa defensa abarca una cuidadosa explicación de cómo Job ha resistido el camino hacia el adulterio. Esta comienza con su compromiso interior de "no mirar con lujuria a ninguna mujer" (Job 31:1, NVI). En un asombroso paralelo con las enseñanzas de Jesús, Job tomó una decisión de la voluntad de no recrearse sobre la belleza o la forma de una mujer que no fuera su esposa, de no codiciarla. Él continúa:

> Si he andado con la vanidad y mi pie se ha apresurado al engaño, entonces que Dios me pese en la balanza de justicia, y conozca así mi integridad. Si mi paso se apartó del camino y mi corazón se fue en pos de mis ojos, o si alguna mancha se pegó a mis manos, entonces que otro coma lo que yo siembre, y sea desarraigado lo que plante. Si mi corazón ha sido seducido con respecto a una mujer, y si he acechado a la puerta de mi prójimo, entonces que muela para otro mi mujer, y sean otros los que se inclinen sobre ella. Porque aquello sería una infamia y un delito digno de castigo.
>
> Job 31:5-11

Hemos observado que el castigo que Job hipotéticamente invita sobre sí es que una labor involuntaria y una servidumbre sexual acontezcan *a su esposa*. Difícilmente sea esto un ejemplo de lo que llamaríamos un discipulado leal a Cristo y, en realidad, el contraste de Jesús con este concepto de la mujer demuestra nuestro principio hermenéutico de seguir la manera en que Jesús interpreta la Escritura. Pero en la primera parte de la declaración de Job, vemos una fenomenología realista de la progresión de la atracción sexual visual al adulterio, junto con un compromiso riguroso de evitar ese camino. La mirada lujuriosa conduce a una decisión de entrar en la falsedad y engaño, lo cual es el adulterio por definición. Una red de falsedad y engaño siempre rodea el adulterio. El corazón se aleja de los compromisos de pacto, siguiendo, más bien, los ojos. El desvío del corazón, luego, lleva a la acción práctica, al pecado (aguardando afuera de la puerta del vecino a que se retire), culminando esto al fin en el adulterio.

No nos sorprende que Jesús aluda a esto, de forma implícita, como el cometer el adulterio en el corazón. No es la chispa de atracción inicial la que sea el equivalente al adulterio, sino, más bien, la espiral hacia abajo del comportamiento, resultado este de un corazón que ha abandonado la fidelidad de pacto para luego romperla. Este es el ciclo vicioso que lleva al adulterio, y son muchos a los que les falta sólo la oportunidad para que actúen conforme al sendero al que ya entregaron sus corazones.

Pero la tentación sexual no siempre asume la forma que hemos esbozado aquí. No siempre comienza con una atracción física que aflora en la mala conducta física. Muchas veces, el deseo por el amor, por el significado, o por la aceptación es el sendero que conduce a las relaciones sexuales ilícitas. Esa hambre del corazón solitario por compañerismo es un aspecto poderoso, instintivo, de la naturaleza humana semejante a Dios. Con compañerismo denegado, amor denegado, necesidades denegadas, el significado de la vida denegado, esto crea un doloroso vacío que fácilmente se presta a la búsqueda de las relaciones sexuales como sustituto del amor.

Las diferencias de género a menudo son significativas en relación a esta cuestión. Parece que la mayoría de los hombres son más tentados por la vía de la estimulación sexual visual que las mujeres. Desde luego, no hay ninguna generalización de este tipo sin su excepción. El antiguo dicho que las mujeres se entregaban sexualmente para conseguir el amor, y los hombres daban el amor para conseguir satisfacción sexual, contiene un grano de verdad que no debe ignorarse. Las breves palabras de Jesús sobre el pecado sexual en este pasaje son dirigidas a los hombres y, de verdad, parece más relevante para ellos. Pero hay más de un sendero al sexo ilícito, y puede ser que la estimulación *visual* y la reacción sean menos profundas o importantes que las tentaciones *relacionales* basadas en las necesidades humanas fundamentales de los que carecen. Si una mujer halla que mi conversación sea fascinante, que mis destrezas o mi fuerza sean admirables, y que mi presencia sea emocionante, siendo que mi esposa ya los da por sentado, puede ser que yo sea más susceptible a la tentación de lo que creía posible. El creer que yo esté más allá del reproche a menudo precede a la caída. Esto aminora mis defensas y me permite entrar a unas prácticas tentadoras.

Las iniciativas transformadoras: Poniendo un alto al ciclo vicioso. Habiendo reafirmado el mandato contra el adulterio e identificado las trampas que hacen que el corazón se vire hacia el pecado sexual, Jesús ofreció una declaración hiperbólica de las iniciativas transformadoras que nos libran de las trampas, manteniéndonos en el camino de la obediencia gozosa. Hay cuatro imperativos: *sacar* al ojo y *echarlo*, *cortar la mano* y *echarla* (Mat. 5:29, 30; para ver un paralelo interesante, véase Mat. 18:8, 9; cf. Mar. 9:42-48).

Nadie cree seriamente que Jesús tuviera la intención de enseñar a sus seguidores a sacarse los ojos ni cortarse las manos si estos miembros corporales les llevaban a pecar. Lo que Jesús sí quería decir con estas declaraciones crudas es tema de mucha discusión. Algunos lo leen como si simplemente reforzara la seriedad de su enseñanza, es decir, que se hiciera lo que fuera necesario para evitar la comisión del adulterio, fuera del corazón o de cualquiera otra índole. Dallas Willard (*Divine Conspiracy* [La conspiración divina], p. 167) lo expresa memorablemente:

> Por supuesto, el ser aceptado ante Dios es tan importante que *si* pudiera lograrlo el cortarse algunos miembros corporales, sería prudente cortárselos... Pero, lejos de sugerir que alguna ventaja ante Dios pudiera lograrse de esta forma, la enseñanza de Jesús de este pasaje es exactamente el contrario. El muñón mutilado aún podía tener un corazón impío. La cuestión más profunda siempre tiene que ver con quién eres tú, no lo que hiciste o pudieras hacer. ¿Qué harías si pudieras? El eliminar miembros corporales no cambiará eso (Las letras en cursiva están en el original).

Ciertamente Willard tiene razón al afirmar que el corazón inclinado hacia el adulterio no puede ser sanado por la automutilación, sea literal o figurativa. Sin embargo, nosotros observamos una levemente diferente intención en estas enseñanzas sorprendentes. Lo que vemos es una instrucción en iniciativas preventivas que pueden tomarse para detener el descenso al pecado sexual. O, como Davies W. D. y Allison D. lo expresan, estos son "versículos que demandan vívidamente el sacrificio radical con el fin de evitar las ocasiones de pecado" (*Critical and Exegetical Commentary* [Un comentario crítico y exegético], p. 523).

"Si tu ojo derecho te es ocasión de caer, sácalo y échalo de ti". Ciertamente es el corazón la fuente última del pecado, pero igualmente cierto es que usamos nuestros ojos para participar en ese pecado. No, no nos corresponde sacar los ojos. Pero sí hemos de lidiar de una forma muy disciplinada con las pistas visuales que nos conduzcan a un camino equivocado, especialmente si estas son las fuentes primarias de nuestra tentación sexual.

Consideremos el ejemplo de los medios de comunicación explícitamente sexuales. Si yo deseo vivir en obediencia al mandato de Dios y evitar el hacer algo que pudiera empezar a despistarme, yo tendré mucho cuidado en cuanto a los medios de comunicación que veo (u oigo). Vivimos en una sociedad en la cual la provocación sexual es, por supuesto, una de las formas más exitosas de los medios de comunicación existentes. Es más, el contenido sexual ha llegado a ser cada vez más explícito y más y más disponible. Ahora la Internet ha hecho que el material sexualmente gráfico sea accesible por medio de un clic del ratón, lo cual intensifica radicalmente la tentación de pecar visualmente en el hogar promedio.

De modo que no me saco el ojo. Sin embargo, es posible que "saque" el canal de mi televisión. Puede ser que "saque" mucho del contenido sexual de mi proveedor de Internet al adquirir un buen filtro. En otras palabras, el velar por restringir lo que aparezca ante mis ojos no es el legalismo sino simplemente una expresión concreta de mi deseo de vivir como ciudadano del reino. Si mi corazón no está convencido en este sentido, ninguno de estos pasos hará que mis pensamientos sean puros. Pero aquí hay una doble conexión entre los ojos y el corazón; el corazón queda afectado por lo que los ojos ven, y mucho de la clase de estimulación mala puede despistar al corazón. Esto es sencillamente el realismo. Tal como vimos en el capítulo dos, en palabras de Davies y Allison: "La pureza del corazón ha de involucrar la integridad, o sea, una correspondencia entre el pensamiento interior y el exterior (véase 15:8), una carencia de duplicidad, o una intención singular".

La alusión a la mano derecha (que se lee sencillamente "mano" en los textos paralelos en los cuales también se incluye la palabra "pie") es muy interesante en este contexto. Hablar sobre este tema honestamente requerirá algunas palabras directas acerca de algunos temas que no se discuten cándidamente en los círculos cristianos. Es decir: Un aspecto de la transición de la chispa de la atracción al adulterio es la masturbación —sólo Davies y Allison entre los comentaristas principales piensan que este significado sea la intención del evangelista; (*Critical and Exegetical Commentary* [Un comentario crítico y exegético], 1:525-26—. Los vendedores de pornografía saben que es esencialmente una "herramienta para masturbar". Aunque no argumentamos que el autogratificarse sea malo en todos los casos, puede ser un componente del fantasear que ayuda a convertir una experiencia de atracción en un plan de acción. Cuando es así, "la mano derecha" de cierta forma hace que uno peque, y esto no es del todo inocente. Definitivamente hay una diferencia entre la masturbación como un ocasional desahogo sexual y la masturbación como una peligrosa y a veces muy compulsiva forma de fantasía sexual que se convierte en realidad. En este último caso especialmente, el curso apropiado es "cortar" esta clase de acción.

Otra aplicación contemporánea muy relevante de esta declaración tiene que ver con la naturaleza del "tocarse" que ocurre entre hombres y mujeres no casados. Usualmente se trata como asunto de fijar las reglas premaritales al salir juntos en una "cita". Sin embargo, también es relevante en términos del nivel de la intimidad de contacto físico que se desarrolle entre adultos casados pero no entre sí.

Una variedad de juegos de reglas o de principios más amplios ha sido propuesta. Para la persona joven soltera, las preguntas fundamentales deben ser ¿qué clase de "tocar" (a) se constituye en relaciones sexuales *de facto*, aunque no haya de por medio el coito y (b) hace que sea *más* difícil cumplir con el compromiso de la abstinencia del coito? (o sea, un compromiso, entendido correctamente, que tiene sus raíces no tan sólo en una moralidad centrada en reglas y actos sino también en su preocupación por el bienestar de aquellos con quienes los solteros están relacionándose). Para los casados, tal vez el problema estriba en qué clase de "tocar" (a) representa una forma de infidelidad contra la relación matrimonial, aunque no se practica el coito, y (b) tienta a uno a que practique el sexo extramarital. El evitar tal forma de tocar es una manera de encarnar la iniciativa transformadora de la que habla Jesús aquí.

En los casos donde la tentación sexual afecta a uno de un modo relacional más bien que físico, entonces las iniciativas transformadoras asumen un nuevo cariz. Un cuidadoso control de la satisfacción mutua de las necesidades de intimidad dentro del matrimonio por parte del esposo tanto como la esposa es la mejor forma de evitar el buscar relaciones sexuales fuera del matrimonio (lo dicho por Pablo en 1 Cor. 7:3-5 debe aplicarse a las necesidades de intimidad relacional tanto como la sexual). Al decir esto, no queremos decir que se debe creer que la falla del cónyuge en no satisfacer sus necesidades sea un pretexto para buscar encontrarlas por otro lado. Ninguno de los miembros de una pareja tiene exactamente los mismos intereses y afirmaciones mutuas.

Jesús responsabiliza a uno mismo, no al otro, para que tales necesidades del otro sean satisfechas.

Es más, ambos cónyuges deben velar cuidadosamente para que no se desarrolle ninguna indebida intimidad peligrosa con otros fuera de su propia relación matrimonial. La conversación honesta acerca de necesidades no satisfechas dentro de la relación y la naturaleza de las relaciones con otros, especialmente durante los inevitables momentos de estrés y dificultades dentro de la vida matrimonial, es una disciplina importante y puede llegar a ser una iniciativa que rescata al matrimonio durante tiempos problemáticos. La práctica de hablar sobre las necesidades íntimas puede mejorar las destrezas de la pareja en tal necesaria conversación. Véanlo como el aprender a jugar básquetbol o tenis; no se puede lograr perfectamente la primera vez o ni siquiera las primeras cien veces. Pero se puede mejorar con la práctica.

Dos veces el apóstol Pablo amonestó a sus lectores a que huyeran (*feugó*) del pecado sexual (1 Cor. 6:18; 2 Tim. 2:22). Si hay alguna duda, corra lo más posible por el rumbo opuesto a la tentación que se acerca. Tal instrucción refleja la misma intensidad que hay en la enseñanza de Jesús en Mateo 5. Es algo serio. Es así, porque fácilmente se usa mal el sexo. También es serio por sus consecuencias, no tan sólo para los individuos y las parejas sino para las familias, las iglesias, la sociedad y el avance del reino de Dios.

Algunas situaciones y sus aplicaciones

Históricamente, la enseñanza cristiana en torno a la moralidad sexual ha abordado varios problemas y situaciones particulares. Estos problemas han incluido lo constante tanto como lo efímero, emergiendo ambos de aspectos permanentes de la naturaleza humana y de los que reflejan tendencias pasajeras de la cultura o la tecnología. Veamos un par de problemas de ambos tipos. Esta discusión también nos dará una oportunidad para que oigamos algunas voces históricas y contemporáneas de la ética cristiana respecto a la sexualidad.

La soltería y la sexualidad. La tradición moral judía daba por sentado que todos aquellos de cuerpo y mente sanos se casarían. En el AT no hay ninguna provisión explícita para ninguna clase de soltería voluntaria. El NT presenta un cuadro distinto. Históricamente, la iglesia ha creído que Jesús fue soltero y célibe, y el NT registra una enseñanza críptica por la que aparentemente él aprueba la vida célibe (Mat. 19:10-12). Mientras tanto, el apóstol Pablo aprueba la soltería célibe como algo preferible sobre el matrimonio por la libertad para que se atienda “al Señor sin impedimento” (1 Cor. 7:35), aclarando así que esta era su situación también (1 Cor. 7:7). Aunque Pedro y otros apóstoles claramente estaban casados, la aparente soltería célibe de los dos personajes principales del NT ha influenciado poderosamente la enseñanza moral acerca de la sexualidad. Esto provee una afirmación mucho más poderosa que la cultura tradicional de la vocación de los solteros. Las iglesias necesitan afirmar a los solteros, no haciendo de los solteros miembros de segunda clase, a no ser que quieran hacer de Jesús y Pablo miembros de segunda clase de la tradición cristiana.

El impacto se ha hecho sentir más profundamente en la tradición católica. Nos desviaría de nuestro objetivo el desenredar toda la reflexión teológica y moral que condujo a la forma particular de la teología moral católica en torno al sexo. Basta con decir que la combinación de las influencias filosóficas griegas, el NT (aunque mediante un método interpretativo particular) y el trabajo de pensadores cristianos clave como Agustín llevaron a una profunda ambivalencia tocante a la sexualidad. El sexo como un buen aspecto de la creación a veces cedía lugar ante el sexo con todo y su calidad desastrosa de caído o una tolerancia de mala gana del sexo como medio de procreación.

Lo que resultó se constituyó en una tolerancia de la expresión sexual como una alternativa de segunda categoría y una concesión al pecado. Se desarrolló una ética de dos niveles por la cual aquellos que anhelaban la santidad escogerían la soltería célibe, que a la larga llegó a ser una parte obligatoria de la vida de los "religiosos", tales como sacerdotes, monjes y monjas. El camino más común, pero de segunda categoría, era que los hombres y mujeres siguieran las enseñanzas sexuales católicas dentro del contexto del matrimonio monógamo. Ciertamente, esto era un estilo de vida preferible sobre el libertinaje sexual, y aprobado por la iglesia. Empero, la visión de un camino más elevado del celibato ascético permanecía intacta.

Martín Lutero rompió decisivamente con este aspecto del pensamiento católico. Igualmente convencido de las ramificaciones desastrosas del pecado sexual de toda la tradición moral católica, él creía que la implicación apropiada de esta realidad era que casi todos debieran casarse, teniendo así una salida segura y legítima para el fuego que arde por dentro. Aunque Lutero decía que "el coito nunca queda sin pecado", se las arregló para construir una positiva teología bíblica del matrimonio basado en la creación. Lutero mismo se casó y tuvo varios hijos.

Siguiendo a Lutero, la ética sexual protestante ha tendido a rechazar la legitimidad, o por lo menos la sabiduría, de la vida de soltería célibe. En contraste marcado con la tradición católica, el pastor protestante por lo general está casado y tiene hijos, y cualquier variación de esto se ve con suspicacia. Son muchos los pastores solteros a quienes se les ha hecho difícil encontrar empleo justo por su condición de soltero. Algunos líderes protestantes inclusive han usado 1 Timoteo 3:2 (por el cual al anciano se le describe, en algunas traducciones, como "el esposo de una esposa") para argumentar que el matrimonio es moralmente obligatorio para todo pastor. Sin embargo, el problema contra el que Pablo advertía en ese versículo no era la soltería sino la poligamia o la promiscuidad.

Nosotros creemos que la Biblia admite la soltería célibe tanto como la monogamia fiel en calidad de expresiones igualmente legítimas de la sexualidad humana para los que quisieran seguir a Jesús. A la luz de la totalidad del testimonio bíblico no hay ninguna razón para proclamar que ni el uno ni el otro sea más alto ni mejor. Este es un asunto dentro del campo de la libertad cristiana y el llamado de Dios en virtud de los dones de cada persona particular en cada contexto particular.

La iglesia contemporánea está llena de toda clase de personas: solteras, casadas, divorciadas, vueltas a casar, viudas, etc. Ni el estado de casado ni el de la soltería deben verse como un requisito para el liderazgo ministerial. Entre los laicos hay personas solteras por siempre o de forma temporal. Existe en la Biblia una instrucción clara para aquellos que están en esta gran variedad de situaciones vivenciales y llamamientos; a los solteros no se les debe categorizar como cristianos de segunda clase.

En la sociedad contemporánea la mayoría de los solteros no son célibes. Según las encuestas, cada vez más una minoría de estadounidenses afirma que el sexo extramarital siempre es moralmente malo. Muchos dan por sentado que los solteros adultos serán sexualmente activos, aprobando esto generalmente siempre que sus relaciones sexuales sean consentidas y "seguras". Durante los tiempos bíblicos, la mujer se casaba entre los 12 y los 14 años; el varón se casaba entre 16 y 21 años. Actualmente se espera que los solteros permanezcan célibes por más tiempo que nunca en la historia. Hace sólo unas cuantas generaciones, no se concebía el salir juntas dos personas solteras en una "cita" informal. Largos períodos de intimidad con el sexo opuesto sin chaperón junto con una cultura que da por sentado que el sexo está en todo lugar desafían la ética tradicional como nunca antes. La ética cristiana sexual no ha enfrentado tal desafío en la sociedad occidental excepto durante los primeros días de la historia de la iglesia.

Algunas voces dentro de la iglesia también argumentan a favor de una reconsideración. En un artículo de 1987 Karen Lebacqz pedía una ética que ligara el nivel de la expresión sexual al nivel de la vulnerabilidad dentro de la relación entre solteros. Esto no negaría el coito para los solteros, pero establecería "una vulnerabilidad apropiada" como la medida por la que se juzgaría su aprobación o desaprobación (en Clark D. y Rakestraw R., *Readings in Social Ethics* [Lecturas en la ética social], 2:149-154). Esta no es una ética que apoya la relación sexual casual para los solteros, pero sí da pie a que haya expresión sexual dentro de relaciones un tanto más comprometidas. Algunos liberales abiertamente acogen el sexo mutuamente placentero como un bien significativo en sí.

Creemos que nuestro énfasis en el carácter de pacto de la naturaleza humana puede ayudar en algo. Los solteros pueden hacer pactos con Dios, consigo mismos y con otros que definan su vocación en la vida siendo cumplida por sus compromisos de trabajo y servicio tanto como en sus relaciones mutuas de apoyo con otros. Creemos que la vida puede ser grandemente enriquecida por notar y nutrir las relaciones de pacto con amigos cercanos, compañeros de trabajo, miembros de la iglesia y parientes. El contenido y estipulaciones implícitas o explícitas de amistades fieles, relaciones cooperativas y lazos mutuos varían con la duración y el carácter de las relaciones. Tenemos por lo menos relaciones de pacto implícitas con nuestros alumnos, el uno con el otro y con otros amigos que son enormemente importantes para nuestro sentido de gratitud por la vida, aunque estas, obviamente, no son iguales que nuestras relaciones de pacto con nuestra esposa, nuestros padres o nuestros hermanos. Notar y nutrir las varias clases de relaciones de pacto en las que entramos transforman y profundizan nuestro sentido de las bendiciones de la vida.

De todas las grandes problemáticas morales que la humanidad y la iglesia encaran hoy, la conducta sexual, digamos, de la pareja, más o menos con 40 años de edad, que se ama y está próxima a casarse, no encabeza la lista. Pero sí está la importancia de combatir una ética permisiva de egoísta autorrealización en todas sus manifestaciones, tales como el sexo, el enriquecimiento personal, el despilfarro de los recursos del mundo, el desdén nacionalista de otras naciones. En lugar de estas manifestaciones hay que desarrollar una ética de pacto de compromiso veraz y apoyo mutuo. Cómo nos portamos sexualmente sí influencia poderosamente la manera en que nos relacionamos en otras áreas. Las prácticas sí moldean el carácter, y las prácticas sexuales sí moldean el carácter poderosamente. Una ética fundada en las Escrituras, incluyendo las enseñanzas de Jesús, no puede moverse hacia la revolución sexual. Tampoco somos optimistas acerca del impacto personal y social del desmoronamiento de la relación, una vez dada por sentada, entre el sexo, el matrimonio y la procreación de hijos. De modo que no adoptamos una redefinición de la ética sexual cristiana como “el placer mutuo” o “el amor mutuo”.

El control de la natalidad, el no tener hijos y la esterilización. El coito lleva a la concepción y el nacimiento de niños, y toda una gama de problemáticas morales relacionadas con esta dimensión milagrosa de la experiencia humana bajo la soberanía de Dios. Hoy por hoy, una discusión de la ética reproductiva, como suele llamarse, suscita problemáticas nuevas y antiguas.

Toda la tradición moral cristiana da por sentado que es la voluntad de Dios que los hijos sean concebidos y nutridos dentro de la seguridad y la estabilidad del matrimonio y la vida familiar. En un tiempo cuando todo un tercio de todos los niños en los EE. UU. de A. y Canadá, por ejemplo, nace fuera de la relación matrimonial, la iglesia no debe intimidarse, cediendo así su lealtad histórica al compromiso de pacto, y acomodarse a lo privatista. Podemos desarrollar y enseñar una moralidad de pacto más profunda sin estigmatizar a los niños nacidos fuera del matrimonio.

Hace falta una rigurosa reafirmación de la sabiduría de la enseñanza bíblica. Es mejor para todos los involucrados, pero especialmente para los niños, productos de la relación sexual entre un hombre y una mujer, que la relación sexual se limite a la relación matrimonial reconocida y sancionada pública y socialmente. Aun cuando el matrimonio esté funcionando sólo a un mínimo nivel de satisfacción, este depara un contexto de estabilidad, cuidado e identidad social para los niños. *Este soy yo; este es mi nombre; estos son mis padres; estos son los responsables por mi cuidado; puedo contar con que sean fieles en suplir mis necesidades y a quienes soy fiel y atento; aquí vivo yo; este es mi lugar en el mundo; estos son mis ancestros; quiero crecer e imitarles;* estas son las afirmaciones disponibles para el niño que tiene la dicha de nacer y ser criado dentro del contexto de una familia anclada en una relación matrimonial. Esto es cierto como regla general pese a las tristes excepciones que todos pudiéramos nombrar respecto al quebrantamiento familiar y el abuso.

La ética cristiana sexual, entonces, no ha lidiado con el problema de que si se puede afirmar o no el tener hijos fuera del matrimonio, por lo menos hasta últimamente. Otras cuestiones han sido más controversiales. Por ejemplo, está la pregunta de que si los matrimonios cristianos están libres para optar por no tener hijos (la cuestión de lo voluntario de no tener hijos). El no tener hijos voluntariamente era esencialmente impensable antes del altamente efectivo control de la concepción y las técnicas de la esterilización, a lo menos para las parejas que mantenían relaciones sexuales. Pero durante los últimos 40 años más o menos, la pareja que opta voluntariamente por no tener hijos ha llegado a ser una realidad social. Así que consideremos juntas las cuestiones del control de la natalidad y la decisión de no tener hijos.

La ética sexual católica, bajo el impacto del enfoque de la ley natural influenciada profundamente por Aristóteles, por siglos ha rechazado para la pareja cristiana la validez de ambas cosas: El control "artificial" de la concepción y la opción voluntaria de no procrear hijos. Toda la estructura de la ética sexual católica se ha construido sobre el concepto de cumplir en vez de frustrar lo que la iglesia ha creído ser el propósito fundamental, dado por Dios, del aparato reproductivo humano, o sea, la reproducción de la especie. Por siglos la procreación era vista como el propósito primario de las relaciones sexuales, siendo secundario, pero significativo, el propósito de las relaciones sexuales en el fortalecimiento del pacto (el amor mutuo, la ayuda mutua). El no tener hijos voluntariamente quiere decir que las parejas están teniendo relaciones sexuales (presumiblemente), pero a propósito frustran la reproducción, lo cual se ve en el enfoque de la ley natural algo como el cuidar un árbol de manzana y a la vez botar todas las manzanas.

La ética sexual protestante clásica se aunó a la ética católica en reconocer que las relaciones sexuales maritales son un remedio contra el deseo sexual promiscuo y un medio para profundizar y fortalecer la unidad de pacto del matrimonio, pero generalmente rechazaba la subordinación de estos fines al propósito reproductivo del sexo. De modo que se dio paso a la posibilidad posterior de aprobar el uso del control de la natalidad dentro del matrimonio. La cuestión de la opción por un estado voluntario sin hijos suscitó problemáticas diferentes.

Durante los últimos decenios, la ética sexual católica y la protestante han convergido bastante. La ética católica ha elevado el significado y lo bueno de la dimensión relacional-unitiva-pacto del sexo en el matrimonio. Mientras tanto, últimamente ambas corrientes de la tradición cristiana han estado dispuestas a admitir la posibilidad de que el placer sexual en sí sea un bien dado por Dios para que los seres humanos lo disfruten más bien que sea únicamente un medio para alcanzar un fin. Tal como ya se hizo notar, este es un tema de mucha reflexión de parte de la ética cristiana a lo largo del espectro teológico. Sin embargo, la enseñanza católica oficial permanece en oposición a los medios (artificiales) del control de la natalidad y al estado voluntario de no tener hijos.

El control de la natalidad dentro del matrimonio permite que la pareja cristiana tome decisiones responsables tocantes al tamaño de la familia y la frecuencia de los embarazos. También creemos que existe la verdadera posibilidad de que haya algunas parejas llamadas al estado voluntario de no tener hijos para poder maximizar su impacto en el reino (como algo análogo al llamado a la soltería célibe), o quizá por no tener ellas el temperamento o la situación vital a la que se debe exponer a los niños. Ante la objeción de que el mandato de la creación a fructificar y multiplicar sea normativo aquí, nosotros contestamos que este mandato se aplica a la totalidad de la familia humana, pero no necesariamente a todo ser humano individual, y que la familia humana en general lo ha cumplido más de la cuenta. Ese mandato se dio cuando la población mundial total constaba de dos personas y se enseñaba cuando Palestina tenía poca población. Una vez crecida la población, nunca se volvió a enseñar ni en los profetas ni en el NT. Hoy la población del mundo cuenta con seis mil millones de personas y crece exponencialmente; sin acceso a los medios anticonceptivos, crecería aún más rápidamente.

Cuando una pareja se convence de que sus días para procrear hijos terminaron, a menudo recurre a la tecnología moderna para la esterilización. En principio la esterilización, sea de parte del hombre (mediante la vasectomía) o por parte de la mujer (mediante la ligadura de las trompas), origina la misma clase de preguntas morales que el control de la natalidad, pero de forma más aguda. Esta hace que la pareja se despreocupe en cuanto a otros medios de control de la natalidad, aumentando así en algunos casos la satisfacción sexual en el matrimonio. Aquellos que se oponen a toda forma de control de la natalidad, especialmente a las medidas tecnológicas, se oponen aún más radicalmente a la esterilización. La postura católica oficial permanece consistente en este punto. Los que están abiertos al control de la natalidad tienden a estar abiertos al control de la natalidad mediante la esterilización, especialmente en nuestro tiempo cuando la creciente población mundial en combinación con el excesivo consumo son vistos por muchos cristianos como amenazas para la vida del planeta.

La homosexualidad. La lucha contemporánea dentro de la vida eclesiástica (sin hablar de la sociedad) tal vez sea el contexto por el que los conflictivos acercamientos cristianos históricos y contemporáneos son más fácilmente aparentes.

No se registró que Jesús dijera nada acerca de la conducta homosexual, de personas homosexuales o de la homosexualidad como un fenómeno en sí. Puesto que nuestro método busca colocar su énfasis en las cosas que Jesús enfatizó, este es un hecho bastante significativo. Por lo menos se puede argumentar, por el hecho del silencio de Jesús, y por la discusión limitada del tema en las Escrituras en general, que la fijación contemporánea sobre el tema en algunos círculos está mal puesta. Muchos textos evangélicos sobre la ética que se usan mucho reflejan lo que consideramos un énfasis desproporcionado sobre la homosexualidad. Esta falta de proporción ayuda a fomentar la percepción desconcertante e inoportuna, fundada parcialmente en la realidad, de una cruzada de los evangélicos cristianos conservadores contra los homosexuales.

Desde luego, importa el contexto, tanto en el tiempo de Jesús como en el nuestro. Jesús era un judío que hablaba primariamente a los judíos, y ni el AT ni la tradición judía ofrecían legitimación alguna para la conducta homosexual. Dios creó al varón y a la mujer, uniéndolos en matrimonio (Gén. 2:18-25), y les mandó a que fructificasen y multiplicasen (Gén. 1:28). Tal como Donald Wold escribió, "La creación proveyó el modelo positivo de varón y hembra para la unión sexual" (*Out of Order* [Fuera de orden], p. 8).

Se mencionan dos veces en el AT los contactos homosexuales entre hombres (Lev. 18:22; 20:13), y en ambos casos se incluyen en una larga lista de comportamientos sexuales que son prohibidos como "abominaciones" contra la santidad los cuales traían la ira divina sobre el ofensor y un peligro para toda la comunidad. Dos ocasiones de la intención de violar homosexualmente (no hay ninguna duda razonable de que aquí se describe tal cosa) se dan en el AT (Gén. 19 en Sodoma; Jue. 19, en Gabaa). Estos sucesos, especialmente la historia de Sodoma y Gomorra, han tenido un profundo impacto sobre la imaginación occidental. A menudo se les interpreta como una licencia para odiar a los homosexuales. Esta tendencia desastrosa ignora el hecho de que las referencias bíblicas posteriores al destino de Sodoma enfatizan el pecado de la ciudad como la inhospitalidad a los mensajeros de Dios, no la homosexualidad (Eze. 16:49; Mat. 10:5-15 y sus paralelos).

Se pueden encontrar tres referencias a la homosexualidad en el NT: 1 Cor. 6:9, 10; 1 Tim. 1:10 y Rom. 1:26, 27. Las dos primeras se incluyen dentro de listas largas de vicios que cubren una gran gama de pecados. En 1 Corintios la lista sirve para combatir un peligroso libertinaje antinómico, en otras palabras, sirve para remachar que la conducta sí importa en la vida cristiana pese a la centralidad de la gracia. En 1 Timoteo, la discusión tiene que ver con el uso legítimo de la ley para condenar toda una gama de prácticas flagrantemente inmorales entre las cuales se incluye la conducta homosexual. En cuanto a si los términos empleados en estos textos (*malakoi* y *arsenokoitai*) se refieren siquiera en realidad a la homosexualidad, la gran mayoría de los eruditos actualmente creen que sí.

El trato más sistemático de la homosexualidad en las Escrituras se halla en la discusión presentada por Pablo en Romanos 1. Nuestro método es interpretar la Escritura dentro de su contexto, no simplemente citar un texto, siempre dejando que Jesús sea el Señor de nuestra interpretación. Aquí Pablo abogaba a favor del evangelio de Jesucristo, estableciendo primero que los seres humanos están en una rebelión pecaminosa contra Dios, que están bajo el juicio de Dios y necesitan imperiosamente la salvación que la muerte expiatoria de Cristo ha provisto. Haciendo uso de la distinción fundamental entre el judío y el gentil, tan prevaleciente en el pensamiento judío del tiempo de Pablo, el Apóstol diagnosticaba la necesidad espiritual de los dos grupos.

Respecto a los gentiles, el problema era la "impiedad e injusticia" paganas que se desplegaban al no honrar ni dar gracias a Dios el Creador, el conocimiento del cual estaba disponible en la creación. En vez de reconocer y servir al único Dios Creador, ellos "cambiaron la verdad de Dios por la mentira, y veneraron... a la creación antes que al Creador" (Rom. 1:25). La desbordada inmoralidad del mundo gentil, argumentaba Pablo, era sintomática más bien que básica, más consecuencial que causal, fluyendo desde esta rebelión contra Dios. Al detallar lo que él claramente consideraba una terrible exhibición de conducta inmoral y anormal, él resaltaba los actos homosexuales masculinos y femeninos para que se vieran con más atención (Rom. 1:26, 27) (un sistema de valores griego pagano enseñaba que los varones eran superiores a las mujeres y que las relaciones homosexuales con los varones eran superiores a las relaciones heterosexuales con las mujeres). Luego Pablo detalla una larga lista de otros vicios greco-paganos, no una lista fortuita, sino de vicios de hostilidad, o sea, el opuesto de la virtud de la pacificación (Rom. 1:29-31). Estas desviaciones de la ley moral divina y el orden creado habían ofendido a Dios, mereciendo tanto como ameritando la ira divina.

Luego Pablo habló en contra de sus lectores judíos, que estaban felizmente de acuerdo con su juicio y contra el sistema de valores del mundo pagano. El problema del judío era que "no tienes excusa... porque en lo que juzgas a otro, te condenas a ti mismo, pues tú que juzgas haces lo mismo" (Rom. 2:1). Entonces Pablo diagnosticaba el pecado paralelo de sus compañeros judíos que, en vez de estar agradecidos a Dios por su gracia, se rebelaban en contra de la gracia de Dios, poniendo su confianza en su propia autojusticia para la salvación; luego, ellos, al igual que los gentiles, dirigían su hostilidad hacia sus congéneres. Pablo citaba al profeta Isaías (Isa. 59:6-8), al igual que Jesús: "su boca está llena de maldiciones y amargura. Sus pies son veloces para derramar sangre... No conocieron el camino de paz" (Rom. 3:13-17; véase Luc. 19:41, 42). El patrón en ambos casos era su fracaso en vivir agradecidos a Dios, poniendo más bien su confianza en los esfuerzos humanos, habiendo por consecuencia una hostilidad hacia los demás seres humanos.

El punto de Pablo era que "la justicia de Dios por medio de la fe en Jesucristo" era "para *todos* los que creen... Porque *todos* pecaron y no alcanzan la gloria de Dios... ¿Es Dios solamente Dios de los judíos? ¿No lo es también de los gentiles? ¡Por supuesto! También lo es de los gentiles" (Rom. 3:22, 23, 29, itálicas añadidas). Siendo Jesús "la expiación por la fe en su sangre" (Rom. 3:25), él había hecho que el perdón y la reconciliación con Dios fuesen disponibles para todos, fuese judío o gentil. Y esto —la reconciliación, la justificación por la gracia por medio de la fe para todos— era el punto del argumento de Pablo. No había lugar para la jactancia ni el juzgar a otros (Rom. 2:1-24; 3:27, 28; y véase el clímax de la carta, Rom. 14:1—15:13). La salvación era por la gracia dada en Jesucristo, por la fe en Jesucristo, no por ningún mérito que llevara a la jactancia y el juzgar a otros. Esto se remonta a la enseñanza de Jesús en el Sermón del monte de que no debíamos estar juzgando a otros (Mateo 7:1-5). El mandato de Jesús quiere decir que no hemos de estar juzgando en el sentido de condenar a otros, puesto que todos somos pecadores, salvados por la gracia; sin embargo, sí podemos y debemos discernir entre lo bueno y lo malo.

Mucho se ha dicho en la literatura reciente acerca del nexo entre los cultos idolátricos y el comportamiento homosexual. Boswell y otros han argumentado, por ejemplo, que los pasajes en Levítico relacionados con la homosexualidad tienen que ver con el culto pagano sin que tengan nada que ver con la conducta sexual en otros contextos, invalidando así su aplicación a las discusiones contemporáneas de la homosexualidad. Tal vez los argumentos más fuertes es que "abominación" alude a la idolatría y no específicamente al sexo y son ofrecidos por Countryman W. (*Dirt, Greed, and Sex* [La suciedad, la avaricia y el sexo], pp. 11-65 y Edwards G., *Gay-Lesbian Liberation* [La liberación gay-lesbiana]). Wold ofrece una cuidadosa refutación de esta postura, argumentando que es un error limitar el significado del vocabulario hebreo de esta manera (Wold D., *Out of Order* [Fuera de orden], capítulo 7; compárese con Nissinen M., *Homoeroticism in the Biblical World* [El homoerotismo en el mundo bíblico], capítulo 3; Grenz, *Welcoming but Not Affirming* [Acoger sin afirmar], capítulo 2). Él argumenta detenidamente que el fundamento teológico de la prohibición bíblica contra la práctica homosexual parece ser más profundo.

Desde luego, el debate en la vida eclesiástica contemporánea no tiene que ver con la prostitución cúltica ni la violación violenta homosexual. No hay nadie en la vida eclesiástica que pida que se acepte tal comportamiento. Pero sí los hay que afirman que nuestro propio contexto presenta un escenario muy distinto al del apóstol Pablo.

Una manera de expresar la situación actual se da a continuación: ¿Qué diremos acerca de los hombres y mujeres que (a) experimentan el deseo sexual de forma insistente hacia los miembros de su mismo sexo, y (b) desean vincularse con un miembro del mismo sexo de forma análoga a la permanente y fiel monogamia disfrutada por los heterosexuales?

Gran parte de lo que impulsa a los cristianos a encontrar alguna especie de apertura hacia la legitimación de la conducta homosexual en esta clase de contexto (monógamo y permanente) es una sensibilidad ante las experiencias, de hecho, la honesta perplejidad y el profundo sufrimiento, de las personas que se encuentran precisamente en esta situación. En otras palabras, lealtades personales y compromisos están de por medio, no una fría exégesis bíblica o razonamiento moral. Ya hemos afirmado que es crítico que busquemos esta dimensión respecto a cómo se hacen los juicios morales y las posturas asumidas, tanto por con los que estamos de acuerdo y con los que no (véase la dimensión de lealtades y pasiones del carácter en el capítulo tres). Nosotros afirmamos la sensibilidad ante el sufrimiento humano como una virtud cristiana.

Más aún, la discusión actual tiende a reflejar el cambio en el enfoque fundamental en torno al razonamiento acerca de la ética sexual; ya sugerimos que esto se ha venido dando en la ética cristiana contemporánea. Si el eje de autoridad cambia, aunque sea sutilmente, de la Escritura a la experiencia personal, si todos los argumentos relacionados con la naturaleza se rechazan, si el placer y la satisfacción relacional o aun la fiel vinculación de pacto son los valores más altos en la ética sexual, si el celibato es irrealista u opresivo para algunos, tal como Pablo indica en 1 Corintios 7, se establece el fundamento para toda clase de revisión general de la ética sexual cristiana; de hecho, esto ha venido dándose en los últimos decenios.

Los argumentos a favor de la legitimación de la homosexualidad en particular asumen muchas formas actualmente. Ya aludimos a los intentos por releer los textos bíblicos clave sobre la homosexualidad y sus debilidades.

Algunos le dan un nuevo sesgo, recalcando los principios bíblicos de amor, mutualidad, justicia y hasta la hospitalidad, y argumentando que estas son las normas relevantes de la ética sexual. Nuestro concepto es que este argumento es exitoso en demostrar cómo se debe tratar a las personas homosexuales y cómo la sexualidad normativa debe ser experimentada, pero no sirve para fundamentar una revisión de la ética sexual bíblica tocante al problema de los actos y prácticas homosexuales. Los argumentos de la ciencia relacionados con la etiología de la homosexualidad representan otra vía de enfoque popular. Aunque se pudiera demostrar que las inclinaciones homosexuales tengan raíces genéticas, combinándose con la experiencia de la niñez, el pensamiento moral cristiano no ofrece ningún derecho a la gratificación sexual (Hays R., *The Moral Vision of the New Testament* [La visión moral del Nuevo Testamento], p. 401) sin reparar en el origen o el objeto del deseo sexual. Desde luego, algunos éticos contemporáneos simplemente abogan por la irrelevancia, lo erróneo, la peligrosidad o el valor "contra-revelatorio" de la Escritura en relación con la cuestión de la homosexualidad, y habiéndose deshecho de ese obstáculo, libremente aceptan la conducta homosexual. Desde luego, esto difiere mucho de nuestra postura respecto a la autoridad escrituraria (véase capítulo cuatro).

La conducta homosexual es una forma de expresión sexual que está fuera de la voluntad de Dios, siendo una manifestación de lo que Hays llama "la condición humana desordenada" (Ibíd., p. 388) bajo el impacto del pecado. Sin embargo, las personas homosexuales son preciosas, creadas a la semejanza de Dios y portadoras de toda la dignidad que Dios otorga a toda la humanidad. A los seguidores de Cristo nunca se les permite tratar a los homosexuales como si fueran menos de lo que Dios ha decretado ser a toda la humanidad. Pasar la vida luchando contra los homosexuales, como algunos cristianos suelen hacer, difícilmente encaja con los valores de amor, bondad, humildad, paz y paciencia, rasgos que han de caracterizar a los seguidores de Cristo. Es odioso buscar la forma de negar a los homosexuales la seguridad personal, el acceso a fuentes de trabajo, la vivienda, el servicio gubernamental u otros derechos básicos de participación en la sociedad. Por otro lado, hay que alentar los esfuerzos de parte de las iglesias para capacitar a los homosexuales a lidiar con su sexualidad de una forma redentora dentro de los parámetros ofrecidos por la Escritura; además, esto cuadra con el enfoque de las iniciativas transformadoras que sacamos de la enseñanza de Jesús. Hemos de amar a las personas homosexuales a la vez que nos mantenemos firmes en nuestras convicciones respecto a las intenciones de Dios para la sexualidad humana, sosteniendo igualmente que todos somos culpables y necesitamos la redención.

Pensamientos concluyentes: ¿Cuánta importancia tiene el sexo para la perspectiva del reino?

Este repaso de problemáticas sexuales dentro de la ética cristiana parece sugerir una última pregunta: ¿Cuánta importancia tiene el sexo para la perspectiva del reino?

Ciertamente es posible recalcar demasiado el significado del sexo, y este es un error que la tradición moral cristiana ha hecho muchas veces, desde la óptica negativa y últimamente desde la óptica positiva. La ética sexual es sólo una parte del vivir del reino, y si tomamos en serio la cantidad de atención que Jesús le prestaba en comparación con otras cosas, entonces no es el asunto moral más importante.

Pero el sexo sí importa. Importa, porque no hay aspecto de la persona humana que Dios no busque redimir ni que no necesite la redención. Dios nos creó como seres sexuados, y tenía en mente ciertos fines al hacerlo. La tradición, como ya vimos, afirma que nuestra sexualidad no tan sólo es para la procreación sino también para el compañerismo y el placer mutuo. También, la dimensión sexual de nuestra persona entra a todo momento de la vida, y así (pese al comportamiento sexual en realidad) nuestra sexualidad afecta toda relación y toda interacción. La sexualidad redimida es parte del reino de Dios, y la sexualidad depravada indica una retrogresión de ese reino dondequiera que aparezca.

Los seres humanos requieren relaciones sexuales estables, bien ordenadas para que florezcan. Esto no quiere decir que todos son llamados a una actividad sexual física, sino que todos son llamados a la expresión de su sexualidad dada por Dios dentro de los confines de la voluntad de Dios. Mucho de lo que se ofrece en la música, en la televisión o las películas tiene que ver con alguna variación de este tema: La búsqueda de la satisfacción, la intimidad y la plenitud en esta área de la vida. Por supuesto, los medios masivos ofrecen muchas perspectivas enormemente equivocadas al respecto. Sin embargo, en última instancia la gente sabia llega a reconocer que las relaciones de pacto, caracterizadas por el amor, la fidelidad y la justicia, son el camino para alcanzar la plenitud que todos desean.

Los cristianos, como personas dedicadas al reino, quieren que todos los aspectos de su persona estén ordenados correctamente. El reino de Dios se experimenta primero en la experiencia personal y colectiva del vivir cristiano. Los creyentes que disfrutan de la bendición de relaciones sexuales sanas, estables, orientadas a la familia, de pacto y que sean caracterizados por una integridad sexual ocupan el mejor lugar para poder avanzar el reino de Dios con energía y concentración. Sin distracciones de una sexualidad mal dirigida, ellos pueden poner su atención en el avance de la causa de Dios en un mundo quebrantado.

15

Los roles de género

Y respondiendo el ángel dijo a las mujeres: "No temáis vosotras, porque sé que buscáis a Jesús, quien fue crucificado. No está aquí, porque ha resucitado, así como dijo. Venid, ved el lugar donde estaba puesto. E id de prisa y decid a sus discípulos que ha resucitado de entre los muertos. He aquí va delante de vosotros a Galilea. Allí le veréis. He aquí os lo he dicho".

Mateo 28:5-7

La mejor alumna de la clase de ética de su generación estaba sentada en mi (David) oficina junto con su novio. La discusión se tornó en la cuestión de su futuro. Antes de su compromiso, Alicia (no es el nombre real) muy seriamente había estado contemplando el solicitar el ingreso a varios de los mejores seminarios para obtener su doctorado en ética cristiana para luego enseñar y escribir. Como su profesor, yo estaba plenamente convencido de su habilidad para lograr estas metas.

Pero ahora que estaba comprometida, Alicia repensaba su futuro. Estaba consciente de que algunos miembros de la familia de su prometido y su red de amistades no apoyaban su deseo de hacer estudios de posgrado. Ellos le dijeron a ella (y a Jaime, su prometido) que la esposa debía respaldar la carrera de su esposo más bien que seguir la suya propia. Algunos dudaban que fuera aceptable bíblicamente que una mujer enseñara a hombres en un contexto académico o eclesiástico. Ya que Jaime era pastor, algunos argumentaban que el papel de la esposa de pastor en sí era un trabajo de tiempo completo. Jaime, que apoyaba las aspiraciones profesionales de Alicia y su sentido tentativo de un llamado, también recibía el mensaje implícito y a veces explícito de que un "verdadero hombre" no le apoya a su esposa en su búsqueda de una carrera sino que ella le apoya en la búsqueda de la suya.

Mientras tanto, Alicia estaba plagada de dudas acerca de su habilidad y su llamamiento. Como mujer evangélica, también estaba preocupada por posibles oportunidades de empleo en escuelas que fueran teológicamente compatibles. También, sabía que las oportunidades de ministerio en una iglesia, si tuviera interés en tal cosa, serían difíciles de encontrar dentro de su denominación. Por estas razones, se preguntaba insistentemente si "realmente" estaba llamada a hacer los estudios de posgrado. Ella oía consejos conflictivos de varios de sus mentores y líderes. Su lucha era muy aguda, y suscitaba problemas para la ética cristiana.

El "problema de las mujeres" en su perspectiva histórica

¿Tiene algo que decirle a Alicia una ética cristiana centrada en Jesús acerca de sus opciones? ¿Tenemos alguna palabra acerca de cómo los hombres y las mujeres deberían comprender y vivir sus papeles respectivos en la sociedad, el hogar y la iglesia? Difícilmente se pueda encontrar una problemática que haya sido sondeada más completamente. ¿Se puede decir algo nuevo al respecto?

Creemos que sí; pero antes de proseguir para presentarlo, hemos de comentar sobre la persecución profesional y personal que esta cuestión ha creado en la historia reciente de los evangélicos, incluyendo a los coautores de este libro. Pareciera que toda generación de eruditos cristianos y líderes eclesiásticos tiene que encarar una o más cuestiones teológicas o morales determinantes. No se puede predecir con antelación qué problemas dentro de qué contextos surgirán para llegar a ser cuestiones de vida o muerte. La percepción retrospectiva tiende a revelar que circunstancias históricas, culturales y eclesiales a veces convergen para crear "una tormenta perfecta" por la cual el erudito cristiano desapercibido tiene que navegar. Pocos salen ilesos. En Alemania, durante la década de los años 30, el problema era el nazismo; en los Estados Unidos de América durante los años 20 era la controversia fundamentalista-modernista; a mediados del siglo diecinueve era la problemática de la alta crítica; en el siglo dieciséis era la Reforma y sus secuelas; en la iglesia primitiva era la cuestión de que si los gentiles tenían que hacerse judíos para poder llegar a ser cristianos.

El papel de las mujeres en la iglesia y la sociedad llegó a ser un problema determinante entre los evangélicos en las décadas de los años 80 y 90. El mismo problema llegó a su cenit en los círculos protestantes durante los años 60 y 70. Desde la década de los años 60 se ha hecho sentir poderosamente en el Catolicismo Romano.

Una perspectiva histórica es crítica. El liberalismo político y filosófico clásico, con su énfasis sobre la autonomía, la autoexpresión, la igualdad, la libertad, los derechos y la participación, y su cuestionamiento a las tradiciones religiosas y morales recibidas, contenía dentro de sí el germen de una revolución en los papeles de las mujeres. Esa revolución no se produjo de inmediato, pero los cambios que consecuentemente traería se hicieron sentir tan temprano como las primeras décadas del siglo diecinueve. La así llamada primera ola del movimiento feminista abogaba por reformas sociales básicas para la situación de las mujeres de los países occidentales. Los líderes cristianos estaban entre los opositores más acérrimos de estas proposiciones reformistas. En los Estados

Unidos de América sólo hasta 1920, recordemos, a las mujeres se les concedió el derecho a votar, después de una feroz lucha política. En términos históricos, este es un evento relativamente reciente.

La segunda ola del movimiento feminista, que comenzó en los años 60, abogaba por reformas adicionales en la ley y en las costumbres y la plena igualdad de las mujeres en la vida. Para finales de los años 60, el movimiento feminista había logrado victorias críticas, que forzaron a que se abriera una sociedad que anteriormente era reacia a dar una plena participación económica, social y política a las mujeres. Actualmente en occidente, y a veces es fácil olvidar, vivimos en sociedades en las que toda la fuerza de la ley prohíbe cualquier clase de discriminación contra las mujeres, sea en educación, empleo, vivienda, participación política, etc. Aunque todavía las mujeres se topan con varias configuraciones de poder que impiden la plena realización de esta igualdad prometida, la situación de las mujeres hoy difícilmente se parece a la que existía apenas hace 40 años. En el capítulo tres, identificamos la percepción de la persona del cambio social como una variante crucial que afecta el desenlace ético de muchas problemáticas. Ciertamente, esto es evidente en este caso. Probablemente nos afecte de maneras que son desapercibidas para nosotros.

La respuesta de parte de las iglesias cristianas ante el movimiento en pro de los derechos de las mujeres no ha sido uniforme. La historia de esa respuesta va de acuerdo con la respuesta de la iglesia a la misma modernidad. Algunos sectores de la iglesia dieron acogida a la modernidad en todo sentido. Algunas abrazaron la modernidad selectivamente, y la rechazaron de la misma manera. Otros sectores hicieron la lucha por resistir las fuerzas de la modernidad a capa y espada. El mismo patrón podía verse respecto al debate en torno al rol de género.

El problema del llamado "rol de género" llegó a los evangélicos durante la década de los años 80, porque ya no era histórica y culturalmente posible que estos grupos evitasen una cuestión que había invadido a la sociedad, afectando a otras iglesias durante los últimos 20 años. La problemática de género emergió, no porque de pronto los eruditos evangélicos decidiesen que la cuestión feminista pudiera ser interesante para estudiar, sino porque las fuerzas del cambio social demandaban una respuesta evangélica. La forma en que la cuestión llegó a expresarse no era asunto de necesidad teológica o filosófica sino que claramente reflejaba realidades históricas contingentes.

El escenario contemporáneo

Veinte años más tarde, el resultado es un testimonio cristiano profundamente dividido respecto a esta problemática. Estamos seguros de que los mismos lectores de este libro reflejan esa división.

Algunos lectores vivirán dentro del contexto de una comunidad de fe o un marco de referencia por el que son vistos como anacrónicos, altamente insultantes o cuando más engañosos sobre la cuestión de los distintos roles de género o cualquier límite que se ponga a las actividades de las mujeres en cualquier contexto. Lo común entre los hombres y las mujeres es mucho más significativo, según esta postura, que cualesquier diferencias psicológicas o anatómicas que pudieran darse. Los hombres tanto como las mujeres son libres, autónomos, independientes y hacedores de decisiones. Ambos tienen que ser libres para desarrollar su potencial al máximo. No se debe poner ninguna barrera que limite a la mujer o al hombre en cuanto a cualquier empresa que quisiera realizar. Los hombres y las mujeres son fundamentalmente iguales en cuanto a su valor, su potencial, sus derechos y cualquier otro atributo que importe moralmente. Llamemos esto la perspectiva *igualitaria secular* respecto a los roles de género. Esta ha sido la postura dominante entre la elite intelectual de la civilización occidental desde la década de los años 60, caracterizando a grandes segmentos del ámbito religioso también. Representa una plena aceptación de las presuposiciones liberales y modernistas.

Al otro extremo del espectro estarán los lectores que se hallan situados en contextos donde la perspectiva igualitaria secular es rechazada total y enérgicamente. Varias comunidades de fe y familias pueden encontrarse entre las que papeles muy definidos de género forman una parte importante de su vida cotidiana. Aquí el énfasis no está tanto en lo que los hombres y las mujeres tengan en común sino, más bien, en sus diferencias intrínsecas (supuestamente) dadas por Dios y los papeles distintos que emanan de esas diferencias. A los hombres se les ve como habiendo sido colocados por el Creador en una especie de rol gobernante sobre las mujeres en el hogar, la iglesia y la sociedad. Mucho énfasis se pone en el significado de las estructuras de autoridad en todo nivel de la existencia humana. Los teóricos proponentes de esta perspectiva varían grandemente en las áreas de aplicación en las que el liderazgo masculino sea más importante. La mayoría enfatiza tal papel en el hogar y la iglesia, aunque sí se retraen de ver (por lo menos en los últimos años) un orden social totalmente dominado por los hombres. Aunque la autodesignación más popular para esta familia de perspectivas es *complementaria*, digamos de una vez para toda claridad que esta es la perspectiva del *liderazgo varonil.*

Los cristianos tradicionales, por lo menos teóricamente, han resuelto el problema abogando por la perspectiva igualitaria. El nivel de "secularismo" en ese igualitarismo ha variado, pero actualmente es simplemente impensable un liderazgo masculino, y mujeres seminaristas y entre el clero son asunto común. Pero una fisura entre los evangélicos respecto a la problemática ha estado evidente desde mediados de los años 80. Aunque parece que la mayoría de los autoidentificados evangélicos sí asume alguna versión de la postura de liderazgo masculino, una minoría significativa e influyente ha dado acogida a una versión evangélica de la postura igualitaria. La preferida autodesignación de ellos es *igualitarismo bíblico* o *feminista bíblica*. Generalmente, el movimiento insiste en que esta perspectiva tenga bases bíblicas, más bien que ser una capitulación ante el secularismo feminista o la modernidad. El foco del igualitarismo bíblico se centra en una relectura de la Escritura más bien que en su abandono en pro de otras fuentes de autoridad. Los dos bandos han estado en jaque por algún tiempo, formando organizaciones competitivas, haciendo declaraciones opuestas, y luchando por una influencia sobre el rumbo del pensamiento y la práctica evangélicos. Parece que no se llevan, y son relativamente pocos las universidades y seminarios evangélicos que han podido mantener personal con posturas contrarias por mucho tiempo.

Aquí entramos nosotros, ya que hemos luchado por no recalcar demasiado nuestra propia "postura social" en este libro. Pero probablemente hace falta que los lectores sepan que ambos hemos experimentado en carne propia la batalla sobre los sexos. En 1985, cuando yo era estudiante y Glen Stassen era profesor en la misma institución de educación teológica, se sostenía abiertamente el igualitarismo bíblico. En 1993, cuando me emplearon para enseñar a la par de Glen, una directiva un tanto más conservadora llevó a la decisión administrativa de aceptar miembros de la facultad de cualquiera de las dos posturas, la del igualitarismo bíblico o de la dirección varonil. Para el año 1996, cuando por varias razones ambos optamos por dejar el cuerpo docente del seminario, se había hecho obligatoria la postura del liderazgo masculino/complementaria —es decir más precisamente, una declaración de asentimiento de que la Biblia permite únicamente a los hombres las funciones de pastores de las congregaciones locales— para todo aquel que aspirara al empleo, al avance o a ser miembro permanente de la facultad. No importaba que se estuviera de acuerdo con todos los puntos doctrinales, pero menos con este. La problemática había llegado a ser una *status confessionis* de la facultad.

Personalmente, tengo que confesar aquí que el pensar honesta, clara y, sobre todo, bíblicamente acerca de esta problemática se comprobó ser casi imposible dentro del torbellino de los años de la controversia. Siempre estaba consciente de que cualquier comentario que hiciera acerca de la problemática se sometería a un riguroso escrutinio político-religioso de parte de los partidarios de las distintas posturas. Preocupaciones respecto a mi propio futuro profesional como un muy nuevo académico eran muy agudas (y aún tienen un impacto sobre mis expresiones). Aquí hay una lección muy importante acerca de la clase de contexto eclesial y académico que se requiere para el fiel estudio teológico y ético. Aunque no es apropiada dentro del contexto académico cristiano una libertad absoluta sin límites, tampoco la es la restricción intelectualmente mortífera del pensamiento bajo coercitivas limitaciones políticas y profesionales (a propósito, tales limitaciones pueden ser impuestas desde cualquiera de las posiciones).

Lo que sigue a continuación, es para nosotros un intento por librarnos de tales limitaciones, buscando una perspectiva fresca, aunque sea breve, tomada del testimonio bíblico en torno a esta cuestión, viendo así las verdaderas opciones que nos quedan.

Jesús y las mujeres

Al ver a Jesús para que nos oriente sobre esta cuestión, no encontramos una enseñanza explícita que resuelva el problema. Más bien, tenemos que retroceder para ver las enseñanzas y prácticas generales de Jesús, especialmente con el trasfondo de su contexto religioso dentro de la vida judía del primer siglo.

Podemos entrar al tema mediante la consideración de las enseñanzas de Jesús acerca de la lujuria y el divorcio que fueron el foco del último capítulo, y serán considerados en el próximo. Los maestros judíos del primer siglo, como David Garland argumenta, colocaban toda la responsabilidad por la inflamación del deseo sexual masculino en las mujeres. Así que la respuesta para el problema de la lujuria para el hombre moralmente serio era tener el menor contacto posible con las mujeres, por medio de un sistema que limitaba el acceso de las mujeres al espacio público y a la libertad personal. Como dijera Garland: "La solución se encontraba en el evitar a las mujeres, segregándolas, tapándolas" (*Reading Matthew* [Leyendo a Mateo], p. 67). Sistemas similares existen en algunas partes del mundo de hoy, especialmente en los contextos islámicos muy conservadores.

A las mujeres se les escondía en una sección por separado durante la adoración pública en el templo, es decir, no habían de sentarse a los pies de los rabíes para recibir enseñanza tal como los hombres; nunca habían de tocar a hombres que no fueran miembros de su familia, y se requería que se cubrieran para no ser vistas por los hombres. Cuando sucedía un delito sexual, el foco del castigo recaía sobre la mujer más bien que sobre el hombre. Un ejemplo puede verse en la historia de la mujer adúltera, presumiblemente ella no cometía el adulterio a solas, sin embargo no se encuentra para nada al hombre culpable en la historia (Juan 8:1-11). La ley del AT requería la pena capital para *ambas* partes en el adulterio, aunque un estándar doble favorecedor para los hombres se sugería sutilmente en la ley sobre esta cuestión, y ciertamente tal práctica existía entre los judíos del primer siglo (Lev. 20:10; Deut. 22:22).

¿Por qué tomaría Jesús este enfoque respecto a mujeres? Nosotros creemos que era porque Jesús se preocupaba absolutamente por el reino de Dios. Él invitaba a cualquiera que le oyera a que se uniese a la gran obra de liberación que Dios inauguraba por medio de él. Aunque Jesús no articuló un derrocamiento revolucionario del profundamente enraizado sistema patriarcal de la cultura judía, mediante su práctica él abría la puerta a nuevos papeles y nuevas libertades para las mujeres en el servicio del movimiento del evangelio; el resto del NT documenta su entrada por algunas de estas puertas.

En su enseñanza de esta sección del Sermón del monte, Jesús colocó la responsabilidad por la lujuria y el adulterio sobre el hombre. Tal como lo expresara Garland: "Jesús no advierte a sus discípulos acerca de las mujeres sino de sí mismos" (Ibíd., p. 67). Esto era algo revolucionario. Jesús instruía a los hombres acerca de los ciclos viciosos relacionados con la sexualidad, colocando la responsabilidad sobre ellos para que removieran las actitudes, las acciones y las prácticas que ahondaran más su descenso en el pecado dentro de esta área de la vida. Asimismo, Jesús no permitía que los hombres se divorciaran de sus mujeres ligeramente. Esta clase de enseñanzas reflejaban un respeto para la dignidad de las mujeres que, entendidas correctamente, transformarían las actitudes y acciones del discípulo cristiano y la iglesia en general. A los hombres se les instruía a que no considerasen a las mujeres como objetos sexuales desechables, aunque atrayentes y peligrosas.

En el proceso de su ministerio, Jesús despedazaba muchos tabúes tocantes al contacto entre los hombres y las mujeres y su asociación los unos con los otros. Su séquito ambulante incluía a mujeres (Luc. 8:1-3), algunas de las cuales ayudaban a sostener económicamente la obra, proveyendo para las necesidades de Jesús (Mat. 27:55, 56; Mar. 15:40, 41). No vacilaba en tocar o ser tocado por las mujeres con tal de poder sanarlas (Mat. 9:18-26; Luc. 13:10-16). Él permitió que una mujer de reputación dudosa expresase su amor por él mediante el ungimiento de sus pies (Luc. 7:36-50). Habló extensamente con la mujer samaritana junto al pozo (Juan 4), y con una pobre mujer cananea (Mat. 15:21-28). Afirmó a María en su deseo de sentarse a sus pies para recibir sus enseñanzas junto con sus seguidores varones (Luc. 10:38-42), tratando a María y Marta como amigas cercanas. Mujeres fueron las primeras testigos de su resurrección al igual que las primeras proclamadaras de las buenas nuevas (Mat. 28:8-10; Juan 20:11-18). No hay evidencia alguna que Jesús jamás tratara a las mujeres con menos que un respeto pleno, una práctica extraordinaria en su contexto.

Pablo y las mujeres

El apóstol Pablo lidió con la problemática de los roles de género dentro del contexto de cómo estructurar la vida de las primitivas comunidades cristianas bajo su cuidado. Muchos centenares de intérpretes se han quebrantado la cabeza por las sutilezas de la óptica de Pablo en torno a esta cuestión. Se le ha interpretado como apoyando todas las principales perspectivas cristianas ya esbozadas.

El registro textual es bastante complicado. Los que defienden roles igualitarios para hombres como para mujeres tienden a fijarse en el papel de ciertas mujeres prominentes en la proclamación del mensaje evangélico. Por ejemplo, a Priscila se le describe como trabajando a la par de su esposo en "exponer con más exactitud el Camino de Dios" a Apolos (Hech. 18:26). Ella es mencionada seis veces en el NT, cada vez sin que se le distinga de su esposo como un líder de la iglesia (Hech. 18:2, 18, 26; Rom. 16:3; 1 Cor. 16:19; 2 Tim. 4:19). Las listas de obreros, hermanos y hermanas en Cristo regularmente incluyen nombres de mujeres al igual que los de hombres (véase Rom. 16). Evodia y Síntique (Fil. 4:2, 3) son descritas por Pablo como mujeres que "lucharon junto conmigo en el evangelio".

Ellos también enfatizan los ecos del radicalismo de Jesús en el mismo mensaje de Pablo. Gálatas 3:26-28 es un texto clave: "Así que todos sois hijos de Dios por medio de la fe en Cristo Jesús, porque todos los que fuisteis bautizados en Cristo os habéis revestido de Cristo. Ya no hay judío ni griego, no hay esclavo ni libre, no hay varón ni mujer; porque todos vosotros sois uno en Cristo Jesús".

De forma consistente Pablo mostraba alegría por los logros dentro de la comunidad humana realizados por el evangelio. Una "nueva humanidad" (Efe. 2:15) había sido creada en Cristo, derribando los muros de división y hostilidad construidos por los hombres. Los ricos y los pobres, el judío y el gentil, el varón y la mujer, el esclavo y el libre se convertían en un pueblo nuevo, la iglesia. Aunque esto no toca la cuestión del liderazgo femenino concebido limitadamente, sí con toda certeza suscita la cuestión de que si una nueva humanidad de esta clase esperaría gobernarse según las tradicionales distinciones de género.

Señalan el énfasis de Pablo en los dones espirituales. Fue Pablo quien enfatizó tan marcadamente los dones del Espíritu (1 Cor. 12:1-11; Efe. 4:11) y el fruto del Espíritu (Gál. 5:22, 23). Ambos eran dotados a los creyentes sin ninguna distinción visible de género. Los dones tanto como los frutos tenían la intención de edificar al cuerpo de Cristo y avanzar la obra urgente del Señor en el mundo.

Finalmente, aun las controversiales discusiones de Pablo en torno a la adoración pública (1 Cor. 11:2-16; 14:33-35; 1 Tim. 2:11-15), tan importantes para la perspectiva del liderazgo masculino, incluyen cierta evidencia contrapuesta. Aunque 1 Corintios 14:34 manda que "las mujeres guarden silencio en las congregaciones", 1 Corintios 11:4 les dice a las mujeres que de hecho están orando y profetizando en la adoración pública que mantengan las cabezas cubiertas. Es difícil cuadrar estos dos pasajes en el mismo libro, y se han dado varias resoluciones tentativas.

La perspectiva del liderazgo masculino

La perspectiva del liderazgo masculino pudiera comenzar preguntando si Jesús era tan radical en su práctica relacionada con las mujeres tal como sugieren los que promueven la igualdad de roles de los géneros. Al fin y al cabo, él sí seleccionó a doce hombres para que fuesen sus apóstoles, claramente como una afirmación/reconstrucción simbólica de las doce tribus de Israel, todas las cuales, por supuesto, eran encabezadas por hombres.

Pero el meollo del argumento del liderazgo masculino respecto al rol de género vuelve a los escritos de Pablo. Ciertamente sería posible argumentar a favor de una postura extremadamente conservadora del liderazgo masculino por enfocarse mucho en el pasaje de 1 Corintios 14:33 tanto como en 1 Timoteo 2:11. En realidad, tal argumento no abogaría por el liderazgo masculino en la iglesia sino también por el silencio de las mujeres en la iglesia. Aunque hay algunos grupos cristianos que se afirman aquí, no lo hace ninguno de los principales exponentes contemporáneos de la postura complementaria.

En vez de esto, el enfoque del caso del liderazgo masculino se basa en los argumentos de Pablo en 1 Corintios 11:3-10 y 1 Timoteo 2:11-15. Esencialmente, 1 Corintios 11:3 afirma desde la creación el liderazgo del hombre como cabeza (*kefalé*) de la mujer (o el esposo como cabeza de la esposa). En 1 Timoteo 2, también Pablo argumenta basado en la historia de la creación a favor de la autoridad del varón sobre la mujer, diciendo que él no permite que una mujer "enseñe o tenga autoridad sobre un hombre" (1 Tim. 2:12). Los partidarios de la postura complementaria también apelan a los así llamados pasajes hogareños (Efe. 5:21-33; Col. 3:18, 19), por los que se les enseña a las mujeres casadas a que se sometan voluntariamente a sus esposos, quienes, a su vez, son enseñados a amar a sus esposas como Cristo ama a la iglesia. Finalmente, el caso en pro del liderazgo masculino descansa sobre las instrucciones de Pablo en las epístolas pastorales dentro de las cuales se supone que los líderes eclesiásticos (*epískopoi*) sean (algunos dirán mandados a que sean) varones (véase 1 Tim. 3:2).

El resultado es una afirmación del liderazgo masculino en el hogar y en la iglesia, basados en la creación tanto como en el testimonio percibido de la iglesia primitiva, especialmente los escritos Paulinos. Los proponentes de la postura del feminismo complementario han confundido y distorsionado grandemente las diferencias dadas por Dios entre los sexos y sus papeles respectivos cuyas diferencias son parte de la naturaleza humana. Los proponentes católicos de la postura complementaria argumentan desde la ley natural, los protestantes desde la Escritura, pero ambos grupos argumentan que una desastrosa androginia se ha desplazado a lo largo del mundo occidental vía el movimiento feminista, que ha dañado las relaciones entre los varones y las mujeres, la vida familiar, la sociedad y que urge que sea rechazada. Pisando los escombros, los partidarios de la postura complementaria buscan reclamar la noción de que el liderazgo masculino, maravillosamente redimido en Cristo de elementos abusivos o dominantes, es el plan divino para las relaciones entre los sexos. Ellos persiguen esta visión en la vida familiar y en la iglesia, aunque pareciera que la sociedad está más allá de reclamar esta perspectiva, habiendo poco esfuerzo a estas alturas por promover tal visión para la vida social.

El desenlace práctico de esta visión para la vida eclesial no encuentra ningún consenso entre los proponentes del liderazgo masculino. La postura oficial que emergió en donde enseñábamos en los años 1995-1996 era que las mujeres bíblicamente no podían ocupar el puesto del pastor principal. Es más, se recalcaba el liderazgo masculino y la sumisión femenina en el hogar. Estas son también las dos posturas que fueron memorablemente codificadas en la revisión del año 2000 de la declaración de "La fe y mensaje bautistas". (En la práctica, las mujeres que formaban parte de la facultad de teología fueron obligadas a salir, y los puestos ministeriales en las iglesias se hacían más difíciles de encontrar). En términos de la vida eclesial oficial, es interesante observar cuán limitada es esta exclusión en realidad, dejando abiertas la ordenación, el servicio misionero y todos los demás puestos eclesiásticos dentro de las iglesias locales, sin mencionar la enseñanza en seminarios teológicos, universidades bautistas, conferencias, escritura de libros, etc. Otras denominaciones y congregaciones individuales ponen sus limitaciones de otras maneras, a menudo se hace más cerradamente. No es injusto decir que en términos operacionales lo que las perspectivas complementarias tienen en común es que hay *algo* que no se les permite hacer a las mujeres en la vida eclesial, pero hay poco consenso en lo que ese *algo* es.

La sensación vaga dentro de su contexto religioso de que las mujeres no deben hacer ciertas cosas en el liderazgo cristiano, sin que se sepa con exactitud lo que sean esas cosas, es precisamente lo que aflige a mi alumna Alicia, y a muchas mujeres como ella, y dificulta la realización de sus dones.

El trato que se le da al liderazgo masculino en el hogar entre los partidarios de la postura complementaria ha sido interesante. Aunque se enfatiza fuertemente las distinciones entre los papeles del hombre y la mujer, siguiendo así Efesios 5:22-33 y pasando por alto muy a menudo la frase tópica en 5:21, "y sometiéndoos unos a otros en el temor de Cristo", los complementarios contemporáneos recalcan la dimensión servicial y sacrificial del liderazgo masculino y su autoridad. Si los hombres han de dirigir, que según esta postura deben hacerlo, ellos deben hacerlo igual que Cristo. Él vivió y murió por "ella", la iglesia. Él puso en último lugar sus preferencias. Él atendió a su bienestar sobre todo. Él la amó tanto como a sí mismo o más. Él fue totalmente desinteresado y altruista.

A muchos hombres evangélicos, y admitámoslo, a muchas mujeres evangélicas les gusta esta visión de un liderazgo masculino benigno, sacrificial o hasta heroico. Los teóricos complementarios *no* piden un regreso al dominio masculino bruto de los años antes del feminismo. Pero sí quieren reclamar la distinción entre las naturalezas masculinas y femeninas que conducen a distinciones en los roles de género. Al varón se le llama para dirigir (vía liderazgo de siervo), tomar la responsabilidad por su familia y ser responsable ante Dios por la manera en que ejerce su responsabilidad singular. Muchos hombres evangélicos tiemblan ante este sentido de responsabilidad, pero encuentran que apela mucho a su masculinidad, mientras que muchas mujeres evangélicas hallan que el papel que se le da apela profundamente a su feminidad. Que los hombres evangélicos, las mujeres y las familias convencidos de este modelo encuentren que funciona para ellos a largo plazo aún ha de determinarse. Los observadores de fuera que caricaturizan este enfoque como un retorno a los días de los cavernícolas lo hacen irresponsablemente.

Se debe observar que para algunos de los proponentes del liderazgo masculino es, en realidad, la estructura de la familia y las relaciones maritales que impulsan su enfoque de la vida eclesial. Si las Escrituras llaman a un hombre a ejercer el liderazgo en el hogar, entonces es profundamente problemático que su pastor-esposa, digamos, ejerza el liderazgo y la autoridad sobre él en la iglesia. Por esta razón, algunos proponentes de la postura complementaria trata las cuestiones de liderazgo eclesiástico de forma diferente en los casos donde la mujer aludida es soltera o viuda. Todo el asunto es complicado más por lo intercambiable de los términos griegos para hombre-esposo y mujer-esposa.

Conclusión: ¿Es posible una convergencia?

Ante el cuadro complejo que se nos presenta, proponemos que encaja mejor con la visión presentada y practicada por Jesús una perspectiva del reino que enfatice un reclamo y la sanidad de las relaciones varón-mujer que estén en un pacto mutuo y en el pleno uso de los dones del pueblo de Dios.

Las buenas nuevas es que tal perspectiva no necesariamente tenga que hacerse con toda su fuerza. Las tradiciones metodista-wesleyanas, pentecostal/carismáticas e iglesias afroestadounidenses son ejemplos de movimientos cristianos históricos que (por lo menos a veces) han leído las Escrituras de la manera que enfatizamos aquí.

Hablando de la vida y trabajo de la iglesia, las diferencias entre los géneros no se resuelven, pero el sexo como determinante en los roles se pierde de vista a la luz de las metas masivas de una agresiva evangelización mundial y el discipulado de nuevos creyentes, el hacer y entregar las obras de Cristo de sanidad y justicia, el practicar los dones del Espíritu para edificar a la iglesia hasta que Cristo vuelva. El criterio para todo aquel que quisiera perseguir estas preciosas metas del reino es todo el cuerpo de Cristo, siendo su especialización dirigida por sus dones espirituales. En Pentecostés el Espíritu vino sobre los hombres tanto como sobre las mujeres, tal como el AT había prometido (Hech. 2:17, 18; Joel 2:28, 29). La última cosa que uno quisiera hacer en Pentecostés, o en la perspectiva creada por la experiencia de Pentecostés, es sofocar los dones que pudieran traer un avance en el reino de Dios; hay demasiado en juego. Si la meta del seguidor de Cristo es buscar el reino de Dios, la cuestión primaria no es especificar los roles de género sino el maximizar la misión, la eficacia y el impacto. De nuevo, se debe enfatizar que esta perspectiva es previa al movimiento feminista y se funda, *no en un igualitarismo secular del siglo veinte tardío sino en un enfoque evangélico y del reino.*

En cuanto al ejercicio de autoridad dentro del cuerpo eclesiástico, queremos sugerir sencillamente que Pablo ofrece el paradigma de una *servidumbre mutua* para todas las relaciones dentro del cuerpo de Cristo, incluso las relaciones entre hombres y mujeres. Entendido correctamente, este paradigma hace que se acerquen a la convergencia las posturas rivales del igualitarismo y liderazgo masculino.

Pablo se daba cuenta de que cualquier comunidad funcional debía tener estructuras de autoridad. Hasta un grupo itinerante de misioneros internacionales que buscan avanzar el reino necesita alguna estructura para tomar decisiones y reconocer autoridad. Podemos contemplar esa estructura en función dentro del NT. Sin embargo, el testimonio general de sus escritos ofrece un enfoque de autoridad, orientado hacia el espíritu de servidumbre, negándose a ubicar la autoridad fundamentalmente en el género. Aunque algunos disputan esta idea, nos parece que Pablo en efecto sí reconocía ciertas distinciones de género, especialmente respecto a las necesidades y roles de género en la familia (Efe. 5:22-33). Estas distinciones molestan a algunos observadores contemporáneos aunque suenan verídicas a otros. También hay bastante debate respecto a cómo interpretar el impacto del mundo grecorromano y la cultura judía sobre las perspectivas de Pablo. Como quiera que se resuelva este punto, a Pablo se le entiende mejor como subordinando aun las distinciones irreducibles de género al rubro más importante de la servidumbre mutua, siguiendo el modelo de Cristo: "sometiéndoos unos a otros en el temor de Cristo" (Efe. 5:21). Aquí Pablo apunta al tema de nuestro libro: La interpretación conforme al señorío de Jesucristo, su modelo de enseñanza y práctica, su muerte y resurrección.

El liderazgo y la autoridad en la vida familiar y en la iglesia han de darse en humildad, en sumisión mutua y en el contexto de la narrativa de cómo Jesús ejercía la autoridad. Al igual que el glorioso himno a Cristo en Filipenses 2 lo expresa, por la encarnación y la cruz Jesús fue autodespojado, humilde, dedicado a las necesidades de otros y finalmente obediente a la autoridad de Dios el Padre (Fil. 2:5-11). Esto cuadra con las virtudes de la humildad, la entrega a Dios y a la justicia de Jesús que vimos en las Bienaventuranzas. Todos los cristianos han de imitar este patrón de vida.

La servidumbre mutua pone ciertas limitaciones sobre la autoridad de cualquier cristiano en cualquier contexto. El modelo de Cristo da forma a la perspectiva dentro de la que toda autoridad es empleada. Cualquier miembro de la comunidad cristiana puede tener por responsable a cualquier otro miembro, incluso a los líderes (o esposo, o esposa) según el ejemplo de Cristo. El propósito de la iglesia para hacer avanzar el evangelio o el reino de Dios y el matrimonio cristiano es la meta con la cual todos estamos comprometidos, estableciéndose así una norma para el ejercicio de la autoridad. Cualquier uso de la autoridad que sofoque los dones espirituales que pudieran promover el reino de Dios no es apropiado. Mientras tanto, con esta gran libertad para usar los dones del reino viene la responsabilidad de usar tales dones para el propósito por el cual se dieron. De modo que aquí no se contempla ninguna comprensión de la libertad meramente autónoma o permisiva. La servidumbre mutua usa pero también limita la libertad, desata los dones para su uso responsable, dirige la autoridad, ordena la comunidad cristiana y participa en el reino. En amor, la servidumbre mutua crea el control mutuo sobre el ejercicio de la libertad tanto como sobre el poder, que preserva y hace avanzar la justicia. Este es el mejor modelo para todas las relaciones dentro del cuerpo de Cristo, incluyendo las que hay entre hombres y mujeres, esposo y esposa.

SECCIÓN V:

LAS NORMAS CENTRALES EN LA ÉTICA CRISTIANA

Por muchas generaciones, los pensadores morales cristianos han buscado identificar normas bíblicas o teológicas para la ética cristiana. Estas son convicciones morales que penetran la vida moral cristiana como grandes imperativos, aplicándose a todas las actividades y a cualquier problema o asunto moral en particular. Sin duda, las dos normas más frecuentemente generadas por esta búsqueda son las que consideramos aquí: el amor y la justicia.

Nuestro acercamiento hebraico, centrado en Jesús y enfocado en el reino brinda una consideración del amor y la justicia que es muy diferente de aquel que se presenta generalmente en muchos relatos. Rehúsa hacer alguna distinción rígida entre el amor y la justicia, y ancla ambos en la actividad liberadora de Dios en un mundo muchas veces sin amor e injusto. Ellos tienen profundidad en el carácter y acción de Dios como se revela en el drama bíblico, culminando en la irrupción del reino, que es más rica y multidi mensional que una definición livianamente racionalista del Iluminismo (o de la Ilustración) o alegadamente universal.

16

El amor

Habéis oído que fue dicho: Amarás a tu prójimo y aborrecerás a tu enemigo. Pero yo os digo: Amad a vuestros enemigos, y orad por los que os persiguen; de modo que seáis hijos de vuestro Padre que está en los cielos, porque él hace salir su sol sobre malos y buenos, y hace llover sobre justos e injustos.

Sed, pues, vosotros perfectos, como vuestro Padre que está en los cielos es perfecto.

Mateo 5:43, 44, 48

Para los cristianos, el amor es el corazón de la vida del ser humano. El amor está en el mismo corazón de la vida de Cristo, de su enseñanza y su muerte en la cruz. Aun estando en la cruz, Jesús tuvo compasión de su madre, compasión de los dos rebeldes crucificados con él y compasión de sus enemigos que lo crucificaban. Como dijera Victor Furnish, para Jesús el mandato del amor funcionaba como "la clave hermenéutica para la interpretación de la ley" y era "una parte integral de su proclamación del venidero reino de Dios". Jesús entendía que el inminente reino de Dios establecía "el poder de Dios mismo, su justicia y misericordia", y él llamaba a la gente a "volver y recibir el amor y perdón ofrecidos por Dios, un amor que activamente busca al pecador, tal como el padre buscaba al hijo pródigo (Luc. 15:20). El reino de Dios, por lo tanto, se entiende como el reinado del amor" (Furnish V., *Love Commands in the New Testament* [Los mandatos de amor en el Nuevo Testamento], pp. 328, 329). El amor semejante al de Cristo es una de las virtudes centrales, y una de las convicciones básicas, en nuestra ética holística del carácter (véanse los capítulos dos y tres).

Para todos nosotros, seamos cristianos o no, el amor que recibimos durante la infancia y la niñez es lo que nos dio un comienzo como seres humanos con personalidad. También, el amor es lo que nos saca del dolor, de la impotencia, del provincialismo y la confusión. Alguien nos ha amado lo suficiente como para liberarnos de ser impotentes, atascados, solos o perdidos. El amor que hemos recibido, con todo y sus imperfecciones, ha moldeado nuestro yo, dejando su profunda huella.

El amor es la norma para la vida. Pero, ¿qué queremos decir por amor? ¿Cómo es el verdadero amor? Presentamos cuatro principales definiciones cristianas del amor que no son iguales, esto con el fin de que se pueda agudizar el entendimiento respecto a la norma del amor. Pedimos que las comparen para discernir cuál cuadra mejor con la verdadera ética cristiana.

El amor sacrificial

Anders Nygren, un obispo sueco, publicó su libro *Agape y Eros* en el año 1932, y ha llegado a ser una obra clásica, moldeando profundamente el entendimiento tanto de eruditos como popular del amor.

Anders Nygren define *agape*, la principal palabra neotestamentaria para el amor, como *amor sacrificial*. Tal amor es puramente desinteresado, espontáneo sin ser motivado por ningún valor o beneficio que el otro pueda tener para nosotros. No es creado por ningún valor que vea en otros sino, más bien, crea valor en ellos. Nosotros amamos de una forma no calculada, desmedida e incondicional, sin importar lo atractivo que pueda tener el amado. Esto no es algo que nosotros hagamos o seamos capaces de hacer, sino más bien Dios lo inicia como un don, y nosotros meramente reflejamos el amor de Dios que brilla por nosotros hacia otros (Nygren A., *Agape y Eros*, pp. 75-81, 91, 94, 118).

El método por el cual abogamos en este libro dice que las convicciones básicas y las lealtades fundamentales —las dos últimas dimensiones del diagrama holístico de cuatro dimensiones, esbozado en el capítulo tres— dan forma al significado de términos clave. *El amor* no logra su significado meramente por su definición sino por su función en la narrativa que moldea las tradiciones particulares. El amor sacrificial, tal como se define arriba, cuadra con la comprensión luterana de la expiación dada por Nygren (el acto de Dios reconciliando a la humanidad por la vida, la muerte y la resurrección de Jesús). Según la comprensión de Nygren, la expiación es un simple don inmerecido, y no hay nada que nosotros contribuyamos. Somos meramente receptores pasivos de lo que Dios ha hecho por nosotros, con una justicia pasiva dada por gracia, sin ningún cálculo de nuestro mérito. No podemos amar a Dios. Dios nos ama a nosotros.

Hay una verdad poderosa en la idea del amor sacrificial. Todos nosotros sentimos su atracción. El amor sacrificial arroja su luz blanca y pura sobre nuestro modo usual de amar, revelando nuestro racionalizar y calcular egoístas. Él depura nuestro autocomplaciente, nuestra autocongratulación, autojustificación y jactancia. Él nos da una humildad muy necesaria. Al compararse con el amor puro, sacrificial, desinteresado, nuestro amor usual no puede jactarse. El amor sacrificial puede redimir nuestra habitual clase egoísta de amar y hacer que las relaciones egoístas se truequen en relaciones hermosas.

Por ejemplo, cuando una pareja comienza a experimentar el doloroso rechazo y el repudio el uno del otro dentro de un amargo conflicto, el amor sacrificial se arriesga en iniciar la reconciliación sea que se espere alguna respuesta afirmativa o no. Él habla de la compasión aun cuando duele la compasión. Por ende, puede interrumpir el ciclo vicioso de la mutua recriminación. Puede redimir un amor perdido o dañado, creando un nuevo amor.

Al igual que una definición del amor cristiano, el amor sacrificial tiene algunas desventajas muy dañinas:

1. Parece ser tan ideal e imposible de realizar que la gente lo descarta como impráctico o experimenta sus desventajas con una conciencia culpable.
2. No parece dejar lugar para ninguna medida de autopreocupación ni de medio para protegerse a sí mismo. Nygren argumenta que tal preocupación por sí mismo pertenece al egoísta amor natural del eros el cual él rechazaba por ser menos que cristiano.
3. Parece cortar la conexión entre el amor y la justicia los cuales, en la historia bíblica, siempre van de la mano. Por ejemplo, Miqueas 6:8 claramente hace que el amor, la justicia y el servir al Señor estén en un paralelismo sinónimo: "¿Qué requiere de ti el SEÑOR? Solamente hacer justicia [*mishpat*], amar misericordia [*hesed*] y caminar humildemente con tu Dios". Todos los ocho primeros versículos de Miqueas 6 están claramente estructurados en un paralelismo sinónimo: El hacer justicia y el amar misericordia aquí se ven como paralelos y básicamente sinónimos. Pero el entendimiento del amor de Nygren dista mucho de una justicia que requiera cálculos, reciprocidad y cierta cantidad de coerción. Esta dicotomía entre el amor y la justicia a menudo ha llevado a los cristianos a afirmar ser personas amorosas mientras descuidaban la justicia. También, a veces ha llevado a los cristianos reflexivos, tales como Reinhold Niebuhr, a creer que su gran preocupación por la justicia se contrasta con "la ética del amor (sacrificial) de Cristo" (Ibíd., pp. 27-29, 29-40, *passim*).
4. Se ha usado para mantener a gente oprimida "en su lugar," sea que fuesen los campesinos en el día de Martín Lutero, los negros en los EE. UU. de A. o Sud África, o las mujeres a lo largo de la historia. La ética feminista nos recuerda que en una cultura que socializa a las mujeres con el altruismo y el amor desinteresado, el llamado a la práctica del amor sacrificial puede ser mal usado para decirles a las mujeres que no se opongan a su explotación patriarcal.
5. Si mi enfoque está en el sacrificio que hago a favor de otros, me puede dar un complejo de mártir, haciendo que otros dependan de lo que yo, con paternalismo, determine ser lo mejor para ellos. Tal como lo expresa Richard Roach, "Cuando yo creo conocer lo mejor para otra persona sin permitir que ella participe en la definición o el logro del bien, yo me hago un opresor, autojustificado por una ideología" (Roach R., "*New Sense of Faith*" [Un nuevo sentido de fe], p. 145).

6. Parece malentender el significado de la muerte de Jesús. Jesús no se sacrificó en la cruz porque sí. Él murió por librarnos de nuestra esclavitud al pecado y hacernos entrar en la comunidad.

El amor mutuo

El libro profundo de Daniel Day Williams, *The Spirit and the Forms of Love* [El espíritu y las formas del amor] argumenta que el concepto de Nygren del amor sacrificial es inadecuado, porque supone un concepto neoplatónico de la impasibilidad de Dios, es decir, que Dios no se siente motivado ni afectado por lo que pasa en la historia. Más bien, nuestro pensar en torno al amor necesita emplear una comprensión hebraica-bíblica de la *historia* y la *historia* bíblica en la que Dios se interesa por la respuesta de la gente al amor de Dios, y sí queda afectado por lo que sucede en la historia (Ibíd., pp. 1-3, 9, 53-63). Dios desea profundamente nuestra respuesta de amor. Dios desea que el amor sea un *amor mutuo*.

Williams argumenta: "Yo ocupo la palabra *agape* para expresar el amor de Dios que la Biblia contempla como tomando forma en la elección de Israel por parte de Dios, siendo manifestado finalmente en la historia de Jesús" (Ibíd., pp. 2, 3). "La historia de Jesús es la historia del Hijo unigénito, el amado, que cumple ahora el propósito divino mediante el ejercicio del amor dentro de la necesidad del mundo" (Ibíd., p. 37). Williams muestra que el AT tanto como el NT hablan de muchas distintas dimensiones del amor sin reducir el significado de *agape* a un solo significado no histórico, tal como lo hace Nygren. "El amor de Dios se conoce como preocupación, cuidado devoto, disposición de compartir la vida de un pueblo en particular para liberarles, tratándoles a ellos con gracia respecto a sus deseos, pasiones, salud y enfermedad, adoración y placer, guerra y paz, vida y muerte", haciendo un pacto con ellos (Ibíd., pp. 22, 23). "Ciertamente, no es verdad que el agape del NT no sea otra cosa sino la gracia de Dios, derramándose sin motivo sobre los indignos. También es el espíritu del regocijo, de la amistad, y de la vida nueva con su antelación de la bendición de la vida con Dios y con los hermanos en la plena libertad del amor" (Ibíd., pp. 44, 46). Esto ha sido confirmado después por otros eruditos.

El amor no es una calle de un solo sentido que viene de Dios hacia nosotros por la que Dios camina sin motivo, sin buscar una respuesta por parte de nosotros, no siendo afectado por nuestro amor o nuestra infidelidad (Ibíd., p. 20). Más bien, Dios desea una relación de *amor mutuo*, una comunión personal por la que devolvemos el amor a Dios. La doctrina neotestamentaria del amor se basa primero en el amor mutuo entre Dios el Padre y el Hijo en su profundidad última como el misterio de comunión personal. Es más, el amor expresado por la vida de Jesús nos provee la forma y el contenido del mandato ético a amar. "El amor de Dios llega a ser el amor sufrido, desinteresado del Dios misericordioso por los pecadores, efectuado cuando Dios da a su único Hijo a que comparta la suerte humana, para que sufra las limitaciones de la existencia humana, y morir para que el mundo sea reconciliado a él... Dios ama a su Hijo, y él ama al mundo con una voluntad inquebrantable de estar en comunión" (Ibíd., pp. 35-37).

Según la postura de Williams, hay cinco dimensiones que son necesarias en el amor.

1. Una verdadera individualidad de la persona que ama, tanto como de la persona que es amada. El amar a otro no debe significar que se destruya mi persona o que sea absorbida por la otra, o que el yo de la otra persona sea destruido o absorbido por mí (Ibíd., pp. 114, 115).

2. Una libertad limitada. "No podemos darnos auténticamente en amor a otra persona sin tener la voluntad de asumir las demandas y los riesgos presentes". El amor tiene que "afirmar y aceptar la libertad del otro... No hay nada que sea más patético que el intento por compeler o coaccionar el amor de otro, porque siempre conlleva el autofracaso". Es más, el amor de pacto requiere que aceptemos las limitaciones que asumimos al hacer una promesa o un compromiso (Ibíd., p. 116).

3. Actuando, recibiendo y sufriendo. "Nosotros no amamos a menos que nuestro ser personal sea transformado por la relación con el otro". No puede haber el amor sin el sufrimiento, en el sentido de recibir la acción de otro, de ser cambiado, de ser movido, de ser transformado por la acción de otro. "Cualquier experiencia de amor involucra el descubrimiento del otro mediante su sufrimiento por mí, conmigo y a causa de mí. La evidencia del amor no se halla más profundamente que esto: "Nadie tiene mayor amor que éste, que uno ponga su vida por otros" (Juan 15:13; Ibíd., p. 117).

4. El poder para cambiar al otro y ser cambiado por el otro. El amor intensifica el poder "para refrenar el uno al otro, para juzgar y para exigir". También, el descubrir que somos amados tiene el poder para causarnos cambios. Las actitudes y las acciones de otros a quienes amamos nos mueven (Ibíd., pp. 119, 120).

5. El juicio imparcial y la justicia. "Aun las declaraciones más radicales de que el amor divino sea 'sin medida' usualmente son acompañadas por la concesión de que el amor es preocupación por la necesidad del prójimo. Pero, ¿cómo descubriremos las necesidades excepto por una evaluación y entendimiento realistas?"; y eso requiere que se ponga atención en la equidad y la justicia (Ibíd., pp. 121, 122).

Estas cinco dimensiones apuntan a un amor mutuo dentro de una comunidad de pacto, habiendo respeto para los demás y una justicia que "levante las cargas de los débiles y los heridos" (Ibíd., p. 245). El amor no se pone contra la justicia sino, más bien, conduce a una afirmación comunitaria de la justicia. "La Biblia nunca trata la justicia como un orden menor que lo requerido por el amor, sino como una objetivación del espíritu del amor en las relaciones humanas y divinas" (Ibíd., pp. 244, 245, 249, 250).

El entendimiento del amor por Williams tiene su significado en una narrativa del concepto hebraico de *pacto* y de la *expiación* como la acción del amor de Dios que crea comunión. "Llegamos al misterio más profundo al ver en el sufrimiento de Jesús un descubrimiento del sufrimiento de Dios". El sufrimiento de Jesús revela las fuentes del mal tanto como la lealtad de Dios para con nosotros: la voluntad amorosa de Dios de oponerse a esos males y buscar la reconciliación de la humanidad (Ibíd., pp. 178, 181-185). La expiación es la expresión de Dios de su perdón y la obra de Dios en la creación de la iglesia como la nueva comunidad, en la que no somos sólo receptores pasivos sino partícipes mutuamente activos en la acción reconciliadora. "El fallar en no entender que la iglesia existe por la continua participación en la acción reconciliadora forma la base de muchas de las ilusiones" de la gente al concebir la iglesia (Ibíd., pp. 187, 188).

El amor como valoración igualatoria

Más recientemente, Gene Outka ha argumentado que debemos definir el amor cristiano como *valoración igualatoria*. El amor quiere decir que valoramos a todas las personas por igual a pesar de sus rasgos especiales, acciones, méritos o lo que ellas puedan hacer para nosotros. Desde luego, es posible que difiera la forma adecuada en que yo exprese mi amor a personas igualmente valoradas. Nosotros amamos igualmente a nuestros hijos (a Michael, Bill, David, Holly, Marie y Madeleine). Pero los amamos de maneras distintas que se ajusten a sus necesidades diferentes (Outka G., *Agape* [Agape], pp. 9-24).

Valoración igualatoria, como definición de *agape*, tiene la ventaja de encajar bien con la lucha por la justicia. La justicia se basa en derechos iguales, en responsabilidades y oportunidades para toda persona. También, la valoración igualatoria parece estar menos afectada por el paternalismo; todos son iguales. Es más, la valoración igualatoria da un lugar apropiado a la autovaloración. Yo, también, soy una persona creada a la imagen de Dios y me corresponde una valoración igualatoria como una persona. Un problema es que, a nombre de la valoración igualatoria para mí mismo, fácilmente pueda yo racionalizar, poniendo así más atención en mis propios deseos y necesidades que en los suyos, o de las necesidades de otros necesitados de otros barrios y otros países. Esta acusación es hecha en contra de Outka por Colin Grant, que defiende una versión del amor sacrificial o "altruista" como el de Nygren (Grant C., "For the Love of God: Agape" [Por el amor de Dios: Agape], pp. 3-21; véase la respuesta de Outka en "Theocentric Agape and the Self" [El agape teocéntrico y el yo], pp. 35-42).

Seguramente que la valoración igualatoria es básica para el entendimiento cristiano del amor. Stephen Pope argumenta que dentro de los rangos eruditos de los éticos cristianos, esta ha reemplazado al amor sacrificial como la definición dominante del agape (Pope S., "'Equal Regard' Versus 'Special Relations'?" ["¿'Valoración igualatoria' *versus* 'relaciones especiales'?"], p. 353). Pero de alguna forma, luce incompleta. Es un principio ético abstracto, que pareciera obedecer más al "imperativo categórico" de Emmanuel Kant (siempre tratar a las personas como fines en sí mismas y nunca como medios para alcanzar un fin) que a la descripción neotestamentaria del amor-agape. Otros protestan que la universalidad de la valoración igualatoria resta la importancia moral de las obligaciones especiales que les debemos a los familiares y a otros que estén en relaciones específicas con nosotros. Outka ha respondido a esta acusación, y también ha sido defendido por Pope.

La valoración igualatoria también parece suponer que el problema sea simplemente conseguir una correcta definición filosófica de nuestra norma ética. Pareciera sugerir algo como la teoría de la expiación de la influencia moral: Al morir Jesús por todas las personas, él nos da un principio moral de que todas las personas son igualmente de valor. Esto es cierto y esencial. Pero el problema nuestro va mucho más hondo. Necesitamos que se anide en lo más profundo de nuestro ser, de donde vienen nuestras motivaciones calladas. Necesitamos el sacrificio de Dios en la cruz, abrazándonos aun con todo y nuestra disposición poco amorosa.

El amor liberador

Los proponentes del amor liberador argumentan que el amor no es simplemente un solo principio, como una canción entonada monótonamente, sino con diferentes acciones dramáticas al ir creciendo e interactuando los personajes. Tal como argumenta Amy Laura Hall ("Complicating the Command" [Complicando el mandato], pp. 98-100, 109, 110), el amor tiene numerosas dimensiones de significado en textos escriturarios diferentes, y el reducir el texto a un solo principio o tema deja fuera otros significados que necesitamos tener en cuenta. "El ir a la Escritura misma es un correctivo mejor que el suplantar" un solo significado con otro. Al ver cuatro actas en el drama del amor liberador, esperamos evitar una interpretación monótona de un solo principio, sin que se presente el error opuesto de decir que el amor significa muchas cosas y nada en particular. Las cuatro actas que proponemos son muy parecidas a los temas que Hall encuentra a lo largo de Éxodo, Levítico, Oseas, Lucas y Juan.

El amor cristiano apunta centralmente al drama de Jesucristo, el paradigma del amor. Cristo actuó con misericordia hacia los marginados, alimentó a los hambrientos, sanó a los ciegos, enseñó el camino, perdonó a los culpables, fijó el rostro hacia Jerusalén y murió a manos de la administración imperial romana. Él hizo esto, no por el autosacrificio en sí, sino para liberar a otros de la esclavitud para que así entraran a la comunidad de reconciliación. Nos proponemos identificar la norma primaria del amor, no como amor sacrificial, o como valoración igualatoria sino como *amor liberador.* El drama tras el vocablo *amor* es el drama de la *liberación*. Esto encaja con nuestro entendimiento del reino como la acción liberadora de Dios.

¿En qué parte del NT enseña Jesús más explícitamente la forma del amor? Hay muchas enseñanzas neotestamentarias en torno al amor; para investigarlas, recomendamos el libro por Victor Furnish, *The Love Commands in the New Testament* [Los mandatos de amor en el Nuevo Testamento]. Pero ninguno detalla *la forma* del amor tan completamente como la parábola del samaritano compasivo (Luc. 10:25-37). Esta parábola es la respuesta de Jesús ante la pregunta del maestro de la ley: "¿Quién es mi prójimo?". Esta pregunta era una continuación de la pregunta original por el maestro de la ley acerca de cómo lograr la vida eterna y la respuesta de Jesús exigiendo el amor a Dios y al prójimo. Algunos eruditos del NT argumentan que originalmente la pregunta del maestro de la ley y la historia del samaritano compasivo eran historias por separado, siendo unidas posteriormente tal como las encontramos ahora en Lucas. Sea esto cierto o no, la historia del samaritano sí tiene que ver con la forma del amor. Aun sin la pregunta del maestro de la ley, intrínsicamente la parábola es un *midrash* sobre Levítico 19:18: "Amarás a tu prójimo como a ti mismo, yo el SEÑOR". Sea lo que fuere, la pregunta es: "¿Quién es mi prójimo?".

Los eruditos bíblicos han aprendido a no interpretar alegóricamente cada detalle de una parábola, por ejemplo, haciendo que el samaritano represente a Jesús y el entrar al mesón, la cruz. Como un correctivo radical, Adolf Jülicher argumentaba que debiéramos más bien encontrar el punto central de una parábola para controlar nuestra interpretación. Pero actualmente eso se ve como una exageración, una camisa de fuerza innecesaria (Blomberg C., *Interpreting the Parables* [Interpretando las parábolas], capítulo 2). Buscando cierta objetividad en nuestra interpretación, procuramos encontrar lo que la forma de Jesús de contar la parábola quería enfatizar en el contexto judío del primer siglo.

Interpretamos las parábolas como un drama dentro de un contexto histórico. Estas se compusieron originalmente, no para ser leídas en privado sino como dramas que se articulaban públicamente, convirtiendo a los oyentes en actores, pidiendo su participación en el ver las cosas con una nueva perspectiva, en compromiso y en práctica. Estaban siendo dramatizadas por el ministerio de Jesús, y tenían sentido dentro del contexto histórico en el cual Jesús ministraba y en el drama de la historia de Israel. "Las parábolas no son simplemente una *información acerca del reino*, sino son una parte del medio por el que es engendrado... Invitan a la gente al mundo nuevo que está siendo creado, y advierten de las consecuencias negativas si se rehúsa la invitación" (Wright N. T., *Jesus and the Victory of God* [Jesús y la victoria de Dios], p. 176).

Encontramos cuatro énfasis dramáticos dentro de la parábola del samaritano compasivo, que ciertamente habrían impactado a los oyentes del primer siglo, y por ende, deben ser considerados como actos cruciales en el drama del amor liberador.

1. El amor ve con compasión y entra en la situación de las personas en esclavitud. Mary Patrick señala que los oyentes originales no conocían la parábola con el nombre de "el buen samaritano". Ella comienza así: "Cierto hombre descendía de Jerusalén a Jericó y cayó en manos de ladrones". Los oyentes originales se habrían identificado con el hombre en peligro. Comenzamos con una compasión para con él (Patrick M., *The Love Commandment* [El mandato de amor], pp. 57, 58).

El contraste, entonces, es claro: Un sacerdote vio al hombre y pasó de largo. Un levita lo vio y pasó de largo. Pero un samaritano lo vio *con compasión y se le acercó.* La palabra griega para compasión literalmente significa "sentir por las vísceras". He aquí la intensidad de una fuerte respuesta emocional y la acción dramática que conocemos como una dimensión central del amor, tal como suele ocurrir a menudo: se entra e identifica con la situación ajena.

Los prefijos griegos de los verbos en Lucas 10:31-33 "comunican gráficamente ellos mismos las respuestas de apartarse (anti) e ir hacia (pros), una pista acerca de la naturaleza de la compasión". La compasión nos mueve a ir hacia el otro y entrar en su situación. El sacerdote "reaccionó por medio de un retirarse absoluto hacia el otro lado del camino. Él hizo que hubiera mayor espacio entre él y el forastero... El texto que describe la respuesta del segundo viajero clerical... bien pudiera sugerir que el levita se acercara más para ver más cuidadosamente" antes de seguir camino. La respuesta del samaritano de ver con compasión, yendo hacia él, encaja con la regla retórica de que el énfasis viene al final de una serie de comparaciones, aquí el tercer miembro de una tríada. Jesús narra la historia de una manera que enfatiza que la compasión se mueve hacia una necesidad y la identificación con esa necesidad.

Jesús enfatizaba la vulnerabilidad y la impotencia, no tan sólo la necesidad sino también la inhabilidad de salvarse a sí mismo, del hombre al cual se le dejó medio muerto. Jesús multiplicó los detalles para dar mayor énfasis: “cayó en manos de ladrones, quienes le despojaron de su ropa, le hirieron y se fueron, dejándole medio muerto”. Las personas de aquel tiempo recibían seguridad por medio de su pertenencia a un grupo étnico que les cuidara. Cada grupo étnico tenía su ropa y habla distintivas. El ser desnudado, dejado inconsciente, e incapaz de hablar era a la vez ser avergonzado e irreconocible como miembro de alguna comunidad étnica o religiosa, siendo desligado de cualquier lealtad o ayuda grupal que hubiera. “El camino desde el altiplano de Jerusalén hasta el valle del Jordán pasa por un rocoso desierto despoblado y, hasta hoy, es notorio por sus atracos por parte de los ladrones. Un hombre, que había sido robado aun sus ropas, seriamente herido, y dejado allí a su suerte por los ladrones, tenía que agonizar miserablemente si no hallaba quien lo socorriera” (Linnemann E., *Parables of Jesus* [Las parábolas de Jesús], p. 53).

Aquí Jesús no enseñaba una endeble ética de *valoración igualatoria* ni se enfocaba en un *amor sacrificial*; él enseñaba la compasión especialmente por aquellos que estaban en esclavitud, que son vulnerables y oprimidos por ser impotentes. Jesús era realista acerca del pecado humano. Los pobres, los impotentes, los marginados, los huérfanos, las mujeres, los extranjeros no reciben justicia. La oveja perdida no puede encontrar el camino a casa. Por ende, el amor tiene un interés especial por aquellos que están en esclavitud hacia otros o hacia su propio pecado.

Joachim Jeremias (*Parables of Jesus* [Las parábolas de Jesús]) habla de “un amor sin fronteras” y escribe: “él se acerca a las personas que son pobres y despreciadas” (Luc. 14:12-14), débiles (Mar. 9:37) e insignificantes (Mat. 18:10; 25:31-46). Las citas bíblicas de Jeremias señalan algo más específico que simplemente “no tener fronteras”. Estos pasajes dicen que no tan sólo el amor no tiene límites, sino que también se dirige especialmente a aquellos que son pobres, despreciados, esclavizados y con necesidad. Ciertamente esto rompe las fronteras y, en un sentido, incluye a todos, pero el énfasis está puesto sobre aquellos que están en necesidad de liberación. Es la oveja perdida, son aquellos que están enfermos y necesitan a un médico a los que Jesús vino para liberar. El amor cristiano ve a aquellos que están en esclavitud con compasión y entra en su situación.

2. El amor hace obras de liberación. Las parábolas generalmente son cortas y sucintas. No derrochan palabras. Pero aquí Jesús usó muchas palabras para enfatizar los mismos hechos realizados. Él describió hecho tras hecho, nueve en total (Jones P. R., *Teaching of the Parables* [La enseñanza de las parábolas], p. 222). “Acercándose a él, vendó sus heridas, echándoles aceite y vino. Y poniéndole sobre su propia cabalgadura, le llevó a un mesón y cuidó de él. Al día siguiente, sacó dos denarios y los dio al mesonero diciéndole: 'Cuídamelo, y todo lo que gastes de más, yo te lo pagaré cuando vuelva'". Cuando se le agrega a este montón extraordinario de detalles el principio de que el énfasis normalmente llega al final de la historia, es claro que Jesús enfatizaba que la compasión se ve en hechos de liberación.

¿Qué es lo que caracteriza estos nueve hechos? Jesús no enfatizaba que los hechos fuesen desinteresados o sacrificiales. Nos gusta sugerir que el samaritano bien pudiera haber estado arriesgando su propia vida al acercarse a la víctima, o que el samaritano tuvo que caminar toda la distancia al mesón, o que el pagar el dinero (equivalente a dos días de sueldo) era un sacrificio. Pero esto no es lo que Jesús enfatizaba. Más bien, Jesús enfatizaba que los hechos tenían que resultar en la liberación de la esclavitud. Supóngase que el samaritano viera a la víctima, le tuviera gran compasión y le dijera, "¡Qué terrible! Siento tanta lástima por este hombre". Mientras dice esto, saca su daga clavándola en su propio corazón, muriendo junto con la víctima. Esto hubiera sido un sacrificio. Hubiera sido un acto desinteresado. Pero no habría liberado a la víctima de su esclavitud.

Cada uno de estos hechos enfatizados por Jesús es precisamente lo que hace falta para liberar de su impotencia a la víctima medio muerta. Las heridas necesitan ser lavadas y vendadas, hace falta transportar y cuidar al hombre impotente, se necesita que el cuidado también se pague. Jesús enseñaba el amor liberador, no sólo el amor sacrificial. El amor liberador no es una benevolencia paternalista que trata con condescendencia a las personas, convirtiéndoles en dependientes. Las liberta y libera de la esclavitud. Jesús no murió porque amara el sacrificio (aunque su muerte ciertamente involucró su autosacrificio), sino porque él quería librarnos de nuestra esclavitud. El amor liberador involucra los hechos, no simples sentimientos o actitudes. Jones (Ibíd., pp. 228-231) señala que la historia está enmarcada por el mandato "hacer": "Haz esto y vivirás" y "Ve, y haz tú lo mismo". "El mandato de amor de Levítico 19:18 en sí pide la acción... La historia del samaritano compasivo ilumina lo que realmente significa aceptar el señorío de Cristo... La compasión es algo que se hace. Cuando se usa la palabra en los Evangelios, es un verbo y significa acción".

El llamado para hechos de liberación es acentuado aún más por el contraste explícito con el sacerdote y el levita. "El herido llegó a ser una prueba de la religión auténtica... La parábola desenmascara cualquier religión con una manía por los credos y una anemia para los hechos, una estrechez por la ortodoxia y una laxitud por la ortopraxis (véase 1 Jn. 3:23)" (Jones P. R., "Love Command in the Parables" [El mandato de amor en las parábolas], pp. 229, 233).

3. El amor invita a entrar a la comunidad con libertad, justicia y responsabilidad para el futuro. A lo largo de la historia bíblica, la liberación no tan sólo es del pecado sino también para que se entre en una *comunidad*. Dios no tan sólo *libera* a su pueblo *de* Egipto sino que también lo conduce por el desierto *hacia* la comunidad de pacto de Israel la cual tenía prácticas e instituciones específicas de justicia. La construcción del control mutuo de la justicia es crucial para la narrativa bíblica. Jesús enfatiza que el samaritano recoge al judío con sus propios brazos, lo monta en su propio asno y lo trae a la comunidad del mesón y al cuidado del mesonero. Aún más, él le prepara una comunidad para el futuro, pagando el monto equivalente a dos días de salario, agregando que volvería para pagar lo que faltara. El establecer una comunidad para el futuro es en sí un acto crucial de liberación de la hostilidad, la alienación y la soledad que envolvía a judíos tanto como a samaritanos en una esclavitud fatal. Al contar esta parábola, Jesús está llamando a los judíos a que formen una comunidad con los samaritanos. Seguramente, esto puede aplicarse hoy en día al reemplazar a los samaritanos por los palestinos.

Esta es una invitación a una comunidad con *libertad*. El samaritano está en contraste con el sacerdote y el levita, quienes representan el establecimiento político-social-religioso que aislaba a los leprosos, las prostitutas, los publicanos, los pecadores, los rebeldes, las mujeres, los extranjeros, los pobres y especialmente a los samaritanos. Para afirmar tener una comunidad con los samaritanos, el judío tenía que aprender a permitirle la libertad para vivir su vida según su propia conciencia. Nosotros, los que vivimos en una sociedad individualista y que evita la intervención del estado, no debemos entender la libertad como si significara una autonomía individualista. Los judíos tanto como los samaritanos vivían como integrantes de sus comunidades, obligados a servir a Dios tal como lo entendieran. Significa que han de aprender a no juzgar, en el sentido de no condenar (Mat. 7:1-5; Rom. 14:1—15:13). Por eso, la comunidad requiere que vivamos con el perdón y la gracia más bien que el autojustificarnos y el hacer juicios a la ligera.

El amor que se entrega crea una comunidad *justa*. A lo largo de la Biblia, la nueva comunidad siempre se caracteriza por la justicia a favor del pobre, el indefenso y el olvidado. La parábola del samaritano compasivo es un *midrash* sobre Levítico 19:18. Levítico 19 tiene que ver con la justicia. Gira en torno a la ética del pueblo de Israel, la cual ha de ser una ética de justicia compasiva. Durante el tiempo de Jesús, los judíos y los samaritanos se trataban con injusticia. Jesús decía que nuestro enemigo es también nuestro prójimo y, por ende, todas las enseñanzas bíblicas en torno al amor y la justicia significan que el amor y la justicia son aun para nuestro enemigo: el samaritano.

> Le paga al mesonero dos denarios… y hace un contrato para que pague cualesquier otro gasto que el lesionado pudiera tener. Como un paradigma de la entrada compasiva al mundo de un hermano herido, esta acción final es imprescindible. Según la ley de aquel entonces, la persona con una deuda sin pagar podía ser esclavizada hasta que se pagara la deuda (Mat. 18:23-25). Ya que el hombre herido había sido robado y desnudado —es decir, privado de todos sus recursos— él pudiera haber estado a merced del mesonero, una profesión que tenía muy mala reputación en la antigüedad por ser deshonesta y violenta. El samaritano supone la libertad e independencia del hombre herido (Donohue J., *Gospel in Parable* [El evangelio en parábola], p. 133).

4. El amor confronta a aquellos que excluyen a otros. La parábola del samaritano compasivo confronta a sus oyentes con su rechazo de otros. Se asemeja a la conclusión del sermón inaugural de Jesús en Nazaret en Lucas 4. "Había muchas viudas en Israel en los días de Elías, cuando el cielo fue cerrado por tres años y seis meses, y hubo una gran hambre en toda la tierra; pero a ninguna de ellas fue enviado Elías, sino a una mujer viuda en Sarepta de Sidón. También había muchos leprosos en Israel en el tiempo del profeta Eliseo, pero ninguno de ellos fue sanado, sino el sirio Naamán. Al oír estas cosas, todos en la sinagoga se llenaron de ira" (Luc. 4:25-28). La búsqueda de la paz por Jesús lo llevó a su propia crucifixión.

Después de describir cómo la víctima fue rechazada por el sacerdote y el levita, Jesús enfatizó especialmente en el "samaritano", haciendo que fuera la primera palabra de la siguiente oración. Linnemann explica:

> Sin embargo, era sorpresivo y ofensivo para los oidores de Jesús que fuera un samaritano a quien se le diera el papel del hombre misericordioso. Entre los judíos y este pueblo mestizo y herético imperaba un odio implacable. De parte de los judíos, era tanto así que ellos maldecían a los samaritanos públicamente en las sinagogas, orando que Dios no les diera ningún lugar en la vida eterna; su odio era tanto que no aceptarían el testimonio de un samaritano ni aceptarían su ayuda. Este odio era recíproco. Entre los años 9 y 6 a. de J.C., se arreglaron para que no hubiera una pascua judía, esparciendo los huesos de un muerto sobre los contornos del templo para así profanarlo (Linnemann E., *Parables of Jesus* [Las parábolas de Jesús], pp. 53, 54).

"Sería difícil enfatizarlo [la importancia de 'samaritano'] demasiado… Si Jesús quisiera enseñar el amor del prójimo en apuros, habría bastado usar… una, dos o tres personas. Si quisiera hacer mofa de los círculos clericales de Jerusalén… él pudiera haber dejado que la tercera persona fuera un laico judío… Hubiera sido lo suficientemente radical que una persona judía se detuviera para ayudar a un samaritano herido". Que el prójimo fuera samaritano "confrontaba a los oyentes con la necesidad de decir lo imposible, permitiendo que el mundo se pusiera de cabeza, haciendo que este mundo se cuestionara radicalmente… Así mismo el reino de Dios irrumpe en la conciencia humana, demandando que se invaliden los valores de antes, las opciones cerradas, los juicios fijos y las conclusiones establecidas" (Crossan J.,

In Parables [Por parábolas], pp. 63, 64). Es una confrontación tan fuerte que cuando Jesús le pregunta al maestro de la ley, "¿Cuál de estos tres te parece haber sido el prójimo de aquel que cayó en manos de ladrones?", el maestro no pudo decir "el samaritano". Más bien, habló indirectamente: "El que hizo misericordia con él".

Crossan argumenta que Jesús no quiso que tomáramos las parábolas como ejemplos de lo que debiéramos hacer literalmente, sino como metáforas. El punto no es que amemos a nuestros enemigos como el samaritano, sino que el reino llega como un cambio de valores sorprendente. Casi reduce el significado de todas las parábolas a un solo punto: Un cambio de valores sorprendente. Como prueba, él cita las parábolas de la cizaña y del mayordomo infiel. Él implica que seguramente Jesús no pedía que tomáramos al mayordomo como un ejemplo literal y que fuéramos igualmente infieles. Nosotros contestamos que sobre el nivel metafórico, estas parábolas sí indican la forma del reino del cual hemos de participar; que sí practiquemos el perdón de las deudas ahora y que no condenemos la cizaña ahora sino que practiquemos el perdón y dejemos que la cizaña crezca junto con el trigo. La parábola del samaritano compasivo es una "narrativa ejemplar", ilustrando lo que hemos de hacer. El error de la lógica de Crossan estriba en dejar de preguntar por el contenido ético de las metáforas del reino. Él cita otras parábolas para demostrar el tema del gran cambio de valores, pero deja de notar que en cada una de las parábolas citadas por él, los que entran al reino son nuestros enemigos y los marginados: Un samaritano, un publicano, un Lázaro indigente y los pobres, los mutilados y los ciegos. Claramente, Jesús nos está *confrontando* con el desafío escatológico de un reino poblado de nuestros enemigos a los cuales Dios ama y a quienes hemos de amar. El reino de Dios es como el samaritano compasivo, practicando el amor liberador. Si he de heredar la vida eterna, también he de ir y hacer lo mismo que el samaritano.

Amad a vuestros enemigos

Ahora, al fin, llegamos al Sermón del monte, donde Jesús nos enseñó el carácter del amor cristiano en dos lugares muy significativos: En el clímax del capítulo 5 (Mat. 5:43-48) y en el clímax de toda la sección central (Mat. 7:12). Estando nuestras percepciones sensibilizadas por la parábola del samaritano compasivo, encontramos aquí en el Sermón del monte un patrón semejante a lo encontrado en la parábola. Puede ser que esto sea más que una coincidencia. Siguiendo al erudito judío David Flusser, el erudito neotestamentario evangélico Brad H. Young argumenta que posiblemente el mandato a que se ame a los enemigos originalmente circulaba como la conclusión de la parábola del samaritano compasivo. Peter Rhea Jones, al llamar a esta historia "el mandato del amor en parábola", concuerda con que la parábola hace que la definición del prójimo, que ha de ser amado, incluya también a

los enemigos de uno (Young B., *The Parables* [Las p
Jones P. R., "The Love Command in the Parables" [l
las parábolas], pp. 296, 297). Los cuatro temas de
sobre el amor en la parábola posiblemente también es

1. El amor ve con compasión y entra en la sit
están esclavizados (o en enemistad). En Mateo 5. enseñó que hay que amar a nuestros enemigos. "La opinión unánime de los eruditos es que esta palabra sí, de hecho, se remonta a Jesús mismo, la evidencia de que la iglesia primitiva la tomó con gran seriedad, y la asombrosa singularidad con la que esta enseñanza va en oposición a la moralidad popular de su día y el nuestro, indican que la iglesia no puede hacer caso omiso de la enseñanza de Jesús respecto al amor para con los enemigos si es que ella quiere ser veraz consigo misma". (Klassen W., *Love of Enemies* [El amor para con los enemigos], p. 7). Los enemigos están en cierta clase de esclavitud: el ciclo vicioso de la hostilidad y la enemistad.

2. El amor realiza obras liberadoras. Los estudiosos neotestamentarios también concuerdan en que el amor en el NT no es sólo una actitud o sentimiento, sino una acción que involucra a toda la persona. En Mateo 5:44, Jesús enfatizaba la acción de orar por los enemigos, y en Mateo 7:12 él enfatizaba que hemos de *hacer* a otros lo que quisiéramos que nos hicieran a nosotros. En ambos casos, el modelo es Dios. Mediante un amor todo inclusivo, Dios de forma regular toma la muy concreta acción de dar la lluvia y el sol a sus enemigos (Mat. 5:45). Con misericordia Dios contesta la oración y da dádivas a aquellos que se las pidan (Mat. 7:11). A lo largo del Sermón del monte, Jesús enfatizaba los hechos, las prácticas, las iniciativas transformadoras. Como ya vimos, estas iniciativas transformadoras son el camino a la liberación de los ciclos viciosos de la esclavitud y el juicio. Por consiguiente, Jesús exigía ciertas iniciativas transformadoras: Si alguien te da a ti en la mejilla derecha, ofrécele la otra. Si alguien te quiere demandar la camisa, déjale también el saco. Muchos de nosotros estamos acostumbrados a interpretar estas iniciativas, no como iniciativas, sino meramente como una renuncia. Pero hemos visto que estas iniciativas transformadoras son acciones liberadoras, semejantes a las del samaritano compasivo.

3. El amor invita a una comunidad de justicia, con libertad y futuro. Al igual que la parábola del samaritano compasivo, la enseñanza de Jesús en Mateo 5:43-48 tiene que ver con a quién se incluye en la comunidad, quién es nuestro prójimo: ¿Será únicamente nuestro amigo, o se incluye también a nuestro enemigo? La parábola enseña que el samaritano es nuestro prójimo, un miembro de nuestra comunidad. El Sermón del monte a que hemos de hacer que nuestro enemigo sea miembro de la munidad; y la comunidad de Jesús practica la justicia liberadora. "Ve, reconcíliate primero con tu hermano... Reconcíliate pronto con tu adversario mientras estás con él en el camino; no sea que el adversario te entregue al juez (Mat. 5:24, 25). El amor para con el enemigo presenta la posibilidad de un futuro pacífico tanto para el enemigo como para uno mismo.

4. El amor confronta a los que se excluyen. En su enseñanza respecto a la pacificación, Jesús confrontaba a aquellos que alimentaban el enojo, llamando a otro "fatuo", a aquellos que excluían a los marginados, a aquellos que buscaban la venganza, a aquellos que deseaban matar a soldados romanos, a aquellos que odiaban a sus enemigos, amando únicamente a los que tenían amor para ellos, y a aquellos que juzgaban a otros.

Aquí es importante hacer clara la traducción de Mateo 5:48. Estamos acostumbrados a leerlo así: "Por tanto, sed perfectos como vuestro Padre celestial es perfecto". La interpretación idealista entiende esto como si dijera que hemos de ser moralmente perfectos como Dios. Y, por supuesto, no podemos ser tan moralmente perfectos como Dios, de modo que esta interpretación hace que Jesús nos exija una cosa que no podemos hacer en absoluto. Pero tres razones poderosas muestran que es una interpretación equívoca. Más bien, debe traducirse así: "Sed completos o todo inclusivos, al igual que vuestro Padre celestial es completo o todo inclusivo", o quizá "completamente todo abarcadores, al igual que vuestro Padre celestial es todo abarcador".

1. En ninguna parte del AT o en los Rollos del Mar Muerto se le llama a Dios "perfecto". Eso encajaría mejor en el idealismo filosófico de los griegos. Pero sí tiene todo sentido decir que Dios es completo o todo abarcador respecto al amor, al dar la lluvia aun a los enemigos de Dios.
2. En su contexto, Mateo 5:43-47, Jesús ha estado enseñando que debemos incluir a nuestros enemigos en nuestro amor tal como él lo hace. Él no ha estado enseñando una perfección moral griega idealista.
3. Cuando Lucas 6:36 da la misma enseñanza, dice "Sed misericordiosos como vuestro Padre es misericordioso", es decir, misericordioso o compasivo hacia los enemigos. Allí el contexto, en Lucas 6:32-35, tiene que ver con la inclusión de nuestros enemigos en nuestro amor al igual que en Mateo.

De modo que la enseñanza no tiene que ver con una idealista perfección moral sino acerca de una semejanza a Dios por la inclusión a los enemigos en nuestra misericordia, compasión, acción amorosa, al igual que Dios. No podemos ser perfectos moralmente, pero sí, por la gracia de Dios, podemos ser todo abarcadores al realizar acciones amorosas hacia nuestros enemigos, porque Dios realiza acciones amorosas hacia sus enemigos. Al hacerlo, participamos en la gracia de Dios como hijos de Dios.

La cruz

Deseamos concluir este capítulo sobre el amor cristiano, yendo al corazón del evangelio cristiano: la cruz.

Muchos tratados tradicionales acerca de la cruz enfatizan una transacción que tiene que hacerse para poder aplacar la ira de Dios. Aunque se toca esta nota en el NT, no debe enseñarse de tal forma que deje de enfatizar la cruz como una demostración del *amor* de Dios en Cristo.

> Amados, amémonos unos a otros, porque el amor es de Dios. Y todo aquel que ama ha nacido de Dios y conoce a Dios. El que no ama no ha conocido a Dios, porque Dios es amor. En esto se mostró el amor de Dios para con nosotros: en que Dios envió a su Hijo unigénito al mundo para que vivamos por él. *En esto consiste el amor: no en que nosotros hayamos amado a Dios, sino en que él nos amó a nosotros y envió a su Hijo en expiación por nuestros pecados*. Amados, ya que Dios nos amó así, también nosotros debemos amarnos unos a otros (1 Jn. 4:7-11, itálicas añadidas).

El drama de la cruz, una-vez-por-todas, tiene un significado muchísimo más profundo de lo que cualquier interpretación pueda agotar. Hay un significado experimental tanto como escriturario en todas las interpretaciones clásicas de la expiación: Las teorías de *Cristus Victor*, satisfacción, sustitución penal, moral, gubernamental y del rescate. Ya que el significado es mucho más profundo de lo que cualquier teoría sola pueda agotar, posiblemente haya campo para agregar lo que pudiera llamarse una interpretación "de encarnación".

Un entendimiento de *agape* como amor liberador pone la cruz en el contexto de la encarnación al igual que los Evangelios. Dios muestra su amor para con nosotros *al entrar de forma encarnada en nuestra situación de esclavitud* en Jesucristo, experimentando la vida tal como la experimentamos nosotros; en la crucifixión aun entró en nuestra rebelión pecaminosa contra Dios, llegando a hacerse vulnerable a nuestro injusto, violento y poco amoroso rechazo de él. Nuestro problema humano es que nos hemos separado de Dios por nuestra desconfianza, avaricia y vergüenza, y que no podemos franquear las barreras y defensas que hemos construido para poder volver a la fiel comunidad con Dios. Por el amor liberador, Dios actúa en compasión hacia nosotros en nuestra esclavitud, derribando las barreras que hemos construido entre nosotros y Dios, y entre nosotros, los unos a los otros. Dios entra a nuestra zanja, entra de forma encarnada en nuestra situación de esclavitud, atravesando por los muros que hemos edificado, estableciendo el compañerismo y su presencia con nosotros en nuestro lado del muro, puesto que no podemos subir para llegar hasta donde él (1 Jn. 4:9-11).

Jesús no murió simplemente para sacrificarse, sino para entregarnos *a una comunidad* con él mismo, con Dios que se descubre en su amor hasta el punto de muerte y resurrección, con el cuerpo de Cristo en el Espíritu Santo, y con todas las personas amadas por Dios, tanto ahora como eternamente.

Fue la confrontación de Jesús contra las autoridades por la injusticia lo que les llevó a tramar su crucifixión. La resurrección y el reino de Dios ya empiezan a formar una comunidad por la cual el judío y el gentil, el celote y el publicano, el rico y el pobre, el varón y la mujer, disfrutan del perdón de Dios bebiendo su reconciliación y comiendo juntos como discípulos que son uno en Cristo, un anticipo del gran banquete futuro. El amor liberador no distancia la cruz de la injusticia avara y el odio legalista que siguen causando que Jesús sea crucificado de nuevo. Más bien, él los descubre y actúa para remediarlos. No ubica la cruz en un lugar místico en el cual las razones para la crucifixión no hacen contacto con la opresión que conocemos en nuestra historia no con la esperanza que tenemos en las semillas de mostaza de comunidad que van brotando entre nosotros.

Dios en Cristo nos ama aun hasta el punto de llegar a hacerse vulnerable ante nuestro rechazo de él en la cruz. Al hacerlo, Dios revela y confronta el pecado que habíamos estado ocultando, estableciendo una comunidad con nosotros aun cuando cometamos el peor pecado imaginable, el cual representa todo otro pecado de rechazo, injusticia y violencia contra Dios y nuestros compañeros humanos. Aun allí, Dios nos perdona y entra en comunidad, o sea, la presencia del Espíritu Santo con nosotros. Verdaderamente, esto es amor liberador.

El amor liberador ofrecido en la cruz tiene continuidad con las obras portentosas de Dios en la historia de Israel y en *las obras de liberación*, sanidad, alimentación, reconciliación y confrontación que Jesús hiciera antes de la cruz. La muerte de Jesús en la cruz es el acto singular, supremo, culminante y liberador, porque descubre el amor de Dios para con nosotros y también revela la bajeza de nuestro pecado. Esto demuestra la lealtad de Dios hacia nosotros en medio de nuestro pecado, traición, injusticia y violencia. Es Dios encarnado en Jesucristo, franqueando las barreras que hemos erigido y entrando con una extrema vulnerabilidad en nuestro temor a la muerte. Es Dios, sufriendo, adentrándonos en una comunidad con Dios y los unos con los otros, una comunidad que jamás pudiéramos crear nosotros mismos.

La misma cruz nos *confronta* poderosamente con nuestro pecado y traición, justo como Jesús en su amor confrontaba a aquellos que excluían a los marginados, amando únicamente a sus amigos, sin conocer los caminos de la paz. Si no entendemos que el amor encierra la confrontación, o menoscabaremos la confrontación de nuestro pecado que juega un papel tan poderoso en el drama de la cruz, o veremos a Dios como juez, separándose del Dios que es un reconciliador compasivo. El amor de Dios confronta a aquellos que enajenan y están enajenados, y cuando experimentamos el drama de la cruz, o experimentamos esa confrontación o nos escondemos de la verdad.

17

LA JUSTICIA

No acumuléis para vosotros tesoros en la tierra, donde la polilla y el óxido corrompen, y donde los ladrones se meten y roban.

No podéis servir a Dios y a las riquezas.

Más bien, buscad primeramente el reino de Dios y su justicia, y todas estas cosas os serán añadidas.

Mateo 6:19, 24, 33

En el capítulo seis vimos que la separación secularizante entre el ámbito privado de las actitudes interiores, gobernado por el evangelio, y el ámbito público de las acciones gobernado por las autoridades seculares margina el camino de Jesús y el Sermón del monte. También, esta separación ocasiona que muchos crean que el evangelio no tiene ninguna relación con la justicia.

La separación secularizante causa un problema doloroso para la ética cristiana y el vivir cristiano. Puede describirse como un problema muy grave:

1. Por un conteo conservador, las cuatro palabras para justicia (dos hebreas y dos griegas) aparecen 1.060 veces en la Biblia. Difícilmente haya otro concepto que aparece tan a menudo. En contraste, las palabras principales para el pecado sexual aparecen como 90 veces. Sin embargo, *obviamos* el tremendo énfasis bíblico sobre la justicia como lo central en la voluntad de Dios. *Tsedaqah* quiere decir una justicia que libera y restaura guiando hacia una comunidad. *Mishpat* quiere decir el juicio según el derecho, de modo que es un juicio que reivindica los derechos, especialmente los de los pobres o indefensos.
2. El obviar el significado bíblico de la justicia crea un vacío. Las ideologías secularizadas, muy felices de *rellenar* el vacío con sus justificaciones de avaricia, racismo u otros impulsos pecaminosos, también están contentas en afirmar que sus ideologías son cristianas. Las ideas seculares de la justicia que entran para rellenar incluyen la ética griega aristocrática con su

abstracto refrán "a cada uno lo que le corresponde"; o los endebles conceptos filosóficos del utilitarismo, o sea, "la mayor dicha para el mayor número"; o el liberalismo: "la autonomía individual"; o el dicho de Kant, "trata a cada persona como un fin en sí, nunca sólo como un medio"; o los dos principios de la imparcialidad de Rawls: "la libertad y la diferencia que benefician a los más menesterosos"; o la "igualdad compleja" y los derechos humanos de Walzer; la reducción de la justicia a la retribución o castigo; o el impulso a favor del control político que reduce la justicia a "la dictadura del proletariado"; o el impulso a favor de la libertad con el fin de adquirir una riqueza que reduce la justicia a "la dictadura del mercado libre". Nada de esto es adecuado para comunicar la voluntad de Dios en la enseñanza bíblica del derecho y la justicia que liberan y restauran hacia una comunidad.

3. Los cristianos, entonces, contrastan la idea de "justicia", tomada de alguna fuente secular, con el amor cristiano. Ellos oyen el elogio del amor cristiano que posiblemente diga cuán superior es a la justicia, pensando ellos que la justicia es un principio abstracto. Se ignoran las miles de enseñanzas bíblicas en torno a la justicia. De modo que los cristianos no tan sólo desatienden la justicia sino que llegan a pensar que ella es inferior y poco importante. Llegan a no tener ninguna defensa contra las ideologías seculares que rellenan el vacío, siendo seducidos por ellas a hacer prácticas injustas. Llegan a ser poco bíblicos, moviéndose en rumbo opuesto al que indica la Biblia como el movimiento de Dios. Así que, sin que se den cuenta, *se arrojan* a los brazos del diablo. Tal como mostramos en este capítulo, Jesús se preocupaba mucho por la justicia. "¡Ay de vosotros, escribas y fariseos, hipócritas! Porque diezmáis la menta y el eneldo y el comino, y dejáis lo más importante de la ley: la justicia, la misericordia y la fe" (Mat. 23:23 RVR-1960 / Luc. 11:42).

El arrepentimiento verdadero requiere que volvamos al primer paso para así recobrar un entendimiento bíblico de la justicia. Debemos mostrar que la separación entre Jesús y la justicia es falsa. Luego, hemos de aclarar cuán marcadamente diferente es un entendimiento bíblico de la justicia al de esos entendimientos seculares que la traicionan; sólo así podremos tener defensas contra la infiltración de intereses impíos y sus ideologías. Hay buenas noticias, pues nos viene ayuda de algunas investigaciones recientes de eruditos neotestamentarios. Demostraremos por esta erudición y la Escritura que la identificación de Jesús con los profetas, su ataque contra el sistema del templo y su proclamación y práctica del reino de Dios lo relacionan intensamente con una rica proclamación y práctica de la justicia. La justicia es una de las virtudes centrales de la enseñanza de Jesús tanto como de la tradicional teoría de la virtud. Es una de las convicciones básicas del carácter holístico.

Está profundamente arraigada en las narrativas bíblicas. Está en el centro de la voluntad de Dios. Es crucial para la relación del amor y la semejanza a Cristo con una ética pública que refleje la soberanía de Dios y el señorío de Cristo sobre toda la vida. Es central dentro de nuestra lucha contemporánea por el alma de nuestra sociedad.

Jesús en la tradición de los profetas

Jesús se identificaba fuertemente con la tradición de los profetas de Israel. Esto queda claro en los Evangelios, y actualmente está muy claro en mucha de la erudición neotestamentaria. No estaba tan claro en mucha de la erudición previa, influenciada esta por el antisemitismo, por la preferencia liberal a favor de las "verdades universales" más bien que la particularidad histórica de Jesús y por la carencia de atención puesta en el contexto histórico de Israel durante el día de Jesús. Esto está siendo corregido. N. T. Wright comienza su libro sobre el Jesús histórico diciendo: "La persona pública de Jesús dentro del judaísmo del primer siglo era la de un profeta, y el contenido de su proclamación profética era 'el reino' del Dios de Israel... El aspecto profético de la obra de Jesús a menudo es sorprendentemente ignorado" (*Jesus and the Victory of God* [Jesús y la victoria de Dios], p. 11). Wright argumenta que la misión de Jesús también era la del Mesías y Salvador, pero no podemos comprender con precisión su misión si lo extraemos de la tradición de los profetas.

> Jesús estaba proclamando un mensaje del Dios del pacto, viviéndolo con acciones simbólicas. Él estaba confrontando a la gente con la locura de su manera de vivir, llamándole a una forma distinta de vivir, y esperando recibir las consecuencias de su acción. Elías había confrontado a los profetas de Baal solo, al igual que contra la impiedad del rey Acab. Jeremías había anunciado la destrucción del templo y la nación ante la realeza, los sacerdotes y los profetas oficiales... Todos ellos fueron acusados de trastornar el statu quo. Cuando la gente "veía" a Jesús como profeta, esta es la clase de modelo que tenía en mente (Ibíd., pp. 167, 168).

Murray Dempster lo sintetiza:

> Al formular sus juicios morales acerca de la conducta individual y la práctica social, Jesús se aprovechará de muchos conceptos antiguotestamentarios: la afirmación de que los seres humanos son los portadores de la imagen de Dios, el significado moral de la ley y su cumplimiento en la vida real, el espíritu profético que aspira la justicia para las relaciones humanas, la importancia del pacto en la creación de vínculos sociales de una sociedad ordenada, y la práctica del jubileo con su perdón de la deuda y al deudor... El carácter de Dios y lo que Dios revela acerca de sí mismo mediante sus obras portentosas definen lo justo (Dempster M., "Social Concern in the Context of Jesus' Kingdom, Mission and Ministry" [La preocupación social en el contexto del reino, la misión y el ministerio de Jesús], p. 48).

También, Dios se interesa profundamente en la justicia para los pobres, los indefensos, los marginados y las víctimas de la violencia. Este tema antiguotestamentario, recalcado fuertemente en los profetas, no es abandonado por la enseñanza de Jesús sino que es continuado.

El ataque de Jesús contra el sistema del templo

Un segundo campo de investigación en la erudición neotestamentaria es la nueva atención que se pone en el ataque simbólico de Jesús contra el sistema del templo. Los estudiosos están viendo que no fue meramente una "limpieza" del templo, sino un ataque profético y simbólico contra todo el sistema del templo por practicar la injusticia; esta es la misma clase de confrontación que se ofrece en Isaías 56 y Jeremías 7. Estos son los dos pasajes que los Evangelios relatan cuando Jesús volcó las mesas de los cambistas y "y no consentía que nadie cruzase por el templo llevando utensilio alguno" (Mar. 11:15-17 y paralelos).

N. T. Wright (*Jesus and the Victory of God* [Jesús y la victoria de Dios] señala que en seis pasajes diferentes Jesús profetizó la destrucción del templo. Wright no concuerda en mucho con el erudito liberal John Dominic Crossan, pero aquí dice que Crossan se aproxima a la respuesta correcta referente a lo que ocasionó que Jesús fuera crucificado: "Crossan piensa, y estoy plenamente de acuerdo con él, que la acción de Jesús en el templo fue una destrucción simbólica, que estas palabras y esta acción seguían lógicamente el resto de la agenda de Jesús" (Ibíd., p. 61).

David Garland escribe que la acción de Jesús en el templo no fue ni un acto de revolución violenta ni meramente una "limpieza" o reforma del templo, sino una acción profética simbólica de protesta contra la injusticia (*Mark: The NIV Application Commentary* [Marcos: El comentario de aplicaciones sobre la NIV], pp. 433-439). ¿Por qué procuraría Jesús solamente limpiar el templo, si ya predice su destrucción? "Si no se pueden comprar los animales para los sacrificios, entonces ha de acabarse el sacrificio. Si ninguna vasija puede ser llevada por el templo, entonces toda actividad cúltica ha de cesar". Y si no se puede ganar dinero, entonces el sostén económico para el templo y los sacerdotes se acabará. "Jesús no busca purificar la actual adoración en el templo, sino ataca simbólicamente la misma función del templo, pregonando su destrucción". Su hostilidad contra el templo emerge como una acusación contra él en su juicio (Mar. 14:58), y como una mofa, estando él en la cruz (Mar. 15:29).

Jesús citó dos pasajes de los profetas al llevar a cabo esta acción profética. Isaías 56:7: "Mi casa será llamada casa de oración para todos los pueblos", es parte de la declaración en Isaías 56:1-8 de que el propósito de Dios es bendecir a todos los que están siendo excluidos, los extranjeros, los eunucos y los despojados. "Durante todo su ministerio, Jesús ha estado recogiendo a los despojados impuros, los que tienen algún impedimento físico, y hasta quiere recoger a los gentiles. Él espera que el templo incorpore este amor inclusivo... Durante el tiempo de Jesús, el templo se había convertido en un símbolo nacionalista que sólo servía para dividir a Israel de todas las demás naciones" (Ibíd., p. 438). El atrio apartado para la adoración de los gentiles había sido convertido en un puesto de ventas.

Jeremías 7 dice que no debemos seguir afirmando que tenemos el templo del Señor, necesitando nosotros enmendar nuestro modo de vivir, haciendo la justicia los unos con los otros, sin oprimir al extranjero, al huérfano o a la viuda, ni tampoco derramar sangre inocente ni seguir tras otros dioses. El templo funciona como un pretexto para la injusticia o, como dijera Bonhoeffer, "la gracia barata". Si seguimos practicando la injusticia, afirmando a la vez que Dios está de nuestra parte porque tenemos el templo (o porque tenemos la iglesia), Dios destruirá el templo (o la iglesia), apartándonos de su vista. Al citar Jeremías 7, Jesús

> denuncia la falsa seguridad engendrada por el culto sacrificial... La cueva es el lugar donde van los ladrones después de haber cometido sus crímenes. Es su escondrijo, un lugar de seguridad y refugio. El llamar al templo una cueva de ladrones, pues, no es una protesta contra algunas prácticas comerciales deshonestas en el templo. Jesús los ataca indirectamente por permitir que el templo se degenere en un escondrijo seguro en el cual la gente piensa poder encontrar perdón y compañerismo con Dios pese a su forma de vivir fuera del templo. La acción y palabras proféticas de Jesús atacan una falsa confianza en la eficacia del sistema sacrificial del templo. Los caudillos del pueblo piensan que pueden robar la casa de las viudas (Mar. 12:40) para luego realizar los sacrificios prescritos, según los patrones prescritos, según los tiempos prescritos, según la pureza prescrita en el prescrito lugar sagrado para luego estar seguros y a salvo de todo peligro. Están muy equivocados (Ibíd., p. 439).

Jesús, el reino prometido y la justicia

Un tercer campo de investigación en la erudición neotestamentaria que nos ayuda a ver la preocupación de Jesús por la justicia es la percepción de que a menudo Jesús citaba al profeta Isaías el cual (de forma explícita en el Tárgum arameo y de forma implícita pero clara en el texto hebreo) habla varias veces del reino o el reinado de Dios. Esta es una pista importante para el significado del reino. En el capítulo uno, vimos que 16 de los 17 pasajes en

Si miramos con cuidado, descubrimos que la justicia tiene cuatro dimensiones: (1) la liberación de los pobres y los indefensos ante la injusticia que experimentan con regularidad; (2) el remover el pie del poder dominante del cuello de los dominados y los oprimidos; (3) el poner fin a la violencia y el establecimiento de la paz; y (4) el restaurar a los marginados, a los excluidos, a los gentiles, a los exiliados y a los refugiados hacia una comunidad.

Isaías que hablan del reino-liberación anunciaban que la *justicia* era una característica clave del reino de Dios. El siguiente paso lógico es preguntar por el significado de la justicia en esos pasajes.

Nuestra mira es desplegar algo de la extensa evidencia a favor de ese significado. No citaremos *todos* los pasajes, pero queremos que se pueda ver lo que significan la justicia y el derecho en los pasajes de Isaías en torno al "reino de Dios", puesto que Jesús anunciaba el reino al citar a Isaías. Estos pasajes eran especialmente importantes para la misión y la enseñanza de Jesús. Son la Palabra de Dios para nosotros.

Comenzamos con el pasaje del reino en Isaías 11:1-4:

> Un retoño brotará del tronco de Isaí, y un vástago de sus raíces dará fruto. Sobre él reposará el Espíritu del SEÑOR: espíritu de sabiduría y de inteligencia, espíritu de consejo y de fortaleza, espíritu de conocimiento y de temor del SEÑOR. Él se deleitará en el temor del SEÑOR. No juzgará por lo que vean sus ojos, ni arbitrará por lo que oigan sus oídos, sino que juzgará con *justicia* a los pobres, y con *equidad* arbitrará a favor de los afligidos de la tierra (itálicas añadidas).

Aquí se anuncia al rey que viene (y su reino). El rey juzgará, no por apariencias superficiales sino por la justicia y la equidad. Nótese que la *justicia* y la *equidad* tienen un significado paralelo, justo como lo hacen los *pobres* y los *afligidos*. En los otros pasajes de liberación, "rectitud" (*tsedaqah*) y "justicia" (*mishpat*) son paralelas, al igual que a lo largo del AT. "Rectitud" connota la clase de justicia que libera a los pobres y a los mansos o humildes, de su opresión de parte de los poderosos, los cuales emplean la riqueza para lograr el privilegio y para privar a los pobres, para que entren en la comunidad del pacto (Brueggemann W., *Isaiah 1—39* [Isaías 1—39], pp. 100 ss.).

En Isaías 26:2-10, observamos tres de los significados: Liberación de los pobres y los necesitados, liberación del dominio de los grandes, y liberación de la violencia para que se entre a la paz.

> Abrid las puertas,
> y entrará la nación justa que guarda la fidelidad.
> Tú guardarás en completa paz a aquel cuyo pensamiento en ti persevera,
> porque en ti ha confiado.
> Confiad en el SEÑOR para siempre,
> porque el SEÑOR es la Roca de la eternidad.
> Pues él abatió a los que moraban en lo alto;
> humilló hasta la tierra a la ciudad enaltecida;
> la derribó hasta el polvo.
> El pie la pisoteará,
> los pies de los afligidos,
> los pasos de los necesitados.
> La rectitud es el camino para el justo.

Tú, que eres recto,
allana la senda del justo.
Ciertamente, siguiendo el camino de tus juicios
te hemos esperado, oh SEÑOR;
tu nombre y tu memoria son el deseo de nuestra alma.
Mi alma te espera en la noche;
mientras haya aliento en mí,
madrugaré a buscarte.
Porque cuando tus juicios
se manifiestan en la tierra,
los habitantes del mundo aprenden justicia.
Aunque se le tenga piedad al impío,
no aprende justicia;
en tierra de rectitud hace iniquidad
y no considera la majestad del SEÑOR.

Brueggemann continúa comentando (p. 203) que la razón de tal confianza

es la demostrada capacidad de Yahvé para "humillar hasta la tierra la ciudad enaltecida". La acción característica de Yahvé que fundamenta la confianza es prevalecer sobre todo poder pretencioso, arrogante, autosuficiente, explotador. Este es un tema repetido para el Isaías del siglo ocho (2:12-17)... En realidad, el "humillar" es tan decisivo y tan completo que aun "los pobres y los necesitados", aquellos que viven política y económicamente cerca de la tierra, podrán pisotear las ruinas de la ciudad arrogante... Esta acción culminante es tan crucial para el argumento que el poeta emplea tres renglones paralelos para lograr la idea (v. 6). La ciudad es pisoteada por el pie, los pies y los pasos. Se puede imaginar una libre vindicación y desafío por los largamente oprimidos.

Isaías 32:1 y 6, 7 muestran de nuevo que el significado de "rectitud" es similar al significado de "justicia".

He aquí que un rey reinará según la justicia y los magistrados gobernarán según el derecho.

El derecho y la justicia especialmente tienen que ver con satisfacer las necesidades de los hambrientos y los pobres:

Porque el vil habla vilezas; su corazón trama la iniquidad para practicar la impiedad y hablar perversidades contra el SEÑOR, a fin de dejar vacía el alma hambrienta y privar de bebida al sediento.

Y confrontan el poder de los dominantes:

Pues el canalla tiene recursos de perversidad. Él hace planes para enredar a los afligidos con palabras engañosas, aun cuando el pobre hable con derecho.

Asimismo, Isaías 32:16-18 muestra no tan sólo el significado paralelo de justicia y derecho, sino también la íntima causa relacional entre la justicia y la paz.

> Entonces habitará el derecho en el desierto y la justicia se establecerá en el campo fértil. El efecto de la justicia será paz; el resultado de la justicia será tranquilidad y seguridad para siempre. Mi pueblo habitará en una morada de paz, en habitaciones seguras y en frescos lugares de reposo.

Isaías 33:5 y 15 de nuevo conectan el derecho y la justicia como paralelos, afirman su confrontación con la opresión y la avaricia, conectándolos con la paz:

> ¡Exaltado sea el SEÑOR, porque mora en las alturas!...
> El que camina en justicia y habla con rectitud,
> el que aborrece el lucro de la opresión,
> el que sacude sus manos para no recibir soborno,
> el que tapa sus oídos para no oír de hechos de sangre.

Isaías 42 es de importancia crucial. Todos los tres Evangelios sinópticos nos dicen que al bautizarse Jesús, el Espíritu Santo descendió sobre él y habló, usando las palabras de Isaías 42:1 (Luc. 3:22 y sus paralelos). Este pasaje es crucial para la misión de Jesús. Nótese cuán fuertemente recalca la centralidad de la justicia en la misión del siervo. Se confirma la íntima conexión que tiene la justicia con la paz y la no-violencia: El siervo no romperá siquiera la caña cascada ni apagará la mecha que se está extinguiendo. Es más, se agrega un cuarto tema a los tres que ya notamos: La justicia no es tan sólo para Israel sino inclusivamente para "el pueblo", "las naciones" y "en la tierra", es decir, para los gentiles. He aquí este pasaje magnífico, Isaías 42:1-7:

> "He aquí mi siervo, a quien sostendré; mi escogido en quien se complace mi alma. Sobre él he puesto mi Espíritu, y él traerá justicia a las naciones. No gritará ni alzará su voz, ni la hará oír en la calle. No quebrará la caña cascada, ni apagará la mecha que se está extinguiendo; según la verdad traerá justicia. No se desalentará ni desfallecerá hasta que haya establecido la justicia en la tierra. Y las costas esperarán su ley". Así dice Dios el SEÑOR, el que crea los cielos y el que los despliega; el que da respiración al pueblo que está en ella y aliento a los que andan por ella. "Yo, el SEÑOR, te he llamado en justicia, y te asiré de la mano. Te guardaré y te pondré como pacto para el pueblo, y como luz para las naciones, a fin de que abras los ojos que están ciegos y saques de la cárcel a los presos, y de la prisión a los que moran en tinieblas...".

Isaías 51:1, 4-7 confirman estos temas. Agrega que la justicia depende de que tengamos la enseñanza de Dios en nuestros corazones. También añade que la justicia es una justicia liberadora, no meramente una justicia punitiva.

"Oídme, los que seguís la justicia, los que buscáis al SEÑOR... Estad atentos a mí, oh pueblo mío, y oídme, oh nación mía; porque de mí saldrá la ley, y mi mandato será para luz de los pueblos. Mi justicia está cercana; la salvación ya se ha iniciado, y mis brazos juzgarán a los pueblos. En mí esperarán las costas, y en mis brazos pondrán su esperanza. Alzad vuestros ojos hacia los cielos, y mirad abajo hacia la tierra. Porque los cielos se desvanecerán como humo; la tierra se envejecerá como vestidura, y sus habitantes morirán como moscas. Pero mi salvación permanecerá para siempre, y mi justicia no perecerá".

En Isaías 53:7-9, nuevamente vemos la conexión directa entre la justicia y la no-violencia.

Él fue oprimido y afligido, pero no abrió su boca. Como un cordero, fue llevado al matadero; y como una oveja que enmudece delante de sus esquiladores, tampoco él abrió su boca. Por medio de la opresión y del juicio fue quitado. Y respecto a su generación, ¿quién la contará? Porque él fue cortado de la tierra de los vivientes, y por la trasgresión de mi pueblo fue herido. Se dispuso con los impíos su sepultura, y con los ricos estuvo en su muerte. Aunque nunca hizo violencia, ni hubo engaño en su boca,...

Aquí en Isaías 53:9, 10 hay uno de los lugares donde la paráfrasis aramea del Tárgum habla del reino y la liberación de la injusticia. "*Y él entregará los impíos al Gehena y a los ricos en posesiones que robaron a la muerte de la corrupción, no vaya a ser que los que cometen pecado sean establecidos y hablen de posesiones con su boca. Aun así... el remanente de su pueblo... verá el reino de su Mesías*".

En Isaías 54:14 nuevamente vemos cómo la justicia es la acción de Dios en la liberación de la injusticia de la dominación:

En justicia estarás afirmada. Estarás apartada de la opresión, la cual no temerás; y lejos del terror, el cual no se acercará a ti.

Isaías 56:1 anuncia el tema que hemos observado a lo largo del libro:

Así ha dicho el SEÑOR: "Guardad el derecho y practicad la justicia; porque mi salvación está próxima a venir, y mi justicia pronta a ser revelada.

Luego siguen los seis versículos maravillosos citados por Jesús al atacar la exclusividad e injusticia practicadas en el templo:

El hijo del extranjero que se ha adherido al SEÑOR no hable diciendo: "Sin duda, el SEÑOR me separará de su pueblo". Tampoco diga el eunuco: "He aquí, yo soy un árbol seco". Porque así ha dicho el SEÑOR: "A los eunucos que guardan mis sábados, que escogen lo que yo quiero y que abrazan mi pacto, yo les daré en mi casa y dentro de mis muros un recordatorio y un nombre mejor que el de hijos e hijas. Les daré un nombre eterno que nunca será borrado. A los hijos de los extranjeros que se han adherido al SEÑOR para servirle y que aman el nombre del SEÑOR para ser sus siervos, a todos los que guardan el sábado no profanándolo y que abrazan mi pacto, a estos yo los traeré al monte de mi santidad y les llenaré de alegría en mi casa de oración... pues mi casa será llamada casa de oración para todos los pueblos".

El pasaje comienza con "derecho y justicia", y declara que la voluntad de Dios respecto al derecho y la justicia encierra la inclusión a los marginados y los extranjeros dentro de la comunidad. Este llegará a ser el tema central para Jesús.

La conexión íntima entre la justicia y la paz es anunciada nuevamente en Isaías 60:17-21:

"Pondré la paz como tus administradores y la justicia como tus recaudadores. Nunca más se oirá de violencia en tu tierra, ni destrucción y ruina en tus territorios. Más bien, a tus muros llamarás Salvación, y a tus puertas Alabanza... El SEÑOR será luz eterna para ti, y los días de tu duelo se acabarán. Entonces tu pueblo, todos ellos serán justos; para siempre heredarán la tierra...".

Llegamos a un clímax con el pasaje del jubileo, el que fue usado por Jesús en su sermón inaugural en Nazaret, Isaías 61:1, 3, 8, 10, 11.

El Espíritu del SEÑOR Dios está sobre mí, porque me ha ungido el SEÑOR. Me ha enviado para anunciar buenas nuevas a los pobres, para vendar a los quebrantados de corazón, para proclamar libertad a los cautivos y a los prisioneros apertura de la cárcel... Ellos serán llamados robles de justicia, plantío del SEÑOR, para manifestar su gloria... Porque yo, el SEÑOR, amo la justicia, y aborrezco la rapiña y la iniquidad... En gran manera me gozaré en el SEÑOR; mi alma se alegrará en mi Dios. Porque él me ha vestido con vestiduras de salvación y me ha cubierto con manto de justicia... Porque como la tierra produce sus brotes y como el huerto hace germinar las semillas sembradas en él, así el SEÑOR Dios hará germinar la justicia y la alabanza delante de todas las naciones.

Este derecho y justicia son lo que Dios desea. Más aún, son lo que Dios hace, lo que Dios realiza y lleva a cabo, liberando a los oprimidos de los que dominan sobre ellos. Especialmente en los pasajes tocantes al reino de Dios, no son meramente acciones humanas; son la dádiva del reino dinámico de Dios. Estas representan el corazón de lo que Dios hace al liberar, salvar, rescatar y redimir a su pueblo. Así se ha traducido la palabra "justicia", o *mishpat*, en "juicio", porque esta justicia es la dramatización de la decisión de Dios en pro de la justicia, el veredicto de Dios a favor de la justicia. Pero no es suficiente llamar a esto "juicio", o simplemente llamarlo "derecho" o "justicia," sin aclarar el contenido ético concreto de la voluntad y la acción de Dios a favor de una justicia liberadora y restauradora a una comunidad: (1) la liberación de los pobres y los indefensos de la injusticia que ellos experimentan de forma regular; (2) el remover el pie del poder dominante del cuello de los dominados y oprimidos, haciendo que el dominador caiga; (3) el detener la violencia de la dominación militar, estableciendo la paz; (4) el restaurar a la comunidad a los marginados, los excluidos, los gentiles, los exiliados y los refugiados.

La confrontación de Jesús con la injusticia

Jesús vino proclamando el reino de Dios. El reino de Dios en Isaías, como ya vimos, anunciaba la justicia de Dios como liberación de los despojados, los pobres y los oprimidos del dominio de la avaricia y el poder concentrado, restaurando la paz a la comunidad. El reino pedía el arrepentimiento por la injusticia. ¿No sería extraño que Jesús anunciara el reino y evitara estos temas centrales de la justicia de Dios y el arrepentimiento por la injusticia?

Se puede oír a personas, influenciadas por la separación secularizante de dos ámbitos, el privado y el público, diciendo que Jesús enseñaba sólo el amor para con los individuos, no la justicia relacionada con las autoridades y los poderes político-económicos. Quizá piensan que Roma era el gobierno y los sumo sacerdotes eran sólo religiosos. Tal vez se olvidan de que el estado, la iglesia y la riqueza económica no se separaban sino que estaban muy entremezclados sobre la misma loma y en el mismo templo de Jerusalén, y que Roma permitía que las autoridades judías hicieran la mayor parte de las acciones diarias de gobierno. Cuando Jesús confrontó a los representantes de la autoridad del templo, él confrontaba a las autoridades públicas de su tiempo.

Markus Bockmuehl señala que Jesús

Fue muerto por los romanos después de un complot entre los aristócratas... La aristocracia sacerdotal de Jerusalén, con sus pandillas policíacas privadas, trabajaba muy en unión con las autoridades romanas para sofocar cualquier pizca de insurrección... La corrupción de la aristocracia sacerdotal en Jerusalén pedía una comparación con los oráculos proféticos más primitivos tocantes al juicio y la destrucción... De los 28 sumo sacerdotes entre 37 a. de J.C. y 70 d. de J.C., todos menos dos venían de cuatro familias ilegítimas, no descendientes de Zadoc, y deseosas de poder... La reciente investigación histórica hace cada vez más claro el hecho de que la operación del templo... estaba en manos de una vasta red de poder económico y religioso... Sólo recién los mercaderes se habían instalado en el atrio de los gentiles por invitación de Caifás... La *Mishnah* muestra que había una fijación de precios enormemente altos sobre las palomas, que eran las ofrendas de los pobres... La jerarquía dirigía agentes y grupos de matones conocidos como "hombres de violencia" y "los grandes del sacerdocio"... Durante esos dos decenios (durante la adolescencia y la adultez de Jesús) Anás y Caifás disfrutaban de un poder inusitado como resultado de su exitosa colaboración con las fuerzas romanas de ocupación... Josefo y los escritos rabínicos también concuerdan al ofrecer algunas descripciones extraordinarias del gran lujo y extravagancia con los que vivía la aristocracia sacerdotal de Jerusalén (Bockmuehl M., *This Jesus* [Este Jesús], pp. 69-71).

Es más, el 90% de la población eran obreros agrícolas y artesanos, como los de Galilea, y producían la mayor parte de la riqueza. Pero el 10% del pueblo, que eran la aristocracia religioso-político-económica de la ciudad y sus secuaces, les quitaba más de la mitad de los productos mediante impuestos, diezmos y tarifas por los sacrificios y los servicios del templo. Las autoridades sacerdotales, tanto saduceos como fariseos, desarrollaban enseñanzas y tradiciones religiosas que dieran autoridad a esta centralización de poder económico. La jerarquía estaba en complicidad con los ricos y con el imperio romano.

¿Enseñaba Jesús sólo el amor individual, o llevaba a cabo la acción profética, enseñando una justicia que desafiara y socavara la autoridad de esta aristocracia? Como ya hemos visto en Isaías, la justicia no es meramente un ideal para buenos individuos en la vida privada, sino una demanda justa con el poder para confrontar a los que tienen el poder. Esta es una contribución absolutamente esencial de la justicia en un mundo pecaminoso donde la concentración de poder necesita restricción y límites sobre la avaricia. La voluntad de Dios para el pueblo no puede prescindir de la justicia. Por lo tanto, hemos buscado sistemáticamente en los Evangelios la poderosa confrontación de Jesús contra la injusticia.

Contamos 40 veces en los Evangelio sinópticos, sin incluir los pasajes paralelos, donde Jesús confrontaba los poderes y las autoridades de su día. Además, Jesús practicaba ciertas cosas y daba ciertas enseñanzas las que, aunque no se identifican explícitamente como confrontaciones a las autoridades, ciertamente retaban la ideología teológica de aquellos que estaban en el poder. En nuestro estudio de las confrontaciones de Jesús con las autoridades, preguntamos: ¿Cuáles son los temas de las confrontaciones de Jesús? ¿Cuáles son los males en que Jesús se enfocaba al confrontar los poderes y autoridades? Descubrimos que las respuestas de estas preguntas incorporan cuatro temas y que estos temas son extraordinariamente consistentes con los cuatro temas de justicia que vimos en los pasajes de liberación en Isaías.

La semejanza con Isaías es tan asombrosa, tan completa y tan exacta, que queremos presentar la evidencia extensamente para que la pueda ver y sopesarla por usted mismo. Esperamos que le llame la atención tan poderosamente como a nosotros. La evidencia nos ha llevado a concluir que Jesús cumplió el tema de la justicia en los pasajes de liberación de Isaías y, por ende, se le debe entender en el contexto de las Escrituras hebreas, especialmente Isaías. El poner una atención esmerada en los pasajes de liberación de Isaías nos ayuda a compensar los prejuicios reductores de nuestra cultura individualista y nos ayuda a notar los cuatro temas de justicia en las confrontaciones de Jesús contra los poderes y autoridades de su día. Nos da una nueva apreciación por la profundidad y la compasión de Jesús.

Nuestro método aquí es informar sobre Jesús tal como se le presenta en los Evangelios, sin meternos en "la búsqueda del Jesús histórico" detrás de los Evangelios. Sin embargo, observamos que la literatura de esa búsqueda básicamente confirma y hasta subraya estos temas en los Evangelios sinópticos. Al presentar a Jesús según el testimonio de los Evangelios, usamos el símbolo // para indicar una enseñanza paralela en los otros Evangelios. Por ejemplo, Marcos 12:1-9 // Mateo 21:33-46 // Lucas 20:9-19 // Isaías 5:1-7 indica que Marcos 12:1-9 tiene paralelos en Mateo y Lucas, y también en Isaías. Más paralelos en Isaías de los que se mencionan aquí se pudieran enumerar.

La injusticia de la avaricia y la justicia para los pobres y los hambrientos

La liberación de los pobres de la extorsión por parte de los poderosos y sus necesidades era un tema central de la predicación de Juan el Bautista. Juan declaró, "El que tiene dos túnicas dé al que no tiene, y el que tiene comida haga lo mismo". Él les dijo a los publicanos: "No cobréis más de lo que os está ordenado", y les dijo a los soldados: "No hagáis extorsión ni denunciéis falsamente a nadie" (Luc. 3:1-14 // Mat. 3:1-10). Juan vivió mucho de su vida en el desierto. Jesús lo elogió como el profeta de Dios y dijo en contraste, "He aquí, los que llevan ropas lujosas y viven en placeres están en los palacios reales" (Luc. 7:24-30).

En varias de sus enseñanzas, Jesús confrontaba a los ricos por causa de su avaricia. "Y otros son los que son sembrados entre espinos. Ellos son los que oyen la palabra, pero las preocupaciones de este mundo, el engaño de las riquezas y la codicia de otras cosas ahogan la palabra, y queda sin fruto" (Mar. 4:18, 19 // Luc. 8:14 // Mat. 13:22). "¡Cuán difícilmente entrarán en el reino de Dios los que tienen riquezas!... Más fácil le es a un camello pasar por el ojo de una aguja, que a un rico entrar en el reino de Dios" (Mar. 10:23, 25). Al joven rico le dijo: "Anda, vende todo lo que tienes y dalo a los pobres; y tendrás tesoro en el cielo" (Mar. 10:17-22 // Mat. 19:21 // Luc. 18:18-25). En otra ocasión, él confrontó a Zaqueo por su extorsión como publicano, y Zaqueo no tan sólo se arrepintió sino declaró que restauraría lo justo a quienes había extorsionado (Luc. 19:1-10).

La parábola del siervo malvado (Mat. 18:23-35) seguramente es una confrontación a las personas que no perdonan las deudas. Por un lado, tiene que ver con el perdón desde el corazón hacia el otro ser humano (v. 35). Pero la parábola también habla del perdonar al pobre las grandes deudas económicas que tiene con sus acreedores, y dramatiza la experiencia de muchos pobres durante el día de Jesús que debían tanto que les era imposible pagar. La palabra que se traduce en "deuda" (v. 27) ordinariamente significa un préstamo de dinero, y "liberación" es la palabra empleada por Josefo para referirse al jubileo cuando dice que todos "los deudores son librados de sus deudas" (Hultgren A., *The Parables of Jesus* [Las parábolas de Jesús], p. 26). Así que la parábola es también una confrontación a los acreedores faltos de perdón que no perdonan las deudas, y ella cuadra con el tema del Jubileo al que André Trocmé y John Howard Yoder nos han llamado la atención (Yoder J., *The Politics of Jesus* [La política de Jesús], capítulo 3).

Al confrontar a los fariseos, "que eran avaros," Jesús les dijo: "Vosotros sois los que os justificáis [*dikaiountes*] a vosotros mismos delante de los hombres. Pero Dios conoce vuestros corazones" (Luc. 16:14, 15). En Mateo 23:16-19, 25 Jesús señalaba la fijación de los escribas y fariseos en el oro y en la forma en que imponían un indebido apuro a aquellos que no podían costear dádivas tan costosas, diciendo "...limpiáis lo de afuera del vaso o del plato, pero por dentro están llenos de robo y de desenfreno". Jesús identificaba el mismo patrón de injusticia al advertir contra los escribas "que devoran las casas de las viudas" a la vez que mantenían una fachada de piedad con sus largas oraciones (Mar. 12:38-44). El templo, que se suponía había de sostener a las viudas y los huérfanos, había sido convertido en "la institución que extrae sus últimas monedas de cobre" (Herzog W., *Jesus, Justice and the Reign of God* [Jesús, la justicia y el reino de Dios], p. 189).

En otra ocasión, Jesús preguntó a los fariseos, "¿Por qué también vosotros quebrantáis el mandamiento de Dios por causa de vuestra tradición? Porque Dios dijo: *Honra a tu padre y a tu madre*... Pero vosotros decís que cualquiera que diga a su padre o a su madre: 'Aquello con que hubieras sido beneficiado es mi ofrenda a Dios', no debe honrar a su padre" (Mat. 15:3-9 // Mar. 7:9-13 // Isa. 29:13). La cita que hace Jesús de Isaías 29:13 confirma nuestro tema de conexión con Isaías. Asimismo, Jesús defendía el alimentar a los hambrientos en sábado al citar a Oseas 6:6, diciendo a los fariseos, "Si hubierais conocido qué significa *Misericordia quiero y no sacrificio*, no habríais condenado a los que no tienen culpa" (Mat. 12:1-8 // Mar. 2:23-28 // Luc. 6:1-5). Los actos de misericordia para con los hambrientos son actos de justicia del pacto según el AT. Al escribir sobre el ataque simbólico de Jesús contra el templo, Mateo cita a Jeremías 7, el que pide una verdadera actuación justa con el extranjero, el huérfano y la viuda (Jer. 7:5-8).

La enseñanza de Jesús de "dad al César lo que es del César, y a Dios lo que es de Dios" (Mar. 12:13-17 // Mat. 22:15-22 // Luc. 20:20-26) tiene que ver con el pagar tributo al César. Ched Myers (*Binding the Strong Man* [Atando al hombre fuerte], p. 310) dice que la cuestión era "una prueba de lealtad que separaba los colaboradores de los subversivos dentro de un escenario de rebelión". El impuesto era opresivo para los pobres, y era idolátrico para los judíos fieles. Jesús se preocupaba tanto por la justicia a favor de los pobres, y enseñaba tan enfáticamente el servicio a Dios únicamente, que su acción para lograr que los fariseos y los herodianos produjeran una moneda, alzándola él y preguntando de quién era la imagen en ella, exponía la colaboración de ellos con la estructura romana de poder, y se distanciaba de ella. Él confrontaba la injusticia del impuesto romano y la colaboración de los fariseos y herodianos, abogando a la vez por una conducta pacífica. La respuesta de Jesús es un paralelismo antitético, en el cual el segundo renglón, "dad a Dios lo que es de Dios," en realidad abarcaba todo, ya que todo pertenece a Dios. Esto significa "dad al César únicamente lo que sea consistente con la voluntad de Dios".

En resumen, Jesús cumplió las palabras que Isaías dijo tocantes a Dios:

> Porque has sido fortaleza para el pobre, una fortaleza para el necesitado en su aflicción.
>
> Isaías 25:4

La liberación de la avaricia de los poderosos hecha por Jesús a los pobres y a los necesitados paralela un tema clave de la liberación de Dios en Isaías. El primer capítulo de Isaías comienza con un juicio sobre la injusticia que fluye de la avaricia:

> Tus magistrados son rebeldes y compañeros de ladrones; cada uno ama el soborno y va tras las recompensas. No defienden al huérfano, ni llega a ellos la causa de la viuda.
>
> Isaías 1:23

Esta es la palabra de Dios. Jesús enseñaba que Dios se preocupaba profundamente por los pobres y los indefensos. No tan sólo lo enseñaba sino que lo hacía. Jesús alimentaba a los pobres y los hambrientos y enseñaba a los discípulos la práctica de compartir con los necesitados. El traía el camino de la liberación; el reino empezaba en Jesús.

La injusticia de la dominación

Al leer los Evangelios en su totalidad, es difícil no apreciar el hecho de que Jesús a menudo confrontaba la injusticia de la dominación, buscando ocasionar la liberación por la práctica del servicio mutuo. Por ejemplo, Marcos 11:27-33 // Mateo 21:23-27 // Lucas 20:1-8 revelan un drama controversial en el que los líderes religiosos cuestionaban la autoridad de Jesús. Los escribas del templo, "actuando como apoderados del régimen" (Herzog, *Jesus, Justice and the Reign of God* [Jesús, la justicia y el reinado de Dios], p. 234), contendían que ellos y el sumo sacerdote debían tener la autoridad. Al pedirles que nombrasen la autoridad por la que Juan el Bautista profetizaba, Jesús enfatizaba la idea de que Dios sí actuaba por medio de profetas que no estaban bajo el control y la dominación de las autoridades del templo.

En Marcos 2:3-12 // Mateo 9:2-8 // Lucas 5:18-26 Jesús sanó al paralítico y declaró perdonados sus pecados. “La sanidad indica que el poder de Dios está activo, confirmando la identidad y el papel de Jesús” como el mediador de Dios. “Esto enfurece a los escribas... Desde su óptica, el templo es el único lugar donde los pecados pueden ser perdonados y restaurada la pureza. Este es el derecho exclusivo de los sacerdotes al usar ellos el sistema sacrificial. Proteger ese monopolio probablemente sea su intención en este choque” (Ibíd., pp. 124-129). Asimismo, en Lucas 13:10-17 Jesús es censurado por el gobernante de la sinagoga por haber sanado a una mujer coja en sábado; Jesús lo confronta diciendo, “¿No desata cada uno de vosotros en sábado su buey o su asno del pesebre y lo lleva a beber? Y a esta, siendo hija de Abraham, a quien Satanás ha tenido atada por dieciocho años, ¿no debía ser librada de esta atadura en el día de sábado?” Los rabíes del tiempo de Jesús concordaban en que la Tora podía ponerse a un lado con tal de salvar la vida o aun para sanar una lesión, pero una condición crónica podía postergarse. Deliberadamente Jesús contradijo esta lectura de la Tora: Él sanó a la mujer con una enfermedad crónica de inmediato. Jesús también confrontaba la dominación de los fariseos en cuanto a las prácticas que prohibían la alimentación a los hambrientos y la sanidad de un hombre con el brazo paralizado. “Entonces ellos se llenaron de enojo y discutían los unos con los otros qué podrían hacer con Jesús” (Luc. 6:6-11 // Mat. 12:9-14 // Mar. 3:1-6).

Jesús enseñaba que “los escribas y los fariseos... dicen y no hacen. Atan cargas pesadas y difíciles de llevar, y las ponen sobre los hombros de los hombres; pero ellos mismos no las quieren mover ni aun con el dedo... Aman los primeros asientos en los banquetes” (Mat. 23:1-6 // Luc. 11:46). En Mateo 12:22-37 Jesús criticó a los fariseos por dar falso testimonio (afirmando que él sacaba fuera los demonios por la autoridad de Beelzebul, careciendo de una autoridad apropiada), y les dijo que serían condenados en el día del juicio por las palabras pronunciadas sin pensar. “El punto aquí es... poner una barrera contra la costumbre de algunos de ponerse sobre otros y el orgullo que tan naturalmente acompaña tal diferenciación... Detrás de este énfasis hay una polémica contra la autoridad *de facto* de los escribas y los fariseos” (Hagner, *Matthew 1—13* [Mateo 1—13], p. 661).

Observamos un juicio sobre la dominación injusta en Lucas 12:42-46 // Mateo 24:45-51: “Pero si aquel siervo... comienza a golpear a los siervos y a las siervas, y a comer y a beber y a embriagarse, vendrá el señor de aquel siervo en el día que no espera y a la hora que no sabe, y le castigará duramente y pondrá su parte con los incrédulos”. Y Jesús seguramente censura la dominación injusta en Marcos 10:42 // Mateo 20:25, 26 // Lucas 22:25, 26: “Sabéis que los que son tenidos por príncipes de los gentiles se enseñorean de ellos, y sus grandes ejercen autoridad sobre ellos. Pero no es así entre vosotros.

Más bien, cualquiera que anhele hacerse grande entre vosotros será vuestro servidor, y cualquiera que anhele ser el primero entre vosotros será siervo de todos". La dominación es también un tema en Marcos 12 cuando Jesús pedía a los fariseos y los herodianos que le trajeran un denario, él les preguntó: "¿De quién es esta imagen y esta inscripción?". Ellos le contestaron: "Del César" (Mar. 12:13-17). El título de divinidad para el César impreso en la moneda ciertamente era una afirmación de dominación, y la respuesta de Jesús aclaró que Dios, no el César, es Señor.

En gran parte de la tradición en Isaías, se identifican otras naciones como los opresores de los cuales el pueblo de Dios necesitaba liberación. Pero Isaías hizo que su profecía girara hacia la pacificación, la redención de los gentiles y su inclusión en la comunidad. Jesús completó ese giro, identificando la mayoría de la dominación como cosa interior de Israel, más bien que culpar a los extranjeros odiados, y exigiendo el arrepentimiento por sus propios pecados. Pero también Jesús criticó a las autoridades romanas a las cuales "les gustaba señorear sobre la gente" y quienes eran los principales del "sistema de dominación" (Wink W., *Engaging the Powers* [Atrayendo a los poderes], 1992; Borg M., *Conflict, Holiness, and Politics* [El conflicto, la santidad y la política], pp. 10, 12-14). Claramente hemos visto que Jesús consideraba esta dominación injusta, y él enseñaba y practicaba el camino de la liberación de la dominación de la injusticia; el camino del servicio mutuo.

La injusticia de la violencia

Cuando los fariseos advertían a Jesús de que Herodes quería matarlo, él dijo: "Id y decid a este zorro 'He aquí echo fuera demonios y realizo sanidades hoy y mañana, y al tercer día termino'. Sin embargo, es necesario que yo siga mi camino hoy, mañana y pasado mañana; porque no es posible que un profeta muera fuera de Jerusalén" (Luc. 13:31-33). N. T. Wright (*Jesus and the Victory of God* [Jesús y la victoria de Dios], p. 579) dice: "el destino violento de los profetas debe haber ocupado mucho la mente de Jesús", quien veía a Juan el Bautista como su precursor.

A menudo no notamos que Jesús criticaba a los escribas y los fariseos por su violencia. Pero los fariseos enseñaban la separación de la impureza que procedía de lo exterior, y eso resultaba en un odio religioso de gran celo contra los romanos. Ellos eran principalmente los que apoyaban la insurrección violenta contra Roma en el año 66 d. de J.C., la que llevó a la destrucción de Jerusalén y el templo y el posterior exilio de Israel por veinte siglos. Jesús sentía el odio de ellos y su propensión a la violencia contra los profetas. Les dijo: "¡Ay de vosotros, escribas y fariseos, hipócritas... sois hijos de aquellos que mataron a los profetas... Por tanto, mirad; yo os envío profetas, sabios y escribas; y de ellos, a unos mataréis y crucificaréis, y a otros azotaréis en vuestras sinagogas y perseguiréis de ciudad en ciudad, de manera que venga sobre vosotros toda la sangre justa que se ha derramado sobre la tierra" (Mat. 23:29-36). La parábola de Jesús acerca de los labradores malvados confrontó a aquellos que ejercían autoridad por hacer violencia contra los siervos del Señor: "A algunos ellos los hirieron y a otros mataron. Finalmente, él envió a su hijo, diciendo: 'Tendrán respeto a mi hijo'. Pero aquellos labradores dijeron entre sí: 'Este es el heredero. Venid, matémosle, y la heredad será nuestra'. De manera que le prendieron, lo mataron y le echaron fuera de la viña". Jesús concluyó prediciendo el juicio, y los sacerdotes principales y los fariseos "sabían que en aquella parábola se había referido a ellos" (Mar. 12:1-9 // Mat. 21:33-46 // Luc. 20:9-19 // Isa. 5:1-7).

Jesús no tan sólo predijo la destrucción del templo seis veces, sino que llamó a los líderes de Israel a que se arrepintieran de su espíritu violento y que, más bien, aprendieran las prácticas de pacificación del reino. Él lloró sobre Jerusalén porque no aprendió las prácticas de la paz: "¡Jerusalén, Jerusalén, que matas a los profetas y apedreas a los que te son enviados! ¡Cuántas veces quise juntar a tus hijos, así como la gallina junta sus pollitos debajo de sus alas, y no quisiste!" (Mat. 23:37-39 // Luc. 13:34). Jesús lloró sobre Jerusalén de nuevo más tarde, diciendo, "¡Oh, si conocieses tú también, por lo menos en este tu día, lo que conduce a tu paz!" (Luc. 19:41).

Es más, Jesús enseñaba las iniciativas transformadoras de la pacificación (véase el capítulo siete) en contraste directo con los movimientos guerrilleros de su tiempo que emergían contra la dominación y explotación económica romanas. A la larga, estos movimientos de insurrección culminaron en una rebelión masiva en el año 66, que sería aplastada por Roma en el año 70 d. de J.C. El templo fue destruido, haciendo cumplir así las profecías de Jesús de que si la gente y los líderes poderosos no se arrepentían de su odio contra sus enemigos, el templo sería destruido y la gente tendría que huir. Por causa de las enseñanzas y las prácticas de Jesús, el movimiento llegó a ser un movimiento pacifista cristiano. Los judíos cristianos no participaron en la rebelión y huyeron de Jerusalén. Jesús estaba de acuerdo con la palabra de Dios en Isaías que dice que la violencia y la guerra son injustas. Dios se interesa profundamente en la paz, y Jesús compartía la pasión de su Padre, llorando sobre Jerusalén porque no conocía los caminos de paz. Por medio de su vida él enseñaba el camino de liberación de la violencia.

La injusticia de la exclusión de la comunidad

Jesús confrontaba a cualquiera que excluyera a los enemigos del círculo de amor enseñado en Levítico 19:18 al enseñar que debíamos amar no tan sólo a nuestros amigos sino también a nuestros enemigos (Mat. 5:43-48). La parábola del samaritano compasivo (Luc. 10:29-37) confrontaba a sacerdotes, levitas y cualquier otro que odiara o excluyera a los samaritanos u otros grupos étnicos del círculo de compasión; y mediante la parábola del hijo pródigo, Jesús confrontaba a personas sin el deseo de recibir a pecadores, marginados o, quizá, gentiles (Luc. 15:11-32).

El intercambio de Jesús con la mujer de la región de Tiro y Sidón en Mateo 15 revela su misión de extender el reino de Dios a los gentiles tanto como a los israelitas (Mat. 15:21-28 // Mar. 7:24-30). Asimismo, en Lucas 4:24-29, Jesús dijo a los líderes religiosos que Dios envió sus profetas no tan sólo a Israel sino también a una viuda de Sidón y a un sirio (los dos gentiles). En su reacción, los líderes religiosos se airaron, lo sacaron de la ciudad, y estaban a punto de arrojarlo de un precipicio. Estos pasajes sugieren que Jesús inició la misión a los gentiles (algunos estudiosos, no obstante, debaten esto, haciendo notar que el libro de Hechos —1:4; 8:21 ss.— cuenta cómo la misión a los gentiles fue ampliada más tarde sólo por la dirección del Espíritu Santo).

A los cambistas que se habían adueñado del atrio reservado para los gentiles, Jesús les citó Isaías 56:7: "'¿No está escrito? Mi casa será llamada casa de oración para todos los pueblos [gentiles]'". Eventualmente, Jesús se retiró, dándose cuenta de que había provocado a los fariseos en este punto lo suficientemente como para romper sus tabúes en torno al sábado (Mat. 12:1-14). Aunque él seguía sanando a la gente, él pedía que los receptores de su sanidad no la divulgasen. Mateo escribió de las acciones de Jesús citando Isaías 42:1-4 de la traducción griega de la Septuaginta: "Yo pondré mi Espíritu sobre él, y él proclamará la justicia a los gentiles".

Al confrontar la exclusividad de los fariseos, Jesús llamó a Mateo, el publicano, para que formara parte de la comunidad de discípulos. Cuando los fariseos murmuraban contra Jesús y sus discípulos por comer y beber con cobradores de impuestos, él les dijo que había venido para sanar a pecadores y llamarles al arrepentimiento más bien que a los justos (Luc. 5:27-32 // Mat. 9:9-13 // Mar. 2:13-17). Su enseñanza de que se debía dejar que el trigo y la cizaña crecieran juntos hasta la siega (Mat. 13:24-30) se dio contra los esfuerzos por parte de los fariseos y esenios de lograr la santidad mediante la separación de todo lo que fuera impuro. Los fariseos se ofendieron por la negación reiterada de Jesús de no seguir sus prácticas de pureza, que separaban a la gente entre puros e impuros (Mat. 15:1-9). Citando Isaías 29:13, Jesús respondió:

> Porque este pueblo se acerca con su boca y me honra sólo con sus labios; pero su corazón está lejos de mí. Y en vano me rinden culto, enseñando como doctrina los mandamientos de hombres.

"La pureza es el valor supremo para los fariseos... El valor supremo para Jesús es el perdón, porque ve a Dios como Dios de misericordia" (Herzog W., *Jesus, Justice, and the Reign of God* [Jesús, la justicia, y el reinado de Dios], pp. 176-177).

En la situación histórica de Jesús, "la búsqueda de la santidad llegó a ser la dinámica cultural dominante de la vida colectiva de Israel", y ella significaba "una separación de todo lo que fuera impuro" (Borg M., *Conflict, Holiness and Politics in the Teaching of Jesus* [El conflicto, la santidad y la política en la enseñanza de Jesús], pp. 66, 67). Para algunos de los esenios, significaba una separación de la sociedad. mudándose en busca de una vida casi monástica en Qumrán, cerca del mar Muerto. Para los fariseos, significaba el diezmar todo lo agrícola, el practicar la limpieza y pureza rituales respecto a las prácticas durante la comida y el no comer con los impuros, incluyendo a aquellos que no practicaban tales rituales y aquellos que fueran marginados o extranjeros. Su "sanción principal era el ostracismo social" (Ibíd., pp. 83, 84). Para ellos, "la santidad del templo requería una observancia meticulosa del rito del templo, protegiendo el templo de la impureza y excluyendo a los gentiles de sus atrios" (Ibíd., pp. 72 ss.). Esto hacía que grandes cantidades de judíos fueran consideradas como desechadas. Jesús censuró su exclusividad, diciendo: "¡Ay de vosotros, escribas y fariseos, hipócritas! Porque entregáis el diezmo de la menta, del eneldo y del comino; pero habéis omitido lo más importante de la ley, a saber: el juicio, la misericordia y la fe" (Mat. 23:23). "¡Ay de vosotros, escribas y fariseos, hipócritas! Porque cerráis el reino de los cielos delante de los hombres" (Mat. 23:13).

La práctica dramática de Jesús al comer con los desechados y los impuros era una deliberada demostración de su fundamental desacuerdo con la práctica central de los fariseos: su pureza ritual al comer. Era "deliberadamente provocativa" (Ibíd., p. 97). Jesús no veía el mal como algo extraño, como una fuerza exterior que Israel pudiera aislar, sino como una lealtad interior y práctica de la que todos necesitamos arrepentirnos.

Las sanidades de Jesús en el sábado bien pudieran haber sido confrontaciones adicionales con la práctica de la pureza de los fariseos. El hombre cojo junto al estanque de Betesda era un marginado, ya que no tenía quién le trajera al agua, sin embargo, Jesús lo sanó y lo restauró hacia la comunidad. La fe de la mujer con flujo de sangre permitió que ella tocara el manto de Jesús, y por ese contacto, fue sanada y restaurada en la comunidad. A menudo Jesús sanaba enfermedades por tocar, una restauración personal hacia la comunidad, y regularmente él instruía a la persona sanada a someterse a los sacerdotes del templo o regresar a su comunidad.

Jesús concordaba con Isaías: La exclusión era profundamente injusta. La proclamación de Isaías de que los marginados volverían, que los gentiles serían recibidos en el templo, y que Dios perdonaría y restauraría en una comunidad era Palabra de Dios. Jesús enseñaba que Dios se preocupaba entrañablemente por los pecadores y los despreciados, y durante su tiempo sobre la tierra, él se preocupaba profundamente por ellos (por nosotros), trayendo el camino de liberación.

Conclusión

Es de costumbre, al abogar por la justicia social, pasar la mayor parte del tiempo en el AT, especialmente en los profetas. Pudiéramos haber duplicado el número de páginas de este capítulo si viéramos con lujo de detalle el testimonio antiguotestamentario sobre la justicia. Podríamos haber expandido en un libro el capítulo si hubiéramos tratado las principales teorías filosóficas en torno a la justicia que nombramos en la introducción. Más bien, aquí nos hemos enfocado en Jesús. Hemos indicado porqué es crucial fundamentar una preocupación cristiana por la justicia en Jesús mismo. Al ver cuán directamente Jesús enseñó, encarnó y cumplió los cuatro temas de justicia del profeta Isaías, podemos tener una nueva apreciación dramática de lo concreto de la pasión de Jesús por lograr la justicia. Jesús murió por nuestros pecados, incluyendo nuestra injusticia. Su confrontación de la injusticia de los poderosos era una razón principal de su deseo porque Jesús fuese crucificado. Cuando vemos su preocupación por la justicia —por un fin a las injustas estructuras económicas, la dominación injusta, la violencia injusta y la injusta exclusión de la comunidad— no podemos sino repensar todo nuestro cuadro de lo que Jesús hacía en su predicación y enseñanza. No podemos sino pensar que si él estaba tan comprometido con la justicia en su contexto, se nos requiere que estemos comprometidos tanto así con la justicia en el nuestro.

Los que no sufren a menudo la injusticia fácilmente se adormecen ante aquellos que sí la sufren. En el corazón del discipulado cristiano está el vencer este adormecimiento privilegiado, si es que esta es nuestra situación, y entrar en el dolor y la injusticia de un mundo sufriente, de la manera en que Dios nuestro Hacedor y Jesús nuestro Salvador lo hicieron.

Tal vez este capítulo nos ayude a ver más puntos de contacto con la práctica de la justicia y la lucha contra la injusticia. Nadie desea que se le bloquee la forma de ganarse la vida y dar de comer a su familia. Ninguno de nosotros quiere ser dominado por otros, y ser violentado por grandes concentraciones de poder. Nadie desea ser víctima de la tiranía o del crimen violento o el terrorismo. Ninguno de nosotros quiere ser excluido forzosamente de la comunidad. El temor o la experiencia de la injusticia nos recuerdan en realidad de cuán preciosa es la justicia. Cuando vemos cómo Jesús luchó y murió por la justicia cuando los poderosos a quienes él confrontaba conspiraban para matarlo, y cómo los discípulos lo traicionaron, tenemos otra muy profunda razón para arrepentirnos y seguirlo.

SECCIÓN VI:

LAS RELACIONES ENTRE LA JUSTICIA Y EL AMOR

La justicia y el amor tienen que caracterizar todas las relaciones del cristiano. Esta sección estudia cuatro áreas en las que estas normas son puestas a prueba: la veracidad, la raza, la economía y el cuidado.

El orden de estos capítulos se cambia de local a global, de personal a social hasta más allá de lo humano. Las enseñanzas de Jesús nos retan a regirnos por la justicia y el amor en las más íntimas relaciones, en las amplias relaciones intergrupales, en el ordenamiento de los sistemas económicos nacionales e internacionales, y en la manera por la que nos relacionamos con el sistema ecológico y con otras criaturas.

Empero, sería demasiado simplista pensar en estas esferas, que dan forma a la vida y la muerte para toda persona, como ascendiendo meramente de lo personal a lo social, y de ahí a lo ecológico, porque cada una tiene dimensiones personales y sociales, individuales y colectivas. Además, cada esfera necesita más que el pensamiento correcto; cada una necesita una práctica correcta de parte de los cristianos e iglesias que obedezcan la soberanía de Dios tal como es revelada en Jesucristo nuestro Señor a través del Espíritu Santo que nos capacita.

18

La veracidad

Además, habéis oído que fue dicho a los antiguos: No jurarás falsamente sino que cumplirás al Señor tus juramentos. Pero yo os digo: No juréis en ninguna manera; ni por el cielo, porque es el trono de Dios; ni por la tierra, porque es el estrado de sus pies; ni por Jerusalén, porque es la ciudad del Gran Rey. No jurarás ni por tu cabeza, porque no puedes hacer que un cabello sea ni blanco ni negro. Pero sea vuestro hablar, "sí", "sí", y "no", "no". Porque lo que va más allá de esto, procede del mal.

Mateo 5:33-37

Una de las mejores razones para basar un libro de texto sobre la ética cristiana en las verdaderas enseñanzas de Jesús, especialmente las del Sermón del monte, es que nos obliga a considerar algunos problemas morales que de otro modo no entrarían en el estudio. Aquí nos hemos topado con esta misma situación. Una lectura de Mateo 5:33-37, la cuarta de las tríadas del Sermón del monte, requiere que pongamos nuestra atención en las cuestiones morales asociadas con la veracidad.

Pese al énfasis sobre la verdad como cuestión moral en los Diez Mandamientos (Éxo. 20:16 // Deut. 5:29) tanto como en el Sermón del monte, los libros introductorios contemporáneos de la ética cristiana tanto como de la ética filosófica casi nunca abordan el tema. De los más de 50 textos introductorios reseñados por nosotros, sólo unos pocos contienen una sección dedicada a la veracidad o cierta atención prestada a la cuestión. La omisión es un problema general en la ética protestante, minimizando el tema las iglesias tradicionales tanto como las evangélicas. La ética católica tiende a ser un tanto mejor, siendo orientada al tema de la verdad por su fundamento en los énfasis sobre el discernimiento de la verdad moral vía la conciencia en la ley natural.

El ético cristiano Ronald Stone, quien es influenciado por el realismo de Reinhold Niebuhr, supera esta deficiencia al ofrecer un análisis de las tentaciones conducentes a la mentira que surgen del nacionalismo y de la lucha de poder (*Ultimate Imperative* [El imperativo último], pp. 99-112). Esto ilustra nuestra tesis de que la ética de carácter es insuficiente sin una teoría social crítica, que Juan Pablo tiene enraizada en su tradición católica romana, y Stone tiene en su realismo niebuhriano acerca de la injusticia que brota del desequilibrio del poder. Stone y Smedes quedan motivados por su atención a los Diez Mandamientos, lo cual apoya nuestra insistencia en que la ética cristiana se debe fundamentar en la Biblia. En el Sermón del monte, Jesús se establece como nuestro modelo al conectarse concretamente con los Diez Mandamientos.

Probablemente varíen las razones de esta carencia de atención a la veracidad. Si se entiende y se enseña la ética como dividida en secciones de "metodología" y "problemas", como suele hacerse tan a menudo, la veracidad parece desvanecerse. El hecho de que haya tal cosa como la verdad moral, y que la ética sea la búsqueda para discernir lo que sea esa verdad, se da por sentado en los libros de texto de ética cristiana, dejándose sin abordar excepto tal vez como un estudio de caso en la toma de decisiones morales. Luego, cuando se pone la atención en los "problemas" reales dentro de la ética cristiana, queda atrás la verdad, ya que el aborto, la eutanasia, la guerra y el ambiente, por ejemplo, toman lugares preferenciales.

También es verdad que ciertas cuestiones o temas de la ética no llegan a nuestra conciencia hasta que haya un problema. Esta es una de las razones porque el énfasis bíblico sobre la justicia, abordado en el último capítulo, ha sido mayormente desatendido por las afluyentes iglesias de blancos en Estados Unidos de América, por ejemplo. Por no haber sido víctimas regularmente de la injusticia, los acomodados han tendido a no fijarse en el problema, pero raras veces deja de verse en la pantalla de radar de las iglesias de la gente de raza negra. En lo que respecta a la veracidad, nosotros, desgraciadamente, apenas empezamos a notar el problema.

Esto no quiere decir que la discusión de la veracidad y sus alternativas falte en toda discusión pública de la ética. Como intentaremos mostrar en la última parte de este capítulo, la consideración de la veracidad como una cuestión moral se ha visto en varios críticamente importantes géneros de la ética pública. Aquellos que escribían bajo condiciones de opresión, tales como las del siglo pasado con sus muchos regímenes totalitarios y los EE. UU. de A. segregacionista, reflexionaban a menudo (y aún reflexionan) en la veracidad. El desbordado cinismo público acerca de la comunicación pública en la vida política ha engendrado una discusión del lugar de la veracidad en la política. Y el floreciente campo de la ética biomédica de forma consistente examina la veracidad dentro de su discusión de las responsabilidades profesionales de la medicina. Entre tanto, hay que decir que el cambio posmoderno en la vida intelectual occidental ha creado un ambiente en el cual se ha cuestionado la misma existencia de la "Verdad" (con letra mayúscula). De modo que puede ser que en estos días, por necesidad, el asunto de la veracidad esté imponiéndose como tema de discusión.

Creemos que nuestra sociedad está librando una batalla por la verdad. Las relaciones de poder moldean poderosamente el sentido de la verdad afirmado por los cristianos y los no cristianos. Varias fuerzas están socavando algunas de nuestras tradiciones que enseñaban las prácticas de la veracidad y el cumplimiento de promesas; creemos que esta es una gran amenaza para la salud de la sociedad, sus interacciones, sus miembros (nosotros) y su confianza tan esencial para el *shalom*.

1. Las familias, en las que ambos padres trabajan o donde hay un solo padre durante la infancia de los niños, tienden a producir hijos que no se vinculan profundamente con sus padres o no absorben la importancia de las relaciones de pacto. *El resultado:* Una sociedad de personas que no han aprendido a responsabilizarse dentro de la familia, pasando la responsabilidad a "otro".
2. El cambio en la cultura de trabajo, debido a fusiones de corporaciones y la reducción de personal para poder ser más competitivo, conduce a la idea de que lo único que importa son las ganancias y que los fines justifican los medios. *El resultado:* "El fin de cuentas" se convierte en la metáfora social para "el resultado que cuenta y define todo" en muchas áreas de la vida, y "la ganancia neta que aparece en los libros".
3. La ideología del mercado libre dice que las corporaciones deben estar libres para hacer lo que crean convenientemente ser para su beneficio, y toda regulación o auditoría honesta es interferencia negativa. *El resultado:* la ideología de un *laissez-faire* egoísta pronto llega a ser el modelo para el resto de la vida también: en las relaciones sexuales, el matrimonio, la justicia económica, las relaciones internacionales y las decisiones respecto a cuándo decir la verdad y cumplir con las promesas.
4. La competición política es dirigida por los peritos en las comunicaciones masivas, por los que hacen sondeos o encuestas y aun por los expertos en cómo manipular el voto cristiano en pro de cierto partido o candidato. El motivo de la comunicación a menudo no es decir la verdad con precisión sino manipular las noticias con cierto sesgo que aumente el poder. *El resultado:* Una bien documentada merma en la confianza del pueblo en los partidos políticos y las instituciones gubernamentales tanto como en las corporaciones y demás empresas.
5. Con el desmoronar de las afirmaciones de una verdad universal, influenciado por la Ilustración y las aún no construidas formas de establecer la verdad en un tiempo posmoderno, aun los líderes eclesiásticos forman sus mensajes para esquivar la confrontación y los llamados al arrepentimiento. *El resultado:* No hay una verdadera formación en el discipulado.

Nosotros abogamos por una ética del pacto y la interpretación de las realidades de poder de la vida en términos de pactos implícitos tanto como explícitos. Estas son algunas de las áreas en las que la ética de pacto es relevante:

1. El ser padres. Los padres deben considerar que el tener hijos es entrar en un pacto con ellos, estando con ellos la mayor cantidad de tiempo posible, enseñando a los niños de forma regular las responsabilidades de un pacto, dándoles tareas que cumplir en la familia, produciendo así personas más cooperativas y responsables. Las políticas reformistas del bienestar y las políticas respecto a la formación de horarios de trabajo de las corporaciones deben valorar y proteger la responsabilidad de ser padres.

2. Las políticas comerciales. Las corporaciones reciben los beneficios de una mano de obra preparada, una gran base de consumidores bien pagados, un acceso a materias primas y suministros de calidad, y una sociedad de leyes, orden y paz. De modo que es justo que ellas entren en un pacto para que se responsabilicen por su parte en la justicia y el bienestar público y social.

En resumen, abogamos porque la sociedad sea entendida como una serie de pactos de responsabilidad implícitos, explícitos e integrados. Abogaremos porque las varias esferas de la vida sean interpretadas y entendidas en términos de los pactos de veracidad y responsabilidad, que son cruciales para su misma existencia, para la confianza básica y necesaria en una sociedad saludable y en el desarrollo humano. Fomentar la veracidad requiere un cambio en el entendimiento y en la organización de las relaciones de poder subyacentes en una sociedad que moldean nuestras interacciones para que sean responsables ante los pactos básicos de responsabilidad. Así que Jesús, estando en la tradición de los profetas, confrontaba consistentemente a los poderes y las autoridades de su sociedad, llamándoles a su responsabilidad en las tradiciones del pacto de Israel.

3. El poder económico. Cuando las corporaciones amasan grandes cantidades de poder e influencia económicas, ellas entran en un pacto para aceptar el control mutuo contra la corrupción si es que la concentración de poder no va a producir una concentración de corrupción. La historia nos ha enseñado que esto es necesario.

4. El gobierno. Entrar en la confianza pública del liderazgo gubernamental es una entrada implícita en un pacto que fomente una cultura cívica de información honesta para el pueblo y una cooperación con el reportaje investigativo para que el pueblo esté bien informado. Esto ayuda al pueblo a que aprenda a cumplir con su pacto implícito de participación en el activo consentimiento de los gobernados y la participación en la cultura cívica de interesarse por la justicia que tenga una compasión para con los sin poder y los olvidados.

5. El liderazgo eclesiástico. Entrar en el liderazgo de las iglesias es entrar en un pacto para modelar y esparcir el discipulado a Jesucristo y decir la verdad, más que simplemente decir sólo lo que no ocasione desagrado o desacuerdo en la gente.

En este capítulo seguiremos nuestro acostumbrado patrón, considerando primero lo que Jesús tenía que decir acerca de la veracidad; lo haremos examinando el Sermón del monte con el trasfondo del AT. Luego, ampliaremos nuestra búsqueda a otras partes de la Escritura, considerando la cuestión de vivir en la verdad como discípulos cristianos. Finalmente, consideraremos algunas posibles excepciones al mandato de la veracidad bajo condiciones de opresión e injusticia.

Jesús y la verdad: "Sea vuestro hablar 'sí', 'sí'"

Mateo 5:33-37 comienza con Jesús redeclarando dos aspectos de la familiar enseñanza antiguotestamentaria respecto a los juramentos: "No jurarás falsamente" y "cumplirás al Señor tus juramentos". Ambas declaraciones se refieren a aspectos específicos de la enseñanza antiguotestamentaria (Lev. 19:12; Núm. 30:2; Deut. 23:21-23; Sal. 50:14) y la tradicional práctica judía que continuaba hasta el día de Jesús (véase Mat. 23:16-22; 26:63, 72-74; Hech. 23:12; Heb. 6:16-18).

Las narrativas antiguotestamentarias constantemente pintan varias figuras haciendo juramentos o tomando votos sagrados. Palabras que significan "juramento" o "voto" se usan veintenas de veces en la Biblia hebrea. Abraham (Gén. 21:22-34), Jacob (Gén. 25:33; 28:20), José (Gén. 50:5), Josué (Jos. 6:26), Ana (1 Sam. 1:11), Saúl (1 Sam. 14:24), David (1 Sam. 20:17), Esdras (Esd. 10:5) y Nehemías (Neh. 13:25) están entre los personajes antiguotestamentarios que hicieron juramentos o votos. También, de forma regular se pinta a Dios haciendo juramentos o votos, incluyendo el voto a Abraham de darle la Tierra Prometida y a David de mantener un rey del linaje davídico (Gén. 22:16-18; 26:3; Núm. 11:12; Deut. 6:23; 29:12; Sal. 132:11; Jer. 11:5). A la práctica de hacer votos también se la ve en los Salmos (Sal. 24:4; 63:11) y en la literatura sapiencial (Prov. 20:25; Ecl. 9:2; véase 5:4, 5).

La literatura rabínica cuidadosamente distingue entre los juramentos y los votos; ciertas discusiones de los problemas involucrados en cada uno de ellos persiste en el pensamiento judío de hoy. Por un voto se promete ante Dios y por el honor de Dios alguna cosa o algún acto que es prohibido o requerido de él o de ella. Los votos a menudo se hacían (y aún se hacen) en tiempos de angustia (Gén. 28:20-22) o como expresión de gratitud por alguna bondad recibida (Sal. 116:16-18). Su misma espontaneidad hace que sean susceptibles a la precipitación, careciendo así de un cumplimiento, un patrón que lleva al Talmud a tener una postura un tanto negativa respecto a ellos, pese a sus precedentes bíblicos.

Los rabíes dividían los juramentos en dos clases. *Los juramentos asertivos* que involucraban a la persona que juraba "que ha hecho algo o no lo ha hecho, usualmente dentro de un contexto judicial, para afirmar o rechazar un testimonio" (Garland D., "Oaths and Swearing" [Los votos y el maldecir], p. 577). Las personas confirmaban sus palabras por un juramento sagrado para comunicar que se podía contar con su veracidad. La veracidad era (como hoy) especialmente importante en contextos legales debido a la importancia de los asuntos bajo consideración y la potencial injusticia que pueda hacerse cuando hay mentiras en la corte. Tal veracidad es esencial para el funcionamiento del sistema judicial y la práctica mayor de la justicia pública. Por esto el trato que se le da a la veracidad en el Decálogo menciona "el falso testimonio", lo cual claramente denota el perjurio dentro de un contexto legal (Éxo. 20:16 // Deut. 5:20; 19:18, 19; Prov. 12:17; 25:18). La función pública del juramento en el arbitraje de disputas legales se ilustra sorprendentemente en Éxodo 22:11 en el que hay una disputa sobre un animal herido; careciendo de testigos, la disputa tiene que ser resuelta simplemente al pedir que el acusado jure que no ha dañado ni robado al animal (véase Heb. 6:16-18).

Los juramentos voluntarios, estos en cambio, eran más amplios, haciendo que una persona jure que haría o no haría alguna cosa Ibíd., pp. 577, 578) lo cual hace que se asemejen mucho a los votos. Muy a menudo las narrativas antiguotestamentarias incluían juramentos de este tipo, esencialmente son promesas solemnes que se dan entre personas o entre una persona y Dios. En este sentido, la connotación de la palabra "juramento" (*shebuah*) a menudo se aproxima a la de "pacto" (*berith*). La seriedad de la promesa era garantizada por el hacer un juramento. Tales juramentos eran vistos como legal, moral y espiritualmente vinculantes, y bajo ninguna circunstancia deberían quebrantarse, aunque el juramento se diera precipitada o imprudentemente (como en el inquietante relato de Jue. 11:29-40; véase Mar. 6:23 y el jurar imprudente de Herodes que resultó en la muerte de Juan). "Cuando algún hombre haga al SEÑOR un voto o un juramento asumiendo obligación, no violará su palabra; hará conforme a todo lo que ha salido de su boca" (Núm. 30:2; véase Deut. 23:21-23). En las narrativas del AT, a menudo los juramentos se daban en situaciones de crisis o desconfianza entre personas. El jurar señalaba que las personas involucradas tenían la intención de refrenar el lastimarse unas a las otras, guardando las promesas hechas. De modo que a veces los juramentos fortalecían una confianza frágil. Aquí nos encontramos en el meollo de nuestro énfasis a lo largo de este libro: La importancia del *pacto, confianza e integridad de información* en la sociedad y en nuestra ética.

El jurar involucraba varias declaraciones formuladas con el propósito de comunicar la seriedad y prometer la honestidad, como lo es hoy. Decimos cosas como "Yo juro sobre la Biblia o sobre la tumba de mi madre" o el popular "que me parta un rayo". Las narrativas antiguotestamentarias contienen juramentos basados en la casa de Dios o la vida de Dios ("¡Vive EL SEÑOR tu Dios!": 1 Rey. 18:10; Jer. 4:2; 38:16; Ose. 4:15), el nombre del Señor (Neh. 13:25), la fidelidad del Señor (Isa. 65:16) o simplemente el Señor (Gén. 24:3; 1 Sam. 24:21; 2 Sam. 19:7). Parece ser que durante el día de Jesús, el respeto por el nombre divino había llevado a juramentos basados en *símbolos del nombre de Dios* más bien que en el nombre de Dios mismo, tales como el altar del templo, el oro del santuario, el cielo, la tierra y Jerusalén (Mat. 5:34, 35; 23:16-22). En cada caso el jurador jura por algo santo, sagrado o mayor que él mismo (Heb. 6:16), combinándose tal vez con el jurar en un lugar sagrado como el templo (1 Rey. 8:31 // 2 Cró. 6:22); todo esto se hacía para garantizar la veracidad de lo dicho.

Cuando los profetas hablaban sobre la cuestión de los juramentos y votos, ellos atacaban varios problemas. Estos incluían el que los israelitas jurasen en el nombre de otros dioses (Jer. 12:16; Amós 8:14; Sof. 1:5), una tremenda violación del primer mandamiento. Pero los profetas atacaban también el incumplimiento de los votos (Eze. 16:59) tanto como "el jurar falsamente", lo cual parece significar hacer votos sin que se tenga la intención de cumplirlos, o el hacer declaraciones bajo juramento que son mentiras (Jer. 5:2; 7:9; Mal. 3:5; véase Lev. 6:3; 19:12). Estas son enseñanzas tradicionales notadas por Jesús antes de comenzar su discusión de esta cuestión en Mateo 5:33.

Este repaso de la práctica judía, relacionada con los juramentos y los votos, nos ayuda a captar un sentido de su presencia en la vida y cultura religiosas judías. Se debate, sin embargo, lo que Jesús habría querido que sus discípulos hicieran al respecto. El meollo del asunto está en cómo interpretamos los cuatro versículos siguientes. Mateo 5:34 normalmente se entiende como el corazón de la enseñanza en torno a esta cuestión: "Pero yo os digo: No juréis en ninguna manera...". Aquí, el verbo griego es *omosai*, un infinitivo más bien que un imperativo (aunque imperativo implícito); cuando se usa otra vez en el versículo 36, está en el modo subjuntivo. El único verbo imperativo se halla en el clímax de esta enseñanza, o sea, el versículo 37: "Pero sea vuestro hablar, 'sí', 'sí', o 'no', 'no'".

Tradicionalmente, los cristianos han creído que la fuerza de esta enseñanza es una prohibición (hiperbólica o literal) de todo juramento o todo voto. Los padres de la iglesia, tales como Justino, Ireneo, Tertuliano y Orígenes, creían que esta era la enseñanza de Jesús. Los cuáqueros y los anabaptistas revivieron esta forma de interpretación, rehusando hacer juramento alguno, ni siquiera dentro de un foro legal; a menudo esto ocasionaba ira sobre ellos por su negativa. Otros grupos cristianos han tendido a interpretar esta enseñanza como demandando la honestidad pero no el rechazo de juramentos (por lo menos los judiciales) los cuales se veían, no como necesariamente buenos, pero necesarios.

Nuestra lectura triádica del Sermón del monte nos lleva a interpretar a Mateo 5:34-36 como primariamente ilustrativo de un ciclo vicioso relacionado con el habla mentirosa. Como tal, la prohibición de los juramentos no es donde se debe poner el énfasis primario en torno a la interpretación o aplicación. Lo que nos hace llegar a esta conclusión es notar la perversión de la práctica del juramento dentro del contexto de Jesús; tal perversión es revelada por un pasaje más tarde en Mateo. Se halla en el ataque abrasador de Jesús contra los líderes religiosos judíos, y vale la pena citar el pasaje:

> ¡Ay de vosotros, guías ciegos! Pues decís: "Si uno jura por el santuario, no significa nada; pero si jura por el oro del santuario, queda bajo obligación". ¡Necios y ciegos! ¿Cuál es más importante: el oro o el santuario que santifica al oro? O decís: "Si uno jura por el altar, no significa nada; pero si jura por la ofrenda que está sobre el altar, queda bajo obligación". ¡Ciegos! ¿Cuál es más importante: la ofrenda o el altar que santifica la ofrenda? Por tanto, el que jura por el altar, jura por el altar y por todo lo que está sobre él. Y el que jura por el santuario, jura por el santuario y por aquel que está sentado sobre él.
>
> Mateo 23:16-22

Pareciera que algunos escribas y fariseos estaban usando el sistema de juramentos para distinguir exageradamente entre juramentos que tenían que cumplirse y los que no. Jesús estaba nombrando y atacando prácticas que subvertían la razón básica de la tradición de los juramentos. Los juramentos y los votos, los cuales originalmente tenían la intención de ser avales sagrados de veracidad, compromiso o pacto, ahora se empleaban con ligereza o se manipulaban de tal forma que se delineaba entre votos y juramentos vinculantes y las engañosas imitaciones sin compromiso.

Jesús se horrorizó ante esta práctica y, como dijera Garland, "la infracción de la majestad de Dios" se veía en el llamar rutinariamente el nombre de Dios como testigo de la falible habla humana (Ibíd., p. 578). Nótese que en ninguna parte del pasaje de Mateo 23 Jesús abolió explícitamente el juramento; sí atacó la *corrupción* del jurar dentro de un sistema de casuística hipócrita y sutil (véase Mar. 7:1-13). Tal como puntualiza Donald Hagner: "Parece suponerse que en la práctica el jurar es más a menudo un medio para evitar lo prometido que el hacerlo" (Hagner D., *Matthew 14—28* [Mateo 14—28], p. 127). Y para empeorar la cosa, esto se hacía usando los símbolos del nombre de Dios para así engañar a la gente para que creyera que sus palabras eran veraces y confiables.

Pero es debatible que esto requiera que los discípulos interpretemos a Jesús como mandándonos a rechazar el juramento bajo cualquier circunstancia. Es interesante, al estudiar este tema en el resto del NT, que en un texto que se asemeja mucho a Mateo 5:33-37, Santiago argumenta a favor de una postura negativa respecto al juramento (Stg. 5:12), mientras que Pablo hace varios juramentos y votos, ofreciendo algunos juramentos según el tradicional estilo judío para respaldar sus afirmaciones en varias de sus epístolas (2 Cor. 1:23; Gál. 1:20; Fil. 1:8; cf. 2 Cor. 11:31). La práctica está usada sin crítica como una ilustración en Hebreos 6:13-20, y un ángel jura "por el que vive para siempre jamás" en Apocalipsis 10:6. Las diferencias de opinión cristianas más tardías se prefiguran en el mismo NT, siendo aparentes esas divisiones entre los mismos intérpretes neotestamentarios.

Sin embargo, si pensamos que Mateo 5:34-36 primariamente articula un ciclo vicioso, nos recuerda que el jurar, por lo menos como un medio de avalar la veracidad, contiene un peligro inherente. Esto establece un sistema de dos etapas del hablar. Si digo bajo juramento o voto que mis palabras son veraces, entonces tú como el oyente has de tener confianza en mis palabras. Pero, entonces, ¿qué de lo que digo al no estar jurando o tomando un voto? Por lo menos implícitamente, tales palabras tendrán menos peso. Puede ser que sean veraces o no. *La misma existencia del hablar por juramentos amenaza con hacer que el habla cotidiana sea menos confiable.* El teólogo griego-judío Filón reconoció esto: "El mismo hecho de jurar arroja suspicacia sobre la veracidad del que jura" (en Garland D., "Oaths and Swearing" [Votos y juramentos], p. 577).

Los juramentos sólo existen porque no se puede confiar en que la gente diga la verdad bajo circunstancias normales. De no ser así, no harían falta. Pero si no se puede confiar en la veracidad de las personas a no ser que estén jurando, entonces ¿por qué se debe confiar en ellas cuando sí juran? Si no se valora siempre la veracidad en sí misma, entonces no se puede confiar plenamente en la palabra de nadie. Y, desde luego, se empeora la cosa más de la cuenta si introduzco varias excepciones o cláusulas de salida dentro de los sistemas de juramentos. Todavía peor es la situación si uso los juramentos cínicamente para engañar a la gente para que me crea las mentiras.

Por esto Jesús concluyó esta enseñanza con la iniciativa transformadora que manda la palabra sencilla y veraz: "Que tu sí sea sí y tu no sea no". El camino de la liberación de este ciclo vicioso de falta de confiabilidad es sencillamente practicar la veracidad en todo momento. La veracidad, más bien que alguna forma de engaño, es una característica de la incursión del reino de Dios. El erudito neotestamentario suizo Hans Weder capta esto al decir: "Vez tras vez en la historia eclesiástica esta enseñanza es reducida al legalismo: Al cristiano no se le permite hacer ningún juramento". Pero "esto esquiva la verdadera intención de Jesús: no que nadie haga juramento sino la veracidad de toda palabra" (*Die "Rede del Reden"* [Hablar sobre el habla], p. 127). Esta interpretación es consistente con otras que se dan en este libro; vemos la enseñanza de Jesús como una instrucción dinámica respecto a cómo los discípulos pueden participar en el naciente reino más bien que un nuevo juego de restricciones legales. Nuestro enfoque ha de cambiar: En vez de cuestionar si debemos hacer juramentos en la corte o no, debemos preguntarnos cómo llegar a ser personas veraces.

Jesús cierra esta enseñanza con una solemne explicación: "Porque lo que va más allá de esto, procede del maligno". El recurrir a varios juramentos y votos invita a un patrón de engaño y falsedad que en última instancia se remonta a Satanás, el padre de toda mentira (Juan 8:44), cuya habla engañosa en el huerto comenzó el descenso humano hacia el pecado y la muerte, iniciando el patrón del habla nada confiable que caracteriza a la condición humana.

Vivir en la verdad como discípulos cristianos

Llama la atención que de los 31 usos de la palabra *verdad* (*aletheia*) en los Evangelios, todos menos seis se hallan en el Evangelio de Juan. *Verdad* es una palabra clave en la literatura juanina, apareciendo como un sustantivo 25 veces en el Evangelio y 20 veces en las tres cartas de Juan. Una lectura cuidadosa de esta corriente de la literatura neotestamentaria muestra varias cosas acerca de cómo la comunidad juanina relacionaba la verdad con Jesús y con el discipulado.

Para Juan, Jesús es la encarnación de la verdad. A él se le describe como "lleno de gracia y de verdad" en el prólogo del Evangelio (Juan 1:14). En Juan 14:6 se identifica a sí mismo con la verdad: "Yo soy el camino, la verdad y la vida". Al preparar su partida de los discípulos, él prometió el Espíritu Santo, declarándole tres veces como "el Espíritu de verdad" (Juan 14:17; 15:26; 16:13; véase 1 Jn. 5:6: "el Espíritu es la verdad").

El uso del término "verdad" sugiere conexiones con el entendimiento hebreo del carácter de Dios como veraz. Las palabras hebreas para "verdad" y "verdaderamente" (*emeth* y *amen)*, o frases que describen a Dios como "el Dios de la verdad" (Sal. 31:5; Isa. 65:16; véase Apoc. 15:3), apuntan a la fiabilidad, la fidelidad y la confiabilidad de Dios. No sólo habla Dios la verdad sino que *Dios es veraz*; es decir, Dios es caracterizado por la fidelidad y es fiable para cumplir con sus compromisos. Así que, cuando Juan relaciona a Jesús con la verdad, o que Jesús mismo haga esta conexión, no es sólo que Jesús hablara verazmente sino que él mismo encarnaba el carácter de Dios quien es "verdad".

Para Juan también era cierto que Jesús era el absoluto portador y comunicador de la verdad. Él revelaba lo real en contraste con lo aparente, la verdad en contraste con la falsedad. "La gracia y la verdad nos han llegado por medio de Jesucristo" (Juan 1:17). En una disputa fuerte contra los líderes religiosos, Jesús se describió a sí mismo como "un hombre que os he hablado la verdad que oí de parte de Dios" (Juan 8:40). Les decía la verdad, pero sus palabras eran rechazadas (Juan 8:45, 46). El Espíritu de la Verdad continuaría la obra que Jesús había estado haciendo, guiar a sus seguidores "a toda la verdad" (Juan 16:13). Jesús le dijo a Pilato "para esto he venido al mundo: para dar testimonio a la verdad" (Juan 18:37). Pilato respondió con su famosa y cínica réplica: "¿Qué es la verdad?" (Juan 18:37).

Los seguidores de Jesús conocen la verdad (1 Jn. 2:21; 4:6; 2 Jn. 1) y dicen la verdad (Juan 19:35). Pero, más profundamente, los discípulos son "de la verdad" (1 Jn. 3:19) y "en la verdad" (2 Jn. 1); "la verdad permanece en ellos" (1 Jn. 1:2). Son santificados o hechos santos en la verdad (Juan 17:17).

Sin embargo, esta interpenetración del discípulo y la verdad es amenazada por toda clase de desobediencia de parte del discípulo. La verdad es algo en que los discípulos "andan" (2 Jn. 4; 3 Jn. 3, 4); es decir, se vive la verdad. El dejar de vivir la verdad hace cuestionar si de veras existe la verdad en tales personas (1 Jn. 1:8; 2:4); es decir, es cuestionable que verdaderamente amen a Jesús, porque el que ama a Jesús guarda sus mandamientos (Juan 14:15). "Si vosotros permanecéis en mi palabra, seréis verdaderamente mis discípulos; y conoceréis la verdad, y la verdad os hará libres" (Juan 8:31, 32).

Es posible que la constante alusión a la verdad hecha por Juan tenga algo que ver con la situación de controversia que existía entre la comunidad juanina y los líderes religiosos judíos en el tiempo cuando se escribió el Evangelio. En una lucha sobre las afirmaciones contradictorias de la verdad última, Juan era firme en su convicción de que él y su comunidad estaban "en la verdad" y sus adversarios no. Este choque entre cristianos y judíos de afirmar tener la verdad última a lo largo de los siglos ha presentado sus consecuencias negativas, las cuales, como cristianos, debemos aceptar con tristeza.

Sin embargo, para nuestros propósitos, dos temas morales críticos se introducen felizmente aquí, y de maneras distintas figuran en otras partes de la Escritura también.

Primero, *la verdad no es algo que simplemente se crea o se diga, sino una manera de ser.* Es un sendero que se sigue (2 Tim. 2:18; Stg. 5:19), un lugar que uno habita (2 Ped. 1:12) y un compromiso del yo. La verdad es algo que o está en nosotros o no está (Gén. 42:16). Permanece en nuestros "corazones" o nuestro "ser interior" (Sal. 51:6), saliendo así de nuestras "bocas" de forma natural al presentársenos la oportunidad de hablar (véase Mar. 7:21-23; Sal. 5:9; 15:2; 51:6). La verdad ha de ser amada (Zac. 8:19; 2 Tes. 2:10), buscada ardientemente (Jer. 5:1, 3), regocijada (1 Cor. 13:6) y hecha un aliado (2 Cor. 13:8). Una vida de veracidad nos liberta (Juan 8:32). Véase la virtud de la pureza de corazón, la cual en el capítulo dos decíamos significar "integridad, una correspondencia entre la acción externa y el pensamiento interior... una falta de duplicidad, una singularidad de intención... y el deseo de agradar a Dios sobre todas las cosas" (Davies D. y Allison A., *Critical and Exegetical Commentary* [Un comentario crítico y exegético], 1:456).

Segundo, *el compromiso con la verdad es verificado por los hechos*. Desde luego, estos hechos incluyen la naturaleza del habla característica de la persona, sea que mentimos y engañamos o, más bien, hablar la verdad (Sal. 5:9; Prov. 8:7; 12:20; Jer. 9:3). Un compromiso con la verdad también incluye nuestra apertura para recibir y aprender del habla desagradable pero veraz, la cual es la fuente de crecimiento en el discipulado y esencial para la vida en comunidad de pacto (Amós 5:10; Mat. 18:15-20; Gál. 2:14; 2 Tim. 2:25). La apertura al habla crítica pero veraz apoya el concepto del arrepentimiento continuo que hemos recalcado de vez en cuando en este libro como algo fundamental para el vivir cristiano y la ética cristiana como disciplina. Más generalmente, a lo largo de la Escritura, como hemos tratado de mostrar de muchas maneras, se nos enseña que Dios quiere de parte de los seres humanos no tan sólo un asentimiento intelectual a las creencias correctas sino más bien un estilo de vida que esté conforme a su voluntad.

La incursión del reino realza la urgencia de participar en la voluntad redentora de Dios tal como enseñó Jesucristo. Esto comienza con la correcta percepción de la misma realidad como el alborear del reino de Dios en Jesucristo. Procediendo de esta radicalmente revisada percepción de la realidad está una radicalmente enmendada forma de vivir en toda dimensión de la existencia. Vivimos verazmente cuando contemplamos la realidad tal cual es.

Una parte de la vida del reino es un compromiso con la verdad misma. Habiéndonos despojado de una falsa concepción de la realidad, no tiene caso meternos en la falsedad en ninguna área de la vida. El discipulado involucra el desnudarnos de toda falsedad, viviendo, más bien, en la verdad; como dijera Pablo: "ceñidos con el cinturón de la verdad" (Efe. 6:14). El creer las mentiras es el camino a la inmoralidad y la desobediencia, y debe ser rechazado (véase Rom. 1—2). La existencia en el reino incluye el despojarnos de toda falsedad, incluyendo otros pecados del habla en todas sus múltiples variedades: El engaño, la astucia, la decepción, la jactancia, la adulación, la maldición, las trampas verbales (Sal. 57:4; 64:3; Jer. 9:8) y el habla maliciosa e injusta de toda clase (1 Cor. 5:8; Col. 3:9; 1 Ped. 3:10; Stg. 3:1-12). Finalmente, la participación en el reino de Dios acarrea no tan sólo una reorientación individual sino la creación y sustento de una nueva clase de comunidad de pacto, la iglesia, caracterizada de forma creativa por la práctica del vivir veraz y el hablar francamente la verdad con amor (Efe. 4:15).

La verdad, el pacto, el poder y el temor

La mayoría de las discusiones en torno a la verdad y la ética ya han ofrecido teorías relacionadas con las ocasiones de una posible mentira, ¡pero queremos enfocarnos en lo que Jesús hacía más bien que en las posibles excepciones!

No obstante, en la última sección de este capítulo sí reconocemos la necesidad de considerar algunas posibles excepciones a la veracidad. Pero rechazamos el enfoque acostumbrado de simplemente considerar la posible legitimidad de ciertas mentiras como un asunto abstracto dentro de la metodología ética.

Por ejemplo, en el excelente tomo de lecturas de la ética cristiana por Clark y Rakestraw, varios autores discuten ampliamente el caso tocante a la legitimidad de mentir a los nazis respecto a los escondites de judíos (tomo 1, capítulo 3). El discutido caso se saca de *The Hiding Place* [El refugio secreto], el muy apreciado libro de la holandesa Corrie ten Boom acerca de la participación de su familia en el rescate de judíos durante el holocausto.

La primera verdadera prueba de la convicción de la familia en cuanto a la veracidad ocurre cuando llegan algunos soldados nazis a la puerta de la sobrina de Corrie en busca de sus hermanos (en vez de judíos a esta altura), queriendo secuestrarlos para el trabajo forzado en Alemania (ten Boom, *Hiding Place* [El refugio secreto], capítulo 7). La sobrina de Corrie cree que bajo ningún concepto es moralmente permisible el mentir para los cristianos, así que después de unas pocas evasivas, finalmente les dice que están debajo de la mesa de la cocina (estaban allí, pero en un espacio oculto debajo de una puerta secreta). Los nazis no se percatan de la puerta y suponen que ella solamente juega con ellos. Ellos se van enojados pero sin los jóvenes. La sobrina piensa que el incidente es una vindicación divina de su postura absoluta de no decir mentiras bajo ninguna circunstancia, pero Corrie contempla a su sobrina como habiendo expuesto innecesariamente a familiares a un peligro. Ella piensa que una mentira sería permisible en esa situación; de hecho, ya se han visto envueltos regularmente en actividades de rescate, "diciendo una mentira" (ten Boom, *Hiding Place* [El refugio secreto], p. 91). Para Corrie, no tenía sentido haber tomado una decisión bien pensada de vivir temporalmente una mentira para poder salvar vidas inocentes si se iban a arriesgar esas mismas vidas al decir la verdad a los nazis.

En la antología de Clark y Rakestraw, se usa este caso para discutir la pregunta de si las normas morales absolutas pueden estar en conflicto, y si es así, cómo resolver tales conflictos. Robert Rakestraw asume una postura que él llama *absolutismo incondicional* para argumentar que las normas morales no pueden estar realmente en conflicto, y que "ninguna mentira jamás puede ser justificada" (*Readings in Christian Ethics* [Lecturas en la ética cristiana], p. 123), presumiblemente incluyendo el mentir a los nazis para salvar a los judíos. Un extracto tomado de Helmut Thielicke argumenta a favor de una postura llamada *absolutismo conflictivo* en el que las normas morales sí están en conflicto en ciertos casos extremos, y cuando esto sucede, no hay ningún camino sin pecado; hemos de escoger el mal menor, que justificaría el mentir a los nazis (Ibíd., p. 130). Norman Geisler asume la postura llamada *absolutismo escalonado,* argumentando que las normas morales sí están en conflicto a veces, y cuando esto pasa, hemos de escoger la norma de más peso, y al hacerlo no es posible que seamos culpables. De modo que mentir a los nazis "no era malo sino bueno" (*Christian Ethics* [La ética cristiana], p. 137).

Aunque esta clase de discusión tiene un valor genuino, creemos que la cuestión más importante suscitada por el caso de "mentir a los nazis" es *la dimensión de pacto y poder de la ética de la veracidad*. Esta será nuestra manera de introducir algunas posibles excepciones a la norma de la veracidad. Nótese cómo la forma y función de normas morales, vistas en el capítulo cinco, tienen que ver con la discusión.

Fundamentos teológicos. Ya vimos que Dios es el Dios de la verdad, identificándose con la verdad en Jesucristo. La verdad fluye del ser divino (Sal. 43:3). Dios lucha por la causa de la verdad (Sal. 43:5) y habla sólo la verdad (Sal. 119:160; Isa. 45:19). "Todas sus obras son verdad" (Dan. 4:37). Los "ojos" de Dios buscan la verdad en la vida humana (Jer. 5:3). Todo lo dicho acerca de la relación de Jesús con la verdad se aplica aquí.

Dios hace juramentos a ciertos seres humanos escogidos y hace un pacto con Israel y, en Jesús, a la iglesia. Dios cumple con los pactos hechos por él, y él espera una fidelidad de pacto con todos aquellos que hacen votos a él. También, Dios espera y demanda que los seres humanos tengan pactos fieles los unos con los otros. Es más, Dios hizo a los seres humanos a la imagen divina y exige que se demuestre un respeto apropiado al relacionarnos los unos con los otros.

Los principios. Un aspecto del respeto del pacto es que decimos la verdad al hablar con otros. Cuando le decimos algo a alguien, estamos implicando (comunicando implícitamente por el mero hecho de hablar) que le respetamos, y le diremos la verdad. Si le hablamos, como si le dijéramos la verdad, le debemos la verdad real. Se pudiera decir que una red de pacto me une a la persona con quien hablo. No puede haber una comunidad humana sin la confianza que procede de la constante veracidad. Con base en el principio fundamental de la fidelidad de pacto, nos comprometemos con el principio de la veracidad.

Las reglas. Este principio genera la regla que no debemos mentirnos los unos a los otros. También, genera otras reglas inferiores, tales como la declaración real de todos los ingresos pertinentes para propósitos de los impuestos sobre la renta, avisarle al cajero si me da demasiado dinero de cambio en el supermercado, etc. Todas estas reglas tienen el propósito de servir al principio de la veracidad.

De modo que con base en el carácter y la voluntad de Dios, hemos de comprometernos con este principio, construyendo varias reglas que se apliquen a casos específicos. El principio de guardar el pacto apoya nuestro compromiso con la veracidad al igual que con el cumplimiento de promesas, la fidelidad matrimonial y otros principios.

Sin embargo, *surgen situaciones en un mundo pecaminoso e injusto en el cual grandes desequilibrios o mal uso del poder subvierten o hasta destruyen el pacto implícito que existe en la comunidad.* A veces esta clase de situaciones ejercen gran presión sobre el principio de la veracidad. La mayoría de las discusiones de posibles excepciones morales convincentes en torno al principio de la veracidad, si se les examina con cuidado, comparten este mismo rasgo. Se obvia este punto en los libros de texto de ética que sí hablan de la verdad como un asunto moral.

Howard Thurman abordó con mucha claridad lo que era procurar ser una persona veraz bajo opresión. Sus reflexiones claramente tenían sus raíces en su propia experiencia como un hombre de raza negra en los EE. UU. de A. segregacionista, aunque él hace que su exposición tenga un alcance más amplio (*Jesus and the Disinherited* [Jesús y los desheredados], capítulo 3). Alumbrando la conciencia interior de los oprimidos, Thurman muestra que la impotencia hace que sea casi imposible relacionarse verazmente con los poderosos. "A través del tiempo, en todas las etapas de la actividad sensible, los débiles han sobrevivido por engañar al poderoso" (Ibíd., p. 58). Thurman, al igual que muchos otros escritores afroestadounidenses, documentan la astucia que se desarrolló en la comunidad de esclavos como una estrategia de supervivencia de los negros en los EE. UU. de A. Pero esta supervivencia por decepción cobra bien caro: es degradante, amenaza con destruir la sensibilidad moral de uno y la habilidad de hacer distinciones morales y, finalmente, posiblemente convierta al mismo yo en una "decepción" (Ibíd., pp. 64, 65).

Al reflexionar sobre la enseñanza de Jesús en Mateo 5:33-37, Thurman concluye que la liberación del opresor tanto como del oprimido en última instancia se halla en "una completa y devastadora sinceridad" de parte del oprimido, al negarse a validar el poder del opresor mediante el no doblegarse más a dicho poder (Ibíd., p. 70). Por supuesto, el mismo vivir y hablar la verdad en un contexto de opresión corre el riesgo del abuso y hasta la muerte; pero al final revela la promesa de acabar con el sentido de prerrogativa y superioridad del opresor y de abrir el camino para que haya una eventual "relación entre los seres humanos", o sea, un gran triunfo para la dignidad humana. Las palabras de Thurman aquí presagian de forma maravillosa el enfoque del posterior movimiento en pro de los derechos civiles.

Cheryl Sanders, profesora de ética cristiana a nivel universitario, también aborda la problemática de la ética de la veracidad bajo opresión en el contexto afroestadounidense. Ella habla de la práctica de los esclavos de mentir para poder conseguir alimentos. Los esclavos sabían que bajo condiciones *justas* sería malo robar o mentir y, esto es sumamente importante, *ellos no toleraban el robo y la mentira entre ellos mismos*. Ellos creían que "tal conducta constituiría una imitación de la inmoralidad de los blancos que resultaba en el detrimento de la solidaridad y el bienestar negros" (*Empowerment Ethics for a Liberated People* [La ética de capacitación para un pueblo liberado], p. 15). Dicho de otra manera, ante el contexto de una crasa injusticia, por el que todo derecho humano del esclavo era rutinariamente violado, por el que su labor les era robada, y el mismo sistema suponía una gran mentira acerca de su humanidad y por el que su misma supervivencia era amenazada por el hambre, "el robo era una respuesta necesaria". Sanders, desgraciadamente, llama a esto "una ética situacional", pero nuestra discusión en el capítulo cinco nos ayuda ver que esta es, más bien, una ética de principios: Las reglas contra la mentira y el robo están basadas en el principio de respeto para los derechos humanos dentro de una comunidad de pacto.

Al igual que en el contexto de los nazis y Corrie ten Boom, la crasa violación de las condiciones de la comunidad de pacto bajo la esclavitud crea una especie de emergencia moral por la que el derecho al alimento y el derecho de vivir se anteponen a la regla contra el mentir. Pero dicha regla aún es obligatoria, y por esto los esclavos no deben mentirse los unos a los otros, debiendo vivir con la esperanza de la venida del día cuando las condiciones de justicia y derechos humanos básicos sean reestablecidas y los negros y los blancos una vez más puedan vivir en una comunidad de pacto. La discusión de la misma Sanders aclara que el principio predominante es el derecho a la vida, no una mera ética situacional.

Václav Havel, el presidente checo que pasó años en prisión como un disidente veraz bajo el comunismo, escribió una colección de ensayos llamada *Living in the Truth* [Viviendo en la verdad]. Claro, la veracidad no es el único tema de este libro. Pero Havel, al igual que muchos observadores sabios (y víctimas) de la vida bajo los regímenes totalitarios europeos del siglo veinte, documentó con gran profundidad cómo la verdad está entre las primeras víctimas de la represión política. Bonhoeffer, Solzhenitsyn, Orwell, Mandela, King, Wiesel y muchos otros héroes literarios y políticos del siglo veinte pagaron un gran precio por decir la verdad dentro de sus contextos.

El expatriado teólogo croata Miroslav Volf ofrece ricas reflexiones sobre este mismo tema en su obra reciente titulada *Exclusion and Embrace* [La exclusión y la aceptación]. Volf comienza con un severo reconocimiento de que bajo regímenes totalitarios la verdad es ocultada, definida, redefinida, controlada y suprimida por el "partido" o el "estado". No obstante esto, ningún estado ha sido capaz de destruir absolutamente el deseo de conocer y hablar la verdad que es fundamental para los seres humanos. Siempre habrá quienes se dediquen a conocer, recordar y articular lo que realmente ocurrió o lo que actualmente sucede: el supremo acto revolucionario bajo condiciones de opresión. Este compromiso con el conocer y hablar la verdad es costoso; invita al sufrimiento y a la muerte. También tiene que hacerse con el espíritu correcto, porque la verdad puede ser recordada y hablada de tal forma que incita a más violencia. Pero aun así, la elección siempre tiene que ser la verdad. El buscar y hablar la verdad puede ser riesgoso, pero es preferible que la alternativa, es decir, estrategias de fraude y falsedad, astucia y decepción. Los oprimidos sí emplean tales estrategias para poder sobrevivir o para encontrar maneras de quebrantar las garras de los opresores sobre la definición pública de la verdad, pero al hacerlo, corren el riesgo de "entronizar precisamente al enemigo" contra el cual buscan luchar (Volf M., *Exclusion and Embrace* [La exclusión y la aceptación], p. 236). Reflexionando sobre la escena dramática de Jesús ante Pilato, Volf ve aquí un choque entre "la verdad del poder" y "el poder de la verdad"; aunque Cristo termina siendo colgado en la cruz, su muerte finalmente establece la victoria de la verdad tanto como de la vida (Ibíd., p. 268).

Dietrich Bonhoeffer mismo, en uno de los más famosos (y controversiales) tratados jamás hechos de esta cuestión, argumentaba desde una prisión nazi que la veracidad es una realidad contextual y de pacto (*Ethics* [Ética], pp. 363-372). Vale la pena repensar un poco su argumento.

Bonhoeffer afirmaba que la obligación de decir la verdad está limitada por la relación particular que tengamos con la persona con quien hablamos. Llamaríamos esto un enfoque *de pacto* en cuanto a la veracidad para indicar que este se relaciona con las obligaciones que existen en virtud de las clases de relaciones que tenemos con otros.

Bonhoeffer comienza su ensayo diciendo: "¿Qué se quiere decir con 'decir la verdad'?", al señalar que primero aprendemos a decir la verdad como niños en relación con nuestros padres. Bonhoeffer puntualiza: "La veracidad de un niño pequeño está abierta ante los padres, y lo que el niño diga debe revelarles todo lo oculto y secreto" (Ibíd., p. 363).

Pero Bonhoeffer dice que lo contrario no es así. Los padres no les dicen todo a sus hijos, y no deben hacerlo, porque los hijos no entenderían y posiblemente se asustarían o se preocuparían si ellos supieran todo lo que les preocupa a los padres. De modo que él concluye que "decir la verdad" quiere decir algo distinto según la relación particular que tengamos con la persona (Ibíd., p. 364).

A propósito, diríamos, no obstante, que es muy importante que se diga la verdad a los niños. Aquí es donde los niños aprenden la honestidad, principalmente de sus padres. También es donde aprenden las relaciones de pacto seguras entre padres e hijos, las cuales les permiten establecer tales relaciones con otras personas. Así que hemos de decir la verdad a los niños para así no dañar su confianza, aunque sí limitamos lo que les decimos conforme a su capacidad y su derecho de saber, tal como Bonhoeffer atinadamente indica.

Pero aun así el decir la verdad significa algo diferente según la relación particular en la que nos encontremos. Cuando me relaciono con un amigo, tengo una obligación de pacto de hablar honestamente. Yo necesito amigos que hablen la verdad honestamente conmigo y no simplemente hablen para halagarme. Cuando voy a un restaurante y ordeno algo, estoy entrando en un pacto implícito de pagar por lo que me sirvan y portarme cortésmente. Los obreros del restaurante entran en un pacto de darme comida que no esté dañada o contaminada por alguna enfermedad.

Bonhoeffer decía que hay que preguntar en qué forma a una persona le corresponde exigir la verdad de otros. El diálogo entre los padres e hijos es diferente que el diálogo entre el gobierno y el súbdito, entre el amigo y el enemigo. Él tiene que haber estado pensando en su relación con el gobierno nazi, el cual en ese momento estaba matando a judíos. Bonhoeffer ayudaba a los judíos a escapar. Para poder salvar la vida de los judíos, él tenía que ocultar la verdad y, a la larga, decir mentiras a las autoridades gubernamentales. Él no creía deber la misma clase de veracidad a las autoridades gubernamentales que a sus padres.

El pacto entre padres e hijos requiere una clase de verdad. El pacto entre amigos, o entre el cliente y el dueño de un restaurante demanda una clase diferente de verdad. Un granjero debe la verdad a sus clientes acerca de los tomates, pero no está obligado a contarles todo respecto a su vida privada de la misma forma en que sí ha de decírsela a su esposa. Hacerlo representaría una especie de desvergüenza que viola las obligaciones de pacto dentro de la vida familiar. Bonhoeffer no tenía ningún pacto con los nazis que requiriese que se les dijese la verdad acerca de los judíos a quienes ellos buscaban matar.

Bonhoeffer señalaba que Emmanuel Kant "declaraba que era demasiado orgulloso como para decir una falsedad; en realidad, él, sin querer, llevaba este principio *ad absurdum* cuando decía que se sentiría obligado a dar una información veraz aun a un criminal que buscara a un amigo escondido en su casa" (Ibíd., p. 369; véase Kant E., *Critique of Practical Reason* [La crítica de la razón práctica], pp. 346-350). Aquí Bonhoeffer aludía a la historia famosa de Kant del asesino que buscaba a su víctima. Es una extraordinaria prefiguración de lo que ocurriría *en masse* en la Alemania nazi unos 150 años más tarde. La afirmación de Kant es que al que toma la decisión no se le requeriría moralmente que dijese la verdad al homicida, más bien, tiene una obligación absoluta al dársela, y bajo esta y toda circunstancia está obligado a no mentir.

Bonhoeffer difiere de Kant. Él usa un ejemplo para ilustrar su propia perspectiva:

> Un maestro pregunta a un niño sentado al frente de la clase si es cierto que a menudo su papá llega ebrio a la casa. Es cierto, pero el niño lo niega. La pregunta del maestro le ha puesto en una situación para la que no está preparado. Él sólo siente que lo que sucede ocasiona una interferencia injustificada en el orden de la familia y que él ha de oponerse a ella. Lo que pasa dentro de la familia no corresponde oír a toda la clase. La familia tiene su propio secreto y ha de preservarlo. El maestro ha dejado de respetar la realidad de esta institución. Ahora el niño ha de encontrar una manera de contestar que cumpla con la regla de la familia tanto como con la regla de la escuela. Pero aún no es capaz de hacer esto. A él le faltan la experiencia, el conocimiento y la habilidad de expresarse correctamente. Al decirle no al maestro, el niño no contesta verazmente; empero, al mismo tiempo, ciertamente da expresión a la verdad de que la familia es una institución *sui generis* y que el maestro no tenía ningún derecho a interferir en ella. La respuesta del niño sí puede llamarse una mentira; sin embargo, esta mentira contiene más verdad, es decir, está más de acuerdo con la realidad que si el niño hubiera traicionado la debilidad del padre ante la clase. Conforme a la medida de su conocimiento, el niño se comportó correctamente. La culpa por la mentira recae completamente sobre el maestro (*Ethics* [Ética], pp. 367, 368).

Bonhoeffer decía que para aprender a decir la verdad se tiene que aprender no tan sólo tener un buen carácter sino también acerca de las clases de contextos sociales por las que nos relacionamos con otros y las responsabilidades que tenemos en los distintos contextos. "No se puede divorciar lo ético de la realidad, y por consiguiente el progreso continuo en aprender a apreciar la realidad es un ingrediente necesario en la acción ética" (Ibíd., p. 365). Los padres necesitan enseñar a sus hijos "las diferencias entre los varios círculos en los que van a vivir y las diferencias en sus responsabilidades" (Ibíd., p. 364). Muy probablemente él señalaba la necesidad de enseñar a los niños que ellos no debían toda la verdad a los oficiales nazis. Hay cosas que hemos de mantener secretas sin contarlas a otros.

Nosotros diríamos que no tenemos ningún pacto con tales autoridades impías a decirles una verdad que les ayude a hacer el mal. En contraste, si un gobierno es legítimo, hace la justicia y tiene el consentimiento del pueblo, entonces tenemos una obligación de ayudar al gobierno para hacer la justicia, diciéndoles la clase de verdad que se debe a un gobierno legítimo. Nuestro compromiso con la justicia y nuestro consentimiento al gobierno nos llevan a un pacto con el gobierno. Decimos la verdad acerca de nuestros ingresos para que el gobierno pueda cobrar los impuestos legítimos, y decimos la verdad respecto a la actividad criminal de la que tengamos conocimiento con el fin de que el gobierno haga su trabajo para poner fin a acciones injustas. Y el gobierno tiene un pacto con el pueblo de decir la verdad, de permitir que los medios de comunicación digan la verdad tal como la entiendan, y permitir que las iglesias digan la verdad tal como la entiendan. El gobierno no tiene ninguna autoridad para controlar lo que los medios masivos o las iglesias digan como verdad.

El entendimiento del pacto dista mucho de decir que somos libres para calcular cuándo el decir la verdad o la mentira nos conviene. Tal cálculo interesado tiene el gran peligro de abrir puertas para que se aprueben muchas clases de mentiras. En una sociedad en la que todo el mundo calcula si se debe mentir o no, se desmorona la confianza, y el pueblo aprende a hacer sólo lo que le conviene. También, la gente aprende a mentir a Dios y engañarse a sí misma. El acercamiento del pacto detiene la práctica de mentir, estando a la vez sensible a las realidades contextuales y relacionales, siendo la más extraordinaria el practicar el mal social.

La postura de Bonhoeffer puede ser apoyada por varios textos bíblicos que explícita o implícitamente ofrecen la aprobación divina a actos de decepción o aun la deshonestidad en condiciones de opresión, injusticia o guerra. El más importante de estos es la historia de las parteras, Sifra y Fúa, que mintieron al Faraón para poder salvar las vidas de los niños varones hebreos (Éxo. 1:19); Dios respondió bendiciéndoles con hijos propios. Rajab, la prostituta, mintió para proteger a los espías israelitas (Jos. 2:4-6; véase Heb. 11:31). Jael engañó a Sísara para poder matarlo (Jue. 4:17-21). Eliseo engañó al ejército sirio, logrando su captura (2 Rey. 6:18-20). Para leer un intento de mantener una postura de "ninguna excepción" que se basa en una interpretación diferente de estos textos, véase Murray J., *Principles of Conduct* [Principios de la conducta], capítulo 6).

A veces algunas estrategias interesantes han sido empleadas por cristianos serios que buscan cumplir con sus obligaciones a la verdad tanto como a otra gente. Por ejemplo, los cuáqueros, que ayudaban a los esclavos negros a escapar mediante "El ferrocarril subterráneo", a menudo preferían declarar la verdad exacta pero con *reservas mentales silenciosas*. Por ejemplo, "No conozco el paradero de ningún esclavo que haya escapado" (agregando mentalmente: "en este mismo instante"). El debate en torno a las reservas mentales es muy extenso en la literatura sobre la veracidad. Sissela Bok, quien da unas excelentes reflexiones filosóficas sobre el mentir, critica severamente este enfoque (*Lying* [La mentira], pp. 37-39). No obstante, puede verse como un intento valioso por evitar el mentir aun para salvar una vida, rompiendo la regla por el principio más profundo de la santidad de la vida humana. Si estas son las cosas que están en juego, se puede ver el valor del enfoque de la reserva mental. Ciertamente no sería prudente, sin embargo, hacer que tal práctica sea rutinaria, ya que muy probablemente carcomería la veracidad y reforzaría la autodecepción. Aquí es donde pensamos que nuestro enfoque acerca del pacto sea más adecuado: Él limita tales reservas mentales a las relaciones con poderes injustos por las cuales no hay ningún pacto de decir la verdad, habiendo un principio más profundo.

Desde la óptica contraria de una relación de poder desigual, obras recientes en la ética biomédica enfatizan fuertemente la obligación que tienen los profesionales médicos de hablar con la verdad a sus pacientes. Generalmente a esto se lo llama “el principio de la veracidad” en los textos bioéticos. Esto representa un reconocimiento por parte de los profesionales en el cuidado médico que por su acceso a un conocimiento médico especializado ellos tienen bastante poder sobre sus pacientes, un poder del que fácilmente se pudiera abusar (como se ha hecho en el pasado); esto se hace a menudo por un bien intencionado esfuerzo por evitarle al paciente un sufrimiento innecesario. Ahora se entiende que existe un pacto entre el profesional médico y el paciente que incluye la obligación de la veracidad. Con muy pocas excepciones, a los pacientes se les debe dar toda la información que desean acerca de su condición médica y los tratamientos posibles. Aunque hay cierto debate en la ética médica y entre las enfermeras en torno a varias cuestiones —el papel de las familias en la divulgación de la información a los pacientes, la obligación sentida de ayudar a los pacientes a mantener la esperanza, las obligaciones con relación a terceros que pagan, la problemática de mantener la privacidad de los expedientes médicos, etc.— el principio mismo de la veracidad se acepta ampliamente. Una mayor sensibilidad respecto al poder de los profesionales médicos ha impuesto obligaciones morales que tienen la intención de mejorar las condiciones para la toma de decisiones de parte de los pacientes y sus familiares.

Conclusión

Decir la verdad es una obligación humana bajo la soberanía de Dios que se presenta en nuestras variadas relaciones de pacto con otros, agudizada para aquellos que están comprometidos con la participación en los albores del reino de Dios. Hay veces cuando el temor nos impide decir la verdad, aunque en muchos casos el temor es simplemente el de quedar mal o una pena personal menor. Tales temores no son razones adecuadas para restringir la verdad; Jesús enseña que podemos vivir con confianza en Dios, en quien encontramos nuestro verdadero valor. Hemos de evitar una casuística moral que justifique nuestras mentiras cada vez más cuestionables. Para la gran mayoría de nosotros, la cuestión principal es aprender a renunciar al recurrir casual de la mentira, viviendo, más bien, en la verdad. Como dijera Ronald Preston: “Casi siempre la gente dice mentiras cuando no debe hacerlo. La tentación se presenta repentinamente, tal vez para zafarnos de una situación incómoda o para practicar algún pequeño fraude o decepción, y luego sucumbe la gente. Para tener el discernimiento de saber cuándo se justifica una mentira, se necesita ser habitualmente veraz (Ibíd., p. 363).

Sin embargo, surgen algunas emergencias en situaciones de opresión política o de mal social, como ya vimos, cosas que suscitan problemas urgentes. Las Escrituras nos recuerdan de ocasiones en las que “la fidelidad se ha perdido” (Jer. 7:28) o “la verdad tropieza en la plaza” (Isa. 59:14). En tiempos así el derecho, la justicia y la misma vida humana pueden verse amenazados tremendamente. A los que tienen el poder se les llama especialmente a que vivan en la verdad y que estén concientes de las muchas tentaciones que tienen para que participen en la duplicidad, la deshonestidad y la supresión de la verdad. En cambio a aquellos que son amenazados y oprimidos en tiempos de emergencia moral posiblemente se les permita suspender provisionalmente la veracidad en algunos contextos para poder satisfacer ciertas obligaciones centrales de pacto, y trabajar clandestinamente, si fuera necesario, por un justo y pacífico foro público donde la verdad pueda hablarse nuevamente.

19

PROBLEMAS RACIALES[1]

Porque donde esté tu tesoro, allí también estará tu corazón. La lámpara del cuerpo es el ojo. Así que, si tu ojo está sano, todo tu cuerpo estará lleno de luz. Pero, si tu ojo es malo, todo tu cuerpo estará en tinieblas. De modo que, si la luz que hay en ti es oscuridad, ¡cuán grande es esa oscuridad!

Mateo 6:21-23

Hoy por hoy, ningún respetable líder cristiano estadounidense hablaría en contra de la reconciliación racial. En años recientes, líderes de las iglesias tradicionales tanto como los de las evangélicas han afirmado repetidamente la meta de la reconciliación racial. Las iglesias católicas, por ser ellas, por nombre y práctica, inclusivas (católicas), generalmente han sido más exitosas, pero no siempre en casos particulares. Las iglesias tradicionales por mucho tiempo han afirmado apoyar la reconciliación racial y, de hecho, han provisto muchas de las tropas que batallaron concienzudamente en la lucha por los derechos civiles y en contra de la segregación y la discriminación. Actualmente, hay varias iniciativas en marcha por parte de varias iglesias evangélicas y organizaciones paraeclesiásticas de blancos.

Sin embargo, con pocas excepciones, notablemente en el mundo pentecostal, sólo pocos argumentarían que el progreso ha sido dramático. Al contrario, permanece muy evidente una laguna entre los cristianos blancos y negros de posturas teológicas similares, incluso las denominaciones y agencias blancas y mayormente negras entre los cristianos evangélicos. Por ejemplo, los patrones de votación en los comicios presidenciales en los EE. UU. de A. del 2000 ilustraron claramente una laguna profunda en las lealtades políticas entre los cristianos blancos y negros. Sólo el 8% de los estadounidenses negros (el 61% de los cuales se describen como cristianos nacidos de nuevo y el 49% de los cuales asisten a una iglesia en algún domingo dado según las estadísti-

[1] Nota del editor: Este capítulo refleja una realidad muy estadounidense, pero sirve perfectamente para aquellos que no viven en los EE. UU. de A. como dato referencial para aplicar a su realidad que puede tener problemas de racismo.

cas del Grupo de Investigación Barna) votaron por el autoidentificado candidato evangélico (blanco) del partido republicano, George W. Bush. Ningún grupo protestó más vigorosamente la certificación poselectoral de Bush después del resultado cuestionable en la Florida, y nadie cuestionó más profundamente su legitimidad como presidente.

Aquí no se trata de una discusión de la política racial en la Florida ni de los comicios del 2000. Pero lo que pasó entonces allí, nos da una indicación del entendimiento de los cristianos acerca de la cuestión racial, y nuestra actual lucha como cristianos estadounidenses para lograr la meta elusiva de la reconciliación racial en la vida eclesiástica tanto como en la nación. Puede que no sea una exageración decir que hasta que los cristianos entiendan verdaderamente los patrones de votación divergentes entre los evangélicos blancos y negros (entre otras realidades políticas), no tendremos posibilidad alguna de lograr una genuina reconciliación racial. Esta diferencia de votación es un excelente marcador de todo lo que nos divide.

Nuestra tesis aquí es que la justicia más bien que la reconciliación es el mejor rubro para considerar la problemática de la raza. Más precisamente, queremos argumentar, bíblicamente tanto como dentro del contexto de los patrones históricos de la injusticia racial en los EE. UU. de A., que el concepto de la reconciliación es hueco a no ser que se edifique sobre el fundamento sólido de la justicia. Si la reconciliación se entiende como la reparación de relaciones rotas y la restauración de una comunidad confiada e íntima entre personas o grupos, entonces la justicia es el primer paso. No puede haber una reconciliación racial a menos que haya primero la corrección de una injusticia relacionada con el prejuicio racial; al igual que, por lo general, no puede haber una reconciliación entre personas o grupos enajenados a menos que se aborden constructivamente los males previos.

Aunque el lenguaje de reconciliación racial sigue siendo aceptado en la mayoría de los círculos cristianos, sin que se cuestione aparentemente, precisamente es por cuestiones de la *justicia* racial que estadounidenses blancos y negros tienden a estar en desacuerdo más enérgicamente. En realidad, a veces parece como si los estadounidenses blancos y negros vivieran en "dos países", usando la frase cargada de significado de Andrew Hacker; no es que sólo están en desacuerdo respecto a cuestiones de injusticia racial sino que *experimentan* esas cuestiones de formas fundamentalmente contrarias. Si este es el caso, y con toda certeza parece serlo, entonces hablar de una reconciliación racial entre cristianos blancos y negros es prematuro y, en realidad, puede ser destructivo en las relaciones raciales de nuestras iglesias y de nuestro país.

En esta sección, entonces, intentaremos aplicar la manera de entender la justicia de parte de Jesús en el campo de las cuestiones raciales, enfocándonos particularmente en las injusticias raciales concretas que siguen afectando a los afroestadounidenses; a la vez, recordaremos que este es sólo uno de muchos contextos históricos y contemporáneos de la injusticia racial y conflicto basado en la raza en los EE. UU. de A. tanto como alrededor del mundo. Estamos particularmente enterados de la importancia de ver la injusticia racial verdadera y objetivamente. Nuestro método holístico recalca que las lealtades a los amigos, los grupos y las prácticas acostumbradas, tanto como a las inversiones económicas, moldean la forma en que vemos las cosas. Los blancos tienden a tener más amigos y parientes blancos; los latinos tienden a tener más amigos y parientes latinos; los negros tienden a tener más amigos y parientes negros. La experiencia personal tanto como las encuestas objetivas nos dicen que las personas sí ven las cosas de forma diferente conforme al grupo al cual pertenezcan. Inmediatamente después de hablar Jesús respecto al lugar de nuestras lealtades de corazón (Mat. 5:21), él señala el contraste entre la forma saludable y la insalubre de ver nuestras lealtades de corazón, y cómo moldean nuestra forma de ver las cosas más de la cuenta. Necesitamos desarrollar una manera saludable y precisa de ver lo que está sucediendo en nuestra sociedad.

Como un aviso previo, hemos de notar que en este capítulo nos enfocamos casi exclusivamente en las injusticias raciales concretas que siguen plagando a los afroestadounidenses y en la cuestión de la reconciliación racial entre blancos y negros. Sí reconocemos que la injusticia racial y la problemática más amplia de las relaciones entre grupos étnicos son problemas mucho más grandes tanto aquí como alrededor del mundo que lo que este enfoque pareciera indicar. Lamentamos, por ejemplo, no poder lidiar con los problemas mencionados por los autores latinos, los autores indígenas y las voces asiáticoamericanas que abordan las relaciones raciales en los Estados Unidos de América. Como el autor principal de este capítulo, yo (Dave Gushee) he optado por este enfoque debido en parte al propio contexto geográfico por el cual las divisiones raciales aún están mayormente entre blancos y negros, y debido en parte a las limitaciones de espacio. Pero también se puede argumentar que la historia estadounidense de esclavitud y su herencia han dado forma a las relaciones raciales más poderosa y más distintivamente que las demás formas de injusticia racial. Hasta que sanemos esa historia, es improbable que sanemos las demás formas. Así que puede ser que mi propio contexto geográfico sea, irónicamente, una dádiva para poder sentir el desafío. Nuestras referencias a dos muy legibles libros de estudio (*Sojourners*) señalan otras perspectivas más étnicamente diversas.

La cuestión racial y la injusticia de violencia y muerte

Argumentamos en el capítulo diecisiete y en otros lugares de este libro que Jesús rechazaba varias formas de violencia injusta, aclarando que su misión era no violenta. La cuestión que hay que considerar aquí es si lo racial en el contexto estadounidense se relaciona con la injusticia de la violencia, y por extensión, a la muerte prematura. La respuesta es un sí categórico. A continuación se abordan varios asuntos que se relacionan con la violencia y la muerte, experimentados muy diferentemente por estadounidenses blancos y negros, experiencias que suscitan preocupaciones legítimas que no son notadas o tomadas en serio por estadounidenses blancos.

El delito violento. Los hombres negros son siete veces más susceptibles a morir asesinados que los hombres blancos, y las mujeres negras son cuatro veces más susceptibles a morir de esta forma que las mujeres blancas (El Buró Estadounidense de Censo, *Extracto 2000*, tabla 134). Es más probable que los negros sean víctimas de delitos violentos en general que los blancos o los hispanos (Ibíd., tabla 341). Es menos probable que ellos reciban una pronta atención policíaca al ser víctimas del trato injusto o sentir que su persecución reciba tanta atención como la del blanco (*Sojourners, America's Original Sin* [El pecado original estadounidense], pp. 22-29). La vida en algunos de los barrios urbanos es simplemente inconcebible, y ciertamente sería intolerable para los que nunca han puesto un pie allí. Como ex residentes estudiantiles de la urbana Nueva York y Filadelfia, hablamos con cierta experiencia en este sentido, pero reconocemos que nuestra experiencia no se asemeja a la de los residentes permanentes de las ciudades más deprimidas de EE. UU. de A.

Delitos de odio. Reconociendo que los crímenes enraizados en el odio racial constituyen un ataque devastador sobre la seguridad personal y los valores estadounidenses, los legisladores de muchos estados, y a nivel nacional, en años recientes han insistido en una legislación que imponga penas muy severas en tales delitos. Las estadísticas del FBI sobre delitos demuestran que los negros son víctimas de delitos de odio más que cualquier otro grupo, sea racial, étnico, religioso o sexual (El Buró Estadounidense de Censo, *Abstract 2000* [Extracto 2000], tabla 338). Delitos de odio ocasionales, tales como los asesinatos en el área de Chicago en julio de 1999 por un hombre afiliado con el Partido Nacionalista de los Blancos, nos recuerdan de la existencia continua de un empedernido odio racial en la sociedad estadounidense. El asesinato, clara y brutalmente motivado por el odio racial, de James Byrd en Texas subrayó de forma trágica la continuada existencia de crímenes motivados por el odio racial. Los estadounidenses negros tienden a favorecer una legislación que aborde específicamente los delitos de odio (la cual finalmente fue aprobada en Texas en mayo del 2001), aunque es menos probable que los estadounidenses blancos la favorezcan.

La pena de muerte. Aunque los afroestadounidenses de forma desigual son víctimas de los delitos violentos, incluyendo la asombrosa diferencia en la tasa de homicidios citada anteriormente, ellos tienden a apoyar la pena de muerte menos que los estadounidenses blancos. La razón es fácil de detectar. La experiencia constante de injusticia en el sistema judicial socava la confianza entre los negros de que la pena de muerte se aplique justamente. La evidencia de discriminación racial en la sentencia y la aplicación de la pena de muerte es actualmente casi indisputable; inequidades respecto a la raza de la víctima y a la del ofensor están bien documentadas (véase Death Penalty Information Center webpage [el sitio del Centro de información tocante a la pena de muerte], www.deathpenaltyinfo.org. y el capítulo 9). Es decir, cuando un negro es asesinado, es menos probable que se sentencie a muerte a su asesino; a la persona de raza negra convicta de asesinato es más probable que se le sentencie a muerte que a un asesino blanco. Puede ser que esto resulte del hecho de que el 98% de los fiscales en los condados que emplean la pena de muerte en los Estados Unidos de América son blancos.

La degradación ambiental. Las comunidades pobres, mayormente de grupos étnicos minoritarios (especialmente negros), es mucho más probable que sean sitios donde se desechan materias tóxicas y se instalen industrias peligrosas que los suburbios urbanos, mayormente de blancos. Esta problemática, llamada a veces "el racismo ambiental", sigue mayormente desconocida por los estadounidenses blancos. Claramente, el problema tiene que ver con la falta de poder político y económico de los estadounidenses negros tanto como con los patrones históricos de discriminación racial. Cuando todo el mundo dice "en mi patio trasero, ¡no!", ¿en el patio de quién se pone? En el patio trasero del carente de poder para evitarlo. O, en su defecto, termina llegando a colocarse en el patio trasero de aquel tan carente de medios económicos que las ganancias económicas en perspectiva de una nueva industria peligrosa o un depósito de materias tóxicas se ven como suficientes como para compensar por los riesgos ambientales.

La expectativa de vida. Según las estadísticas más recientes y completas del gobierno federal de EE. UU. de A. (1998), las mujeres negras pueden esperar vivir cinco años menos que las mujeres blancas. Los hombres negros pueden esperar vivir casi siete años menos que los hombres blancos (U. S. Census Bureau, *Abstract 2000* [El Buró de censo estadounidense, *Extracto 2000*], tabla 115). Aunque se ha cerrado un poco la brecha en años recientes, nunca en la historia de esta estadística los negros se han acercado siquiera a la expectativa de vida de los blancos. Las causas de esta diferencia en la duración de vida son varias: La hipertensión, el estrés, la obesidad, la ansiedad, la escasa atención médica, la falta de seguros médicos y la mayor probabilidad de ser víctimas de delitos violentos. Difícilmente hay una preocupación más fundamental que la injusticia de la desigualdad en la duración de la vida.

La raza y la injusticia de la privación económica

La segunda área de injusticia abordada por Jesús era la avaricia y la opresión económica. Su preocupación por la justicia económica nos invita a considerar si cuestiones raciales en EE. UU. de A. se relacionan con la injusticia económica. La respuesta es obvia, la cuestión es dónde comenzar.

Indicadores económicos. Los estadounidenses negros siguen quedando atrás de los estadounidenses blancos en todo indicador de bienestar económico. Para 1998, los ingresos medianos de un hogar de negros eran 25.351 dólares y para un hogar de blancos 40.912 dólares, lo cual significa que una familia negra gana 619 dólares por cada 1.000 dólares ganados por una familia blanca (basada la información Ibíd., tabla 736). Aunque algo de esta disparidad se relaciona con el trágicamente elevado patrón de familias de un solo padre dentro de la comunidad negra, esto no explica la totalidad de la diferencia. En términos de distribución de ingresos, de aquellos que ganaban menos de 15.000 dólares por año en 1998, el 16% de los hogares blancos y el 32% de hogares negros se encontraban en esta categoría (Ibíd., tabla 736). Según la definición gubernamental oficial de la pobreza, el 36,4% de niños negros son pobres en comparación con el 14,4% de niños blancos (Ibíd., tabla 755). Para 1998, el 46% de los negros eran dueños de sus propias casas, mientras que el 72% de los blancos eran dueños de sus casas (Cose E., "The Good News About Black America" [Buenas nuevas acerca de los negros en Estados Unidos], 33). Finalmente, la tasa de desempleo para 1998 era el 8,9% para los negros y el 3,9% para los blancos (U. S. Census Bureau, *Abstract 2000* [El Buró de Censo Estadounidense, *Extracto 2000*], tabla 645). Ninguna de estas estadísticas habla en cuanto a la causa de estas disparidades. Ellas sí señalan una injusticia sistemática en la distribución de ingresos y los beneficios económicos dentro de la sociedad estadounidense, que puede ser reflejo de lo que pasa en el mundo.

La reforma de los programas de asistencia pública y los programas contra la pobreza. En el año 1996 se presenció la muy debatida legislación en torno a la reforma nacional de los programas de asistencia pública. Esta legislación acabó con toda asistencia monetaria para los pobres. La última parte de la década de los años 90 nos dio una muy fuerte economía que acojinaba el esperado aumento masivo en el sufrimiento humano debido a este cambio en la política nacional. Sin embargo, condiciones económicas más duras desde el año 2000 han empezado a dejar otro cuadro. Es más, hay que recordar que el acabar con el bienestar público no constituye un programa contra la pobreza. Los mejores esfuerzos estatales en este sentido, tales como los de Wisconsin bajo el ex gobernador Tommy Thompson, han combinado la reforma de asistencia pública con un agresivo adiestramiento de obreros, cuidado infantil, transporte y otros esfuerzos que se necesitaban para sacar a la gente de la caridad pública, y lograr empleo para ella. Tales esfuerzos son costosos, a veces más dinero del que antes se empleaba en los programas de bienestar público. A los blancos, incluyendo a la mayoría de los blancos cristianos, no se les conoce por su agresividad en abogar por los gastos públicos en tales iniciativas. Muy al contrario, la mayoría tiende a oponerse a tales gastos. Los negros cristianos se fijan en esto.

La acción afirmativa. La llamada acción afirmativa comenzó tardíamente en los EE. UU. de A. en la década de los años 60 para contrarrestar la discriminación consciente e inconsciente contra las mujeres y los grupos étnicos minoritarios. Las leyes previas en torno a los derechos civiles abordaban la discriminación intencional y jurídica, tal como la votación, la vivienda y las políticas de empleo que abiertamente excluían a los negros y a las mujeres. Se pensaba que la acción afirmativa sería el siguiente paso, procurando lidiar con las ventajas (y desventajas) creadas por las profundamente arraigadas estructuras sociales que legaban un estatus preferido a los blancos en cuanto a empleos, adelantos en el comercio tanto como a su entrada a universidades. La idea era tomar algunos pasos "afirmativos" agresivos para "nivelar el campo de juego", permitiendo así un ingreso a las instituciones que anteriormente tenían las puertas cerradas a los negros, los hispanos, las mujeres y otros grupos en desventaja. El hacer cumplir las leyes tocantes a los derechos civiles evitaría una discriminación intencional, la acción afirmativa de forma premeditada evitaría la discriminación no intencional y comenzaría a rectificar las desventajas acumuladas que se habían legado por generaciones a grupos minoritarios.

La acción afirmativa no logra la aprobación de algunos estadounidenses negros por varias razones; la preocupación mayor es que carcome la autoconfianza de los negros tanto como la confianza de los blancos en la competencia de sus colegas negros. Pero si se ha debilitado el apoyo entre los estadounidenses negros, se ha reducido dramáticamente entre muchos blancos. Muchos blancos están dispuestos a reconocer la continua existencia de una inequidad social estructurada o las ventajas que se acumulan simplemente por ser blanco en una sociedad dominada por blancos. De modo que no están anuentes a apoyar una política basada en esta interpretación de la realidad. Aunque se puede debatir legítimamente la acción afirmativa en cuanto a su alcance y forma, los blancos demuestran una carencia de preocupación por la justicia y una falta de perspectiva respecto a la vida social al negar la realidad de la injusticia estructural y su conexión con el racismo. (*Sojourners*, *Crossing the Racial Divide* [Cruzando la división racial], pp. 70, 71). A los cristianos blancos en particular se les puede acusar de haber fallado en no mirar más allá de sus propios intereses raciales para ver los intereses de otros (Fil. 2:4), especialmente los de los históricamente desaventajados.

La educación. Muchas de las batallas más intensas de la sociedad estadounidense se libran sobre cuestiones relacionadas con la educación. Claramente la injusticia racial existe en la educación. Tal vez su forma más devastadora se halla en el estado atroz de muchas de nuestras escuelas urbanas. Ningún niño puede tener éxito fácilmente en una escuela que esté insegura, superpoblada, mal dirigida o que esté desmoronándose. Sin embargo, esa es la realidad de muchas de nuestras escuelas, y ello simplemente refleja la realidad de sus comunidades en derredor y de la indisposición política de invertir en la educación de aquellos cuyos padres carecen de poder e influencias.

Muchos afroestadounidenses han resuelto hacer un gran esfuerzo por superar la discriminación mediante el método tradicional del avance educativo, a pesar de las escuelas malas en las áreas de pobreza y una falta de dinero para costear la educación universitaria. Pese a estas y otras desventajas, en 1960, seis años después de que la decisión *Brown vs. Board of Education* [Brown vs. La Junta de Educación] había comenzado a desmantelar la segregación en las escuelas, 18,7% de los alumnos negros recién graduados de la secundaria estaban en la universidad, lo cual se aproximaba al nivel 24,3% de los blancos. Para 1970, al hacer cumplir las leyes de los derechos civiles y con más subvenciones y préstamos para toda persona de cualquier raza que necesitara ayuda para solventar los gastos universitarios, el porcentaje de alumnos negros recién graduados en la universidad había subido a 26,7. La subvención gubernamental para la educación universitaria también ayudó a alumnos blancos; su porcentaje había subido aún más, a 33,9. Para 1975, el número de graduados negros de las secundarias que estaban en la universidad casi alcanza al de los blancos: 32,5% de los negros y 33,9% de los blancos. Esto fue un logro realmente extraordinario, y un reconocimiento al empeño de los negros para conseguir una preparación, al igual que a las políticas que hacían que las universidades fuesen accesibles.

Pero en la década de los 80 hubo un retroceso respecto a los préstamos gubernamentales y las subvenciones para la preparación universitaria (tanto como para el adiestramiento para empleo); también hubo una merma en el hacer cumplir las leyes en torno a los derechos civiles, resultando en una baja en el porcentaje de alumnos recién graduados de la secundaria en las universidades; para 1985 el porcentaje había bajado al 26,5. A estas alturas el 35% de graduados blancos cursaban carreras universitarias. El decrecimiento en la ayuda gubernamental también retardó el avance de los blancos, pero su tasa sí aumentó un poco en 39,8 para 1990. Para estas fechas, los negros estaban en 33,7%, estadísticamente lo mismo que habían logrado en 1975. Para 1992, los blancos habían subido un poco más, a 42,7%, pero los negros se quedaron estancados en el 34,3%. Con la mejoría en la economía en el decenio de los años 90, y habiendo más apoyo gubernamental de las leyes de derechos civiles, este número empezó a subir de nuevo. Los blancos subieron el 4% comparándose con la década de los años 90, y los negros subieron dramáticamente, faltando sólo 4% para llegar al nivel de los blancos (U. S. Census Bureau, *Abstract 1994* [El Buró de Censo Estadounidense, Extracto 1994]).

Se debaten también otras cuestiones educacionales, incluyendo el lugar del estudio en torno a los negros estadounidenses y la historia de los negros en el currículo general. Persiste aún el hecho de que los logros educativos de los negros no elimina la disparidad en los ingresos económicos entre los estadounidenses blancos y negros. (Un porcentaje más elevado de negros que blancos viven en la pobreza pese a los logros educacionales que tengan (Ibíd., tabla 761). Por algún tiempo, las injusticias raciales y los intentos por remediarlas desgarraban los sistemas educativos estadounidenses y sus comunidades; se piensa en el papel central del caso de *Brown vs. Board of Education* [Brown *vs.* La Junta de Educación] en 1954, el cual ordenó el fin de la segregación de las escuelas y las escenas desgarradoras en lugares como La Escuela Secundaria Central de Little Rock[2] y en todas partes de Estados Unidos de América.

Hoy parece que hay más esperanza de encontrar un terreno común entre los estadounidenses blancos y negros respecto a algunas de estas cuestiones educacionales más que muchas otras cuestiones; esto se evidencia en la repetida preocupación del presidente Bush para que haya mejoras en las escuelas públicas. Sin embargo, en su caso (y aquí el Presidente es paradigma para muchos otros) esta preocupación por las escuelas no se relaciona con ninguna visión más amplia para el alivio de la injusticia económica y sus vínculos raciales.

La raza y la injusticia del dominio por parte de los poderosos

Jesús confrontaba a los que dominaban a otros; censuraba el poder de los líderes político-militares romanos tanto como el de los líderes religiosos judíos. La autoridad es una dimensión indispensable de la vida comunitaria, es cierto, pero Jesús enseñaba que la autoridad tenía que ejercerse como servicio.

[1] Se refiere a lo que sucedió cuando en 1957 el gobernador de Arkansas llamó a la guardia nacional para impedir la entrada de estudiantes negros a esta escuela de Little Rock, Arkansas. El Presidente de los EE. UU. de A. respondió enviando más soldados.

Las desigualdades de poder. Estando acostumbrados al poder social, los estadounidenses blancos normalmente no tienden a notar el hecho de las desigualdades raciales de poder de la sociedad. En muchos sectores, los Estados Unidos de América permanece como una sociedad dominada por blancos, pese a la cada vez mayor diversificación de la población nacional. Esto no quiere decir que los negros y otros grupos raciales "minoritarios" carezcan de la oportunidad formal o aun funcional para ascender a posiciones de liderazgo; sí significa, sin embargo, que este ascenso sigue siendo relativamente inusual y no ha cambiado el hecho de que el rostro del poder social en gran parte de nuestra nación permanece mayormente blanco. Quizá el mejor ejemplo singular del fenómeno sigue siendo que la oficina del gobierno ha sido ocupada únicamente por hombres blancos a lo largo de toda la historia de los EE. UU. de A. Esto es extraordinariamente simbólico de la distribución del poder en este país. Los negros mayormente han sido excluidos de lo que el sociólogo Daniel Bell llama "la familia pública" de la vida estadounidense, un hecho visiblemente simbolizado por su ausencia en la familia estadounidense pública.

Las injusticias delincuenciales. Es difícil imaginarse un poder más fundamental que el derecho de arrestar, encarcelar y ejecutar. Durante las últimas décadas, se han hecho enormes esfuerzos a lo largo del país para asegurar que este poder se ejerza sin tomar en cuenta la raza del reo; pero, según nuestra óptica, los estadounidenses negros siguen viendo el sistema judicial como un perfecto ejemplo del poder injusto y dominativo. Hay toda una gama de problemas: El acoso policiaco, el uso excesivo de la fuerza, la brutalidad, el destacar racialmente a la persona, el ser tratado de forma diferente por la policía al ser víctima de un delito, el ser tratado de forma diferente por las cortes, etc. Reflexionando sobre las causas de serios disturbios raciales en Cincinnati en la primera parte de 2001, Michelle Cottle escribió: "La brutalidad policial ha llegado a ser el trauma racial preocupante de los EE. UU. de A., el trauma distintivo de una sociedad cuyos esfuerzos para deshacerse de la segregación racial superan grandemente sus esfuerzos por deshacerse de la injusticia racial" ("Boomerang", [Bumerán], p. 27). Más todavía, como Megan Twohey escribiera: "El sistema nacional de justicia es el centro más debatido hoy en torno a los derechos civiles" ("Promise Unrealized" [Promesa incumplida]). Y las luchas de hoy tienen lugar contra el trasfondo de una historia horrenda. Los blancos deben recordar la historia del uso y abuso del sistema judicial criminal para sostener y capacitar nuestra propia forma de *apartheid* hasta su forzado desmantelamiento en el decenio de los años 60.

La raza y la injusticia de exclusión de la comunidad

Una forma clave del poder dominante es el poder de excluir a la gente de una plena participación en la comunidad. La inclusión radical en la comunidad era un tema clave del ministerio de Jesús, tal como ya hemos argumentado. Jesús incluía a enfermos y marginados, a mujeres y a niños, a varias clases de "pecadores" y aun a gentiles. Él creó una nueva clase de comunidad compuesta por discípulos y pecadores perdonados que rompió con barreras de todo tipo. La exclusión de la comunidad hiere profundamente a los excluidos, en el nivel emocional tanto como en el práctico. Sea el niño excluido en el patio de recreo o el obrero no invitado a una reunión que le correspondía, la exclusión de la participación en comunidad es una profunda injusticia que se aborda consistentemente en la Escritura. Cuando se trata de la relación entre la raza y la exclusión, no se nos hace difícil encontrar temas dignos de abordar.

La discriminación en la vivienda. Aunque ya es ilegal discriminar basándose en la raza en la industria de bienes raíces, el *apartheid* residencial, como lo llamara Andrew Hacker, sigue existiendo con mucha frecuencia. Muchas áreas residenciales de EE. UU. de A. son casi o totalmente de una sola raza. Las presiones que impiden que afroestadounidenses residan en áreas ocupadas predominantemente por blancos ahora son mayormente sutiles, mediante un ostracismo social y distintas clases de evasiones, una franca intimidación y otras violaciones de derechos civiles y leyes sobre la vivienda; estas ilegalidades siguen ocurriendo, tales como la supervivencia de "pactos raciales" de ciertas urbanizaciones. Muchos estudios indican que muchos blancos se sienten incómodos si la proporción negra de su barrio llega al 8%; cualquier número que supere eso rebasa "el punto de balance" por el cual a menudo comienza lo que se llama "la huida blanca", y rápidamente la vecindad cambia (Hacker A., *Two Nations* [Dos naciones], p. 36). Como una persona blanca, es difícil imaginar la sensación de humillación y rechazo que el fenómeno de la "huida blanca" debe significar para los afroestadounidenses. Por otro lado, muchas áreas principales tales como Los Ángeles, donde vive Glen, son maravillosamente multiétnicas y por ende, grandemente enriquecidas.

El derecho de votar. La cuestión del derecho al voto para los negros se estableció en 1965 mediante el Acta de los Derechos al voto. Sin embargo, la gran controversia que surgió cuando la elección presidencial en el año 2000 reveló que aún permanecen algunas sutilezas en el derecho al voto y que sí cobran matices raciales. Cuando menos, los afroestadounidenses de la Florida, en términos generales, experimentaron más dificultad para ejercer su derecho a votar que los blancos de ese estado, primordialmente, pareciera, debido a un equipo anticuado y provisiones inadecuadas para acomodar a los votantes en algunas de las áreas predominantemente negras. Se empleó una empresa independiente para purgar supuestos votantes erróneos, purgando mayormente a los grupos étnicos de forma equivocada en muchos casos. Puede que se vea o no una conspiración aquí, pero cuando menos se demuestra la misma clase de trato inferior a los grupos no blancos que tan a menudo caracteriza la vida en esta nación. Otra cuestión que tiene que ver con el derecho a votar es lo que ahora tiene que verse como una exclusión injusta de los delincuentes convictos que ya cumplieron con su condena; en muchos estados ya no podrán volver a votar jamás. Esta exclusión actualmente afecta el 13% de todos los hombres negros en los Estados Unidos.

La exclusión de las iglesias y otras asociaciones voluntarias. Hace apenas 40 años, las iglesias, clubes sociales y otras organizaciones de membresía voluntaria rutinariamente excluían de participación o membresía a los negros y a veces a otros no blancos y judíos. Actualmente esto es ilegal. Sin embargo, una exclusión informal sigue ocurriendo. En la parte occidental de Tennessee, donde yo vivo, sigue siendo claro que algunas iglesias de blancos, al tener algunas visitas de negros, les comunican que no son bienvenidos. Yo aconsejo a algunos estudiantes universitarios que trabajan en tales iglesias y luchan con cómo responder cuando se enteran tristemente de que la Gran Comisión no es vista como aplicable a “ellos”, por lo menos, “aquí, no”. Mientras tanto, seguimos enterándonos de algunos clubes sociales y otros bastiones de la elite que aún no admiten a su primer miembro de la raza negra.

Errores recordados no corregidos

Hace falta mencionar, aunque sea de pasada, una última clase de injusticia: La injusticia de no enmendar los errores del pasado.

Últimamente, muchos excelentes libros se han escrito sobre el complejo grupo de cuestiones que tienen que ver con la corrección de errores nacionales, corporativos y políticos. Los tribunales de guerra, entre los más famosos los Tribunales de Nuremberg después de la Segunda Guerra Mundial, se han establecido para hacer que los perpetradores reciban su justa recompensa. Hasta la fecha siguen las discusiones en torno a las reparaciones relacionadas con la Segunda Guerra Mundial, habiéndose terminado la guerra hace más de 60 años. Sud África estableció una Comisión de Verdad y Reconciliación para tratar con los crímenes y las injusticias de la era del *apartheid*. Más de 20 países en diversos continentes han hecho algo semejante después de un cambio de régimen que permitía que se verificara la verdad. Una problemática real es cómo tratar las injusticias históricas en un mundo donde la justicia nunca es perfecta. ¿Se debe buscar la verdad del pasado, traer a los perpetradores a su castigo indicado, lograr una compensación simbólica o material para las víctimas, o efectuar una sanidad y reconciliación comunal?

Aunque cada una de estas metas puede defenderse, nadie puede argumentar atinadamente que la mejor forma de tratar con una historia de injusticias horrendas es ignorarla. Tapar tales males no es una opción. Ciertamente no hace nada que contribuya a la verdad, la justicia o la reconciliación ni nada que se asemeje al reino de Dios. Nuestra propia perspectiva es que generalmente una combinación de enfoques, fundados todos en la veracidad, es el mejor acercamiento. Pero es mucho más fácil decir esto que hacerlo, y las varias situaciones exigen una variedad de enfoques (para ver un excelente resumen de estas cuestiones, incluyendo una fascinante perspectiva sobre el valor de la veracidad, véase Todorov T., "In Search of Lost Crime" [En busca del crimen no solucionado]; también, Wink W., *When the Powers Fall* [Cuando los poderes caen]).

Cuando la veracidad se aplica a la problemática de la injusticia racial en los Estados Unidos de América, a menudo los estadounidenses blancos responden con una impaciente frustración ante cualquier reclamo de que nuestra historia tortuosa en torno a la raza deba abordarse siquiera. Los que abordan este problema son acusados de "ocasionar problemas"; que sería mejor "no revolver las aguas". Pero, desde luego, el no hacerle frente a los males del pasado casi siempre conlleva el no estar dispuesto a vivir en justicia y reconciliación. Como lo expresaran los editores de *The New Republic* [La nueva república], refiriéndose a las atrocidades norteamericanas en Vietnam:

> Mientras más aprendamos acerca del pasado, lo comprendemos mejor... Ciertamente no se logra la "sanidad" por una indiferencia hacia la verdad. ¿O precisamente obedece la ascendencia de la "sanidad" como un ideal estadounidense a una indiferencia a la verdad, a su eficiencia moral, a su promesa de una absolución instantánea y un rápido "proseguir"? ("Anti-Hero" [Un antihéroe], un editorial sin firma, 14 de mayo de 2001).

Ninguna agencia ni representante de los EE. UU. de A. jamás ofreció un completo y veraz recuento de los males del racismo blanco o pidió disculpas por la institución de la esclavitud o por lo que siguió después de la emancipación: Un siglo de segregación y lo que Orlando Patterson atinadamente llama "el convertir en demonios, el aterrorizar y el humillar" a los negros estadounidenses por los representantes oficiales y no oficiales de la sociedad blanca (*Rituals of Blood* [Los rituales de sangre], p. 223). El Presidente Clinton pidió disculpas oficialmente en 1997 por los infames experimentos sobre la sífilis en Tuskegee pero, desde luego, esa atrocidad fue sólo una entre muchas. Conversaciones sobre alguna clase de compensación por la esclavitud, aunque se dan de vez en cuando, siguen siendo periféricas. Mientras tanto, los estados sureños siguen lidiando con el simbolismo de los Estados Confederados por el cual muchos blancos se niegan a mostrar la más mínima sensibilidad por el dolor ocasionado por tales símbolos, tales como la bandera de la Confederación.

Mi propia experiencia con los esfuerzos de la Convención Bautista del Sur en 1995 por repudiar su propia historia racista atestigua las dificultades, las limitaciones, pero también el valor de tal esfuerzo. Nuestra resolución sobre la reconciliación racial, cubierta ampliamente en los medios masivos en junio de 1995, no deshizo 400 años de historia o hacer que todo estuviera bien. Algunos blancos detestaban la declaración. Algunos negros lo tildaban de "muy poco o demasiado tarde". Efectivamente era muy poco, y definitivamente demasiado tarde, pero como un participante en su elaboración, puedo asegurar que se hizo concienzudamente y representaba el sentir de los escritores de la declaración. La confesión es un aspecto de la justicia y un precursor de la reconciliación. Esta puede abrir brecha para el perdón, ungiendo esas heridas que de otro modo harían imposible la reconciliación. A la inversa, el negarse a lidiar apropiadamente con males del pasado es un aspecto de la injusticia. Esto sigue afectando negativamente las relaciones entre los blancos y los negros en los Estados Unidos de América.

No queremos dejar la impresión de que consideramos que toda la experiencia de los negros en los EE. UU. de A. sea un relato sórdido de su maltrato. Muy al contrario: tal como escribiera Ellis Cose: "Ahora es un buen tiempo, el mejor tiempo de todos, de ser negro en los Estados Unidos de América" ("Good News About Black America" [Buenas noticias acerca de los negros en Estados Unidos de América], p. 30). Los afroestadounidenses han hecho esfuerzos enormes por superar la herencia del dominio y la explotación económica. Los héroes nunca contados son millones. Pese a la opresión de los sistemas de los blancos, sus estructuras y cultura, millones de aliados blancos han puesto su granito de arena o más para redimir una herencia sórdida, sin que se les reconozca.

No deseamos pasar por alto las preocupaciones suscitadas por responsables autores negros acerca de significativos problemas interiores dentro de las familias negras. Tampoco creemos que el racismo sea un fenómeno únicamente de parte de los blancos contra los negros. Finalmente, tampoco creemos que todas las quejas de algunos de los líderes negros sean cuestiones de justicia. Para poder conversar honestamente sobre estas dimensiones de nuestra continua lucha contra el racismo en los EE. UU. de A., los blancos tienen que pagar el precio, porque por siglos de discriminación e insensibilidad nos hemos ganado la suspicacia respecto a nuestros motivos y nuestro compromiso. Y ese precio de admisión requiere una atención seria a la continua experiencia de injusticia racial. Tal como dice Ellis Cose:

> A pesar de todo el progreso de las últimas décadas, seguimos hablando acerca de Estados Unidos de América negro como un lugar y un pueblo por separado. Y pese al homenaje de labios para fuera que le damos al concepto de la igualdad, observamos con ecuanimidad, hasta con orgullo, un perfil estadístico de los negros estadounidenses que, si fuera el de los blancos, sería motivo de horror y consternación (Ibíd., p. 40).

También se requieren conversación, aprendizaje, el compartir de historias, el entablar amistades y el llegar a hacernos aliados. Andrea Ayvzian, Beverly Daniel Tatus y Rodolpho Carrasco ofrecen algunas muy prácticas y sanadoras sugerencias en su "Can We Talk?" [¿Podemos conversar?] y una "New School of Racial Healing" [Una nueva escuela de sanidad racial] en *Crossing the Racial Divide* [Cruzando la línea divisoria racial], *Sojourners*, pp. 62-67). Una de las realidades más profundas y a menudo desapercibidas para los blancos es una vergüenza subconsciente acerca de dos realidades de nuestra historia. Primero: El ser "blanco" conlleva connotaciones de ser identificado con el racismo blanco, con sus afirmaciones de superioridad de los blancos y la opresión blanca, sin que quisiéramos identificarnos con eso ni hablar de ello. Segundo: nuestras familias no llegaron a estas riberas como "blancos," sino como celtas, irlandeses, italianos, alemanes, griegos, búlgaros, rusos, escandinavos, judíos, etc. Como tales, alguna vez tuvimos algunas ricas narrativas étnicas familiares y remembranzas del peregrinaje desde el antiguo país hasta la tierra de "libertad y justicia para todos", sea cual fuere su narrativa familiar.

El llegar a ser conocidos como "blancos" involucraba la supresión de algo de esa rica herencia para poder amoldarse a una dominante cultura blanca y así ajustarse. Esta cultura blanca destruye mucho de la riqueza de la herencia; "blanco" no es el nombre de una narrativa familiar que yo pueda afirmar, enorgullecerme o describir; esto encierra la sutil vergüenza, no tan sólo de la historia del racismo blanco sino también la vergüenza subconsciente de haber reprimido nuestra herencia alemana, escandinava o hugonote para poder encajar. Y esa vergüenza impide que los blancos pregunten a los negros o latinos o coreanos acerca de sus propias narrativas familiares y experiencia étnica. Ocasiona que impongamos una supuesta narrativa genérica en otros lo cual hace que perdamos la rica diversidad de los demás. Ocasiona una sutil conspiración de silencio acerca de lo que nosotros proyectamos como temas penosamente potenciales. Pero todo el mundo tiene una historia que sería interesante discutir. Sugerimos que todos, incluso los blancos, empecemos a hablar abiertamente, aunque con cierta sensibilidad, humildad y humor, acerca de nuestras propias narrativas familiares y manías étnicas, preguntando a otros, incluyendo a los negros, los hispanos, los indígenas, etc. si las narrativas familiares también han sido parte de su historia. Es sorprendente cuán rápidamente nuevas amistades y un profundo compartir y el buen humor pueden formarse.

La Escritura y la raza

Hemos enfocado nuestra discusión en las relaciones entre los blancos y los negros en los EE. UU. de A., porque como dijera Donald Shriver, el racismo blanco es "la injusticia cívica más vieja de los Estados Unidos de América"

(*An Ethics for Enemies* [Una ética respecto a los enemigos], p. 171), y su impacto permanece hasta hoy, tal como hemos querido demostrar.

Sin embargo, no queremos dejar la impresión de que el prejuicio racial e injusticia comenzaran en Jamestown en 1609. No, la diversidad de la familia humana, dada por Dios, fue torcida por el pecado que resultó en la destrucción de la comunidad humana mucho antes de llegar los primeros esclavos a nuestras riberas.

La Biblia registra los conflictos entre los distintos grupos de pueblos tanto como nos provee de ricos recursos normativos para la justicia racial y la reconciliación. Consideremos estos brevemente.

La historia de la elección de Israel de entre los pueblos de la tierra para que fuesen el pueblo escogido de Dios ha sido interpretada de maneras constructivas y destructivas respecto a la causa de la justicia racial y la reconciliación. Algunas voces dentro de la tradición judía, aunque una minoría, tanto como algunos que se han apropiado de la historia de Israel en su propia forma de entenderse a sí mismos como uno que otro "nuevo Israel" (los colonos estadounidenses blancos, los afrikaners en Sud África, etc.), entendiendo así la elección de Israel como una afirmación divina de la superioridad racial o étnica.

Empero, este es un error garrafal. La Escritura reiteradamente afirma que el pueblo de Israel fue escogido de entre las naciones, no por su superioridad sino por su insignificancia. Declaraciones como las siguientes abundan: "No porque vosotros seáis más numerosos que todos los pueblos, el SEÑOR os ha querido y os ha escogido, pues vosotros erais el más insignificante de todos los pueblos" (Deut. 7:7). La elección fue un acto de gracia divina.

La elección estaba ligada a la fidelidad de Israel al pacto. De hecho, su identidad y continuo estatus como el pueblo especialmente relacionado con Dios está inextricablemente entrelazado con su manera de vivir como testigo de la voluntad de Dios: "Ahora pues, si de veras escucháis mi voz y guardáis mi pacto, seréis para mí un pueblo especial entre todos los pueblos. Porque mía es toda la tierra, y vosotros me seréis un reino de sacerdotes y una nación santa" (Éxo. 19:5, 6).

La gente que huía de los egipcios en realidad era "mixta" (Éxo. 12:38), no un pueblo étnicamente homogéneo. Se puede decir que la experiencia del éxodo y en el Sinaí, más bien que una etnia común, forjó la identidad de los fugitivos como un pueblo de Dios. Esta corazonada es confirmada por las muchas provisiones de la ley que abrían membresía en la comunidad judía para aquellos extranjeros que estuvieran dispuestos a vivir según los términos del pacto. Varios mandamientos del Pentateuco incluyen a los extranjeros residentes; aunque siempre se hace una distinción entre ellos y otros israelitas, los estatutos se aplican a los dos grupos con pocas variaciones (véase Lev. 17:8-15; Deut. 26:11-13). Más tarde vemos que varias personas, no de ascendencia israelita pero fieles al pacto, se ganan un lugar de honor en la narrativa bíblica; Rut, por ejemplo, que entra al linaje de David y por ende al de Jesús el Mesías. Isaías también aclara que los gentiles son bienvenidos.

Distinciones muy marcadas *sí* se hacen entre los israelitas y otros pueblos, pero estas distinciones son religiosas y morales más bien que raciales. Constantemente, al pueblo se le llama a que se mantenga aparte de los demás pueblos, pero la preocupación es la idolatría más bien que una especie de racismo. El separatismo que se pide no parece haberse logrado jamás, y uno de los temas centrales del AT es la lucha de Israel porque logre un exclusivo monoteísmo Yahvístico, apartándose de un sincretismo local alentado por los matrimonios mixtos y las relaciones con los vecinos.

Lo más cercano que el AT llega a cruzar la línea entre el separatismo religioso y racial se halla en los libros posexílicos de Esdras y Nehemías. En Esdras, por ejemplo, a la desesperada comunidad de exiliados que han regresado se los presenta como divorciándose de sus esposas extranjeras y despidiendo a los hijos de tales matrimonios. Lo hacen para poder ganar de nuevo el favor de Dios (Esd. 9—10) mediante la preservación de la "simiente santa" (Esd. 9:2), no "raza" (como dice la NVI) [la palabra hebrea es *zerah*]), de una contaminación religiosa, no racial, aunque tal vez la distinción nos sea más clara que lo que hubiera sido para los primeros lectores del libro.

Varios profetas agregan un importante tema a la autocomprensión de Israel al afirmar que Dios, en realidad, está intensamente relacionado con otros pueblos. Amós emite una nota sorprendentemente universalista al decir: "Oh, hijos de Israel, ¿acaso no me sois como los hijos de los etíopes?, dice el SEÑOR. ¿No hice yo subir a Israel de la tierra de Egipto, a los filisteos de Caftor, y a los sirios de Quir?" (Amós 9:7). El libro de Jonás tiene que ver con el esfuerzo exitoso de Dios en producir el arrepentimiento de los odiados asirios, pese al esfuerzo recalcitrante del profeta con el fin de no tener parte en esa causa. Abundan advertencias de juicio respecto a otras naciones (véase Amós 1:3—2:5), pero también hay muchas promesas de que algún día serán llevadas a una gozosa relación de pacto con Dios (véase Isa. 2:3, 4; Zac. 8:20-22).

No obstante esto, aun es cierto, al trasladarnos a la era neotestamentaria, que algunos del mundo antiguo no podían discernir la diferencia entre el particularismo religioso y étnico del pueblo judío, y algunos de los judíos que dejaban la impresión de creer en su superioridad étnica sobre los gentiles. La tensión entre los judíos y los gentiles es uno de los temas más llamativos del NT. Cómo esa tensión era manejada presenta recursos muy ricos para el pensamiento cristiano en torno a la justicia racial y la reconciliación hoy.

Claramente, Jesús emprendió su ministerio dentro de un contexto judío, trabajando primordialmente con sus correligionarios judíos. Y sin embargo, los relatos de los Evangelios aclaran que en su ministerio itinerante él se desplazaba más allá del territorio judío. Mucho de su obra se centraba en Galilea más bien que en el corazón de la vida judía en Judea; también, él visitaba áreas no judías tales como las ciudades de Tiro y Sidón, Decápolis al otro lado del mar de Galilea, Perea y, más significativamente quizá, Samaria. Dondequiera que iba, él ofrecía esencialmente el mismo ministerio de predicación, enseñanza, sanidad y exorcismo.

Dentro del territorio judío, Jesús no vacilaba en hablar a cualquiera con quien se topara, incluyendo los oficiales de la odiada ocupación romana. Su encuentro con un centurión provocó esta exclamación: "¡Os digo que ni aun en Israel he hallado tanta fe!" (Luc. 7:9). Respecto a la enseñanza de Jesús, la parábola del samaritano compasivo atinadamente se interpreta no tan sólo como un claro llamado a la compasión activa sino también como un declarado repudio del racismo religioso antisamaritano. Además, en la Gran Comisión (Mat. 28:16-20) Jesús instituyó una misión global para la iglesia primitiva, pidiendo que sus seguidores hicieran discípulos de todas las naciones (*ethnoi*= pueblos). En el día de Pentecostés, el Espíritu Santo empezó la obra de enviar los discípulos a todos los grupos lingüísticos (Hech. 1:4, 8; 2:1-13); también, todo el libro de Hechos muestra al Espíritu Santo trabajando en los corazones del cada vez más diverso grupo de gentiles.

La iglesia primitiva luchó tenazmente para poder superar la barrera racista entre los judíos y los gentiles al expandir su misión a lo largo del mundo mediterráneo. Decisiones principales y profundamente controvertidas entre los cristianos más primitivos eran si los gentiles debían ser incluidos siquiera en la comunidad de seguidores de Cristo (Hech. 10), o hasta qué grado ellos tendrían que asumir las marcas bíblicas y culturales de la identidad judía para poder ser incluidos en la comunidad cristiana (Hech. 15; Gál. 2). Aunque indicios de una verdadera lucha y una diferencia de opiniones son obvios, el resultado final es claro: La fe y comunidad cristianas serían una realidad internacional e interétnica. Echó raíces una nueva visión de la humanidad, una en la que las históricas barreras étnicas se acabaron (Efe. 2:19), siendo una familia de fe con Jesucristo como su cabecera. El libro de Hechos revela que la iglesia primitiva en realidad llegó a ser una comunidad multiétnica tal, componiéndose el liderazgo de africanos, asiáticos y europeos y, por supuesto, de judíos tanto como gentiles.

Esta es la visión sobre las cuestiones raciales que la Escritura deja con todo aquel que la lea correctamente. Los cristianos sí toman muy en serio la comunidad, y toda comunidad seria requiere fronteras, pero junto con el Antiguo tanto como el Nuevo Testamento tenemos que afirmar que las fronteras de la comunidad cristiana han de ser religiosas-morales, más bien que racial-étnicas. Es posible ser excluido de la comunidad cristiana por la heterodoxia (el grave error teológico) o la heteropraxia (el grave error moral), pero no, acuñando un nuevo término, por la heteroetnia. Que algunos cristianos no hayan entendido esto, y aún no lo entiendan, constituye una de las ofensas más graves posibles contra el evangelio.

La justicia racial y la reconciliación: En las fronteras

Hoy por hoy los EE. UU. de A. es más diverso étnicamente que ninguna otra sociedad en su historia. El censo de 2000 reveló, entre otras cosas, un tremendo aumento en el número de estadounidenses hispanos, que ya iguala el número de afroestadounidenses en la población, unos 35 millones cada grupo[3]. Ha habido un aumento dramático en el número de personas que se identifican con una raza mixta, recordándonos que el mismo concepto de "raza" es de construcción social. California ha llegado a ser el primer estado en el que los blancos no constituyen una simple mayoría de la población. Aunque el racismo blanco es el pecado original de los EE. UU. de A., siendo sus víctimas más predominantes los indígenas y luego los afroestadounidenses, el país en el siglo veintiuno presentará un juego de desafíos y oportunidades mucho más complejo y variado.

El área norteña del estado de Virginia, por ejemplo, donde me crié, era arrolladoramente blanco en las décadas de los años 60 y 70 con una pequeña y bastante segregada población negra. Actualmente, es una de las regiones más diversas del país, una verdadera mezcolanza de hombres, mujeres y niños de la mayoría de los países del mundo. Al ir creciendo la próxima generación del norte de Virginia en este contexto, seguramente los casamientos entre razas crearán la clase de comunidad interétnica que los racistas de nuestra nación siempre han temido y buscado evitar.

Pero aun así, permanecerán sectores de la nación en los cuales los problemas raciales serán iguales como siempre. En gran parte de la región rural y las aldeas de sur, tal como en la comunidad de mi propio Jackson, Tennessee, hablar de "raza" es hablar principalmente de una realidad blanco-negra. Aún se pueden ver algunas tensiones raciales sutiles, pero a veces no tan sutiles, en las escuelas públicas, los concejos locales y los supermercados, sin hablar de las iglesias. Aquí aún es posible hablar de iglesias "blancas" e iglesias "negras". La mayoría de las iglesias bautistas en el pueblo no tienen ni un solo miembro negro, y lo mismo puede decirse respecto a las iglesias negras. Cantamos algunos de los mismos himnos, pero no los cantamos juntos. Los esfuerzos por romper la barrera del color, por lo menos en las iglesias blancas, siguen siendo escabrosos en ciertos lugares. ¡Es una vergüenza!

Me parece a mí que por lo menos en esta región del país, y tal vez en otras,

---

[1] Nota del editor: Según los últimos datos, el número de hispanos ya superó al número de afroestadounidenses.

hace falta el espíritu valiente y pionero de los paladines que lucharon por los derechos civiles en la década de los 60 para poder cruzar esta última frontera de la integración racial. Yo hallo ese espíritu en algunos de mis alumnos, que se encuentran quedamente edificando puentes sobre las fronteras raciales. Pioneros de este tipo pueden hallarse a lo largo del país.

La frase más cautivadora de Martin Luther King tal vez fuera "la amada comunidad". Esta frase parece ser un excelente punto alrededor del cual podemos ver la tesis que hemos estado explorando aquí. Hemos argumentado que la reconciliación racial tal vez sea la herramienta conceptual equivocada, quizá por ahora, para poder entender la situación racial en los Estados Unidos de América. Más bien, hemos dicho que la *justicia racial* debe ser nuestro paradigma principal. Por lo menos al considerar las relaciones entre blancos y negros, si usamos las categorías de la justicia derivadas de la enseñanza de Jesús, descubrimos varias áreas en las que prevalece la injusticia. La reconciliación, si es que va a darse, tiene que llegar como consecuencia de tomar en serio por parte de los estadounidenses blancos la injusticia racial contra los estadounidenses negros, respondiendo con una concreta acción política y social.

Según Michael Emerson y Christian Smith, esto es precisamente lo que los evangélicos blancos no han podido o no han estado dispuestos a hacer. Su estudio sociológico de las actitudes evangélicas respecto a la raza revela un individualismo reinante y lo que ellos llaman un *relacionismo* en las actitudes de los blancos. Los blancos entrevistados por ellos casi invariablemente no estaban dispuestos o no podían reconocer la dimensión social de las relaciones raciales en los Estados Unidos de América, en parte debido a un entendimiento individualista del pecado y la salvación. Los entrevistados decían que posiblemente un puñado de individuos sean racistas, pero que no hay un problema racial sistémico en los Estados Unidos de América. Si es así, entonces la única cosa que el evangélico blanco puede hacer en cuanto a las relaciones raciales es evitar el prejuicio personal y tratar de llevarse bien con quien se tope (Emerson M. y Smith C., *Divided by faith?* [¿Divididos por la fe?], p. 38).

Si es cierto lo que Emerson y Smith afirman audazmente, "esta es la perspectiva sobre la raza de los evangélicos blancos estadounidenses" (véase también Blackmon D., "Racial Reconciliation Becomes a Priority" [La reconciliación racial llega a ser una prioridad], ya tenemos una de las pistas que necesitamos en cuanto al fracaso de los esfuerzos en pro de la reconciliación por parte de los cristianos estadounidenses blancos. Una incapacidad o una indisposición de reconocer una injusticia racial sistémica hacen que la reconciliación sea casi imposible. Nosotros argumentaríamos aquí que esta laguna está arraigada no tan sólo en el aislamiento social de los blancos respecto a los negros y su individualismo teológico, tal como afirman Emerson y Smith, sino también en una lectura equivocada más amplia del significado de la vida y mensaje de Jesucristo. Nosotros creemos que él tiene mucho que decir respecto a la justicia; la mayor parte de nuestros correligionarios blancos, no. Su entendimiento del evangelio les ha adiestrado para que no vean la injusticia.

Hay un matiz que se debe agregar a estas alturas. Dentro de la comunidad negra se pueden encontrar algunos pensadores y líderes que se han quebrado la cabeza por esta cuestión de la justicia/reconciliación, y aparentemente salen con otras ideas, diferentes a las que ofrecemos aquí. Por 17 años Spencer Perkins y su amigo blanco, Chris Rice, hicieron un experimento en la reconciliación racial por medio de vivir en una comunidad interracial intencional en Jackson, Mississippi. De este esfuerzo por encarnar "la sanidad racial por el evangelio," tal como lo llamaban, Perkins y Rice escribieron un libro significativo (*More Than Equals* [Más que iguales] y editaron una revista cuyo título, *Reconcilers* [Reconciliadores], indican la visión que tenían respecto a las relaciones raciales antes de la muerte inoportuna de Perkins a principios de 1998.

En el último discurso de Perkins, él describió su jornada hacia un énfasis sobre la gracia, el perdón y la reconciliación con "la gente blanca". Al terminar su discurso, Perkins clarificó su postura respecto a la relación entre el perdón y la justicia de la siguiente manera:

> Nada de lo lo que he venido aprendiendo acerca de la gracia y el perdón mengua mi creencia de que los cristianos debemos trabajar por la justicia... Conozco a muchos soldados cansados que, como yo, han luchado por la justicia social casi toda la vida. No hay nada en las Escrituras que insinúe siquiera que estos profetas modernos de la justicia deban suavizar su mensaje. Pero me doy cuenta de que varios de ellos han cargado con un peso extra de resentimiento contra la gente a la que consideran ser sus opositores... Aunque hemos de seguir hablando en pro de aquellos que son oprimidos y advertir a los opresores, mi disposición de perdonarles no depende de cómo respondan. El poder extender la gracia y perdonar a la gente nos liberan ("Playing the Grace Card" [Jugando la carta de la gracia], p. 43).

Esto clarifica algo muy importante. Tal como Howard Thurmon señalara hace muchos años, existe una gran diferencia entre la situación moral encarada por el opresor histórico y los históricamente oprimidos. Cuando Perkins habla de la gracia y el perdón, primariamente él alude a la necesidad de que los cristianos negros perdonen a sus opresores blancos para el bienestar espiritual/moral de los negros y finalmente por la eficacia en lograr la misma justicia social (Ibíd., p. 44). Perkins describe esta convicción, no como una conclusión fácil, sino como el resultado de una lucha tenaz dentro de sí. Esta opción por la gracia, pese a todo obstáculo, es realmente extraordinaria, y ella caracterizaba la obra de Martin Luther King y también el liderazgo del movimiento en pro de los derechos civiles. Mirando hacia atrás a toda la historia de la política posemancipación entre los estadounidenses negros, Donald Shriver se ha preguntado: "¿Habrá dentro de la cultura de un gran segmento de los afroestadounidenses una predisposición, una *dádiva* innata, por inyectar el perdón en sus relaciones políticas con la mayoría blanca de este país? (*An Ethic for Enemies* [Una ética para los enemigos], p. 177).

Puede ser que la haya. Si es así, es una dádiva asombrosa que se ofrece a los estadounidenses blancos. Pero no es una dádiva que los estadounidenses blancos pueden dar por sentado. El problema es que cuando los evangélicos blancos hablan del perdón y la reconciliación, normalmente no lo hacen partiendo de una experiencia de *solidaridad* con los negros en su sufrimiento por la justicia sino, más bien, como un *substituto* por esa obra de justicia. Chris Rice era y es una excepción de este patrón, y por esto su propio palabra de reconciliación tiene más viabilidad, y él sigue hablando de la justicia con mucho vigor también (véase Rice C., "More Than Family" [Más que una familia]). En resumen, aunque los cristianos negros merecen moralmente enfatizar la meta última de la reconciliación, los cristianos blancos generalmente no. Nuestro llamamiento es que nos unamos a la lucha por la justicia; sólo dentro de ese contexto podremos, más tarde, hablar creíblemente de la reconciliación.

Al terminar, pues, no retrocedemos de nuestra tesis sino, más bien, la encontramos confirmada. La visión de Martin Luther King de "la amada comunidad" nos recuerda que por delante permanece la meta de una plena y gozosa reconciliación entre todas las líneas raciales, incluso la de los estadounidenses blancos y negros. El sueño, como dijera King, es una amada (y amante) comunidad en la que los hombres y mujeres de todas las razas puedan amarse genuinamente las unas a las otras tal como Jesús nos ha amado. Empero, el camino a tal comunidad no se halla *rodeando* el duro trabajo de la justicia sino *por* él; exactamente el camino que King mismo tomó, como aun una mirada rápida a sus obras publicadas lo revela. La iglesia, que tan vergonzosamente se ha quedado atrás de la nación al ir dando pasos hacia la justicia racial, necesita decidir recuperar ese terreno perdido y progresar hasta la siguiente frontera, por la que King vivió y murió: la amada comunidad.

20

La economía

No acumuléis para vosotros tesoros en la tierra, donde la polilla y el óxido corrompen, y donde los ladrones se meten y roban. Más bien, acumulad para vosotros tesoros en el cielo, donde ni la polilla ni el óxido corrompen y donde los ladrones no se meten ni roban. Porque donde esté tu tesoro, allí también estará tu corazón... Nadie puede servir a dos señores; porque aborrecerá al uno y amará al otro, o se dedicará al uno y menospreciará al otro. No podéis servir a Dios y a las riquezas.

Mateo 6:19-21, 24

El desafío de desarrollar una visión moral cristiana para la vida económica la ha tenido la iglesia desde su principio. Pocas problemáticas en la ética cristiana han generado una literatura tan masiva o tan polémica. Son pocos los temas en la Escritura que se abordan más, incluso la enseñanza de Jesús; y pocos son más directamente aplicables a todo nivel de interrelación moral cristiana, la vida individual y familiar, las prácticas eclesiásticas y la ética pública.

En este capítulo, acoplándonos a nuestro método, lo fuerte de nuestra atención se pondrá en las enseñanzas de Jesús, comenzando con el Sermón del monte y pasando luego a ver el resto de lo que Jesús tiene que decir en los relatos evangélicos. Luego, consideraremos varias de las problemáticas más significativas en la ética económica contemporánea, considerando cómo el testimonio bíblico más amplio debe moldear nuestra respuesta.

Es importante notar la unidad tanto como la diversidad del testimonio bíblico sobre esta cuestión, al igual que se hace en la mayoría de las problemáticas morales de cierta trascendencia. El reto que se presenta a los intérpretes es tomar en serio la diversidad mientras que, a la vez, salir del proceso de leer la Escritura con alguna clase de síntesis que ofrezca una guía concreta para los discípulos de Jesucristo de hoy. Esto es lo que intentaremos hacer aquí.

No se puede servir a Dios y a la riqueza: Mamón y el Sermón del monte

Mateo 6:19 comienza la tercera sección principal del Sermón del monte (6:19—7:12). Los eruditos bíblicos están en desacuerdo respecto a cuáles versículos deban agruparse en unidades. Betz H., (*The Sermon on the Mount* [El Sermón del monte], p. 423) se da por vencido en cuanto a agruparlos, viendo simplemente ocho enseñanzas individuales. Otros los agrupan en grupos, pero no concuerdan respecto a cómo hacerlo exactamente. Buscaremos mostrar que Mateo 6:19-34 contiene dos tríadas distintas pero relacionadas, ambas relevantes a este tema. Las vemos como las tríadas 11 (Mat. 6:19-23) y 12 (Mat. 6:24-34) del Sermón.

Todos los eruditos concuerdan en que Mateo 6:19 comienza una nueva unidad. El texto empieza con una enseñanza tradicional o proverbial, un imperativo negativo. Traducida literalmente, dice así: "No atesoréis para vosotros los tesoros sobre la tierra". El juego de palabras, "atesorar tesoros", denota el acaparamiento motivado por el orgullo, la avaricia y la tacañería.

El ciclo vicioso es claro: "donde la polilla y el óxido corrompen, y donde los ladrones se meten y roban" (cf. Stg. 5:1-6). Las posesiones materiales siempre han sido susceptibles a la corrupción y al robo, pero los oyentes de Jesús del primer siglo habrían estado especialmente conscientes del problema. Los ladrones podían escarbar en las paredes de la mayoría de las casas y roban cualquier caja fuerte en que pudieran guardarse posesiones de valor. Algunos procuraban lidiar con este problema escondiendo sus valores en cuevas o enterrándolos, pero tanto ropa como monedas podían echarse a perder en tales escondites (Keener C., *Comentario del contexto cultural de la Biblia. Nuevo Testamento*, p. 56). La locura de acumular bienes excesivos bajo tales circunstancias es obvia.

La iniciativa transformadora se halla en la forma imperativa (Mat. 6:20): "Más bien, acumulad para vosotros tesoros en el cielo". Este texto se asemeja a un dicho que se halla en el libro apócrifo de Tobías: "Si tienes muchas posesiones, haz que tu dádiva sea proporcional; si tienes pocas, no temas en dar según lo poco que tienes. Así estarás acumulando buen tesoro para ti en contra del día de gran necesidad" (Tobías 4:8, 9). El concepto de tesoros en el cielo también se menciona en otras partes de la enseñanza de Jesús (Mat. 19:21 // Mar. 10:21 // Luc. 18:22; Mat. 13:44; Luc. 12:33) y en las epístolas (1 Tim. 6:19; Stg. 5:3). La idea es que una vida de generosidad económica cambia los tesoros terrenales en aprobación divina en esta vida y en la siguiente, un intercambio de "tesoros" que realmente vale la pena.

Esta primera explicación se conecta con dos más: "Porque donde esté tu tesoro, allí también estará tu corazón" (Mat. 6:21) y "Así que, si tu ojo está sano, todo tu cuerpo estará lleno de luz" (Mat. 6:22). Estos dos comentarios ilustran nuestra afirmación de que Jesús no enseñaba ideales imposibles sino iniciativas transformadoras que participan en la liberación del reino.

"Los cielos", para Mateo, son "la esfera del reinado de Dios donde se hace su voluntad... Tener los tesoros de uno en los cielos quiere decir someterse totalmente a aquello que está en los cielos, es decir, el gobierno soberano de Dios. Este es motivo que sigue Mateo 6:19-21 en 6:22, 23, 24, 33, sin hablar de los paralelos en 5:8, 7:21 y 12:34" (Guelich P., *The Sermon on the Mount* [El Sermón del monte], pp. 327, 328). El contraste que Jesús hacía no era entre esta vida y la vida de más allá, sino entre esta vida caracterizada por la profunda injusticia que ocasiona el sufrimiento, y el venidero reino de Dios caracterizado por salvación, justicia, paz y gozo en la presencia de Dios. La iniciativa transformadora la constituye el invertir los tesoros de uno en el reino de la justicia y el amor de Dios por las prácticas de la generosidad económica y el hacer justicia.

Esta enseñanza no rechaza "idealistamente" la propiedad personal o la tenencia de las posesiones (como suele argumentarse a veces), sino más bien "acumular tesoros": La tacañería, la avaricia, el acaparamiento y la falta de generosidad. La alusión a la visión es crítica aquí. La habilidad de "ver" la era escatológica venidera y responder con los actos apropiados constituye "la salvación mesiánica" (Gundry R., *Matthew* [Mateo], p. 113). De igual forma, "el ojo malo" en la enseñanza judía connota la tacañería y la avaricia, y el ojo "sano" (o "singular") connota la generosidad (Ibíd., pp. 113, 114; Davies W. y Allison D., *A Critical and Exegetical Commentary* [Un comentario crítico y exegético], 1:638). Mateo 6:22, 23 unifica estos dos temas y tal vez pudieran redeclarar algo así: "Si ante el *escatón* venidero tú ves correctamente la necesidad de tu prójimo, respondiendo generosamente, toda tu persona brilla con la luz de la presencia de Dios, pero si tú cierras los ojos a la necesidad de tu prójimo, tu persona está llena de la oscuridad de la ausencia de Dios, y esa oscuridad efectivamente es muy grande". Esto, pues, nos trae de nuevo a Mateo 6:21: Cualquiera sea el camino que escojas revela la verdadera condición de tu corazón.

Un ideal "genuinamente imposible" sería hacer lo que hacen tantos (incluso cristianos) de culturas ricas tales como la nuestra: Acumular para sí riqueza y posesiones extravagantes, mientras que a la vez afirmar dar generosamente a los necesitados "como puedan"; ellos viven extravagantemente, afirmando simultáneamente no ser afectados en sus "corazones" por sus elecciones en cómo gastar sus riquezas. La enseñanza de Jesús es mucho más realista: Invierte tú las posesiones en el reino de la justicia y misericordia de Dios, y encontrarás que allí también está invertido tu corazón.

Sondra Wheeler señala que una praxis transformada, tal como Jesús enseña aquí, "*parte* de la fe, la respuesta responsable de uno que percibe en Jesús el advenimiento del reino" (*Wealth as Peril and Obligation* [La riqueza como peligro y obligación], p. 68). En otras palabras, los discípulos no viven frugalmente, dando generosamente, con el fin de ser contados como dignos de ser discípulos. Más bien, ya que somos discípulos de Jesús y hemos invertido en su proyecto escatológico, lo que sucede es que en forma natural reorientamos nuestras vidas en todas las áreas, incluso la vida económica. Esta afirmación cuadra con el tema que hemos procurado proseguir a lo largo de este tomo: La ética del reino está basada en la gracia, está enraizada en una invitación a que participemos en la irrupción del reino de Dios por Jesucristo. Los discípulos son aquellos que creen en la historia de Jesús el Mesías, entran en ella y viven conforme a ella.

Hemos dicho que los eruditos están en mucho desacuerdo respecto a cómo agrupar las enseñanzas de esta sección, y que nuestra conciencia de la estructura triádica posiblemente ayude. Gundry y Betz piensan que Mateo 6:24, "Nadie puede servir a dos señores", es independiente del versículo anterior y también del siguiente, pero Schweitzer E., (*The Good News According to Matthew* [Las buenas nuevas según Mateo], p. 213; Davies W. y Allison D., (*A Critical and Exegetical Commentary* [Un comentario crítico y exegético], 1:626, 641), piensan que Mateo 6:24 debe ir junto a 6:19-23. Si la mayoría tiene razón, entonces podemos ver la amonestación contra el afán en Mateo 6:25-30 como la enseñanza tradicional más la explicación, 6:31, 32 como el ciclo vicioso y 6:33, 34 como la iniciativa transformadora. La estructura gramatical y retórica cabría dentro del patrón que propusimos en el capítulo 6, excepto que la enseñanza tradicional incluye tres imperativos: "No os afanéis... Mirad... Mirad".

También, el patrón triádico pudiera sugerir que unamos Mateo 6:24 con lo que sigue en 25-34, y vemos el versículo 24 como la enseñanza tradicional que comienza la tríada. Creemos que es probable que esto encaje mejor, y se desglosaría de la siguiente manera.

La primera parte de Mateo 6:24 dice: "Nadie puede servir a dos señores; porque [el esclavo] aborrecerá al uno y amará al otro, o se dedicará al uno y menospreciará al otro". Esta declaración asume la forma de un tradicional proverbio sapiencial judío (Guelich R., *The Sermon on the Mount* [El Sermón del monte], p. 333; Davies W. y Allison D., *Critical and Exegetical Commentary* [Un comentario crítico y exegético], 1:642; Betz H., *Sermon on the Mount* [El Sermón del monte], p. 456). Se reporta que Hillel dijo, "mientras más posesiones se tengan, más preocupaciones hay" (Hagner D., *Matthew 1—13* [Mateo 1—13], p. 159). La idea de que no se puede servir a Dios y al dinero "estaba muy esparcida en la antigüedad" (Allison D., *The Sermon on the Mount* [El Sermón del monte], 145). Como se espera en la parte tradicional de una tríada mateana, tiene la forma negativa, no la imperativa.

El ciclo vicioso se nombra directamente en la última parte de Mateo 6:24: "No podéis servir a Dios y a las riquezas [mamón]". Los que intentan hacerlo son como los siervos que procuran servir a dos amos imperiosos, se ponen en una situación insostenible. Se puede servir únicamente a uno de los señores. El intento por eludir esta realidad de la existencia es simplemente un autoengaño fútil.

Luego, Mateo 6:25-33 ofrece cuatro exhortaciones: "No os afanéis", "Mirad las aves", "Mirad los lirios", y "Buscad primeramente el reino de Dios". Si se cuenta "no os afanéis" como parte de la iniciativa transformadora, se rompe el patrón normal por tener un verbo negativo más bien que un verbo imperativo; en todos los demás casos que vemos en el Sermón del monte, los verbos negativos se relacionan con el ciclo vicioso más bien que la iniciativa transformadora. Este encaja con el ciclo vicioso que se acaba de nombrar: El intentar lo imposible de servir a Dios tanto como a *mamón* hace que uno esté en la condición de afanarse por las posesiones.

El objetivo de la iniciativa transformadora se halla en los tres últimos verbos imperativos, llegando a su clímax en la exhortación de "buscar primeramente el reino de Dios y su justicia". Estos imperativos nos enseñan a entregarnos a la participación en la dinámica, misericordiosa y liberadora presencia de Dios. Al observar la provisión que Dios majestuosamente ofrece a favor de la flora y fauna, se nos quita la ansiedad para que confiemos en Dios, el Creador-Sustentador-Redentor. Al tomar la crítica decisión vital de dedicar nuestros "ojos" y "oídos", a nosotros mismos, para que participemos en el reino de Dios, nos libramos del ciclo vicioso del "mamonismo" y somos librados para que vivamos por la justicia con firmeza de propósito. No tan sólo esta decisión hace que seamos plenamente útiles como instrumentos de la obra del reino, sino que también es a la vez sabio y razonable. Tal como Jesús nos recuerda, el afán nunca agrega un día más de vida ni alimenta ni viste a nadie. "Basta a cada día su propio mal" (Mat. 6:34). Confiemos en Dios por el "pan cotidiano", y dediquémonos al reino.

La consistencia temática de todo este pasaje (Mat. 6:19-34) es resumida atinadamente por Guelich:

> Ya que el reinado soberano de Dios y todos los beneficios de nuestras necesidades materiales proceden de Dios a nosotros, este pasaje sugiere por implicación que podemos llegar a ser parte de la fuerza redentora de Dios en la historia por compartir estos beneficios con los necesitados... Una parte de la presencia del reino ciertamente son las bendiciones materiales. Por consiguiente, sería difícil vivir bajo el reinado de Dios, recibir sus bendiciones sin que las usáramos en alivio del mal del hambre y otros males en otras partes... No tan sólo reconocemos que todo lo que tenemos proviene de Dios, sino que también reconocemos que el compartir con otros para quitar su sufrimiento es derrotar al enemigo y "buscar el reino... en la tierra como en el cielo" (*Sermon on the Mount* [El Sermón del monte], p. 373).

Es importante leer la exhortación contra el afán a la luz del énfasis sobre la generosidad económica y la justicia económica que caracterizan el reino de Dios ("Buscad primeramente el reino de Dios y su *dikaiosuné* [santidad/justicia]"). El ver esto puede permitir que los occidentales cómodos eviten el reducir la enseñanza de Jesús sobre la vida económica en algo muy común en nuestras iglesias: "Disfruta tú de tus comodidades materiales y procura no preocuparte demasiado si no tienes todo lo que quisieras".

Más bien, en un contexto caracterizado por una extraordinaria explotación económica en el día de Jesús y una larga depresión económica en el tiempo de Mateo, Jesús enseñaba acerca de la clase de justicia compasiva y misericordiosa que libera a los pobres de la pobreza, restaurándolos a la comunidad. Esta es una enseñanza acerca de la justicia, no una enseñanza psicológica. También es una enseñanza de discipulado, un llamamiento a servir en el reinado de Dios mediante acciones misericordiosas productoras de justicia para con los más vulnerables y oprimidos económicamente.

Una evidencia tomada de otra parte del Sermón del monte ayuda a confirmar esta lectura. En Mateo 6:1-18, respecto a "la práctica de la piedad", lo cual se traduce mejor en "la práctica de la santidad/justicia" (griego, *dikaiosuné,* véase el capítulo veintidós), Jesús reafirmaba el hacer obras de misericordia a los pobres, atacando la búsqueda orgullosa de la adulación de los hombres, sin negar jamás la práctica central judía de hacer obras de misericordia. En Mateo 5:42 Jesús llamaba a sus discípulos a que "dieran al que les pidiera". Y en la oración modelo (Mateo 6:9-13), donde Jesús nos enseñó a orar porque viniera el reino de Dios, que la voluntad de Dios se hiciera en la tierra como en el cielo, y por el pan de cada día, Jesús también nos enseñó el perdón de las deudas, relacionando inextricablemente esta práctica con el perdón de Dios por nuestras "deudas" ante él (véase el capítulo veintidós). Esta alusión parece ligarse con el tema antiguotestamentario del perdón de las deudas durante el año del jubileo (Lev. 25, 27), tal como dijera J. H. Yoder, uno de los primeros en señalar esto (*The Politics of Jesus* [La política de Jesús], capítulo 3; pero compárese con N. T. Wright, *Jesus and the Victory of God* [Jesús y la victoria de Dios], p. 295).

En resumen, al trabajar únicamente con el Sermón del monte hasta este punto, vemos ciertas partes esenciales de una ética económica centrada en Jesús. Al ver la irrupción del reino de Dios cuando los demás no lo ven, el seguidor de Jesús se regocija por la oportunidad de participar en el avance dinámico del reino en todas las áreas, incluso la vida económica. El vivir frugalmente, sin acaparar la riqueza, y el confiar en Dios para que supla las necesidades materiales básicas son prácticas que nos permiten ofrecer la generosidad y buscar la justicia para los pobres y hambrientos, siguiendo generalmente a Jesús. Finalmente, al volver nuestros corazones y ojos en esta dirección, nosotros mismos disfrutamos el beneficio adicional de una extraordinaria liberación personal que nos libra de la avaricia, el consumismo, y un afán infructífero por los tesoros que se desvanecen tan fácilmente.

Jesús y el dinero en otras partes de los Evangelios

Aun fuera del Sermón del monte, los Evangelios aportan abundantes testimonios en cuanto a la enseñanza de Jesús sobre el dinero, la riqueza, la pobreza y la avaricia. Es especialmente importante repasar esto, porque los cristianos estadounidenses han desarrollado y afinado una variedad de estrategias evasivas para no enfrentar estas enseñanzas. Nuestras defensas están tan profundamente enraizadas que nos es sumamente difícil oír estos textos sin matizar, espiritualizar o descartarlos. Rehusamos hacer eso aquí. Vamos a ver cinco temas principales de la enseñanza de Jesús acerca del dinero vistos en el resto de los Evangelios.

1. Las posesiones son intrínsicamente insignificantes más allá de la suficiencia básica provista por nuestro Dios de gracia. Ya hemos visto en el Sermón del monte que Jesús llamaba a sus oyentes a que confiaran en Dios más bien que afanarse por el alimento, la bebida y la ropa. Para muchos intérpretes, este es un "dicho duro" o "un consejo de perfección". No parece ser un ideal imposible, excepto cuando se piensa en el énfasis de Jesús sobre el invertir en el reino y la justicia de Dios para que todos tengan provistas las necesidades básicas (Mat. 6:33).

En Lucas 12:13-15 leemos la historia del hombre que pide a Jesús que resuelva una disputa que tiene con su hermano tocante a la herencia. Jesús se niega a inmiscuirse en el arbitraje de la herencia, advirtiendo a sus oyentes: "Mirad, guardaos de toda codicia, porque la vida de uno no consiste en la abundancia de los bienes que posee".

Hay que recalcar que el tener una suficiencia básica de alimento, bebida, ropa, techo y atención médica *no* es insignificante. Por sus enseñanzas (Mat. 25:31-46) tanto como por sus acciones de alimentar y sanar, Jesús afirmaba la necesidad de alimentar, vestir y proteger al cuerpo humano. A Jesús no se le debe interpretar como un soñador gnóstico o dualista que no se preocupara por el cuerpo humano y sus necesidades. El dinero y las posesiones tienen valor como un recurso para nosotros y para poder ayudar a otros en necesidad.

El problema espiritual y moral se desarrolla cuando la gente da un indebido significado a las posesiones. Es fácil pensar que este sea un problema exclusivamente contemporáneo; somos inundados por la propaganda hábil que nos cuenta una serie de mentiras acerca de la importancia de esta o aquella comida, televisor, aparato o automóvil. Pero el hecho de que Jesús abordara el tema muestra que hacer que "la vida de uno" consista en "la abundancia de los bienes" es un problema humano más bien que un problema moderno simplemente. La problemática tiene que ver con cómo se trata las posesiones, o como lo expresara Joel Green, "como una referencia alterna por la que se define la vida, siendo así un peligro para la vida eterna" (*Gospel of Luke* [El Evangelio según Lucas], p. 489, nota 34).

2. El equivocarse respecto al valor de las posesiones estimula la avaricia. No es una coincidencia que Jesús empleara imágenes relacionadas a la vista al hablar sobre el problema de acumular riquezas en la tierra. Porque, en cierto sentido, este es fundamentalmente un problema de la vista, es decir, de la percepción moral. El percibir mal el valor de las posesiones le lleva a uno a decisiones morales caracterizadas por la avaricia, la cual puede definirse como *un deseo excesivo por el dinero y todo lo que el dinero pueda comprar.*

Jesús atacó a los fariseos como "llenos de robo y desenfreno" (Mat. 23:25; cf. Luc. 11:39: "lleno de rapiña y maldad"; en Luc. 16:14 se les describe como "avaros"). Ya vimos en Mateo 6:24 el conflicto intrínseco entre el amor a Dios y el amor a las riquezas. La avaricia es un desorden espiritual y moral. Arraigada en una mala comprensión fundamental del valor de las posesiones y el papel que pueden jugar las posesiones en la vida de uno, la avaricia desorienta a los hombres y mujeres a que atribuyan un valor exagerado a aquello que no lo vale. Si la riqueza, o los bienes que se pueden comprar, asumen una posición de valor exagerado, es a la vez una forma de idolatría y una lamentable ilusión que milita en contra de los mejores intereses del ser humano. Uno de los temas principales del AT, especialmente de los profetas, es que la riqueza es ocasión de idolatría; se nota que Jesús (y también algunos escritores del NT) recogen y desarrollan este tema.

La naturaleza engañosa de la avaricia es ilustrada de una forma aterradora por la parábola del rico insensato (Luc. 12:16-21). Aquí un rico terrateniente tiene la bendición de una cosecha especialmente abundante. Por no estar dispuesto a vender el exceso en un mercado saturado y sin poder encontrar un lugar para almacenar todos estos granos y, aparentemente, muchos otros "bienes" (Luc. 12:18), él emprende un proyecto ambicioso de derribar todos sus graneros y edificar unos más grandes. Esa misma noche le llega una gran sorpresa: "¡Necio! Esta noche vienen a pedir tu alma; y lo que has provisto, ¿para quién será?" (Luc. 12:20). Jesús concluyó diciendo: "Así es el que hace tesoro para sí y no es rico para con Dios" (Luc. 12:21). Vivir con avaricia y amar las posesiones es arriesgar la vida en lo transitorio y lo vano, es rechazar a Dios y a su voluntad, ganándose para sí el juicio divino.

3. La avaricia alienta un estilo de vida de lujo, orgullo, acaparamiento, autoindulgencia, opresión y falta de generosidad. Algo más es ilustrado por esta historia. El problema con la avaricia no es tan sólo que sea un desorden espiritual personal, sino que conduce a pecados contra el prójimo, especialmente al acaparamiento y la carencia de generosidad. La implicación clara de la historia del rico insensato es que debiera haber respondido a la superabundante provisión de Dios, compartiendo con los menos afortunados, logrando así que algunos comieran lo que de otra manera no lo hubieran hecho. Esto habría acumulado tesoros en el cielo; en vez de esto, el terrateniente optó por tesoros sobre la tierra, resultando a la larga en que perdiera todo. Su avaricia lo cegaba ante la obvia responsabilidad moral de ayudar a su prójimo.

Ya vimos que Jesús, en continuidad con el AT y el judaísmo rabínico, enseñaba el hacer obras de misericordia por medio de la generosidad económica. Aquellos cuyos corazones están entregados a Dios dan a sus prójimos con liberalidad, y al hacerlo, ofrecen su devoción a Dios. El relato del gran juicio en Mateo 25:31-46 hace la entrada a la vida eterna dependiente del alimentar a los hambrientos, el dar la bienvenida al forastero, el vestir al desnudo y el visitar a los enfermos y los encarcelados. Aquí vemos que la generosidad abarca el dar *bienes materiales* tanto como *el servicio* a los necesitados.

Esta dinámica es central en la intención de Jesús al pedir a sus seguidores que vendan sus posesiones. En Lucas 12:33, un pasaje que es paralelo a Mateo 6:24-34 en el Sermón del monte, se enseña que Jesús dijo también: "Vended vuestros bienes y dad ofrendas de misericordia". Lucas 14:33 dice: "Así, pues, cualquiera de vosotros que no renuncia a todas las cosas que posee, no puede ser mi discípulo".

El más familiar de estos pasajes es la historia del joven rico (Mat. 19:16-30 // Mar. 10:17-31 // Luc. 18:18-30). Aquí Jesús se encontró con lo que parecía ser un buscador sincero. Él era honesto en su búsqueda de hallar la respuesta a la pregunta: "¿Qué haré para obtener la vida eterna?" (Mar. 10:17). Él afirmaba haber guardado las enseñanzas morales del Decálogo desde su niñez, tal como Jesús sugería (al estilo judío) ser su obligación. Jesús nunca le cuestionó sobre este punto, más bien, le dijo: "Aún te falta una cosa: Vende lo que tienes y repártelo a los pobres, y tendrás tesoro en el cielo; y ven, sígueme" (Mar. 10:21). El hombre quedó conmocionado por esta exigencia, y se fue triste, porque él tenía muchas posesiones. Luego Jesús advirtió a sus discípulos acerca de los peligros de la riqueza, diciendo: "Más fácil le es a un camello pasar por el ojo de una aguja, que a un rico entrar en el reino de Dios" (Mar. 10:25).

Esta enseñanza es evadida o espiritualizada exageradamente en las iglesias de clase media alta. Al hombre de la historia se le describe como "teniendo las prioridades equivocadas" o "teniendo una actitud equivocada respecto al dinero". Puede ser que sea así, pero evaden el punto central: El apego del hombre a sus posesiones, manifestado en un amor exagerado por ellas, el cual impedía una generosidad hacia los pobres tanto que le llevaba a negarse a seguir a Jesús. En realidad, Jesús sí pedía al hombre que vendiera todo lo que tenía, que lo diera todo a los pobres y que emprendiera una nueva vida de pobreza itinerante del reino con la comunidad de discípulos. Los que seguían a Jesús a menudo hacían justamente esto, vendiendo sus posesiones, dando el dinero a los pobres y/o contribuyendo a la tesorería general que sufragaba el movimiento de Jesús, asegurando que todas sus necesidades básicas se satisficieran (véase 1 Jn. 3:17, 18; Hech. 4:32-37; 5:1-11; 2 Cor. 8:13-15; Garland D., *Reading Matthew* [Leyendo a Mateo], 396 ss.; Hays R., *The Moral Vision of the New Testament* [La visión moral del Nuevo Testamento], p. 464). Y en realidad Jesús sí dijo que la riqueza representaba una amenaza espiritual mortal. Ninguna pirueta exegética tocante a una imaginada entrada a Jerusalén ("ojo de aguja"), [una fabricación que se dio primero en el siglo once] puede deshacerse de la obvia importancia del texto.

Estas muy familiares contorsiones exegéticas serían graciosas si no hubiera tanto de por medio. Los lectores ricos o adinerados estarían mejor si tomaran en serio las palabras de Jesús, creyendo que la riqueza —adquirida por el trabajo o por la herencia, por la suerte o por la labor— presentan profundos peligros espirituales. Esto no quiere decir que ninguna persona rica puede entrar a la vida eterna; Jesús no afirmó tal cosa. Sí quiere decir que personas con grandes riquezas deben poner mucha atención en el estado del alma evidenciado por sus prácticas.

También, este es el significado de la inolvidable historia de Lázaro y el rico en Lucas 16:19-31. Aquí se hace un austero contraste entre el rico (a quien no se le da un nombre, una inversión irónica de las realidades sociales) y el pobre mendigo, Lázaro. El rico tiene una abundancia de la ropa más lujosa y de suntuosa comida y bebida. El pobre Lázaro no tiene nada. A él se le ha tirado fuera de la puerta del rico, y no se le da ni siquiera una migaja. Al morirse, sus condiciones de sufrimiento y privilegio son invertidas, sin que haya una explicación explícita, el rico está en tormento, Lázaro está en el seno de Abraham. Es difícil evitar la conclusión (no porque muchos no lo hayan intentado) de que fue la falta de preocupación del rico por su prójimo sufriente que le llevó a su eterna desgracia. Por su lujo y avaricia había abandonado las más básicas obligaciones de generosidad.

4. La engañosa seducción de la riqueza puede ahogar el discipulado, poniendo en peligro al alma. En la parábola del sembrador y la semilla (Mar. 4:3-20 // Mat. 13:3-23 // Luc. 8:4-15), Jesús esbozó cuatro clases de respuestas a "la palabra del reino" (Mat. 13:19). Lo importante para nuestros propósitos es la tercera clase de tierra/respuesta, la tierra espinosa. Mateo 13:22 tanto como Marcos 4:19 dicen que las semillas sembradas entre los espinos representan a las personas cuyo crecimiento es "ahogado" por, entre otras cosas, *apate tou ploutou* (el engaño de las riquezas). Jesús aquí decía que hay una clase de oyente que empieza a responder a las gozosas buenas nuevas del reino pero cuyo progreso queda ahogado por las preocupaciones mundanas y el engaño de la riqueza y las posesiones. *Engaño* es precisamente el término correcto, porque la decepción involucra el representar mal la realidad, ocultando o distorsionando la verdad acerca de algo con el fin de despistar a otros. La riqueza tiene una especie de poder engañoso; puede hacer que la gente la vea como una clase de salvación terrenal ("vida") que simplemente no puede encontrarse allí. Un renglón maravilloso de la obra clásica de Tennessee Williams, *Cat on a Hot Tin Roof* [La gata sobre el tejado de zinc caliente] capta esto muy bien:

> El animal humano es una bestia que eventualmente tiene que morir. Y si tiene dinero, él compra y compra y compra. La razón por la que compra todo que pueda obedece a la loca esperanza de que una de las cosas compradas sea la vida eterna, cosa que nunca puede ser.

Todo lo visto hasta ahora nos recuerda del porqué Jesús advertía contra la riqueza: La tentación de mal entender el valor de las posesiones, el consecuente espíritu avaro, un modo de vida caracterizado por el lujo, la autoindulgencia y falta de generosidad, la amenaza de que la riqueza ahogue el crecimiento en el discipulado; todas estas son claras enseñanzas de Jesús que también encuentran una confirmación en la vida cotidiana siempre que miremos con discernimiento al mundo en nuestro derredor.

5. Jesús se identificaba con los pobres y promete la abundancia y la justicia en una "gran inversión" venidera. Tal vez no sea sorprendente, en vista de todo lo anterior, que Jesús, aunque el portador de un mensaje para toda persona en cualquier contexto, se identificase con los pobres y los hambrientos, pusiera su atención en las necesidades de los pobres, celebrase la receptividad de los pobres a Dios y (especialmente en Lucas) prometiera a los pobres un tiempo de abundancia y justicia venidero que contrastaba con su actual estado de necesidad y opresión.

Ya hemos tocado algunos de estos temas en capítulos anteriores, al hablar del significado del reino de Dios y cómo Jesús posicionó su ministerio con relación a este reino. Hemos demostrado que la esperanza antiguotestamentaria del reino de Dios abarcaba una visión de justicia, de la cual la justicia económica para los pobres y los hambrientos era una parte fundamental. Al inaugurar su ministerio (Luc. 4:18-21), Jesús se apropió de Isaías 61 y su promesa mesiánica de "buenas nuevas para los pobres", libertad para los cautivos y libertad para los oprimidos (cf. Mat. 11:5).

Jesús ministró entre los pobres a lo largo de su breve estadía aquí, alimentándoles, sanándoles y abordando la injusticia sistémica que los mantenía en su condición terrible (véase el capítulo diecisiete). Sus parábolas muy a menudo involucran la inclusión de los pobres anteriormente excluidos (véase Luc. 14:15-24). Como ya vimos, él ordenaba las obras de misericordia para los pobres. Zaqueo, el cobrador de impuestos, buscaba mostrar su buena fe a Jesús por dar su ganancia mal habida a los pobres (Luc. 19:8). Los discípulos de Jesús parecían practicar las obras de misericordia cuando tenían con qué hacerlo (véase Juan 12:5, 6; 13:29). Jesús atacaba y a veces hacía mofa de los que tenían lujos (véase Luc. 7:25; 19:16-31), contrastando sus posesiones superfluas con lo poco de los pobres.

En Lucas, Jesús prometió un tiempo futuro de abundancia para los pobres; heredarán el reino de Dios y finalmente se satisfacen (Luc. 6:20, 21), mientras que los ricos actuales se encuentran fuera, mirando hacia adentro. Como ya vimos, el mismo tema asume una forma parabólica en la historia del rico y Lázaro. Se le ha llamado "la gran inversión" (Verhey A., *The Great Reversal* [La gran inversión]; véase Kraybill D., *The Upside-Down Kingdom* [El reino al revés] o, más técnicamente, "transposición" (Green J., *The Gospel of Luke* [El Evangelio de Lucas], p. 264) y es una de las dimensiones más radicales de la enseñanza de Jesús y no únicamente respecto a cuestiones económicas (véase Lucas 1:46-55; 14:7-24; 18:9-14, 22-24). Está en continuidad con la promesa profética de la abundancia y la prosperidad para todos cuando venga el tiempo del reino de Dios, un contraste gozoso con la perenne miseria e injusticia de pobreza en medio de la abundancia.

Temas clave en la ética económica cristiana

La enseñanza de Jesús sobre las prácticas económicas y las actitudes del pueblo del reino obviamente ha sido sumamente influyente en moldear la conducta y creencias cristianas a lo largo de los milenios. Sin embargo, la ética económica cristiana ha desarrollado temas de otras partes de la Escritura, lo que se requiere para abordar toda una gama de inquietudes morales de varios contextos históricos. Es más, para ser totalmente honesto, las enseñanzas tan fuertes de Jesús a menudo han sido ignoradas o evadidas.

En esta última sección, tocaremos, más ampliamente, varios de los temas y problemáticas más significativos de la ética económica cristiana. Nombraremos la problemática, articularemos nuestra postura básica entre varias alternativas.

Derecho a la propiedad, el trabajo y la naturaleza de la posesión. Algunos intérpretes de las enseñanzas de Jesús, incluyendo a León Tolstoi, han llegado a la conclusión de que los cristianos no pueden apoyar el concepto del derecho a la propiedad privada, cosa tan crítica para la mayoría de los sistemas económicos, especialmente el capitalismo. Ellos no encuentran nada en el testimonio de Jesús que sostenga el concepto y que mucho alienta la idea de la desinversión económica. Otros están tan comprometidos con el capitalismo liberal que no encuentran que el tema sea digno de discutirse. Nosotros rechazamos ambos polos y argumentamos por un derecho modificado a la propiedad privada, subordinado a la norma primaria de la justicia económica como un aspecto del reino de Dios.

Aquí necesitamos entender a Jesús en el trasfondo de los temas antiguotestamentarios centrales, comenzando con la historia de la creación. En Génesis 1:28-30 Dios, el Creador de todo cuanto existe, declaró que las plantas y los frutos han sido dados a la humanidad como alimento; más tarde, después de entrar el pecado en escena y que Dios respondiera con el diluvio, esta provisión se extendió para incluir la vida animal (Gén. 9:3, 4). El punto es que *todo bien material, comenzando con lo más básico, el alimento, debe verse como regalo de Dios, la provisión divina para toda la humanidad.* La tradición católica llama a este concepto "el destino universal de los bienes". Es una buena figura: Dios es el remitente originador de la gracia, la familia humana en su totalidad, la destinataria. La tarea humana es la de ejercer nuestro dominio, dado por Dios, sobre tales bienes de tal forma que sean distribuidos correctamente a todos a quienes estén destinados.

Este es el mandato fundamental de la ética económica: La distribución justa. Centenares de pasajes antiguotestamentarios, comenzando con el Pentateuco, buscan evitar y censurar la injusta distribución económica. Los profetas anunciaban el juicio de Dios sobre Israel por sus múltiples pecados en esta área crítica. Es uno de los pecados cardinales de la humanidad, no tan sólo el de Israel: División entre los que tienen y los que no, entre los que tienen una oportunidad para ganar lo que les corresponde y los que se mueren de hambre, los que duermen en las calles o sucumben ante las enfermedades evitables. La lucha por la justicia en la distribución económica entre tantos niveles de injusticia es (tristemente) un aspecto perenne de la responsabilidad humana y una dimensión clave de la tarea de la ética cristiana.

Pero esto no quiere decir que a individuos y colectividades no se les permite poseer o regocijarse en su porción respectiva de bienes terrenales, experimentando así tal bonanza como una bendición divina (véase Schneider J., *Godly Materialism* [El materialismo piadoso]). Es así siempre que se entienda que esta pertenencia está cercada por realidades teológicas y éticas más profundas: El destino universal de los bienes, los límites morales sobre cómo sean adquiridas la riqueza y la propiedad, la obligación de la mayordomía y la búsqueda de la justicia económica en la distribución. Subyacente bajo estas normas particulares está el concepto de la provisión de Dios y su "posesión" última de todo bien creado y, en un sentido, de los súbditos humanos que temporalmente los maneja.

El derecho a la propiedad privada se fundamenta mejor en una comprensión teológica del trabajo, de la responsabilidad personal y familiar, y la libertad humana. El mandato sobre la posesión/mayordomía (Gén. 1:28) requiere que los seres humanos ejerzan una responsabilidad sobre la creación. Esto aborda varias formas de trabajo, el cual, después de la caída, llegó a ser arduo y difícil (Gén. 3:19); sin embargo, el trabajo mismo permanece arraigado en el designio de Dios para la vida humana. El trabajo refleja y avanza hacia la dignidad humana al convertirse nuestras vocaciones en una expresión de la creatividad, el autodesarrollo y aun el gozo, en una manera de contribuir al bien común y un medio de proveer para nosotros mismos, para nuestras familias, y para aquellos a quienes podemos bendecir con nuestra generosidad. La habilidad de guardar, disfrutar y desarrollar el fruto de nuestra labor como propiedad privada realza el aliciente a trabajar y es legítima siempre que cumplamos con nuestras responsabilidades éticas públicas. El octavo mandamiento, que prohíbe el robo (Éxo. 20:15), ayuda a confirmar la argumentación bíblica en pro del derecho a la propiedad privada (de no ser así, no habría necesidad de una provisión contra el hurto). Sin embargo, es importante no olvidar estas consideraciones teológicas más profundas en nuestro entendimiento de este asunto.

Esta forma de entender el significado del trabajo agrega ciertos matices a nuestro concepto de la justicia en la distribución económica. Algunos argumentan que la justicia económica consiste en más o menos la igualdad: Que todos los actores económicos debieran, al fin de la jornada, disfrutar del mismo bienestar económico. Pero esta noción, superficialmente atractiva, a la larga falla, porque deja de tomar en serio el mandato a trabajar. Tampoco es apoyada por una lectura cuidadosa del rico testimonio del AT sobre la vida económica. Ni, al fin y al cabo, toma en cuenta el efecto distorsionador del pecado sobre la toma de las decisiones por los seres humanos.

En lugar de una igualdad, la mejor declaración de la norma cristiana de la justicia económica puede encontrarse en la definición por Stephen Mott y Ronald Sider: "*La justicia exige que toda persona o familia tenga acceso a los recursos productivos (tierra, dinero, conocimiento) para que tengan la oportunidad de ganarse una suficiencia generosa de las necesidades materiales y ser dignos miembros participantes de su comunidad*" ("*Economic Justice*" [La justicia económica], p. 40; las itálicas están en el original). Una economía justa crea la riqueza, incluyendo aquella que se halla en el trabajo remunerado adecuadamente para todo aquel capaz de trabajar. Su prioridad número uno es la creación de la riqueza, pero no la bonanza extravagante para los pocos sino el acceso a la oportunidad económica y la participación en la comunidad económica para los muchos. Aunque puede ser que haya algunos que por varias razones optan por no participar vigorosamente en la vida económica, los cuales seguramente vivirán en circunstancias muy limitadas, una economía justa genera empleo para esa gran mayoría de personas hábiles que desean realizar un trabajo remunerado.

En segundo lugar, todos los actores en una economía justa harán su parte para hacer provisión adecuada para una existencia decente y digna para los que no son capaces de proveerse por sí mismos, tales como los que tienen capacidades diferentes, los huérfanos, los abandonados, los enfermos mentales, los muy ancianos, etc. (para ver la abundancia de textos bíblicos sobre este tema, véase Ibíd., pp. 40-42; por ejemplo, Éxo. 23:10, 11; Lev. 9:9, 10;

25:47-53; Deut. 14:28, 29; Rut 2). Dada la fragilidad del cuerpo humano y la vida social humana, las sociedades siempre contendrán cierto porcentaje de personas que no pueden proveer adecuadamente por sí mismas. Una sociedad justa hace todo lo posible por reducir este número al mínimo, pero esfuerzos privados y luego públicos tienen que hacerse para satisfacer las necesidades de los que no pueden valerse por sí mismos. El tema de gran debate es la cantidad y la naturaleza de los esfuerzos privados y públicos, pero ese debate no debe ofuscar el mandato bíblico básico: La comunidad total tiene responsabilidades para satisfacer lo que más pueda las necesidades de los pobres que tienen limitaciones.

Los cristianos necesitan aprender las prácticas del manejo económico, del compartir, y de la capacitación para lograr esto. En realidad, todo este capítulo señala la necesidad de una encarnación fiel de parte de los discípulos de la visión de la economía justa enseñada por Jesús. Sólo tales prácticas pueden permitir que nos deshagamos de la mala percepción de la realidad que nos llega por la propaganda y otros medios culturales (para ver descripciones de tales prácticas, véase Dawn Nakano y Thad Williamson, "Piece by Piece" [Pedazo por pedazo], en *Sojourners*, *Who Is My Neighbor?* [¿Quién es mi prójimo?], pp. 155-157, que describen a las iglesias que se unen con el fin de lograr un cambio; Jack Nelson-Pallmeyer, "By Their Spending You Shall Know Them" [Por sus modos de gastar los conoceréis], Ibíd., pp. 142, 143, sugieren diez prácticas para ayudar a los miembros de la iglesia a que piensen creativamente acerca de sus propias maneras de gastar.

El debate en torno a los sistemas económicos. La discusión anterior nos lleva a la muy debatida cuestión de sistemas económicos. Es decir: ¿Deberán los cristianos abrazar uno u otro sistema económico como "el sistema económico cristiano"?

La historia universal ha presenciado una gran variedad de sistemas económicos: El feudalismo agrario, el capitalismo industrial *laissez-faire*, el comunismo marxista, el socialismo estatal, el socialismo democrático, la economía mixta o balanceada, y ahora la globalización del mercado libre, para nombrar unos cuantos. En su propio tiempo, cada una de estas maneras de organizar la vida económica ha tenido teólogos cristianos y líderes eclesiásticos deseosos de aprobarla como ordenada por Dios. Ahora, la mayoría de estas aprobaciones lucen muy imprudentes.

La historia de la ética económica católica es instructiva aquí. A lo largo del período medieval la Iglesia estaba muy unida a la estructura del feudalismo agrario. Estla reaccionó ante el capitalismo primitivo sin entusiasmo y quedó muy desconcertada por los muchos cambios en la vida política cultural occidental desatados por el capitalismo. Prefería mejor una estática jerarquía feudal que una democracia capitalista burguesa liberal.

El moderno pensamiento social católico (a partir de la encíclica papal *Rerum Novarum* en 1891) cogió un rumbo más creativo. Esta tradición de enseñanza, renovada periódicamente durante el siglo pasado, ha querido que se apliquen normas cristianas morales generales para evaluar el continuo desarrollo y práctica de la vida económica. Este pensamiento caminaba junto al movimiento protestante del evangelio social durante la última parte del siglo diecinueve y el principio del veinte al censurar las obvias injusticias y degradación humana producidas por el capitalismo *laissez-faire*. Sus protestas combinadas, tanto como varios movimientos políticos, al fin ayudaron a producir un ambiente sensible a una reforma gubernamental modesta durante la primera parte del siglo veinte. Después de 1929, la crisis ocasionada por la Depresión resultó en enfoques gubernamentales mucho más intervencionistas, muchos de los cuales fueron apoyados por los protestantes tradicionales y la Iglesia Católica.

La modificación del capitalismo *laissez-faire* en un capitalismo "mixto" regulado o más balanceado ha caracterizado más países occidentales desde ese tiempo. La forma exacta y el alcance del balance raras veces ha dejado de ocupar el primer lugar en el debate político de cualquier nación o época, y de forma consistente ha captado la atención de los éticos cristianos de la economía (véase Wogaman P., *Great Economic Debate* [El gran debate sobre la economía]). Lo que hace claro Wogaman es que no debemos reducir el debate a sólo dos extremos: El capitalismo *laissez-faire* y el socialismo dirigido centralmente. Eso no representa el mundo real, y sofoca nuestra conciencia ética. Los debates verdaderos deben centrarse en dónde ubicar el equilibrio en una economía balanceada, y cuánta atención se debe poner en la necesidad de la conservación.

El marxismo y sus varias encarnaciones comunistas chocaban con una constante suspicacia en la tradición de la enseñanza social católica. Viendo hacia atrás, y a la luz de un considerable coqueteo del protestantismo tradicional con el comunismo, especialmente en el decenio de los años 30, la resistencia católica al comunismo luce excepcionalmente profética. Los líderes católicos, vistos en las varias encíclicas producidas a lo largo de la vida corta pero sangrienta del comunismo, evaluaron atinadamente las suposiciones desastrosas de la cosmovisión comunista, prediciendo que su ateísmo a la larga produciría un relativismo moral que abarataría la vida humana de formas peligrosas (véase Pío XI, *Quadragesimo Anno,* una encíclica de 1931). Al fin, el comunismo proveyó confirmaciones aterradoras de estas predicciones: Los que buscaban las utopías comunistas lo hacían "a como diera lugar" (Lenín), produciendo en última instancia unos cien mil cadáveres desde Rusia a la China, y de Camboya hasta otros lugares.

Sin embargo, la enseñanza social católica no ha aceptado con poca crítica el capitalismo liberal tal como se practica en los países industrializados occidentales, y ahora, bajo su hegemonía, el pensamiento económico evangélico de EE. UU. de A. reconoce con facilidad, celebrándolo a la vez, que el capitalismo liberal, en su expresión mejor, maximiza la autonomía personal, alienta la innovación, satisface las necesidades básicas de la mayor parte de la sociedad, genera muchos trabajos y produce gran riqueza. No obstante esto, los evangélicos conservadores, por lo menos, han tendido a restar importancia a varios problemas sistémicos relacionados con el capitalismo liberal contemporáneo. Estos abarcan las persistentes y a veces devastadoras desigualdades de ingresos e inequidades de riqueza dentro de los países tanto como entre ellos. Hay también concentraciones inmorales de poder económico y político, originándose en la explotación de los pobres por los ricos y contribuyendo a ella, la estimulación del espíritu del consumismo y la codicia con profundas ramificaciones morales y culturales, la crueldad en las relaciones económicas, la fabricación de moralmente odiosos productos de varios tipos y la devastación ambiental (véase el capítulo veintiuno; para ver el mejor repaso reciente de estas cuestiones).

Las enseñanzas sociales católicas han presentado estos problemas frontalmente y de una forma consistente han llamado para que haya una adecuada regulación gubernamental de las economías de libre mercado para así reducir la injusticia en la distribución. Las encíclicas también han pedido a individuos e instituciones que recuerden el destino universal de los bienes, el mandato bíblico a favor de la generosidad económica y la humanidad de los que sufren la privación económica. Tales documentos se han preocupado especialmente desde la década de los años 60 por la situación difícil de los "dos tercios del mundo" en la que miles de millones viven en una pobreza relativa o absoluta sin poder disfrutar nunca del desarrollo económico prometido por las naciones ricas o las corporaciones multinacionales. Este ha sido un tema persistente en la ética católica "no oficial" y también en la del protestantismo tradicional y, comenzando en el decenio de los años 70, atraía la atención a los evangélicos al debate. Mientras tanto, la mayoría de los teólogos de la liberación han hecho que la solución para la miseria del "mundo en desarrollo" sea el centro de su proyecto éticoteológico (Gutiérrez, *Teología de la liberación*)[1].

A estas alturas, el verdadero debate en la ética económica cristiana esencialmente tiene que ver con un análisis de las fuentes, el alcance de la existente injusticia económica y la mezcla correcta de estrategias para abordar tal injusticia. Nadie aboga por el comunismo, aunque algunos de nosotros aún encontramos que el análisis de Marx de las maneras en que el egoísmo

[1] Nota del editor: Organizaciones como la FTL y el CLAI, y sus respectivas publicaciones han participado constructivamente en el debate de una ética económica entre los evangélicos de América Latina.

económico ciega a la gente respecto a las fuentes de sus propias convicciones político-económicas es bastante mordaz (nunca presentado mejor que por Reinhold Niebuhr, *Moral Man and Immoral Society* [El hombre moral y la sociedad inmoral], capítulos 5 y 6). Y muchos de nosotros, incluso los autores de este tomo, sí argumentamos porque haya una inclusión gubernamental más agresiva en los constructivos esfuerzos económicos habilitadores. También apoyamos dramáticamente la revisión de políticas económicas de parte de los países ricos para poder reducir nuestro enredo predatorio algunas veces en la vida económica internacional, el consumó injusto de recursos y el daño ambiental. El hecho de que la mayoría de los creyentes estadounidenses siga formada de "cristianos ricos en una era [mundo] de hambre" (Sider R., *Just Generosity* [La generosidad justa]) es una espantosa contradicción a la que los seguidores de Cristo Jesús deberían abordar con gran seriedad sin importar cuán complejos sean los problemas.

La ética comercial, la mayordomía y Dave Ramsey. Los cristianos estadounidenses sí ponen bastante atención en los asuntos de la vida económica, pero poco de esa atención sigue el rumbo que hemos señalado. Los escritos más populares sobre la vida económica presuponen la bondad moral de la economía capitalista y procuran navegar las aguas éticas desde dentro de este sistema.

La ética comercial, por ejemplo, que yo (David) he podido enseñar varias veces, es de cajón en las facultades de administración de empresas y economía. Las materias sobre la ética comercial y los libros de texto que se emplean generalmente exploran los dilemas morales emanados del despiadado mundo comercial de aun nuestro propio capitalismo modificado. Algunas veces estos libros de texto y las materias suscitan escrutadoras interrogantes acerca del mismo sistema productor de los dilemas, pero, más a menudo, ellos sucumben ante la aceptación complaciente de realidades sistémicas y una especie de reducción eidética por la cual se busca encontrar alguna comprensión de la justicia procesal o la obligación legal de generar normas para el empresario cristiano. Muy pocas veces desafían la recepción poco crítica de la cultura comercial colectiva o "The American Dream" [El sueño estadounidense] que caracteriza las vidas de millones de cristianos.

En cuanto a las iglesias, la mayoría persiste en el uso del lenguaje de la mayordomía al hablar de cuestiones financieras. Se argumenta que a los cristianos se les llama a ser buenos mayordomos de la bonanza material provista por Dios. A veces esta correcta preocupación por la mayordomía se reduce a un llamado a la generosidad en ofrendar, aun el diezmar, a la iglesia local. Se puede encontrar mucho elemento debatible respecto a la validez continua del mandato del diezmo, ya que su base antiguotestamentaria es frágil, y carece de una afirmación explícita en el NT. Nosotros creemos que el dar de forma sacrificial a la obra del reino de Dios es un claro mandato bíblico, pero lamentamos que la noción de la mayordomía económica se reduzca tan a menudo a los debates legalistas sobre el diezmar.

Dave Ramsey, Larry Burkett y un puñado de otros peritos financieros se han hecho muy populares en los círculos evangélicos estadounidenses[2]. Esencialmente, estos hombres ofrecen principios cristianos confusos acerca de la práctica de la autodisciplina económica. Al escuchar el programa radial de Ramsey, se queda uno impresionado por el lío económico en que muchos creyentes se meten por el mal manejo de sus finanzas personales. A menudo el problema estriba en que los oyentes han sido seducidos por el consumismo que, de muchas maneras, constituye nuestra religión nacional, y ahora ellos están sumidos en deudas, procurando evitar la bancarrota, el divorcio o la locura. Más positivamente, estos pensadores a veces sí ofrecen a cristianos pudientes estrategias para maximizar su oportunidad de hacer el bien con su dinero, un tema moral importante en sí.

Hablar del consumismo nos recuerda donde empezamos. Los cristianos, que viven en el país más rico y más poderoso del mundo, el centro del capitalismo global, están sometidos diariamente a las tentaciones más sofisticadas jamás creadas: Tentaciones no tan sólo a comprar ciertos productos sino *entregarse* a cierto modo de vida. Es un vida que atribuye un valor anormal a la adquisición de bienes materiales, prosperando en la creación de nuevas "necesidades" y luego en una competencia salvaje para satisfacer esas "necesidades". Si la ética cristiana ha de seguir a Jesús, hace falta un severo análisis y finalmente un repudio de un sistema económico que ratifica "el engaño de la riqueza", haciendo que Mamón sea el ídolo nacional.

Esta no ha de ser meramente una preferencia teórica. Al redactar esto, estoy pensando en vidas que han sido arruinadas por este sistema: en las que se reducen en esencialmente criaturas sin alma, persiguiendo las más recientes novedades con la intensidad de un zombi; en aquellas que no tienen acceso a un trabajo adecuado y ninguna manera de proveer para sus familias; en aquellas personas en todas partes del mundo que viven en la miseria y la pobreza más sórdida; en aquellos cuyas vidas podrían cambiarse si tuvieran la ayuda de parte de la triste gente próspera, la que nunca dejará su búsqueda por el último aparato para considerar las necesidades del "más pequeño. Esta última condición ha sido llamada la "afluenza"[3], y según Jesús es una enfermedad terminal.

---

[2] Nota del editor: En Latinoamérica sus materiales son distribuidos por "Principios financieros cristianos".

[3] Nota del editor: Esta palabra se define como una forma extrema del materialismo en la que el consumidor trabaja mucho y acumula altos niveles de deuda para comprar más cosas; es "la epidemia del consumismo".

21

EL CUIDADO DE LA CREACIÓN

No acumuléis para vosotros tesoros en la tierra, donde la polilla y el óxido corrompen, y donde los ladrones se meten y roban. Más bien, acumulad para vosotros tesoros en el cielo... Porque donde esté tu tesoro, allí también estará tu corazón...

Mirad las aves del cielo, que no siembran ni siegan, ni recogen en graneros; y vuestro Padre celestial las alimenta. ¿No sois vosotros de mucho más valor que ellas?... Mirad los lirios del campo, cómo crecen. Ellos no trabajan ni hilan... Si Dios viste así la hierba del campo, que hoy está y mañana es echada en el horno, ¿no hará mucho más por vosotros, hombres de poca fe?

Más bien, buscad primeramente el reino de Dios y su justicia, y todas estas cosas os serán añadidas.

Mateo 6:19-33

Richard Cartwright Austin intentaba redactar una disertación doctoral a la vez que pastoreaba una pequeña iglesia rural en el área de las montañas Apalaches de Virginia, EE. UU. de A. Pero el ruido y la polución del proceso de la explotación minera a cielo abierto interrumpían su composición. En ese proceso, se desnuda la superficie de la tierra para extraer el carbón, quedando esta arruinada. Después, cada vez que llueve, sale más ácido, de modo que la tierra no es viable para la agricultura o la vegetación natural por varias generaciones; también los ríos quedan demasiado ácidos para los peces. La vida de los miembros de la iglesia estaba siendo afectada directamente por esta forma de hacer minería; algunos de ellos trabajaban para la compañía minera, pero la mayoría era granjeros cuya tierra estaba siendo arruinada. La amenaza a la creación y la injusticia contra los miembros de su iglesia hicieron que Austin abandonara su oficina y se dedicara a la organización de la comunidad para oponerse a este proceso de explotación. Eventualmente, llegó a ser un líder nacional de los esfuerzos para controlar la explotación minera a cielo abierto y para promover la conservación de la energía. Ellos lograron un éxito extraordinario al gestionar la aprobación de leyes que exigen que la tierra sea restaurada después de minar.

Aunque ha habido muchos santos y héroes cristianos cuyo discipulado cristiano tenía que ver con el cuidado de la creación (por ejemplo, Francisco de Asís, Juan Wesley), la conciencia de una crisis creciente se palpaba entre los éticos cristianos poco antes de 1970, y tuvo comienzo una renovación de la preocupación cristiana por el ambiente en medio de una crisis ecológica. Las primeras obras evangélicas en torno al cuidado de la creación asumieron su forma escrita en 1971: Francis Schaeffer, el mentor de muchos evangélicos conservadores, publicó *Pollution and the Death of Man* [La polución y la muerte del hombre], y Eric Rust, un teólogo bíblico y filósofo en el *Southern Baptist Theological Seminary* [Seminario Teológico Bautista del Sur], publicó su *Nature—Garden or Desert?* [La naturaleza—¿jardín o desierto?]. En 1972 el colega de Rust en ética cristiana, Henlee Barnette, publicó su obra innovadora *The Church and the Ecological Crisis* [La iglesia y la crisis ecológica]. Barnette argumentaba fuertemente que Dios quiere que los seres humanos sean mayordomos de la creación, y él alertaba a los cristianos de la creciente crisis de la creación.

Muchas denominaciones ahora cuentan con oficinas que se interesan por el ambiente. El ético social presbiteriano Dieter Hessel edita *The Egg: An Eco-Justice Quarterly* [El huevo: una revista trimestral sobre la justicia ecológica]. Wesley Granberg-Michaelson, una destacada voz por "Justice, Peace, and the Integrity of Creation" [Justicia, paz, y la integridad de la creación] en el Concilio Mundial de Iglesias, llegó a ser el secretario general de la Iglesia Reformada de América. En círculos evangélicos la preocupación ecológica está extendiéndose exponencialmente.

Dimensiones de la crisis ecológica

Hace 100 años la naturaleza aún era resistente y perdonadora: Ahora "vivimos con amenazas a la capacidad de la naturaleza para producir para sus miembros humanos tanto como para regenerarse" (Rasmussen L., *Earth Community, Earth Ethics* [La comunidad terrenal, la ética terrenal], p. 5). Hace una generación, pensábamos en la naturaleza como bosques, playas o parques donde se podía ir a dar un paseo o acampar. La amenaza era que dejáramos papeles, latas que ensuciaran la hermosura natural o que dejáramos cenizas que pudieran ocasionar un incendio. De este modo nos enseñaba la ética a limpiar en derredor nuestro y que apagáramos las chispas que hubieran quedado. Ahora, la amenaza ha alcanzado un nuevo nivel drástico. Ya nuestra tierra no es resistente ni perdonadora, sino que está debilitándose y apagándose como una persona moribunda. La industria es una máquina tan poderosa y consumidora que se está tragando el mundo entero como una máquina de explotación minera a cielo abierto, matando así a miles de especies. Ya no es cuestión de que la naturaleza "esté allí" y que nosotros estemos como "visitantes" por un día o dos. Por causa del poder de nuestras máquinas, ya somos la parte mayor de la naturaleza, y nosotros dependemos para nuestra salud de lo que estamos destruyendo. Nuestras máquinas e industria son la fuerza mayor que consume, contamina y destruye lo que Dios nos ha dado. Ya no es que la naturaleza "esté allí" y nosotros aquí, sino nosotros como parte de la creación y el resto de la creación de la cual dependemos para vivir.

En la economía de la naturaleza y en grandes partes de la historia humana (la sociedad de recolectores), todas las criaturas consumen sólo los recursos renovables: Frutas, nueces, plantas, peces y animales, semillas, hierbas, moras, corteza, etc. Sin embargo, la sociedad industrial toma de la energía alma-

Jesús enfoca nuestra percepción en dos factores:

1. ***Dios tiene cuidado.*** **En Mateo 6:19-34, Jesús hace muy claro que Dios cuida de las aves del cielo y los lirios del campo, y que estamos en medio de esta comunidad del cuidado de Dios. Muchas de las parábolas de Jesús señalan el cuidado de Dios por el crecimiento de las semillas, por los campos, por la dádiva de la lluvia y el sol a toda persona. Al igual que en la enseñanza de Jesús respecto al divorcio, afirma que el pacto de Dios en Génesis estableció la norma, así sus parábolas tratan acerca de la creación y del cuidado de Dios por nosotros y por el resto de la creación como la norma para nuestra conciencia del reino presente de Dios. Dios nos ha creado en una comunidad limitada, la tierra; y Dios sigue cuidando de esa comunidad. No es que** ***nosotros*** **vayamos contra** ***la naturaleza*** **o** ***el ambiente*****; somos** ***una parte de la comunidad creada por Dios*** **sobre la tierra, y dependemos de esta comunidad terrestre para vivir, tanto como ella depende de nosotros para vivir.**
2. ***La avaricia no funciona.*** **Como vimos en el capítulo anterior, en Mateo 6:19-34 Jesús dedica dos tríadas para aclarar que el invertir nuestro dinero en acaparamientos de riqueza y el servir a Mamón crean un poderoso ciclo vicioso. Donde invirtamos nuestro dinero moldeara el corazón. Y según esté moldeado el corazón también moldeara cómo vemos (Mat. 6:21-23). Por lo tanto, es crucial poner nuestros tesoros en el reino de Dios y su justicia. En Mateo 6:22, 23, el ojo sano es el ojo generoso, y el ojo enfermo es el ojo avaro (Davies W. y Allison D.,** ***A Critical and Exegetical Commentary*** **[Un comentario crítico y exegético], 1:638-41). Esto encaja con nuestro modelo de cuatro dimensiones de la ética holística: Si ponemos nuestros tesoros en la avaricia y moldeamos nuestros incentivos para que se galardone el buscar cada vez más tesoros, entonces nuestras lealtades y nuestra percepción se centrarán en la avaricia, y consumiremos más de forma exponencial cada año dentro de una tierra limitada que es un regalo dado una vez por Dios. Jesús dice que si intentamos servir a Dios y la avaricia, odiaremos a uno y amaremos al otro. La forma en que hemos venido destruyendo la creación de forma galopante constituye la firme evidencia de que amamos la riqueza a corto plazo y odiamos el cuidado de Dios de la creación.**

cenada para así usar recursos renovables tanto como los no renovables (y también se consumen los recursos renovables a un ritmo no renovable). Pero tal como señala Hawken, esta nueva capacidad, que hemos llamado progreso, significa que "todos los días la economía mundial quema la cantidad de energía que costó al planeta 10.000 días para crear. O, dicho de otra manera, son consumidos 27 años de energía almacenada cada 24 horas por compañías de electricidad, automóviles, fábricas y granjas". No hace falta tener el cerebro de un estudioso de la ciencia aeroespacial para leer las letras mayúsculas "no sostenible", si seguimos con tal ritmo de vida por mucho tiempo según nuestros cálculos de tiempo, o si grandes cantidades de personas lo siguen por aun poco tiempo (Rasmussen L., *Earth Community, Earth Ethics* [La comunidad terrenal, la ética terrenal], p. 59, citando a Paul Hawken).

Según nuestro modelo de cuatro dimensiones de la ética holística en el capítulo tres, vimos que una dimensión crucial de carácter es *cómo percibimos el contexto*. El sacerdote y el levita *vieron* pero pasaron de lejos, pero el samaritano compasivo *vio con compasión* y tomó la acción necesaria. Una variante clave que moldea nuestra percepción es cómo vemos *la amenaza* (o sea, la causa del mal). Si deseamos ver con compasión la amenaza a la creación de Dios, no podemos pasar de lejos. Pero nuestra realidad espiritual es que se nos tienta a negar los hechos que exigen el arrepentimiento y el cambio. También, la inercia de percepción quiere decir que somos tardos para percibir el significado de las tendencias. Suponemos, inconscientemente, que las cosas seguirán más o menos como antes. Sin embargo, la realidad es que las cosas no pueden seguir. "Si continúan las tendencias actuales, nosotros no seguiremos" (Ibíd., p. 10).

> Al comenzar el siglo veinte, ni la tecnología humana ni el número de humanos eran lo suficientemente poderosos como para alterar los sistemas vitales planetarios... Tampoco se daba el caso de que "todo sistema natural en el planeta [estaba] desintegrándose"... La erosión de la tierra no excedía la formación de las tierras... La extinción de las especies no excedía la evolución de las especies. Las emisiones de carburos no excedían su fijación. La cantidad de peces pescados no excedía su reproducción. La destrucción de los bosques no excedía la regeneración forestal. El uso de agua dulce no excedía la reposición del acuífero. La mitad de las costas del mundo, o sea, las áreas humanas más densamente pobladas, no estaban en peligro. Luego aparece una palabra ominosa, aunque aparentemente suave: "insostenible". No estaba allí cuando el comienzo del siglo, por lo menos en la conciencia de la gente. Tampoco estaban las palabras "capacidad", "integridad de la creación" y "desarrollo sostenible". Ahora estamos con amenazas globales a la capacidad de la naturaleza para producir para sus miembros humanos y para regenerarse (Ibíd., pp. 4, 5, citando a Paul Hawken).

Sherlock Holmes resolvió un asesinato al fijarse en que el perro no ladraba en la hora del crimen. Le hizo saber que el asesino no fue un extraño sino un miembro de la familia. En nuestro caso el causante del crimen no es un extraño sino un miembro de la naturaleza. Nosotros, los seres humanos, no somos algo ajeno a la naturaleza sino una parte de ella. Dios nos creó así, y Dios creó los recursos no renovables de la naturaleza tales como el petróleo, el gas natural y el cromo como una dádiva singular. Podríamos compartirlos para que generaciones futuras puedan tenerlos también, o en su defecto, podemos robarlos para ir de juerga en nuestra generación presente. Y el perro de la casa, la economía, no ladra para nada.

> Vean los textos clásicos en el estudio de la economía. Véase, especialmente, la macroeconomía, la rama de la economía que analiza las estructuras, la dinámica y la escala. Fíjese en el índice para observar lo que falta. Típicamente, no hay nada que hable sobre "el ambiente", "recursos naturales", "polución" o "disminución". No hay nada sobre "lo insostenible" tampoco o siquiera el tema candente "desarrollo sostenible." Estos espacios se dejan en blanco. Estos perros no ladran. Estas pistas revelan el caso (Ibíd., p. 111).

La economía industrial depende de todas estas variantes carentes para que viva, pero de forma sistemática las excluye de sus cálculos al ir consumiendo lo que no se repondrá, y contamina de maneras destructivas, a la vez que ignora el funcionamiento orgánico de la tierra. Los incentivos son incorrectos. Jesús nos enfoca realistamente en cómo hemos de moldear nuestros incentivos económicos: "Donde esté vuestro tesoro, allí estará vuestro corazón" (Mat. 6:21).

La tierra funciona orgánicamente, trabajando constantemente para sanar y renovar lo que quede trastornado. Pero el sistema industrial funciona de manera consumidora, sin incluir en sus prácticas el sanar o el renovar. El sistema industrial crece exponencialmente, y la desigualdad es como un terrible cáncer que se propaga por todo el cuerpo orgánico de una persona que creía tener muchos más años de vida, pero se da cuenta repentinamente de que no será así.

En los Estados Unidos de América la *contaminación ambiental* ha ido aumentándose. El nitrógeno de óxido aumentó en 11% entre 1970 y 1997. Entre 1995 y 1998, las emisiones de dióxido sulfúrico (resultando en una polución de hollín) aumentaron en más del 9%. Se estima que el hollín resulta en quince mil muertes prematuras cada año. Más de un tercio de los estadounidenses viven en áreas que tienen aire insalubre, especialmente en barrios pobres. Entre 1985 y 1995 hubo un aumento del 45,3% en muertes por asma. Para 2020 se proyecta que el número de los que sufren de asma se duplicará, llegando a 29 millones; una familia de cada cinco se verá obligada a vivir con la enfermedad (www.creationcare.org). Es probable que el asma no sea causada por la polución, pero esta aumenta la tasa de mortalidad. La contaminación ambiental daña las cosechas y los bosques debido a la lluvia ácida, la pérdida de peces y otras especies acuáticas por la acidificación; también ocasiona fallas en la reproducción debido al mercurio en los peces y las aves que consumen los pescados. La contaminación por el mercurio ha obligado a las autoridades a emitir advertencias respecto al peligro de comer grandes cantidades de ciertos pescados de agua dulce.

Varias formas de cáncer infantil han aumentado marcadamente durante los últimos quince años en los Estados Unidos de América; ha habido un aumento de más del 30% en tumores cerebrales; la leucemia tiene un aumento del 10%, y el cáncer testicular ha subido más del 60%. El cáncer ahora es la segunda causa de muerte infantil. No sabemos a ciencia cierta cuánto de esto es causado por la contaminación ambiental y los residuos peligrosos, pero sí sabemos que muchos químicos dañinos son cancerígenos. Uno de cada cuatro niños a una milla de un *sitio de residuos peligrosos*. Claramente, no se trata únicamente de la *naturaleza*; se trata de la creación, y la amenaza es contra nosotros los seres humanos como parte de la creación tanto como para "el resto de la creación".

La contaminación del aire y las inversiones del calor son ilustraciones locales de una amenaza a todo el planeta: el *calentamiento global*. La vida, tal como la conocemos, puede existir sólo dentro de un margen muy fino de temperaturas. Pero el dióxido de carbono, el monóxido de carbono y el metano producidos en cantidades masivas por los autos, los camiones e industrias que queman combustibles fósiles ocasionan una capa de "gases de invernadero" que captan el calor en la atmósfera inferior como el calor en un invernadero. Esto hace que se aumente la temperatura del planeta. También la *deforestación* contribuye al calentamiento global, ya que los árboles son cruciales para convertir el dióxido de carbono en oxígeno. Durante las últimas décadas las temperaturas de la superficie del mundo han ido subiendo un promedio de 0.1 grados por decenio. En diciembre del 2001, la *World Meteorological Organization* [La Organización Meteorológica Mundial] anunció que 1998 y 2001 fueron los dos años más calurosos desde el comienzo de los registros globales hace 140 años. "Las temperaturas siguen poniéndose más calientes, y su aumento en calor es más rápido ahora que en cualquier tiempo del pasado" (*Los Angeles Times*, diciembre 19, 2001, A23). Los científicos del *Intergovernmental Panel on Climate Change* (IPCC) [El Panel Intergubernamental sobre los Cambios Climáticos], considerado como el cuerpo más autoritativo sobre la cuestión del clima global, concluye:

> Los estudios que usan los anillos de los árboles y los arrecifes han mostrado que la década de los años 90 ha sido el decenio más caluroso de los últimos 1.000 años. El fechaje que emplea un estudio de los hielos en el globo, que abarca 420.000 años, demuestra que los niveles actuales de CO2 y CH4 (metano) jamás han estado tan elevados... Las proyecciones del informe del IPCC de 1995 indican que para el año 2100 la temperatura promedio del globo pudiera subir entre 1,0 a 3,5 grados centígrados. Los cambios de temperatura, que normalmente tomarían 50.000 a 100.000 años, ocurrirían en 50 a 100 años por el calentamiento global: ...un peligroso aumento en el nivel del mar, que inunde las áreas de las

costas y las islas bajas; un abrupto cambio hacia el norte de tierras arables en el hemisferio del norte; extinciones masivas de la flora tanto como la fauna incapaces de adaptarse a condiciones que cambian tan rápidamente, millones y millones de refugiados ambientales y más conflictos sobre los recursos cambiantes. El efecto total pudiera ocasionar profundas disrupciones en todo aspecto de la cultura humana, resultando en mucho sufrimiento a lo largo de la creación de Dios (tal como se reporta por www.creationcare.org).

Un desacuerdo con el consenso sobre el calentamiento global ha sido generado por un puñado de científicos pagados por la industria petrolera, especialmente S. Fred Singer (véase *Gelbspan, the Union of Concerned Scientists and Environmental Defense* [La Unión de Científicos Preocupados por la Defensa del Ambiente]. Algunos buscan desviar la atención de dos maneras: (1) Por cambiar el enfoque de las temperaturas de la superficie a las temperaturas de la troposfera. Pero, desde luego, se derriten los témpanos, se secan las cosechas y se extienden los desiertos a causa de las tendencias del calentamiento sobre la superficie del globo, no en la troposfera. (2) Por escoger el año más caliente de los 70 (1970) y el año menos caluroso de los 90 (1996) para afirmar que las temperaturas troposféricas bajaron un poco. En realidad, aun los datos de ellos muestran que si se comienza en cualquier parte entre 1965 y 1978, comparándose este promedio con el promedio entre 1980 y 1997, la temperatura aumenta en unos 0,4 grados. La dramática tendencia ascendente ocurre en los últimos años medidos (1992-1998).

El agotamiento de recursos es la disminución de los recursos no renovables y el uso de los recursos renovables a un ritmo más rápido que la posibilidad de su renovación. Este es el equivalente ecológico de "vivir más allá de nuestros ingresos", en este caso, más allá de los ingresos de la riqueza natural del planeta. Los recursos no renovables no se reponen al ser agotados. Estos abarcan el combustible de fósiles (petróleo, carbón, gas natural) y los minerales industrialmente significativos (hierro, magnesio, níquel, cromo, cobre, plata, estaño, bauxita, etc.). Estos se están agotando a ritmos cada vez más rápidos.

La *deforestación*, o el corte de los árboles para la industria maderera, o la quema deliberada de las selvas tropicales con el fin de apacentar ganado, ¡actualmente está progresando a una tasa promedia de una cancha de fútbol por minuto! Los bosques, cuya existencia requirió siglos para que la naturaleza los produjera, están siendo destruidos en un cerrar de ojos… y las llamas añaden dióxido de carbono al aire, aumentando el calentamiento global. La pérdida del hábitat de la vida animal también resulta en una reducción de las especies, una pérdida de la *biodiversidad*. De modo que un proceso, la deforestación, tiene un gran efecto negativo sobre múltiples dimensiones de la ecología. La rápida pérdida de la *biodiversidad* por la extinción y la reducción radical de las especies de plantas y animales amenaza todo el ecosistema interrelacionado. Un ecosistema saludable depende de la interacción compleja de una gran variedad de formas de vida formando cada una un "nicho" ecológico del cual otras especies dependen para vivir. El "desarrollo" humano e industrial y el consumo que no toma en cuenta el impacto ecosistémico han llevado a una alarmante pérdida de especies, llegando a extinguirse a diario una especie floral o de fauna (Hessel D., *After Nature's Revolt* [Después de la rebelión de la naturaleza], p. 1; Nash J., *Loving Nature* [Amando la naturaleza], pp. 54-58).

La *sobrepoblación* humana es un área sensitiva para muchos cristianos, porque algunos abogan por modos no éticos para resolverla. Pero la oposición a tales modos no puede convertirse en una falta de preocupación por el problema mismo. Hasta 1650 la humanidad pudo llegar a una población total de un 1.500 millones. Para 1930 había dos mil millones sobre el planeta. Sólo unos treinta años más tarde, había cuatro mil millones. "Ahora otra Ciudad de México se agrega cada 60 días, otro Brasil cada año". Pero no todos los que se agregan ocasionan la misma cantidad de problema para la tierra. "Los estimados 50 millones de personas agregadas a la población estadounidense durante los próximos 40 años tendrán más o menos el mismo impacto negativo de consumo que los dos mil millones de personas en la India" (Rasmussen L., *Earth Community, Earth Ethics* [La comunidad terrenal, la ética terrenal], pp. 38, 39). La ciudad de Chicago sola "consume tanto como una nación en Asia del Sur (Bangladesh) de noventa y siete millones de personas". Actualmente, hay alrededor de seis mil millones de personas en el mundo (pero para cuando usted lea este libro, serán más). Proyecciones anteriores indicaban que esto aumentaría en diez a once mil millones para 2025 y pudiera alcanzar los catorce mil millones para el 2100, pero esfuerzos a lo largo del mundo están reduciendo estas proyecciones. Muchos predicen motines sobre el alimento, especialmente si las actuales tasas de consumo y patrones continúan. El crecimiento demográfico se ha detenido en algunos países relativamente avanzados, lo cual ha hecho que algunos en esos países se preocupen. Pero desde la óptica del cuidado de la creación, incluyendo el cuidado de la gente del mundo, es justamente en los países relativamente avanzados donde hace falta que se detenga el crecimiento, porque sus poblaciones consumen más de los recursos que se agotan.

La mala distribución de bienes y servicios mediante patrones económicos injustos de producción y consumo crea riqueza para un pequeño porcentaje de la población humana, no tan sólo a expensas de los 1,2 mil millones de personas que viven con sólo un dólar por día y los dos mil millones de personas con dos dólares por día, sino también a expensas de toda la creación. Estamos totalmente interconectados como parte de la creación de Dios: La injusticia económica aumenta la degradación ecológica, y esta ocasiona el sufrimiento humano, y causará sufrimiento por el resto de la historia en un peligroso espiral descendente. Por ejemplo, cuando los granjeros pobres en la América Latina son expulsados de su tierra por el comercio agrícola de exportación, ellos queman los bosques tropicales para tener más tierras que arar, aumentando así la tasa de deforestación. La degradación ecológica tiene un mayor impacto sobre los pueblos pobres y marginados que sobre los ricos y poderosos.

Una dimensión de la *eco-injusticia es el racismo ambiental*. Por mucho tiempo, el movimiento ambiental ha sido mayormente de los blancos y de la clase media, visto por los pobres y la gente de color (u otras personas marginadas) como una preocupación por animales y paisajes bonitos a expensas de su capacitación. Esto está cambiando. Se está formando una conciencia respecto a los elementos raciales y económicos de la explotación ambiental. Los depósitos de materias peligrosas y otros riesgos ecológicos se prestan a ser ubicados en barrios pobres más bien que en otras partes. Es más, la privación económica de los pueblos minoritarios hace que sea más probable que tengan que tomar trabajos con mayores riesgos ambientales para su salud. El hacinamiento de los grupos minoritarios étnicos y raciales en los barrios bajos los aísla de la naturaleza, resultando en un mal para ambos.

Cada una de estas dimensiones está conectada a las otras de maneras multidimensionales. El complicado entretejimiento de nuestra crisis ecológica con la economía de "la sociedad hidrocarbónica" y la concentración de poder en las corporaciones multinacionales, cerniéndose por encima de las leyes de cualquier nación, resultan en varias tentaciones. La primera tentación es la de desesperarse respecto a cualquier remedio. Aunque puede ser demasiado tarde para evitar toda consecuencia de nuestra degradación ecológica de los dos últimos siglos, no es demasiado tarde para minimizar las consecuencias que no se puedan evitar totalmente. Desesperarse refleja una falta de fe en Dios y es una manera conveniente para esquivar la responsabilidad de corregir los males sistémicos que nos han traído a esta crisis. Otra tentación es confiar en una "pastilla tecnológica" milagrosa, un tremendo avance tecnológico que resuelva todos nuestros problemas ecológicos sin que tengamos que hacer ningún cambio en los actuales patrones de producción, consumo y conservación. Aunque la investigación en las nuevas tecnologías tenga un papel necesario, especialmente la investigación en torno a nuevas fuentes de energía alterna que reduzcan nuestra dependencia del petróleo y carbón y que sean mucho más ecológicamente sostenibles, cualesquier soluciones a largo plazo para la crisis ecológica requerirá de grandes cambios en la economía global. El así llamado Primer Mundo tiene que aceptar estilos de vida más sencillos que consuman mucho menos energía y que comparta los recursos del mundo de una manera más justa. Tenemos que aprender a "vivir más sencillamente para que sencillamente la gente pueda vivir".

Enfoques de una ética que cuide la creación
Agrupamos los distintos enfoques éticos en tres tipos, basados en dos variantes de nuestro modelo holístico: *La lealtad última* y el concepto de la relación de *Dios* con la creación.

1. Los enfoques antropocéntricos. Estos hacen que los seres humanos ocupen el centro de preocupación. Está bien que Dios haya creado el universo, pero lo hizo para nuestro bien, y ahora ha entregado el timón a los seres humanos para que dominen sobre tal universo. Ya estamos en control, y debemos usarlo para nuestro propio beneficio. Ya que los seres humanos están intrínsicamente conectados con el resto del orden natural, aun los enfoques antropocéntricos pueden preocuparse por la crisis ecológica debido a su impacto negativo sobre la humanidad, especialmente sobre los pobres. Es más, puede ser que suscite una gran pasión por la salud ecológica en virtud de los deberes que tenemos para con *las generaciones venideras* de seres humanos. En realidad, aunque poderosos intereses creados a menudo quieren hacer que la preocupación ambiental luzca intrínsicamente dañina para el bienestar humano ("'los amantes de los árboles' se preocupan más por los lindos animales del bosque que por los trabajos para los seres humanos"), a menudo los intereses de la humanidad a corto plazo y casi siempre nuestros intereses a largo plazo coinciden con el bienestar del resto de la creación.

Sin embargo, el enfoque antropocéntrico-utilitario es diferente. Su premisa es que la tierra, el aire, el agua y las demás criaturas vivientes sólo tienen valor según la satisfacción que presten a las necesidades utilitarias de los hombres. Calvin Beisner en su *Where Garden Meets Wilderness* [Donde el jardín se encuentra con el desierto] interpreta el mandato de la creación a que el hombre "cultivase y guardase" el huerto (Gén. 2:15) como significando que hemos de "hacer que la tierra sirva al hombre". Él menciona la caída en el pecado de Génesis 3, pero no dice nada respecto a la necesidad de forjar algunas limitaciones en el consumo y la avaricia. Asimismo, su sección sobre la redención saca una sola conclusión: que somos restaurados al mandato de la creación de que usemos la naturaleza para nuestros propósitos. Su interpretación idiosincrásica de la Escritura afirma que la justicia bíblica no se preocupa por la distribución injusta de la riqueza. Él defiende, *en principio*, los mandatos bíblicos enseñados en *Earthkeeping in the Nineties: Stewardship of Creation* [Protegiendo a la tierra en los años 90: la mayordomía de la creación] (Wilkinson L.), llamado por él "el libro evangélico ambiental más importante y más significativo hasta la fecha". Pero luego él dice que los principios bíblicos no nos dicen qué hacer, y que no deben hacer que adoptemos limitaciones a nuestro consumo. Especialmente, debemos evitar la acción gubernamental que aliente o requiera la conservación. Más bien, hemos de confiar en el mercado para que nos diga cuándo debemos conservar. Así que su agnosticismo acerca de lo que signifique la obediencia a los imperativos bíblicos lleva a la afirmación de que es al mercado a quien hemos de obedecer.

Beisner admite que la tierra tiene sólo una cantidad limitada de petróleo, gas natural y otros recursos no renovables. Sin embargo, afirma reiteradamente que mientras más usemos, más tenemos. Ofrece tres clases de evidencia para esta afirmación sorpresiva:

1. Él afirma que los EE. UU. de A. produce más recursos que los que consume. Pero más de la mitad del petróleo consumido por los Estados Unidos de América se importa, y esta proporción crece cada año, porque se nos está agotando el petróleo. Nosotros pagamos dólares a otros países para que nos entreguen petróleo, ocasionando así cada vez más un desequilibrio de pagos, una creciente deuda a otros países y una distorsión de nuestras políticas geopolíticas. Es más, el uso de la palabra *producir* es tramposo. Por "producir" el petróleo Beisner quiere decir bombearlo de la tierra para que lo agotemos. En realidad, no producimos ningún petróleo; Dios lo hizo hace millones de años como una dádiva singular. Cuando se acabe, no se repondrá.
2. Él afirma que las reservas petroleras mundiales han subido de 100 mil millones de barriles en 1943 a 10 trillones de barriles en 1989. Pero "10 trillones" es un error. Hubo sólo un trillón, tal como él mismo confesó más tarde (*Creation Care* [Cuidando la creación], invierno y primavera de 1998). "World Petroleum Trends 1996" [Tendencias petroleras mundiales] reporta que "1995 presenció la décima merma sucesiva en las reservas petroleras mundiales que quedan (bajó a 939 mil millones de barriles)". Es más, por escoger 1943 como el año de comparación, él predispuso el caso. Esto fue antes de una exploración extensa. Una vez comenzada la exploración principal, se hicieron los descubrimientos fáciles. En la década de los años 40, aproximadamente 500 barriles de reservas de petróleo por 30 cm de perforación fueron descubiertos en los EE. UU. de A. continental. Para la década de los años 60 sólo 30 barriles por 30 cm de perforación fueron descubiertos. En el decenio de los años 90, la cantidad fue menos de 5 barriles (Meadows D., *Beyond the Limits* [Más allá de los límites], p. 72). A pesar de la búsqueda, siendo la tecnología mucho mejor, cada descubrimiento nuevo llega con más dificultad y con menos frecuencia, y con menos petróleo, una evidencia clara de que se nos está agotando el petróleo por descubrir.
3. El argumenta que "la caída de precios a largo plazo de petróleo" nos dice que no nos estamos quedando sin petróleo. Pero, como se sabe, los precios del mercado suben y bajan según la existencia del petróleo *esta semana*, no el año próximo, y no la próxima generación. El problema que enfrentamos no es una falta esta semana; es que el consumo mundial se

está duplicando cada 30 años, un ritmo por el cual las reservas mundiales conocidas se agotarán en aproximadamente 25 años, permanentemente, irremplazables para generaciones futuras. Al ser confrontado por el hecho de la merma de las reservas petroleras, él afirmaba que obedecía a que los precios del mercado no eran suficientemente altos para alentar la perforación; cuando el mercado diga que necesitamos más petróleo, habrá más perforaciones. De modo que él confía en el mercado, no en la ética. El problema, sin embargo, no es una falta de perforaciones; es que, aun con una tecnología muy mejorada, las perforaciones resultan infructuosas. Esta es una señal dramática de lo inadecuado que es confiar en el consumo ilimitado del mercado para resolver nuestros problemas.

Seguramente el mercado libre es mejor que el sistema comunista, pero sí necesita algunas regulaciones e incentivos. Un partido de fútbol tiene algunas reglas y regulaciones e incentivos para que se haga el gol de una forma prescrita, y casi nunca esto impide que los jugadores estén libres para competir. Sin reglas, la competición sería un caos y resultaría en muchas lesiones y aun muertes. Asimismo, un mercado necesita reglas e incentivos para hacer que el comercio sea ético. Esto no impide la competencia; evita el caos, las lesiones y las muertes. La enseñanza de Jesús sobre los tesoros, los corazones y los ojos hace que se pregunte: ¿En dónde tiene su corazón y tesoros una ideología que piensa que la enseñanza bíblica y los datos científicos no ponen ningún límite a la avaricia? Sin ayuda, sin incentivos para la conservación, el mercado no nos dirá que estamos en un lío hasta el año en que topemos con el límite y haya una falta de petróleo; luego será demasiado tarde para hacer algo respecto al consumo total del petróleo que nos fue dado por el Creador.

2. Enfoques centrados en la vida. Estos enfoques no otorgan ningún estatus especial a los seres humanos, considerándolos como una especie más entre otras de la tierra. Todas las criaturas vivientes de la tierra no tan sólo tienen *un valor intrínseco* sino *un valor igual.* Si los que se centran en la vida (*bios*) hablan de Dios, ellos tienden a hablar de forma panteísta: Dios identificado con o una parte de la tierra o del universo. Algunas religiones mundiales, tales como el hinduismo, el budismo, o las espiritualidades indígenas de Norte América, tradicionalmente han abogado por alguna versión del "biocentrismo". En el movimiento ambiental secular, tal perspectiva fue hecha famosa por el naturalista Aldo Leopold y su *A Sand County Almanac* [Un almanaque del condado de Sand] (1948). Tal vez la versión filosófica más persuasiva actualmente es la del neokantiano Paul W. Taylor y su *Respect for Nature: A Theory of Environmental Ethics* [El respeto por la naturaleza: Una teoría de la ética ambiental] (1986). Taylor niega la superioridad humana en toda manera moralmente relevante; por ejemplo, puede ser que los seres humanos sean más inteligentes, pero los caballos son más veloces. Todas las criaturas vivientes tienen un valor inherente *igual* y deben verse como miembros de una "comunidad de vida" y un sistema de interdependencia. Otras versiones de la ética biocéntrica desarrollan la "hipótesis Gaia" de James Lovelock por la que el planeta constituye una totalidad viviente de la que todas sus partes, vivientes y no vivientes, son una parte (Lovelock L., *The Ages of Gaia* [Las edades de Gaia]).

Miembros de los así llamados movimientos "Nueva Era" y "ecología profunda" han adaptado la tesis de Gaia para que sea una espiritualidad natural panteísta de la totalidad y una interconexión con Gaia, la tierra. El movimiento Nueva Era abarca elementos místicos de las religiones tradicionales de los indígenas norteamericanos como también elementos tomados de las religiones orientales y los grupos neopaganos tales como los Wiccans. Todos estos grupos tienden a reverenciar la naturaleza como algo santo en sí, adorando a veces a la naturaleza. Algunos cristianos han cometido el error de asociar la preocupación ecológica con los movimientos neopaganos de la Nueva Era. El movimiento cristiano que se preocupa por la creación es radicalmente diferente. Los cristianos adoran sólo al Creador, no a la creación, y ellos fundamentan sólidamente su ética en la enseñanza bíblica referente al cuidado de Dios por su creación. Se han hecho algunos intentos por formar versiones cristianas de la ética biocéntrica, alimentándose del misticismo natural de Francisco de Asís o de la "reverencia por la vida" de Albert Schweitzer. Matthew Fox y Thomas Berry han intentado reconstruir la espiritualidad cristiana por medio de los delineamientos biocéntricos, pero para poder hacerlo han tenido que quitar importancia a la trascendencia de Dios al igual que pensar en los seres humanos como las únicas criaturas hechas "a la imagen y semejanza de Dios". También, minimizan el pecado y la necesidad de redención, enfatizando más bien la bendición original de la naturaleza, la bondad humana, la inmanencia divina y la igualdad espiritual de toda criatura (véase Berry T., *Dream of the Earth* [El sueño de la Tierra]; Fox M., *Original Blessing* [La bendición original]).

3. Enfoques centrados en Dios. Estos rechazan los enfoques utilitario-antropocéntricos y los de "cuidados sabios" por los cuales sólo los seres humanos tienen un valor intrínseco, tanto como el igualamiento radical de los varios enfoques biocéntricos. Ellos insisten en que *Dios* sea el valor central y que las criaturas de Dios, incluyendo a los seres humanos, tienen valor únicamente dentro de la comunidad creada por Dios. La clave es que Dios no está separado ni desconectado de la creación. El hacer que Dios sea tan distante tiende a separar la adoración y el servicio a Dios del cuidado de la creación de Dios como si fuera "una cuestión" periférica. Más bien, Dios es Creador y continuamente está dinámicamente involucrado en el cuidado de la creación, tal como Jesús enseña tocante al continuo cuidado de Dios de las aves y de los lirios de los campos. Dios es el "Yo soy", el que oye los clamores del pueblo, ve nuestra necesidad y ha venido para liberar, prometiendo así: "Yo estaré con vosotros" (Éxo. 3:6-15). Dios es el Santo, dinámicamente presente para redimir. Por ende, el adorar a Dios nos envuelve directamente en el cuidado de la creación, así como Dios está involucrado en el cuidado de la creación y de nosotros como partes responsables de la creación.

Una versión no cristocéntrica del teocentrismo es el enfoque de James Gustafson. Basándose en una versión teológicamente liberal de la tradición Reformada, Gustafson enfatiza el poder soberano de Dios, argumentando que lo que es bueno para los seres humanos no siempre toma precedencia sobre el alcance mayor de los planes de Dios. Es más, por creer que la ciencia debe informar y hasta modificar la teología cristiana, Gustafson ha abandonado las tradicionales esperanzas escatológicas cristianas, creyendo que la ley de la entropía llevará finalmente a la muerte del universo por el calor. Así que su ética ecológica tiene mucho en común con los puntos de vista biocéntricos, excepto que él permite que los seres humanos den prioridad a sus propias especies en tanto que reflejen que Dios valora distintas partes de la creación más que otras (Gustafson J., *Ethics from a Theocentric Perspective* [La ética desde una perspectiva teocéntrica] y *Protestant and Roman Catholic Ethics* [La ética protestante y la católica romana]).

Los enfoques de la teología del proceso y la feminista usualmente difieren del biocentrismo, enseñando que Dios, el Creador, trasciende la creación en el sentido de que Dios es mayor que la Creación y es eterno. Pero ellos critican las posturas de la trascendencia que separan a Dios de la creación: Dios está dinámicamente activo en la creación, cuidándola, haciendo que ella progrese hacia su futuro. Aunque recalcan las interconexiones y el valor de toda vida, ellos no abogan por la igualdad de toda forma de vida.

Las "ecofeministas" contemplan conexiones intrínsecas entre la dominación a las mujeres por los hombres y la dominación de la naturaleza (personificada a menudo como femenina) por "el hombre". Elizabeth A. Johnson en su, *Women, Earth, and Creator Spirit* [Las mujeres, la Tierra y el espíritu creador] tal vez nos provea la variedad más "ortodoxa" del ecofeminismo cristiano hasta la fecha. Las ecofeministas que ponen menos énfasis sobre la trascendencia de Dios y más sobre lo relacional de Dios, moviéndose parcialmente a veces hacia el biocentrismo, incluyen a Sallie McFague, *The Body of God: An Ecological Theology* [El cuerpo de Dios: una teología ecológica] y *Super, Natural Christians: How We Should Love Nature* [Cristianos super y naturales: Cómo debemos amar la naturaleza]; Rosemary Radford Ruether, *Gaia and God: An Ecofeminist Theology of Earth Healing* [Gaia y Dios: una teología ecofeminista de la sanidad de la Tierra] y *Women Healing Earth: Third-World Women on Ecology, Feminism, and Religion*

[Las mujeres sanadoras de la Tierra: Mujeres del tercer mundo sobre la ecología, el feminismo, y la religión].

La ética de la mayordomía de la Tierra es parcialmente antropocéntrica en la que los intereses y responsabilidades del ser humano son centrales; pero también son parcialmente teocéntricos en que los seres humanos son ordenados por Dios a que cuiden de la creación. *Los mayordomos de la Tierra* afirman el concepto básico de que los seres humanos se relacionan biológicamente con los ecosistemas de la Tierra y dependen de ellos. Así que, aunque el crecimiento económico es necesario, ellos reconocen que hay límites del crecimiento económico y la necesidad de una reorganización económica en un sistema que sea *sostenible* y justo (es decir que satisface las necesidades de los pobres a la vez que conserva los recursos de la Tierra por respetar sus capacidades). Aunque otros enfoques teocéntricos más radicales aprecian los discernimientos de la forma "protectora de la Tierra" de la ética de mayordomía, ellos tienden a ver el concepto como demasiado antropocéntrico como para reconocer la riqueza de materiales bíblicos sobre la mayordomía y el cuidado de Dios sobre la creación o la crisis ecológica.

Un grupo menor de la ética ecológica teocéntrica enfatiza una perspectiva de *pacto*. Tales éticos se fijan en que Dios hizo un pacto con toda la creación después del diluvio y que el pacto de Israel abarcaba deberes para con la creación no humana en términos de las plantas cultivadas tanto como el ganado y la "naturaleza silvestre". El compromiso dinámico de Dios en el cuidado de la creación se revela en las narrativas bíblicas del cuidado de Dios, y nuestro cuidado de la creación no reemplaza a Dios sino participa en la continuación del cuidado de Dios. La obra significativa de Rasmussen L., *Earth Community, Earth Ethics* [La comunidad terrenal, la ética terrenal] queda influenciada por la ética cristocéntrica y encarnacional de Bonhoeffer. Nosotros consideramos que nuestra propia ética es una versión trinitaria y pactista del enfoque teocéntrico.

Reflexiones bíblicas y teológicas sobre el cuidado de la creación

Por haber abordado la cuestión de cómo se debe definir la amenaza y cómo se debe describir la relación de Dios con la creación, ahora podemos abocarnos a ver fuentes bíblicas clave con interrogantes más precisas. Las discusiones cristianas de la creación suelen concentrarse a menudo en Génesis 1—2. Queremos enfocarnos un poco más detenidamente con énfasis específicamente cristológico:

> Él nos ha librado de la autoridad de las tinieblas y nos ha trasladado al reino de su Hijo amado, en quien tenemos redención, el perdón de los pecados.
>
> Él es la imagen del Dios invisible, el primogénito de toda la creación; porque en él fueron creadas todas las cosas que están en los cielos y en la tierra, visibles e invisibles, sean tronos,

dominios, principados o autoridades. Todo fue creado por medio de él y para él. Él antecede a todas las cosas, y en él todas las cosas subsisten. Y además, él es la cabeza del cuerpo, que es la iglesia. Él es el principio, el primogénito de entre los muertos, para que en todo él sea preeminente; por cuanto agradó al Padre que en él habitase toda plenitud, y por medio de él reconciliar consigo mismo todas las cosas, tanto sobre la tierra como en los cielos, habiendo hecho la paz mediante la sangre de su cruz.

Colosenses 1:13-20

Este gran himno cristiano habla de una reconciliación de toda la creación por aquel que hizo toda la creación y en quien toda la creación es mantenida unida. No se habla precisamente de la *redención* de toda la creación. El término *redención* se relaciona sólo con "nosotros" (es decir, los seguidores de Jesús) y se define específicamente como el perdón de pecados. Aunque toda la creación está "caída" y bajo "el dominio de las tinieblas", la creación no humana no es pecaminosa. Sólo los humanos necesitan el perdón de pecados. Pero la pecaminosidad humana ha ocasionado una alienación entre la humanidad y el resto de la creación (Gén. 3:14-19; 9:1-6), y este pasaje promete la reconciliación, un fin de esa alienación.

Asimismo en Romanos 8:18-25 se nos dice que *toda la creación* aguarda "con ardiente anhelo" la manifestación de los hijos de Dios. La creación "ha sido sujetada a la vanidad" y, junto con la salvación humana, será librada de la esclavitud de la corrupción. A la vez, Pablo nos dice, toda la creación gime como una mujer con dolores de parto, al igual que nosotros gemimos por la anticipación de nuestra adopción como hijos de Dios, la redención de nuestros cuerpos. La salvación humana, la obra expiatoria que realiza Cristo, está íntimamente entretejida con la liberación del resto de la creación de sus sufrimientos debido al pecado humano, sufrimientos que hemos descrito anteriormente.

A la luz de tales cuadros tan específicamente cósmicos de la obra de la salvación de Cristo, Génesis 1:1—2:3 no puede entenderse del modo explotador de aquellos que abogan por *el dominio* antropocéntrico-utilitario de la creación. En esta descripción semejante a un himno de la obra creadora de Dios, cada etapa de la creación es llamada *buena*. El "dominio" que se le da a los seres humanos en Génesis 1:26-29 sí implica una preeminencia humana, un tema cuyo eco se encuentra en pasajes tales como el Salmo 8, pero se opone a una teología de dominación. También vimos en nuestro capítulo sobre Jesús y la justicia, que Jesús, estando en la tradición de la Tora y los Profetas, consideraba que la dominación era una dimensión principal de la injusticia. Interpretar Génesis 1:26 como un permiso para la dominación humana es dejar de reconocer la injusticia de la dominación y la imposibilidad de dominar sobre la creación no humana sin también dominar sobre sectores de la humanidad. Tal como señala Sider, los cristianos pueden creer que tienen el permiso de saquear o desatender el ambiente sólo por dejar de amar a Jesús (en LeQuire, *Best Preaching on Earth* [La mejor predicación sobre la Tierra], p. 37).

Según el pacto con Noé (Gén. 9:8-17), a Dios se le representa como haciendo una promesa perpetua a toda la humanidad, a todas las demás criaturas y a la tierra misma, que nunca más las destruiría por un diluvio. Este pacto, juntamente con la historia del arca de Noé, reconoce implícitamente que el bienestar humano está íntimamente entretejido con el bienestar de todas las criaturas y sus ecosistemas. El arco iris en las nubes es un arco de guerra sin desplegarse: El pacto divino de paz y su promesa de no pelear contra la creación (Austin R., *Hope for the Land* [Esperanza para la Tierra], p. 32).

Las leyes de pacto de Israel abarcaban obligaciones para con las plantas, el ganado y la naturaleza silvestre. Estas obligaciones son especialmente fuertes en las tradiciones del sábado y el jubileo, que formaban parte principal de la perspectiva de Jesús sobre la justicia. Por ejemplo:

> Seis años sembrarás tu tierra y recogerás tu producto. Pero el séptimo la dejarás sin cultivar y vacante, para que coman de ella los necesitados de tu pueblo y para que de lo que quede coman también los animales del campo. Lo mismo harás con tu viña y tu olivar. Seis días te dedicarás a tus labores; pero en el séptimo día cesarás para que descansen tu buey y tu asno, y renueven fuerzas el hijo de tu sierva y el forastero.
>
> Éxodo 23:10-12

Nótese que el séptimo día y el séptimo año se preocupan por los humanos tanto como por los animales, sean animales domésticos o salvajes, por los esclavos y extranjeros residentes (inmigrantes), y por la tierra misma. ¿Es sorprendente que Jesús objetara al mal uso del sábado para dañar más bien que ayudar a los pobres? Asimismo, la legislación en torno al Jubileo (Lev. 25:8-10) estipulaba que al cabo de 7 semanas de años (es decir, 49 años), el año quincuagésimo fuera un año para "la liberación de la tierra y todos sus habitantes". Como en el año sabático, la tierra se dejaría sin cultivar (permitiendo así la renovación de sus propiedades de vitalización), la tierra sería redistribuida más o menos como había sido distribuida entre las tribus de Israel al entrar a la tierra de promisión; los esclavos (adquiridos por deuda o por guerra) serían librados, dándoles dinero para comenzar de nuevo. De modo que la tierra misma tanto como las concentraciones extremas de riqueza y propiedad por las generaciones habían de ser evitadas. Tal legislación era un programa radical "antipobreza" y una preocupación por la tierra misma. En Isaías, Dios arremete contra aquellos que violan esta legislación por la compra de toda la tierra, creando así la indigencia. El resultado de tal injusticia sería la pérdida radical de la productividad fértil de la tierra (Isa. 5:8-10).

Había otras provisiones ecológicas en el pacto de Israel tal como se detallan en la Tora. Cuando los israelitas iban a la guerra, se les prohibía cortar los árboles frutales, contra la política de la tierra quemada que era común en los sitios (Deut. 20:19, 20). Esta sensibilidad ante el cuidado de Dios hubiera evitado el daño ecológico de la marcha de Sherman[1] desde Atlanta hasta el mar, el bombardeo con napalm en Vietnam por parte del gobierno de los Estados Unidos de América, y la destrucción de los pozos petroleros de Kuwait por parte de Irak durante la Guerra del Golfo Pérsico, sin hablar de la devastación ecológica que sería causada por una guerra nuclear.

Asimismo, Deuteronomio 22:6, 7 permite el comer a una ave madre o sus huevos, pero no las dos cosas. Deuteronomio 25:4 prohíbe poner un bozal al buey cuando trilla, pese a lo molestoso que sería para los agricultores. Deuteronomio 22:10 asimismo prohíbe que se are con buey y asno juntamente, porque tal combinación cruel haría que un animal trabajase demasiado y frustraría al otro. Y las raíces de la gran iniciativa transformadora de Jesús respecto a la pacificación, "Amad a vuestros enemigos y haced bien a los que os aborrecen" (Luc. 6:27) se hallan en Éxodo 23:4, 5: "Si encuentras extraviado el buey o el asno de tu enemigo, devuélveselo. Si ves caído debajo de su carga el asno del que te aborrece, no lo dejes abandonado. Ciertamente le ayudarás con él".

Los cuadros de redención escatológica en los profetas abarcan una preocupación por el mundo natural. Oseas 2:18-23 incluye la promesa de un pacto con los animales del campo y las aves del cielo (tanto como la abolición del arco y la espada y la guerra). La visión de Isaías del reino de paz incluye una paz entre los animales (Isa. 65:17-25). La tierra era una dádiva de Dios; si el pueblo cuidaba de la tierra, siguiendo los mandatos de Dios, la tierra sería fructífera (Deut. 11:11-17; Jer. 11:5). A causa de su engaño, injusticia y violencia, la tierra gemía y era profanada (Ose. 4:1-3; y muchos pasajes en Jeremías). Nótense las muchas enseñanzas bíblicas sobre el pecado de la avaricia (Mat. 6:19-33; Luc. 12:15; Col. 3:5; 2 Ped. 2:3, 14; Stg. 4:1-3). Con la redención viene la restauración de la tierra (Eze. 47:9-12; Jer. 33:11).

Iniciativas transformadoras y prácticas cristianas

Piense usted imaginativamente. ¿Cómo podemos dar un paso de compromiso, un paso de arrepentimiento, un paso de discipulado que participe en el cuidado de Dios por la creación? Steven Bouma-Prediger dice que podemos

[1]Nota del editor: General de la Guerra Civil en los EE. UU. de A. que promovió la guerra total, que muchas veces incluía quemar todo lo que pudiera ser suministro para el enemigo.

cultivar las virtudes de respeto y receptividad, autocontrol y frugalidad, humildad y honestidad, benevolencia (misericordia) y amor y justicia (*For the Beauty of the Earth* [Por la excelsa majestad de la Tierra], pp. 137-165). Estas se parecen a las virtudes que vimos en las Bienaventuranzas. Nosotros cultivamos esas virtudes cristianas por nuestras prácticas regulares y nuestras inversiones.

Un paso es que la iglesia predique, enseñe y practique lo que ella predica. Esperamos que este capítulo pueda proveer algunos recursos. Una iglesia será mucho más persuasiva si practica lo que predica. Haga que la iglesia tome medidas para conservar la energía, hablando de ellas en sermones, lecciones de la Escuela Dominical y grupos pequeños. Conocemos una iglesia que tenía una Escuela Bíblica de Vacaciones cada año para los adultos tanto como para los niños en la que uno de los talleres de una semana de duración era una clase práctica respecto a la conservación de energía, enseñada mediante proyectos concretos y prácticos. Los participantes implementaban las prácticas en sus hogares. Era divertido, y les ahorraba mucho dinero en gasolina, calefacción y electricidad.

Este es el tema que aprendemos con Jesús: "Donde esté vuestro tesoro, allí estará vuestro corazón también". Jesús era un realista. Jesús no enseñaba una ética idealista por la que la enseñanza es tener buenos ideales aunque se sigan manteniendo los mismos incentivos económicos e inversiones. Necesitamos cambiar el lugar donde esté invertido nuestro dinero y los incentivos financieros con el fin de que practiquemos la modestia, la conservación y la generosidad. Esto sugiere un acercamiento al cuidado de la creación que difiera mucho de lo que leemos. En la clase de la escuela bíblica de la iglesia aprendimos cómo ahorrar gasolina, calefacción, el aire acondicionado y la electricidad, y *nosotros calculamos cuánto dinero ahorrábamos con el fin de que invirtiéramos lo ahorrado en cosas mejores, incluso el dar para las causas del reino.* Nosotros ajustamos nuestros incentivos económicos a nuestra ética ecológica. Tal como Jesús predecía, nuestros corazones seguían tras nuestras prácticas financieras, y lo mismo con nuestra percepción.

Su iglesia puede tomar varios pasos para ahorrar dinero en los gastos de energía eléctrica y gas o pedir que sea hecho un estudio de su consumo por las respectivas compañías de energía eléctrica y gas, implementando así su cuidado de la creación. Si su iglesia ahorra, también puede enseñar a sus miembros a que hagan igual en sus hogares.

En los EE. UU. de A., por ejemplo, se podría enseñar a ahorrar haciendo lo siguiente: Los que viven cerca de su trabajo o escuela, pueden caminar o ir en bicicleta, o si viven más cerca de una parada del autobús la pueden usar, o pueden comprar un auto de alto rendimiento, y así reducen los gastos de gasolina. También, si se viaja en autobús, se ahorra mucho tiempo, se puede leer, cosa que es muy difícil hacer si se está manejando en la autopista. Al bajar el termostato unos cuantos grados durante el día y más aún en las noches, cerrando también las cortinas o celosías cuando hace frío afuera, se puede reducir el recibo de calefacción en un 50%. El cocinar, hornear o el aire acondicionado usan mucho más corriente que las luces o las computadoras; por no precalentar el horno, apagándolo unos momentos antes de terminar de hornear y encender el aire acondicionado únicamente cuando de verdad se necesita, apagando luces y computadoras al no estar usándolas, se puede reducir la mitad de la cuenta de energía eléctrica. Nosotros hemos hecho estas cosas.

¿Qué tal si se nombra una comisión de la iglesia para que forme grupos con la idea de compartir los viajes, rotando el uso de los autos? Cuando yo (Glen) era un adolescente, era el líder de la unión de jóvenes. Organicé grupos para que compartiéramos nuestros autos en los viajes a las reuniones. Esto creaba la expectativa de la asistencia, ya que alguien había accedido a recogerlos de antemano. Creaba también la práctica de llamar por teléfono a miembros en perspectiva y visitantes para ver si deseaban que alguien los recogiese; esto hacía que se sintiesen importantes para el grupo. También, esto creaba una sensación de pertenecer a un grupo, creaba un ambiente de compañerismo. Por encima de todo esto, también el hacer esto testificaba de nuestro deseo de cuidar la creación. El grupo de jóvenes creció como en un 400%. ¿Por qué no organizar algo por el estilo para todos aquellos de la iglesia que muestren interés?

El limitar el tamaño de la familia no a lo que la familia puede costear sino a lo que el mundo puede costear es un deber moral clarísimo. Si algunos desean tener una familia grande, pueden adoptar algunos de los muchos niños abandonados de su país y del mundo. Si esperamos evitar los medios draconianos practicados por la China para limitar el número en las familias, necesitamos emplear el liderazgo moral para alentar la limitación voluntaria. Prácticas ecológicas para nuestra era hacen falta, tales como métodos éticamente aprobados de control de la concepción y prácticas de responsabilidad sexual.

Al principio del siglo veinte, Los Ángeles tenía un sistema de transporte público de tres mil tranvías eléctricos, que cubría un área de 115 km desde el centro de la ciudad sin producir nada de contaminación. Pero, como en el caso de otras 45 ciudades, el sistema de tranvías en Los Ángeles fue comprado por la empresa *General Motors* con la ayuda de *Standard Oil* con el fin de que la gente llegara a depender de sus autos y los autobuses; después de lograr su meta, volvieron a vender los tranvías. Esto funcionó: Los Ángeles se hizo famosa por su dependencia de 9 millones de vehículos motorizados y por sus embotellamientos. La contaminación ambiental era horrible, arruinando la salud, el confort y la belleza. La gran Los Ángeles tenía el aire más sucio de los EE. UU. de A. En la ciudad de Pasadena, que quedaba a sólo 3 Km de la cordillera de San Gabriel, casi nunca se podían ver las montañas.

Sólo con la elección del alcalde Tom Bradley Los Ángeles comenzó a reconstruir su sistema de transporte público. Las leyes estatales y federales establecían las normas para el aire limpio. La *Air Quality Management Control Board* [La Junta del Control de la Calidad del Aire] desarrolló un sistema por el cual las fábricas que limitaban sus emisiones recibieran una recompensa económica, mientras que aquellas fábricas que no podían costear la reducción en emisiones, se les cobraba una tarifa. Esto crea "la flexibilidad de escoger los medios más económicos de lograr las reducciones anuales en la polución del aire. A otras entidades se les extienden permisos que detallan los requisitos específicos en cuanto al equipo y operaciones que emiten polución". A los empresarios se les requiere que desarrollen un plan efectivo que aliente a los empleados a que ocupen el transporte público, bicicletas o vehículos compartidos para llegar al trabajo. "Pese a un aumento en la población desde 1950 hasta 1990, de cinco millones a trece millones, la polución de ozono ha mermado desde setenta partículas por cien millones a treinta". Los avisos de alerta sobre la contaminación ambiental de grado once, que hace una década se daban quince o veinte veces por año, ahora casi nunca se dan. Las montañas hermosas se pueden ver casi todos los días desde Pasadena.

Los europeos saben que el consumo de la gasolina tiene costos sociales muy elevados. Este consumo crea contaminación y problemas de salud. Crea la lluvia ácida y su daño a los bosques. Requiere enormes importaciones de petróleo, creando así grandes desequilibrios comerciales y deudas nacionales a los países productores del petróleo. Consume las existencias cada vez menores de petróleo, resultando en un desabastecimiento para las generaciones futuras. Por ende, las naciones europeas hacen que estos costos sociales se reflejen en el precio de la gasolina, cobrando impuestos más elevados por la compra y el consumo de ella. Las entradas por los impuestos luego se emplean para sostener los excelentes sistemas de transporte público de Europa. Por ende, existen alicientes para el uso del transporte público, para vivir cerca del trabajo, para comprar autos más eficientes, menos vehículos de gran consumo de gasolina, para caminar más, mejorando así su salud. Es como Jesús dijera: "Donde estén vuestros tesoros, allí estará vuestro corazón". La política sabia provee incentivos para que la gente haga lo que convenga para la salud, la justicia y la comunidad.

Lo que los europeos saben es igualmente certero respecto a los Estados Unidos de América. Pero intereses ideológicos han resistido tales políticas. El día 23 de septiembre de 1987 apareció en el diario *The New York Times* un anuncio comercial de toda una página. Con letras grandes se proclamó:

"¡Buenas noticias! Durante los últimos 13 años los fabricantes estadounidenses de automóviles han duplicado su eficiencia promedia en el consumo de gasolina". La página era una gran gráfica con una línea que comenzaba en la parte inferior hacia la izquierda, haciendo curva hacia la parte superior a la derecha. En la gráfica se mostraba que en 1974 el consumo promedio por auto era de 5 km por litro. Para 1985 se había duplicado la eficiencia en 10 km. En la parte inferior el aviso declaraba: "Creemos que esto dice algo respecto a la tecnología estadounidense". Lo que el texto no señaló fue que el progreso era exigido por la ley, requiriendo que los fabricantes de automóviles mejoraran el kilometraje promedio de sus productos en 0,5 km por litro cada año.

El presidente de la *Ford Motor Company* había dicho que era la clase de regulación preferida por las compañías, si es que tenía que haber alguna regulación. Ellos conocían la meta con mucha anticipación, pudiendo así planear y gozan de la libertad de alcanzar esa meta con cualquier combinación de autos compactos y lujosos que quisieran. Nosotros pensamos que eso indica algo respecto a una correcta regulación que permite cierto grado de libertad. Otra cosa que no indicaba el anuncio era que durante los últimos tres años, la gráfica mostraba que el progreso se había detenido: el kilometraje de 1985 era de 9,9 km; en 1986 era de 9,97; en 1987 era de 9,97. Y durante los años siguientes, fuera de la gráfica, la eficiencia empezó a bajar. ¿Por qué? ¿Faltaba la destreza de ingeniería? No; las compañías automovilísticas exitosamente habían convencido al presidente Reagan de que la regulación era mala idea, y él había cancelado la aplicación futura de la ley. De modo que no hubo más progreso después, pese a la tecnología estadounidense. Se ha calculado que si la ley se hubiese mantenido en vigor, para el año 2000 habríamos ahorrado dos veces la cantidad de petróleo encontrada en el tremendo depósito en la parte norteña de Alaska. Desde entonces, las compañías automovilísticas estadounidenses han presionado exitosamente para que los vehículos grandes de recreación (SUV) y las furgonetas sean considerados como camiones, logrando así que no tengan regulaciones respecto a su eficiencia en el consumo de gasolina. Esto también resultó en que se les persuadiera a los estadounidenses a que comprasen más SUV y furgonetas que automóviles. De manera que el promedio de la economía en el consumo de gasolina está cayendo dramáticamente, pese al conocimiento de la tecnología estadounidense. Pensamos que eso dice algo respecto a tener el corazón donde están los tesoros.

En los Estados Unidos de América sí existen algunos incentivos para que haya aparatos eléctricos más eficientes en el consumo de energía. Hacen falta desesperadamente más incentivos como estos. Allá en la estratosfera, el ozono forma un escudo protector para los animales, plantas y poblaciones humanas contra la peligrosa radiación del espacio. Ciertos químicos llevados por el aire, llamados clorofluorocarbonatos, al ser soltados a la atmósfera, a la larga llegan a la atmósfera exterior donde destruyen la capa de ozono. Estos clorofluorocarbonatos se han encontrado especialmente en ciertos aerosoles y refrigeradores, causando una severa degradación de la capa de ozono en la atmósfera superior. Esto ha ocasionado que los cánceres de la piel aumenten dramáticamente. Pero esto también es un drama de esperanza: Por la insistencia de los científicos y los ciudadanos, los gobiernos han concordado en proscribir los clorofluorocarbonatos, y la degradación de la capa de ozono está siendo invertida. Claro, la pregunta es si esta tendencia, o la tendencia hacia los SUV caracterizará más a las leyes de la nación más rica y más consumidora de energía del mundo durante los años venideros.

SECCIÓN VII:

UNA PASIÓN POR EL REINADO DE DIOS

En esta última sección hablaremos sobre la oración y la actividad política como prácticas que reflejan una pasión por el reino de Dios.

Aunque la mayoría de las obras sobre la ética cristiana aborda la acción cristiana en la vida pública, muy pocas hablan sobre la oración. Sin embargo, las dos cosas están encadenadas, como demostramos en esta sección, y ambas son abordadas por Jesús en el Sermón del monte.

Nuestro último capítulo refuerza el enfoque sobre las prácticas del reino mediante un repaso de las muchas prácticas concretas que se han propuesto a lo largo de este libro.

Cada palabra de este libro ha sido puesta como expresión de nuestra pasión por el reinado de Dios, lo cual refleja la pasión de Jesús por el reino de Dios; esperamos también que su propia pasión se engrandezca por ese reinado de justicia, paz, liberación-salvación, gozo y la extraordinaria presencia de Dios. Esta es la más profunda esperanza de la Biblia hebrea y la afirmación más osada del NT, es decir, que el prometido reino de Dios ha llegado en Jesucristo.

22

La oración

Guardaos de hacer vuestra justicia delante de los hombres, para ser vistos por ellos. De lo contrario, no tendréis recompensa de vuestro Padre que está en los cielos... Y al orar, no uséis vanas repeticiones, como los gentiles que piensan que serán oídos por su palabrería. Por tanto, no os hagáis semejantes a ellos, porque vuestro Padre sabe de qué cosas tenéis necesidad antes que vosotros le pidáis.

Mateo 6:1, 7, 8

Hemos sugerido que el atender a Jesús y el Sermón del monte suscita algunos problemas para la ética que de otra manera serían pasados por alto. Esto es sumamente aplicable aquí. El basar nuestra ética cristiana en la enseñanza de Jesús en el Sermón del monte hace que nos fijemos en la relación entre la oración y la ética, y que veamos otros aspectos del testimonio neotestamentario que de otro modo ignoraríamos.

Difícilmente hay otro asunto tan olvidado en la ética cristiana que la oración. Ningún libro de texto introductorio mencionado en esta obra trata de la oración. Y, sin que sea sorpresa, jamás se trata en los libros seculares sobre la ética, asunto que se nota al hacer una lectura superficial de ese material.

La desatención entre los eruditos respecto a la oración y su nexo con la ética refleja tanto como profundiza la separación entre el corazón y la mente, entre "el espíritu piadoso" y "el mundo real" que caracteriza tanto al cristianismo occidental. Es como si se pudiera encontrar la "piedad" en un compartimiento de la fe y "la vida" en otro; pero los seres humanos no están fragmentados así, y no hay base escrituraria que sustente esta manera de pensar.

A lo largo de este libro hemos argumentado que la vida moral cristiana está fundamentada en un drama escatológico acerca del amaneciente reino de Dios en Jesucristo. Es un drama del difícil, costoso, pero en última instancia victorioso esfuerzo de Dios por reclamar la creación rebelde de las garras del pecado y de Satán. En su ministerio terrenal, Jesús fue el pionero y forjador de esta recuperación del mundo para Dios. Llama la atención que, pese a las afirmaciones exaltadas que el NT hace en cuanto a la identidad de Jesús, jamás se haga intento alguno por ocultar su profunda vida de oración. En realidad, tal como demostraremos, la oración era una parte integral de la vida del Hijo inaugurador del reino. Los Evangelios nos pintan un cuadro del Jesús guiado por el Espíritu Santo. Un estudio de las enseñanzas de Jesús y las narrativas relacionadas con la oración deben ayudarnos a superar la separación entre la oración y la ética, permitiéndonos arraigarlas en la narrativa bíblica del reino de Dios.

La práctica de la justicia (Mat. 6:1-18)

Mateo 6:1-18 está formado por cuatro tríadas separadas (las tríadas 7-10; véase el capítulo seis para repasar nuestra proposición relacionada con la estructura del Sermón del monte) las cuales se relacionan con la práctica de la justicia en la vida judía. Estas cuatro enseñanzas paralelas tienen que ver con las obras de misericordia (Mat. 6:2-4), la oración (Mat. 6:5, 6, 7, 8) y el ayuno (Mat. 6:16-18). La segunda de las dos tríadas sobre la oración se expande para la inclusión de la famosa "oración del Señor" (Mat. 6:9-13) y su comentario sobre su énfasis en el perdón (Mat. 6:14, 15).

En esta sección es fácil ver la estructura triádica propuesta por nosotros como característica de la enseñanza de Jesús tal como Mateo la presenta en el Sermón del monte. Toda la sección empieza con una introducción general que ofrece una tesis acerca de la naturaleza de la verdadera justicia (*dikaiosyne*): "Guardaos de hacer vuestra justicia delante de los hombres, para ser vistos por ellos. De lo contrario, no tendréis recompensa de vuestro Padre que está en los cielos" (Mat. 6:1).

Después de esa introducción, Jesús procede a considerar "los tres principales pilares de la piedad judía: la oración, el ayuno y las obras de misericordia" (Gundry R., *Matthew* [Mateo], p. 101). En cada caso comienza la discusión aludiéndose a una u otra de estas prácticas tradicionales. Cada verbo está en el modo subjuntivo. Cada oración comienza con "Cuando" (*hotan*) excepto en 6:7, el que es en cierto sentido una continuación de 6:5:

6:2 "Cuando, pues, hagáis obras de misericordia"
6:5 "Cuando oréis"
6:7 "Y al orar"
6:16 "Cuando ayunéis"

Según la lectura "tesis/antítesis" del Sermón del monte, debiéramos ver ahora un ataque sobre las prácticas de la limosna, la oración y el ayuno. Sin embargo, ya hemos demostrado que Jesús y sus discípulos daban a los pobres (véase el capítulo veinte); Jesús oraba de forma consistente, aunque normalmente a solas (Mat. 14:23; Mar. 1:35; 6:46; Luc. 5:16; 6:12; 9:18, 28, 29; 11:1; 22:40-42). A lo menos por un período extenso al principio de su ministerio, Jesús ayunó en el desierto a solas (Mar. 4:1-11 // Mar. 1:12, 13 // Luc. 4:1-13). Es cierto que a Jesús se le atacaba por no haber entre sus discípulos una práctica regular del ayuno (Mat. 9:14-17); un texto sugiere que también eran percibidos como no muy dados a la oración en comparación, por ejemplo, con Juan el Bautista y sus seguidores (Luc. 5:33).

Tal vez la pista que necesitamos para saber porqué Jesús y su movimiento se verían de esta manera puede encontrarse aquí en sus propias enseñanzas. Al interactuar críticamente con la piedad de su tiempo, Jesús ofrece una advertencia en cada tríada respecto al sucumbir ante el ciclo vicioso de practicar el hacer obras de misericordia, la oración y el ayuno sólo para lucirlos, esperando a la vez una recompensa por parte de Dios. La práctica pública de una piedad exagerada, enseñaba Jesús, es espiritualmente fatal. Los ciclos viciosos se desglosan a continuación:

6:2 "No hagas tocar trompeta delante de ti"

6:5 "No seáis como los hipócritas, que aman orar de pie en las sinagogas y en las esquinas de las calles, para ser vistos por los hombres"

6:7 "No uséis vanas repeticiones, como los gentiles"

6:16 "No os hagáis los decaídos... que descuidan su apariencia para mostrar a los hombres que ayunan"

En cada caso la advertencia comienza con un "no", seguido por una descripción pintoresca y mordazmente hiperbólica de exactamente lo que no había que hacer (Keener C., *Comentario del contexto cultural de la Biblia. Nuevo Testamento*, pp. 54, 56). Cada advertencia termina con el espantoso resultado de no recibir ninguna recompensa de Dios (presumiblemente en el día de juicio) si se practica la piedad con el fin de la adulación pública. Los que practican la piedad para ser vistos por los hombres ya recibieron toda la recompensa que jamás verán: "cuenta saldada" (Mat. 6:2, 5, 16). La advertencia es muy semejante a lo que Jesús diría un poco más tarde respecto a "los tesoros en la tierra" versus "los tesoros en los cielos" (Mat. 6:19-21; véase capítulo veinte). Esencialmente, él enseñaba que los seres humanos tienen una opción de servir a Dios con pureza de corazón o de usar a Dios como medio para servir al ídolo del prestigio.

Finalmente, Jesús ofrecía mandatos tocantes a qué hacer en cuanto a las obras de misericordia, la oración y el ayuno. Estos mandatos constituyen la iniciativa transformadora en su enseñanza.

6:3 "haz obras de misericordia en secreto"

6:6 "entra en tu habitación, cierra la puerta"

6:9 "orad así"

6:17 "unge tu cabeza y lávate la cara"

Cada uno de estos imperativos es seguido por exactamente la misma explicación:

6:4, 6, 18 "Y tu Padre que ve en secreto te recompensará"

Recordemos nuestras afirmaciones fundamentales acerca de la estructura de la enseñanza de Jesús en el Sermón del monte: Primero, él toma nota de una tradicional enseñanza o práctica judía, interactuando con ella en vez de abolirla; luego, él diagnostica ciertos patrones de pecado, o sea los ciclos viciosos, que bloquean la obediencia a la voluntad de Dios; finalmente, él da una iniciativa transformadora que romperá con esos ciclos viciosos, permitiendo que haya una obediencia liberadora. El último elemento de la tríada siempre es realista más bien que idealista, algo realizable más bien que un alto ideal; hay también una invitación a la participación de la gracia de Dios más bien que algo que meramente nos avergüence por el reconocimiento de nuestra pecaminosidad.

Esto es lo que encontramos aquí con relación a estas prácticas de justicia. Si Jesús hubiera enseñado que hiciéramos nuestra oración, obras de misericordia y ayuno en una lucida forma pública y que nos enfocáramos sólo en Dios y no en lo que otros piensan, esa hubiera sido una enseñanza dura, idealista y vergonzante. Pero orar sencillamente y en secreto, hacer obras de misericordia en secreto y ayunar en secreto no es una enseñanza idealista ni imposible. Cualquiera de nosotros puede hacer estas tres cosas. Jesús ofrecía una manera realista de liberarnos de un insostenible y espiritualmente devastador doble ánimo que busca recompensa de Dios y de los hombres. Después de todo, como Jesús dijera un poco más tarde: "Nadie puede servir a dos señores" (Mat. 6:24).

Prácticas cristianas específicas requieren una reconsideración a la luz de estas enseñanzas. Pongamos un ejemplo, el dar caritativamente, y la manera en que la enseñanza de Jesús desbarata nuestros patrones normales de conducta. Algo por el estilo se pudiera decir respecto a la oración pública y al ayuno.

Los cristianos de forma rutinaria hacen donativos caritativos. Jesús nunca dice que no lo hagamos. Pero, ¿cuántos de los donativos mayores, digamos para construir un edificio en una institución de enseñanza universitaria, son *anónimos*? La estructura de la mayoría de las campañas recaudadoras de fondos para tales fines gira en torno a un escalafón de honores y condecoraciones según la cantidad de dinero regalado. Hay varias organizaciones que otorgan reconocimiento, acceso y a veces poder a los que más dan. Se les permite poner su nombre o el de un familiar en un edificio. Mientras tanto, ¡se les reconoce públicamente por su haber dado en forma desinteresada!

Los encargados del desarrollo y los recaudadores de dinero saben lo que Jesús sabía: La gente quiere reconocimiento. Cada uno de nosotros quiere que nos vean como algo significativo, que nos honren por algo especial en nosotros. En medio de lo tenue de la vida y la fragilidad del ego humano, recibimos fuerza y seguridad de varios reconocimientos, títulos y honores. Nos cercamos de símbolos de nuestro propio valor y nos honramos los unos a los otros con lo mismo. La vida académica está repleta de este patrón. La gente tiende a llevar sus títulos ganados u honoríficos con orgullo, y se estructura la vida basándose en un sistema de rangos establecido con el fin de denotar con precisión el rango académico exacto (¡profesor distinguido, profesor titular, profesor asociado, profesor auxiliar, instructor, profesor de tiempo parcial, y luego el pobre conferencista invitado!). Dejamos de ser sólo personas o sólo aprendices, o sólo colegas, o sólo cristianos, más bien existimos en una jerarquía escalonada tan extravagante que haría que los ángeles de santo Tomás de Aquino se ruborizaran.

La diferencia entre el encargado de desarrollo (o el sistema académico) y Jesús estriba sencillamente en que Jesús nos invita a encontrar nuestro significado sólo en Dios y en el reino de Dios, deshaciéndonos de la búsqueda de la "salvación" mediante el reconocimiento terrenal. Muy astutamente, Jesús revela y luego rechaza los motivos especialmente tentadores en la vida religiosa. *Porque sólo en la vida religiosa la gente procura unir la búsqueda del reconocimiento humano a la aparente práctica del compromiso religioso.* Si yo contribuyo generosamente a un club social, es una cosa, pero si yo soy generoso para con la Primera Iglesia Cristiana, es otra cosa. En lo último, yo puedo recibir simultáneamente un reconocimiento humano que me satisfaga y ser honrado (por otras personas tanto como por mí mismo) por mi singular devoción a Dios. Los encargados de recaudar fondos y las campañas recaudadoras de dineros *confían* en la extraordinaria atracción de estos dos objetos de devoción, el yo y Dios, y nuestra engañosa indisposición de admitir nuestros motivos mixtos. Jesús derrumba el ídolo del yo y proclama que la recompensa de Dios depende de que nosotros hagamos igual.

La confianza, la oración y el reino de Dios

¿Cómo, pues, nosotros como discípulos podemos deshacernos del deseo del reconocimiento humano y así hacer "toda nuestra justicia" sólo para Dios? Se puede encontrar una pista en las ocho referencias a Dios como "vuestro Padre" en este corto pasaje (Mat. 6:1-18). Estas reflejan la extraordinaria intimidad y confianza que Jesús experimentaba con Dios a la que él invitaba a que sus discípulos la experimentaran. Note también las tres referencias a "tu Padre que ve en secreto" (Mat. 6:4, 6, 18). Estas reflejan cómo sentía Jesús acerca de Dios entrando en forma amorosa y dinámica en lo íntimo de nuestra vida, donde están nuestras necesidades más profundas. La práctica de la oración que enseña Jesús ocurre en una relación con Dios que está caracterizada por la experiencia de la gracia divina y la presencia íntima.

Es precisamente esta gozosa experiencia de la presencia de Dios que Isaías prometió que sería una de las marcas del reino de Dios. Cuando venga el Mesías, "Sobre él reposará el Espíritu del SEÑOR" (Isa. 11:2). El "Espíritu de lo alto" será derramado sobre nosotros (Isa. 32:15). La "luz del SEÑOR" es otro símbolo de la renovada presencia de Dios: "Transformaré las tinieblas en luz" (Isa. 42:16). "¡Levántate! ¡Resplandece! Porque ha llegado tu luz, y la gloria del SEÑOR ha resplandecido sobre ti... el SEÑOR será tu luz eterna" (Isa. 60:1, 20). Referencias a Jesús como luz y la inexpresable encarnación de la presencia de Dios abundan en el NT. La experiencia de la presencia de Dios por el derramamiento del Espíritu Santo, entonces, se convierte en uno de los temas principales del libro de los Hechos y mucho de lo que hay en el resto del NT.

En síntesis, Jesús decía esto: El tiempo del reino de Dios está a la mano. La luz de la presencia de Dios está amaneciendo para su pueblo y toda nación. Celebren la irrupción del reino de Dios. Reciban la renovada gracia de Dios con gratitud extática. Vivan en la presencia de Dios. Participen en lo que Dios está haciendo aun al disfrutar de su presencia. Dallas Willard escribe que cuando Jesús otorgaba perdón y sanidad, invitando a la gente a basar su propia vida sobre el reino de Dios que "estaba a la mano",

> por supuesto ellos no tenían ninguna comprensión general de lo que se involucraba, pero sí sabían que Jesús quería decir que él actuaba con Dios y Dios con él, que la regencia de Dios efectivamente estaba presente en él... Las palabras y la presencia de Jesús daban a sus oyentes la fe para ver que cuando él actuaba, Dios también actuaba, que el gobierno o "el reinado" de Dios se efectuaba y, por ende, estaba *a la mano*. Ellos estaban conscientes de la presencia invisible de Dios que actuaba dentro de la realidad y acción visibles de Jesús, el rabí carpintero (*Divine Conspiracy* [La conspiración divina], pp. 19, 21).

Confíe en Dios. Puede ser que el asunto fundamental desarrollado por la enseñanza de Jesús en esta sección sea simplemente *confianza*. Dentro de un mundo vicioso, donde la vida diaria para la mayoría era una lucha para sobrevivir, un mundo donde los visionarios judíos y los iconoclastas amanecían muertos, Jesús enseñaba que Dios era un Padre en quien *sí* se podía confiar, en quien *había* que confiar, en quien se *debería* confiar a la luz de la evidencia del reino de Dios que irrumpía. La confianza de Jesús mismo en Dios era tan visible durante su vida que llegó a ser fuente de mofa durante su crucifixión. Al ser colgado en la cruz, se decía de él: "Ha confiado en Dios. Que lo libre ahora si le quiere" (Mat. 27:43). La resurrección, pues, marca la decisiva vindicación escatológica de Jesús en la confianza en Dios.

Jesús llamaba a sus seguidores a compartir esta misma confianza, y aún lo hace. La línea divisoria básica dentro de la familia humana bien puede ser la que hay entre los que creen que hay un Dios en quien se puede confiar, y los que no lo creen. Y como lo expresara Alexander Solzhenitsyn en otro contexto, esa línea divisoria existe, no entre grupos o estados "sino en todo corazón humano" (*Gulag Archipelago* [Archipiélago de Gulag], p. 615). Nosotros luchamos por confiar en Dios, aun los que somos cristianos, de manera que nos cubrimos mediante las clases de esquemas "personales" desechadas por Jesús.

Implícitamente, el mismo tema puede encontrarse a lo largo del Sermón del monte. Al confiar en Dios y la recompensa celestial, podemos soportar con paciencia la persecución (Mat. 5:11, 12). Confiando en Dios, podemos deshacernos de nuestro enojo y resentimiento, arriesgando así la vulnerabilidad de intentar la reconciliación (Mat. 21:21-26). Confiando en Dios, podemos hablar la verdad sin evasión o falsedad (Mat. 5:33-37). Confiando en Dios, podemos intentar las iniciativas transformadoras no-violentas y el amor para con el enemigo (Mat. 5:38-48). Confiando en Dios, podemos deshacernos de las tentaciones morales y espirituales del afán por adquirir las cosas (Mat. 6:19-34). Confiando en Dios, podemos rechazar una ciega ligereza en juzgar a los demás, mirando más bien a nuestras propias vidas y perdonando a otros (Mat. 7:1-5). Confiando en Dios, podemos construir nuestras vidas según la voluntad de Dios y la búsqueda del reino de Dios (Mat. 6:33; 7:24-27).

Finalmente, confiando en Dios, podemos continuar en oración secreta y persistente al igual que Jesús.

Jesús se retiró durante 40 días de oración y ayuno al comienzo de su ministerio (Mat. 4:1-11). Oró antes de elegir a sus 12 apóstoles (Luc. 6:12-16). Iba a lugares desérticos y montañas a solas o con grupos pequeños para orar (Mat. 14:23; Mar. 1:35; 6:46; Luc. 5:16). En la noche antes de su muerte él oró largamente con sus discípulos, agonizando luego durante horas en el Getsemaní al esperar su arresto (Mar. 14:32-42). Hizo oraciones llenas de angustia estando en la cruz (Luc. 23:34).

Empero, Jesús nos enseñó que no llenásemos el aire de muchas palabras rebuscadas (Mat. 6:7). Esto debe significar que mucha de la vida de oración profunda y extensa de Jesús no involucraba sólo el hablar *a* Dios sino el *escuchar* la voluntad de Dios. Ciertamente vemos mucho de eso en los Evangelios. Jesús estaba en contacto directo con el Espíritu de Dios de manera que lo que vemos en Jesús es el hablar del Espíritu Santo en Jesús. Abogamos por una vida de oración que sí le agradezca a Dios, que sí le haga peticiones al igual que la llamada oración modelo, pero también una vida de oración que busque la voluntad de Dios y su presencia. Pídasela a Dios, y él dará la dirección. La práctica de la oración que escucha tiene una herencia larga y profunda en la historia de la iglesia.

Entra a tu cuarto u otro lugar donde tengas privacidad y quietud. Tal como escribiera William Spohn: "Un tiempo definido y un lugar quieto y privado son necesarios para poder orar libremente y sin interrupción, como Jesús hizo cuando 'se apartó de allí en una barca a un lugar desierto y apartado' (Mat. 14:13)". (*Go and Do Likewise* [Ve y haz tú lo mismo], p. 138). Te sientas con una postura relajada, con los ojos cerrados de modo que no te interrumpan muchas distracciones. Más importante aun es que "entres en una meditación receptiva confiadamente a sabiendas que buscas a Dios porque Dios ya te ha encontrado" (Ibíd., p. 138). Puede que comiences con la lectura de un pasaje de la Escritura, o posiblemente principies con una petición o preocupación que quieras presentar a Dios. Tú le pides a Dios que guíe tus pensamientos. Luego, te quedas sentado quedamente, esperando y escuchando.

Algunas veces ciertas ansiedades vendrán a tu mente: Preocupaciones acerca de relaciones, acerca del trabajo o tus propias prioridades. No luches contra ellas; ofréceselas a Dios. Tú le preguntas a Dios si hay alguna dirección de él en cuanto a ellas. Algunas veces te viene alguna palabra o una imagen. Algunas veces es una nueva percepción de algo que puedas hacer hoy que sea conforme a la voluntad de Dios, y que de otro modo no te habrías percatado. Algunas veces es un cuadro de lo que realmente le preocupa a alguna persona con quien tienes cierto antagonismo; piensas más en aquella persona, su sufrimiento, su necesidad o su sentido del propósito de la vida. Tú aprendes, tal como dice Pablo, a gozarte con tus enemigos al gozarse ellos y llorar con ellos cuando lloran (Rom. 12:15). Esto quiere decir que te preocupas por los problemas reales de tus enemigos aunque no puedas aceptar sus acciones.

Puede que quieras hacer esto temprano por la mañana antes de que el ajetreo del día te oriente hacia las tareas. Algunas veces tus prioridades para el día llegarán a la mente y tú permites que sean examinadas por Dios en la presencia de él. Tal vez el resultado sea un cambio en las prioridades, o una aceptación de tus limitaciones que no has estado aceptando. Tú entregas tu vida y tus preocupaciones a Dios. Las virtudes de la sumisión, la entrega y la humildad ante la presencia de Dios son la base de la vida espiritual y del carácter que busca el reino de Dios.

Puede ser que otros encuentren tiempo durante o antes del tiempo para comer al mediodía, o en la noche cuando puedas repasar las cosas por las cuales estar agradecido en ese día. También, posiblemente veas las cosas por las que puedes aprender algo y hacerlo mejor la próxima vez. Que todo esto sea examinado por la presencia compasiva y perdonadora de Dios. Luego, da gracias por las semillas de mostaza del reino de Dios que están presentes de maneras pequeñas pero otorgadoras de gracia.

Posiblemente esto no sea fácil al principio. Pero lenta, o tal vez, rápidamente tú experimentarás una relación más estrecha con la presencia de Dios. Algunos de los discernimientos que has visto en este libro son producto de esta experiencia del paciente esperar en la presencia de Dios. Puede ser que te transforme la vida.

También, recomendamos que encuentres a otra persona o grupo que practiquen la oración para poder compartir algunas de tus experiencias, y frustraciones, con el desarrollo de una vida de oración atenta. A continuación sugeriremos una posible disciplina para probar en torno a la Oración del Señor.

Jesús enseñaba a sus seguidores a que fuesen confiados en oración.

Algunas veces, su enseñanza sobre la oración parece prometer una satisfacción consistente de nuestras peticiones (Mat. 21:21, 22). En el Sermón del monte (Mat. 7:7-11), se usa de nuevo la imagen del Padre divino para alentar una confianza plena en Dios. Jesús dijo:

> Y yo os digo: Pedid, y se os dará; buscad y hallaréis; llamad, y se os abrirá. Porque todo aquel que pide recibe, y el que busca halla, y al que llama se le abrirá. ¿Qué padre de entre vosotros, si su hijo le pide pescado, en lugar de pescado le dará una serpiente? O si le pide un huevo, ¿le dará un escorpión? Pues si vosotros, siendo malos, sabéis dar buenos regalos a vuestros hijos, ¿cuánto más vuestro Padre celestial dará el Espíritu Santo a los que le pidan?
>
> Lucas 11:9-13

Y, sin embargo, Jesús también enseñaba de forma audaz y llamativa la necesidad de ser persistente en la oración ante la desilusión y la carencia de respuestas. Dos parábolas refuerzan el tema, la historia del hombre que tiene que levantarse de la cama para proporcionar pan para un amigo persistente (Luc. 11:5-8) y la historia de la viuda persistente y el juez injusto (Luc. 18:1-8). Esta última parábola compara a Dios con un juez "que ni temía a Dios ni respetaba al hombre". Él ignoraba los ruegos de la viuda persistente para que se le diera justicia, pero finalmente accedió para poder deshacerse de ella: "le haré justicia a esta viuda, porque no me deja de molestar; para que no venga continuamente a cansarme". Jesús concluyó: "¿Y Dios no hará justicia a sus escogidos que claman a él de día y de noche? ¿Les hará esperar? Os digo que los defenderá pronto".

La fe en Dios es una confianza en su carácter, soberanía y triunfo final. Ante lo quebrantado del mundo, las victorias continuas de Satanás, y las múltiples desilusiones de la vida, la legitimidad de la confianza en Dios siempre será cuestionada. Mientras tanto, los hombres y las mujeres serán tentados a poner su confianza en ídolos. Por ser inherentemente vulnerables, siempre buscaremos objetos en qué confiar por ridículos que sean a la luz del día. Múltiples divinidades, tableros de la ouija, horóscopos, lectura de las palmas, fondos para la jubilación, equipos de fútbol, amantes, amuletos y supersticiones de toda clase atestiguan de este deseo de encontrar objetos dignos de confianza.

Creemos que es justamente esta cuestión de la confianza que le da sentido al versículo más enigmático de todo el Sermón del monte: "No deis lo santo a los perros, ni echéis vuestras perlas delante de los cerdos, no sea que las pisoteen y después se vuelvan contra vosotros y os despedacen" (Mat. 7:6). Generalmente los eruditos procuran interpretar este versículo en uno de dos modos. Muchos lo interpretan a la luz de la enseñanza contra el juzgar a otro en la sección anterior. El problema obvio de este nexo es que parece contradecir lo que Jesús había acabado de enseñar, afirmando ahora que realmente debemos juzgar a los que son perros y puercos, negándoles lo santo. Pero esto no tiene sentido, de modo que otros sugieren que Mateo 7:6 es simplemente un dicho independiente sin ningún nexo discernible con lo que viene antes o después.

Proponemos que el patrón triádico que hemos visto ser tan consistente también se aplica aquí. Se sugiere un contexto diferente, dándonos una fuerte pista respecto al significado. Esto conecta muy bien con nuestro énfasis aquí sobre la oración como prueba en cuanto a en quién confiamos.

Nosotros sugerimos que Mateo 7:6 en realidad es el primer elemento de una tríada que continúa hasta 7:11. Era una enseñanza tradicional de la vida judía, especialmente en la vida judía contemporánea con el ministerio de Jesús, o sea, que no se debía permitir que cosas y lugares sagrados para los judíos fuesen contaminados por los paganos gentiles. Concuerdan los eruditos en que Jesús tenía a los gentiles en mente al referirse a los perros y puercos.

Un vistazo a la literatura rabínica muestra claramente un consistente nombrar a los perros y los puercos como símbolos de los no israelitas. Para los judíos, los perros tanto como los puercos eran animales impuros. Los perros callejeros en particular podían ser viciosos, atacando a los que intentaban alimentar o cuidarlos (Kenner C., *Comentario del contexto cultural de la Biblia. Nuevo Testamento*, p. 57). De modo que servían muy bien como símbolos del mundo pagano, especialmente respecto a cómo este afectaba al pueblo judío en Judea como un poder represivo (en términos de la helenización, la cual estaba muy avanzada en Judea).

Sigue el ciclo vicioso: Si se da lo santo o lo valioso a los perros o los puercos, ellos lo pisotearán y despedazarán a uno. De manera que tenemos aquí una especie de advertencia en clave de lo que los gentiles harán a los que hacen que sus cosas santas o valiosas les sean vulnerables.

La iniciativa transformadora se halla en la *siguiente* sección (Mat. 7:7, 8, habiendo una explicación en 7:9-11) la cual ya citamos, sugiriendo ahora que en realidad ella comienza con 7:6. Los verbos imperativos son *pedid, buscad y llamad*. Todos son iniciativas positivas, no mandatos negativos, lo cual encontramos ser consistentemente característico del elemento culminante de las tríadas de Jesús. En vez de dar lo santo o lo precioso a los perros y puercos (gentiles), Jesús dice que debemos poner nuestra confianza en Dios.

El significado de la iniciativa transformadora es este: Entrega tu confianza, tu lealtad y tus oraciones sólo a tu Padre que está en los cielos. No se trata únicamente de la oración; se trata de cuán confiable, cuán misericordioso, cuán cuidadoso en realidad sea el Padre que está en los cielos. Él sabe dar buenas dádivas. Sólo él merece tu confianza y lealtad. Al igual que Mateo 6:1-18 nos dice que confiemos en Dios más bien que en Mamón, este pasaje nos enseña a poner nuestra confianza y lealtad en Dios más bien que en gobernantes gentiles.

A propósito, esta lectura ayuda para que encontremos sentido al aparente optimismo de Jesús en su enseñanza sobre la oración en Mateo 7:7-11. Es fácil concluir que Jesús un tanto cruelmente fomentaba una piadosa ilusión al prometer que todas nuestras oraciones serían contestadas con cosa buenas, siendo que obviamente no es así. Jesús mismo oró en Getsemaní que "esta copa" le fuera apartada sin recibir una respuesta afirmativa. Sin embargo, dentro del contexto de la tríada plena, Jesús decía que Dios era fiel cuando la estructura de poder gentil/romana no lo era. Ellos te pisotearán y te despedazarán; pero Dios da buenas dádivas. Confía en Dios, no en Roma. Sólo Dios merece tu lealtad. Jesús no decía que se recibirá todo lo que se pida en oración. Sí decía que Dios es fiel y merece nuestra confianza, pero la estructura de poder romana no.

Durante el tiempo de Jesús, una tentación muy presente era que se diera la lealtad y aun la colaboración a Roma. Viviendo bajo el yugo de Roma, algunos respondían mediante la organización o con el sueño de una revolución violenta, la que Jesús claramente rechazaba (tal como argumentamos en los capítulos siete y ocho), cosa que condujo a una extraordinaria calamidad durante la Guerra Romano-Judía de los años 66-70 d. de J.C. Pero la otra tentación principal era congraciarse con Roma mediante la colaboración, tal como hicieron grandes segmentos de la estructura de poder judía y la elite económica. La opresión distorsiona las relaciones de poder, tentando a los oprimidos o a la rebelión o a la colaboración, tal como la historia ilustra de forma consistente. Nosotros sugerimos que, tal como Jesús advertía contra la opción de odio e insurrección de los celotes, aquí él advertía contra la tentación más sutil de encontrar seguridad (y riqueza, privilegio y prestigio) al congraciarse con Roma. No se puede confiar en Roma; no ofrezcas tus "oraciones" allí, no sea que ella te ataque y despedace. Jesús dio este mensaje con una especie de clave, muy semejante a lo que Apocalipsis hace al hablar de Roma también. En lugar de confiar en los perros y puercos de Roma, confía en Dios.

La oración del Señor

Hemos demorado nuestra consideración de la Oración del Señor hasta ahora para poder dar una atención más cabal a las dimensiones más descuidadas de la enseñanza de Jesús sobre la oración, hacer obras de misericordia y el ayuno. Ahora consideremos esta famosísima oración en sí.

La Oración del Señor en Mateo es introducida por la misma estructura triádica del resto del Sermón del monte.

6:7 "Al orar"
6:7 "No uséis vanas repeticiones como los gentiles"
6:9 "Orad así"

La oración misma, tal como la encontramos en Mateo 6:9-13 (compárese con Luc. 11:1-4), es engañosamente sencilla. Jesús pide que usemos pocas palabras al orar, precisamente lo contrario a las frases amontonadas y dotes teatrales de la oración pública que él acaba de rechazar. Sus discípulos eran instruidos a que hablasen íntimamente con Dios como los niños a sus padres, dando a conocer sus peticiones con lenguaje cotidiano, sencillo y claro, confiados en que Dios ya conoce sus necesidades en todo caso (Mat. 6:8). En esta oración modelo se oye por lo menos la misma cantidad de silencio que palabras. Los discípulos se dirigen a su Padre celestial con una confianza tranquila, escuchando tanto como hablando. El hecho de que hayan de decir "Padre nuestro" nos recuerda de la naturaleza colectiva de esta oración; los discípulos sí oran individualmente, pero es significativo que Jesús enseñara a sus seguidores a orar como una comunidad en esta oración modelo.

El contenido de las peticiones de los discípulos ha de tener una estructura séptupla, al igual que las *catorce* tríadas tienen una estructura de dos por siete. Las tres primeras peticiones oran porque se dé el gobierno liberador de Dios en la tierra. No se apoya en ningún otro lugar la tesis centrada en el reino por la cual hemos venido abogando en este tomo más que aquí. Contrario a nuestras tendencias humanas naturales, la oración ha de comenzar, no por intereses propios, sino por intereses del reino. "Esta oración no existe para que consigamos lo que queremos sino, más bien, para que nuestra voluntad sea conforme a la de Dios" (Willimon W. y Hauerwas S., *Lord, Teach Us* [Señor, enséñanos], p. 19). La única clase de personas que pueden orar significativamente así son aquellos que están aprendiendo a hacer su meta principal "el reino de Dios y su justicia" (Mat. 6:33). Su deseo más grande es que Dios reine aquí en la tierra tan gloriosamente como en el cielo. Siendo así, ellos gustosamente ruegan porque el reino de Dios sea su primera prioridad. Ellos oran de tres maneras distintas, expresando la misma meta del reino:

6:9 "Santificado sea tu nombre"
6:10 "Venga tu reino"
6:10 "Hágase tu voluntad"

Orar que Dios santifique su nombre es rogar que un mundo rebelde ya no rechace a su Creador, que se ha revelado por su nombre (Éxo. 3:13, 14). Conocer el santo nombre de Dios es, según la perspectiva del AT, conocer a Dios. Las Escrituras hebreas advierten severamente al pueblo judío contra la profanación del nombre santo o hacer que sea desacreditado entre las naciones por una forma errónea de vivir (Éxo. 20:7; Jer. 34:16; Amós 2:7). Para el judío del primer siglo, el nombre de Dios era tan santo que no se podía pronunciar. Pero, pese a todo esto, ese nombre santo fue profanado de incontables maneras todos los días, por aquellos que lo invocaban tanto como por los que rechazaban al Dios de Israel. Así que los oradores reconocían y anticipaban que durante el tiempo del reinado de Dios, su nombre sería santificado debidamente (véase Isa. 29:23; Eze. 36:23; 39:7). Cuando Dios reine plenamente, al fin el pueblo le dará el homenaje que merece. Aquí Jesús hacía eco de esa tradicional esperanza y sugería que el tiempo de su cumplimiento estaba a la mano. Si tú optas por probar el escuchar en oración por unas cuantas semanas, tal como se sugirió anteriormente, considera pedir a Dios en domingo, o el primer día, que te dé una idea de cómo el nombre de Dios pueda ser santificado en tu tiempo, a través de lo que te sientas inspirado a hacer o quieres que otro haga. La visión de una pequeña iniciativa que pudieras tomar posiblemente te llegue. También, puede ser que sientas un gran deseo porque el nombre de Dios sea santificado.

Orar que venga el reino y que se haga la voluntad de Dios es reconocer que el mundo es rebelde y en necesidad de redención; también resulta en tu oración por la liberación de Dios y la obediencia humana. Jesús mismo fue el pionero en dedicarse al cumplimiento de la voluntad de Dios. Hay que entender el reino de Dios como esencialmente el cumplimiento de la voluntad de Dios sobre la tierra como se hace en el cielo; las frases forman un paralelismo poético y encaja el significado. Los discípulos han de orar por la santificación del nombre de Dios, por la venida del reino de Dios y por la realización de la voluntad de Dios con la esperanza de que tales oraciones provocarán a Dios a hacer su obra rápidamente con el fin de que este magnífico resultado llegue a su plena culminación.

Al orar de esta manera, tranquila, honesta y anhelantemente, normalmente recibimos una dolorosa percepción del choque entre el reino de Dios y los patrones y procesos destructivos de nuestro mundo. Venga tu reino, en el Medio Oriente. Hágase tu voluntad, en nuestra iglesia que pelea. Venga tu reino, en la vida de esa familia de nuestra iglesia que sufre tanto ahora. Mientras más oremos porque venga el reino de Dios, más clara y compasivamente vemos el mal, la injusticia, la violencia y la tristeza de los patrones y sistemas de poder del mundo. Y mientras más nos veamos involucrados en hacer nuestra parte, junto con otros, para que sean corregidos estos males, más claramente veremos su contradicción con el reino de Dios; también, oraremos más intensa y ricamente porque verdaderamente venga el reino de Dios.

El lunes, o tu segundo día de oración atenta, posiblemente quieras pasar algún tiempo en considerar cómo el reino de Dios pueda venir dentro del mundo, dentro de tu vida, durante las próximas veinticuatro horas.

Al orar, posiblemente lleguemos a estar agudamente conscientes de áreas de nuestra propia vida en las que nuestra voluntad está en conflicto con la de Dios, o nuestra conducta no está regida por el reino de Dios. De manera que somos movidos a arrepentirnos y orar, venga tu reino, en mis pensamientos. Hágase tu voluntad, en mi matrimonio. Venga tu reino, en mi uso del dinero. Hágase tu voluntad, en la manera en que hablo a mis hijos. Repetir la

Oración del Señor es "limpiar la mente, purificar el corazón, y hacer que la voluntad de uno sea la de Dios" (Davies W. y Allison D., *Critical and Exegetical Commentary* [Un comentario crítico y exegético], 1:588). Cuando el reino de Dios llega a ser el fuego refinador que usamos para examinar nuestras vidas en la presencia de Dios, la escoria que no se ajusta al reino de Dios es purgada por medio de la confesión.

De modo que hay una fuerte corriente *partícipe* en este aspecto de la oración, en realidad, de toda la oración. Jesús, el pionero del reino de Dios, reúne a sus discípulos en su derredor para enseñarnos cómo estar más adecuados para la existencia en el reino. Al orar nosotros que el nombre de Dios sea santificado, que venga el reino de Dios y que se haga la voluntad de Dios, llegamos a ser colaboradores en la obra del reino. Tenemos la oportunidad de participar en la venida del reino de Dios, en el amor liberador de Dios. Esta comprensión de la gracia de Dios, como una invitación a participar en el trabajo del reino, es mucho más rica y más dinámica que la desafortunada noción de la gracia divina como pura dádiva vertida gratuitamente sobre las almas de personas indignas que sólo pueden responder pasivamente a algo con lo cual no tenían nada que ver. Ciertamente, la gracia es una dádiva, y ciertamente somos indignos; pero lo exigido por la gracia no es sólo la gratitud sino una participación activa en la obra redentora de Dios en el mundo. Así que, el martes, o tu tercer día de escuchar en oración, pide la dirección de Dios en cómo poder hacer la voluntad de Dios de una manera no imaginada por ti o que no hubieras podido intentar si no hubieras escuchado en la presencia de Dios.

Las cuatro últimas peticiones en la Oración del Señor piden que Dios nos libre de cuatro amenazas concretas de la vida y hablan sobre nuestra participación en el trabajo del reino:

6:11 "El pan nuestro de cada día, dánoslo hoy"
6:12 "Perdónanos nuestras deudas (como también perdonamos a nuestros deudores)"
6:13 "Y no nos metas en tentación"
6:13 "Mas líbranos del mal"

La primera petición, por el pan de cada día, destaca un reconocimiento de las necesidades físicas del ser humano. Todos tenemos necesidades básicas de alimento, techo y ropa; si quedan insatisfechas, es difícil que hagamos otra cosa. Esta petición refleja la pobreza arrolladora de muchos de los oyentes de Jesús, tanto entonces como ahora. Aquellos entre nosotros que tienen sus despensas y refrigeradores abarrotados de alimento no pueden imaginar el tener que orar por sólo el pan necesario para el día siguiente. La modestia de esta petición suscita preguntas muy agudas acerca de nuestro propio afán por adquirir las cosas y nuestro sentido demasiado desarrollado de lo que "necesitamos", tal como se discutió en los capítulos veinte y veintiuno. También exige que pongamos más atención a las necesidades físicas de los que están en nuestro derredor. Varios comentaristas también hacen la sugerencia interesante respecto a otro nivel de significado aquí: que junto con la obvia dimensión material de esta petición, Jesús también oraba por el "pan" escatológico de la salvación eterna y la consumación del reino. El miércoles, tu cuarto día, tú podrías leer de nuevo esta página, abriendo luego tu mente en oración atenta, para que Dios te dé una visión de la necesidad humana que pudieras ayudar a satisfacer durante las siguientes veinticuatro horas.

El énfasis en el perdón tiene una dimensión material tanto como espiritual; la misma palabra aramea se usaba para referirse tanto a "deudas" materiales como a relacionales. En cuanto a la primera, los discípulos de Jesús prestan sin esperar que se le dé nada a cambio (Mat. 5:42), y esta generosidad debe extenderse al perdón de las deudas. Varias parábolas hablan sobre las deudas y el perdonarlas (véase Mat. 18:21-35; Luc. 7:41-50); la deuda, claramente, era uno de los problemas más opresivos en el contexto de Jesús.

Claramente aquí se contempla también la problemática más amplia de los males cometidos y los sufridos. Aquí, tanto como en la explicación que sigue, Jesús resalta el perdón lo más fuertemente posible. Nosotros recibimos el perdón de Dios sólo si perdonamos a otros sus pecados contra nosotros. Krister Stendahl ha señalado que cuatro textos en tres relatos de los Evangelios (Mat. 6:12-15; 18:15-35; Mar. 11:20-25; Luc. 17:3-6) sugieren, en la fuente original, que el poder de la oración depende de nuestra práctica del perdón. Si perdonamos, seremos perdonados, pero si no perdonamos, no seremos perdonados.

Jesús era realista tocante a los ciclos viciosos de la esclavitud al poder del pecado en la vida humana. Irremisiblemente pecaremos contra Dios y el prójimo, y nuestros prójimos pecarán contra nosotros. A la luz de la presencia de Dios, llegamos a darnos cuenta de lo egoístas, infieles, hostiles, avaros, airados, vengativos, odiosos, lujuriosos, hipócritas, pretenciosos, orgullosos y mentirosos que somos. Un compromiso con el reino de Dios nos reorienta, pero esto no quiere decir que ya no caeremos. Dios perdona al arrepentido la "deuda" contra él. Pero, a su vez, se nos requiere que perdonemos a otros sus "deudas" así tan libremente.

El progreso del reino queda bloqueado en tantos sectores de la vida —el matrimonio, el ser padres, las relaciones internacionales— por la falta de perdón. Por esto, Jesús hace que el perdón sea un tema central. La gente del reino no porta en su equipaje la posibilidad de no perdonar. Este se mueve con ligereza con tal de ser de mayor ayuda a Dios. Esta comprensión de la centralidad del perdón no resuelve toda la problemática compleja y algunas veces angustiosa que surge, pero sí establece la postura fundamental que los discípulos de Jesucristo han de tener. El jueves, o tu quinto día de oración atenta, pudieras pedir que se te haga consciente de una parte de tu vida donde haga falta un poco de perdón; también de otra persona a quien pudieras ayudar a perdonar un poco. Relájate y pide la presencia de Dios y que Dios te dé una palabra de perdón que puedas atesorar o, también, que puedas hablar acerca del perdón a otra persona.

Las dos últimas peticiones solicitan la liberación de las pruebas o tentación, y en última instancia del maligno, que (más bien que Dios) es el agente activo en tales tiempos (véase Stg. 1:13). La palabra *peirasmos* (Mat. 6:13), traducida históricamente en "tentación", puede significar también "prueba", la cual posiblemente sea la mejor traducción aquí y, por supuesto, la tentación es una clase de "prueba", Keener sugiere que la mejor traducción es: "no nos dejes pecar cuando somos probados" (*Comentario del contexto cultural de la Biblia. Nuevo Testamento*, p. 55). El viernes, o tu sexto día de oración atenta, tú puedes confesarle a Dios alguna tentación en tu vida, admitir que no puedes resolverla tú mismo, y pedir a Dios que te haga consciente de cómo funciona el ciclo vicioso y cómo tú puedes ser liberado. O, en su defecto, tú puedes orar porque algún otro tenga el poder de evitar la tentación; posiblemente se te ocurra una palabra de aliento que puedas dar a la otra persona.

Jesús enseñaba a sus discípulos a pedir que fueran liberados de sucumbir al mal durante los tiempos de prueba y ser liberados del maligno. ¿Sería posible que él tuviera en mente su propio angustioso tiempo de tentación en el desierto? Allí Satanás probó mediante varias tentaciones el sentido de misión de Jesús, más notoriamente tal vez la tentación de tomar el poder terrenal por medios malos o violentos (véase Mat. 4:8-10). En el Getsemaní Jesús urgía a sus discípulos a que oraran para no caer en tentación (Mat. 26:4). Este tema es recogido por Santiago (Stg. 1:12), quien llama "bendito" al que exitosamente resista la tentación. Pablo expresa su preocupación en Gálatas y 1 Tesalonicenses por las pruebas que tenían que experimentar sus "rebaños" ante "el tentador" (1 Tes. 3:5; cf. Gál. 6:1; 2 Tes. 3:2, 3), pero también expresa su confianza de que Dios proveería la fuerza necesaria (1 Cor. 10:13).

El NT vez tras vez muestra a Jesús batallando contra un Satanás viviente, el enemigo principal de su misión, tal como es evidenciado por docenas de referencias a su lucha contra "el maligno". El cuadro parece ser el de una verdadera posibilidad de que los seguidores de Jesús, la gente del reino, puedan ser desviados por el tentador, resultando así ocasionar que su impacto en el reino sea arruinado, especialmente durante tiempos de persecución y angustia. Jesús nos enseña a orar para que seamos librados de tal fracaso en pruebas presentes o futuras. El sábado, o tu séptimo día de oración atenta, pide que Dios te haga consciente de la acción liberadora de Dios en tu vida o en la de otra persona. Tal vez te permita imaginar cómo puedes participar en la presencia dinámica del Dios liberador.

Hemos sugerido un experimento de siete días de oración atenta, guiado por las siete peticiones de la Oración del Señor. Sugerimos que pruebes esto por varias semanas. La oración atenta es como el fútbol; mientras más se practique, mejora la técnica. Si continúas esta práctica, encontrarás que Dios no siempre habla según el horario tuyo. Puede ser que algunos días no llegue ninguna palabra o sólo una palabra que parece ser muy superficial. Pero de forma paulatina tu corazón cederá. O también puede ser que la palabra que llega no trate del tema propuesto por ti. De nuevo, da gracias por las semillas de mostaza. Da gracias por lo que se te ocurra; y comparte tu experiencia con otra persona. Posiblemente ambos se fortalezcan el uno al otro.

William Spohn escribe favorablemente acerca de la meditación sobre la Escritura, una manera devocional de estudio bíblico y meditación que emplea la empatía para penetrar en las parábolas y las historias.

> Toda historia bíblica tiene campo para una persona más: El creyente cuya historia se relata también... el identificarnos con la escena puede ayudarnos a sacar, mediante la oración, emociones o aspectos de nosotros mismos que se han mantenido sepultados, arrancando así el formalismo que a menudo inhibe nuestra relación con Dios. También nos ayuda a improvisar y ver cómo responde el Señor.
>
> Los cinco sentidos ayudan a que la imaginación se adueñe de los verdaderos detalles de la escena... Por ejemplo, en las tres escenas que constituyen la parábola del hijo pródigo, pudiéramos colocarnos en el chiquero con el hermano menor, imaginando lo que él experimenta (y olfatea). O pudiéramos imaginar el gozo del padre cuando ve por vez primera al hijo por quien ha estado esperando tanto tiempo; luego, pudiéramos cambiar y sentir lo que el hijo siente al ver al padre corriendo para encontrarse con él en el camino. No debe ser difícil saborear el resentimiento que amarga al hermano mayor al escuchar el ajetreo de los preparativos para la fiesta y oler el cordero gordo al asarse.
>
> La meditación significa masticar, saborear y disfrutar de una palabra o frase lo más que se pueda; sólo entonces seguimos a otro aspecto. El punto es quedarnos con la emoción forjada por las imágenes, orando así desde allí hasta Dios. Este saborear es auxiliado por el recuerdo de situaciones análogas de nuestra historia personal, volviendo a ellas sin apresurarnos (*Go and Do Likewise* [Ve y haz tú lo mismo], pp. 136-141).

A veces un avance, un pensamiento o una sensación llega, y sería bueno escribir en un diario. Glen, que usa la mano derecha, prefiere guardar su diario en la computadora, porque de esa forma su mano izquierda y el lado derecho del cerebro están en función; así él está conectado más con sus sentimientos más profundos y más imaginativos. Dave es zurdo, pudiendo así escribir con gran sentimiento de forma natural (en este libro puede ser que tú te fijes en la lógica linear y analítica de Glen, combinada con el sentimiento y la presencia compasiva de Dave, apreciando el trabajo en equipo). Una parte de la práctica es "ponerte más a tono con tus sentimientos, porque ellos son los lazos que te ligan a Dios" (Ibíd., p. 139). La hermana de Glen, que usa la mano derecha, en realidad escribe su diario con la mano izquierda con el fin de conectarse consigo misma como una persona completa. Puede ser que no te quedes impresionado con este desvío en una autorrevelación personal e íntima, pero queremos ilustrar que el escribir el diario debe ser lo más desinhibido, estar lo más posible en contacto con los sentimientos, humor y la carencia de lógica siempre que te ayude a reconocer la presencia de Dios en lugares no esperados (Glen escribe este párrafo a las cuatro de la madrugada, meditando con el censor interior medio dormido, pudiendo así estar más asequible a la inspiración del Espíritu. Esto lo hace a menudo, porque la madrugada hace que sienta una quietud por dentro tanto como por fuera).

Spohn hace eco de nuestra experiencia al escribir: "Al ir profundizándose la práctica de la meditación, a menudo conduce a la contemplación cuando fallan las palabras, y lo único que satisface es una atención reverente a Dios. Aquí se entra a la presencia de Dios de forma directa y sencilla, aunque puede ser que cierta cantidad de distracción se dé sobre un nivel más superficial" (Ibíd., p. 139). Sea de la forma quieta de Spohn o sea de la forma más dramática del Pentecostés, sea por la meditación privada o por la adoración en grupo, puede ser que haya una experiencia de la presencia del Espíritu Santo con poder, concediéndonos una experiencia y un mensaje y el valor para compartirlo como testigos. Donald Gee escribe acerca de Pentecostés: "Lo que debe notarse cuidadosamente es que el derramamiento del Espíritu Santo sobre estas personas fue una experiencia definida. No simplemente creían una doctrina acerca del Espíritu Santo, tampoco lo tomaban 'por la fe', esperando alguna gracia o don en el futuro; ellas recibieron en el acto algo de una naturaleza perfectamente positiva. Y todo el mundo lo sabía". Les facilitó el poder para hacer cambios en su vida y ser testigos; también se dejaba ver en los frutos de una vida más fiel (Gee D., *God's Grace and Power for Today* y *Is It God?* [La gracia y el poder de Dios para hoy; y ¿Será Dios?]).

Pero también experimentarás tiempos difíciles al no estar tan en contacto con Dios y la experiencia del Espíritu de Dios. Luego la meditación bíblica en sí puede hacer su obra tranquilamente al esperar un nuevo tiempo de su presencia. Algunas veces esto significa que has optado por un nuevo curso de acción o que estás metido en una práctica y que en realidad no quieres que Dios interfiera. La presencia del Espíritu puede ser de restauración únicamente cuando estés abierto al arrepentimiento de una nueva forma. O puede ser que pases por un período de duda. Luego, paradójicamente, es posible que la meditación te capacite para que sientas la presión de Dios en tu experiencia de la ausencia de Dios o, más bien, de tu ausencia ante Dios. Tu experiencia de la vaciedad y la sequedad de la vida llevada en la ausencia de Dios es tu experiencia de la presencia de Dios en su ausencia, mostrándote lo que estás perdiendo y exigiéndote el arrepentimiento. Esto es semejante a la experiencia de la gente durante el tiempo de Jesús, ella anhelaba la presencia de Dios, pero experimentaba la ausencia de Dios hasta que Jesús trajo su presencia. Pero la vida tiene "ritmos", habiendo a veces una sensación más pronunciada de la presencia de Dios, y a veces una "vacación" constituida por lo ordinario, la ausencia o la laxitud. Es más, todos somos diferentes y tenemos distintas clases de vida espiritual. A muchas personas les va mejor en un estudio bíblico grupal, una discusión de grupo y oración grupal sin poder disfrutar de la meditación privada. Puede ser que el amor por la meditación le llegue a uno en una etapa más tardía de la vida.

Conclusión: La ética y la oración vistas de nuevo

Argumentamos al principio de este capítulo que el nexo entre la oración y la ética cristiana necesita que se le ponga más atención que lo normal. Pensamos que la discusión que acabamos de presentar sugiere los siguientes doce puntos de contacto entre la oración (tal como Jesús la enseñó) y la ética:

- La oración profundiza nuestro compromiso con el reino de Dios.
- La oración nos acerca más plenamente a Dios, el Padre de gracia y a Jesús, el Hijo fiel.
- La oración nos une más estrechamente a otros hermanos y hermanas que dan también su vida al reino de Dios.
- La oración ajusta nuestra voluntad con la de Dios y las demandas del reino de Dios.
- La oración nos provee la oportunidad para que participemos en la venida del reino de Dios al pedir que Dios realice esa venida.
- La oración nos advierte contra las ardides de Satanás, fortaleciéndonos para que resistamos en tiempos de prueba.
- La oración profundiza nuestra confianza en Dios, haciendo que estemos dispuestos a tomar riesgos en pro del reino.
- La oración nos purga de las alianzas mixtas que amenazan nuestra fidelidad a Dios.
- La oración prepara nuestro corazón para que busque recompensas celestiales más bien que terrenales.
- La oración impide que invirtamos en ídolos indignos, buscando una seguridad ilusoria.
- La oración no permite que nos arrimemos a poderes terrenales injustos con tal de protegernos.
- La oración ayuda en nuestro discernimiento moral y proceso de tomar decisiones al establecer prácticas del reino como normas.

En resumen: La oración, tal como Jesús la enseñaba, es pedir que la gracia liberadora de Dios se vierta sobre la tierra; también nos ayuda a nosotros mismos a optar agradecidamente por participar en esa gracia liberadora.

23

LA POLÍTICA

Vosotros sois la sal de la tierra. Pero si la sal pierde su sabor, ¿con qué será salada? No vale más para nada, sino para ser echada fuera y pisoteada por los hombres. Vosotros sois la luz del mundo. Una ciudad asentada sobre un monte no puede ser escondida. Tampoco se enciende una lámpara para ponerla debajo de un cajón, sino sobre el candelero; y así alumbra a todos los que están en la casa. Así alumbre vuestra luz delante de los hombres, de modo que vean vuestras buenas obras y glorifiquen a vuestro Padre que está en los cielos.

Mateo 5:13-16

No deis lo santo a los perros, ni echéis vuestras perlas delante de los cerdos, no sea que las pisoteen y después se vuelvan contra vosotros y os despedacen... Así que, todo lo que queráis que hagan los hombres por vosotros, así también haced por ellos, porque esto es la Ley y los Profetas.

Mateo 7:6, 12

Al ir aproximándonos a la conclusión de nuestra exploración de la ética cristiana tal como Jesús la enseñaba, volvemos a Mateo 5:13-16, el pasaje famoso sobre la luz, la sal y las obras. Se han construido teologías enteras, algunas más creíbles que otras, de misión cristiana, acción social y compromiso político sobre el fundamento de este breve pasaje. También consideramos que este pasaje es críticamente importante para averiguar la enseñanza de Jesús en cuanto a la acción que sus discípulos han de tomar si es que ellos van a participar en la liberación llena de gracia que Dios realiza en Jesucristo. Así que exploraremos su significado particular, ampliando luego nuestra búsqueda para encontrar recursos para una teología pública. Nuestra afirmación esencial será la siguiente: *Jesús enseñaba que la participación en el reino de Dios requiere las prácticas disciplinadas de una comunidad contracultural seguidora de Cristo que obedezca a Dios, ocupándose en trabajar por la justicia y negándose a confiar en los poderes y autoridades del mundo.* Ciertos aspectos de esta afirmación se desarrollarán en este capítulo, reservando los otros aspectos para nuestro capítulo concluyente sobre las prácticas morales.

También nos aferramos al versículo culminante, "Así que, todo lo que queráis que los hombre hagan por vosotros, así también haced por ellos, porque esto es la Ley y los Profetas" (Mat. 7:12).

Interpretando el pasaje

En Mateo 5:13-16 se hacen tres afirmaciones descriptivas tocantes a los seguidores de Jesús. La primera es que son "la sal de la tierra", la segunda es que son "la luz del mundo" y la tercera es que han de hacer "buenas obras". Nosotros creemos que todas las tres son igualmente importantes, y por ende discutiremos este pasaje como una tríada de sal, luz y obras, más bien que meramente "sal y luz" como se lee tradicionalmente el pasaje.

En estas tres afirmaciones descriptivas hay una implicación clara, y en un caso una declaración directa, de las responsabilidades de los discípulos relacionadas a cada uno de los elementos de sal, luz y obras. Los discípulos son "la sal de la tierra", y ellos, por implicación, tienen que retener su "sabor salado". La versión marcana de este pasaje concluye diciendo "Tened sal en vosotros" (Mar. 9:50; véase Luc. 14:34, 35). Como la luz del mundo, a los discípulos se les manda que "alumbre vuestra luz delante de los hombres" (Mat. 5:16). En cuanto a obras, todo el Sermón del monte tanto como el resto de la enseñanza de Jesús se enfoca en el hacer los actos de obediencia. Un texto clave se da al final del Sermón: "No todo el que me dice 'Señor, Señor' entrará en el reino de los cielos, sino el que hace la voluntad de mi Padre que está en los cielos" (Mat. 7:21).

1. Sal. W. D. Davies sugiere que "tal vez sea mejor pensar en la parábola como si hubiera sido hablada originalmente con el reto de Qumrán en mente" (Davies, *Setting of the Sermon on the Mount* [El contexto del Sermón del monte], pp. 214 ss., véase pp. 249-256, 457). En la vida judía durante el primer siglo se libraba una discusión acalorada acerca de los requerimientos morales del pacto, especialmente dentro del contexto de la ocupación romana y las presiones de la helenización. La práctica moral oscilaba entre la profunda corrupción y la mundanalidad, tal como las que se hallaban en la corte herodiana (véase Mat. 14:1-12), y las transigencias con la estructura romana de poder hechas por los saduceos y el esfuerzo moral serio pero defectuoso de los fariseos, las visiones revolucionarias de los rebeldes, hasta el experimento en la pureza moral llevada a cabo por los separatistas de Qumrán o la comunidad del mar Muerto.

La comunidad del mar Muerto en Qumrán se preocupaba mucho por la forma en que una gran parte de Israel vivía una vida moral corrupta, optando por retirarse de esa vida para participar en una rigurosa comunidad monástica para poder vivir fielmente el pacto. Ellos eran "salados" en dos sentidos: vivían de una manera distinta a la del mundo y vivían en la orilla del mar

Muerto, el cual era literalmente muy salado. Jesús decía que sus discípulos debían vivir vidas distintas a la vida moralmente corrupta del mundo. Como los miembros de la comunidad del mar Muerto, ellos debían ser "muy salados", muy distintos al mundo, por ser seguidores de Jesús y ser leales a Dios. También, y esto es crucial, ellos debían arrepentirse de vivir de una forma semejante al mundo más bien que de una forma como la de Dios (véase Mat. 3:8, 10; 4:17). Pero Jesús también decía que sus seguidores debían ser "salados", distintos al mundo, de una manera diferente a la de la comunidad del mar Muerto.

El texto contiene una advertencia contra el llegar a ser sal insípida (probablemente por contaminarse con yeso y otras impurezas, un proceso en realidad irreversible como también en esta metáfora), perdiendo así su *razón de ser.* La misma idea se da en los demás Evangelios (Mar. 9:50; Luc. 14:34, 35) respecto a lo "salado". Los seguidores han de ser salados, lo cual indica que en realidad es una bondad moral que agrega "sabor" al mundo, más bien que mal moral, el cual puede describirse en un sentido real como banal.

Algunos intérpretes procuran comprender lo que Jesús quería decir por "sal" al escoger un uso que la sal tuviera durante el tiempo de Jesús. Sin embargo, esto no es un camino seguro a la comprensión correcta, porque la sal tenía varios usos distintos. Simplemente escoger uno de los varios significados posibles de la sal como una pista de su significado puede llevar a una lectura especulativa de lo dicho por Jesús. En el AT, se asocia la sal con los significados siguientes: *pureza* (Éxo. 30:35; 2 Rey. 2:19-23); *lealtad al pacto* (Lev. 2:13; Núm. 18:19; 2 Cró. 13:5; Esd. 4:14); *elemento agregado a los sacrificios* (Lev. 2:13); *sazón* para los alimentos (Job 6:6). El significado menos probable es el de un *conservante;* no es mencionada en las Escrituras hebreas sino por Ignacio, mucho después del tiempo de Jesús (Davies W. y Allison D., *Critical and Exegetical Commentary* [Un comentario crítico y exegético], 1:472).

Nos encontramos en terreno mucho más seguro si nos enfocamos en la segunda frase, "si la sal pierde su sabor... No vale más para nada, sino para ser echada fuera y pisoteada por los hombres". Hay varias razones que nos dan una guía más segura en esto:

1. Esta parte de la enseñanza tiene la inusual distinción de estar en Marcos tanto como en la fuente especial de dichos ("Q") que los eruditos creen haber sido usada por Mateo y Lucas; aun los eruditos más escépticos creen que esta ofrece una evidencia doblemente convincente de haber provenido de Jesús.
2. Sugiere un significado con un contexto especial, el de una polémica contra el perder la identidad especial por no ser diferente del mundo. La sal perdía su sabor y llegaba a ser igual que la arena sobre la cual la gente

caminaba al ser corrompida por otros químicos y la arena misma. El vocablo griego para "perder su sabor" también puede traducirse en "ponerse tonto", y esto representa con más precisión el sentido del hebreo y el arameo en su trasfondo. Es más, en algunos textos rabínicos se asocia la sal con la sabiduría, de manera que al decir que la sal pierde su sabor significaba ponerse tonto.

3. Este significado es similar a la enseñanza de la conclusión del Sermón del monte, de manera que esta introducción y la conclusión sirven como sujetalibros (lo que los eruditos neotestamentarios llaman un *inclusio*), incluyendo el principio y el fin de la sección principal del Sermón:

(a) Énfasis sobre la insensatez contra la sabiduría en Mateo 7:24, 26; el que la sal se haga "tonta" es como el constructor insensato que construye sobre la arena y cuya casa es destruida.
(b) Énfasis respecto a cómo no volverse tonto: Hacer las cosas que Jesús enseña (Mat. 5:16; 7:24, 26).
(c) Consecuencia de ser echado y "pisoteado" (la misma palabra que quiere decir pisoteado se usa en Mat. 5:13 y 7:6), sugiriendo el juicio escatológico como en Mateo 7:26.
(d) La metáfora de la arena: La sal que pierde su sabor, llegando a ser "tonta" y sin valor excepto para ser pisoteada como la arena (cosa que pisoteamos todo el tiempo); el constructor insensato construye sobre la arena (Mat. 5:13; 7:26).
(e) Las enseñanzas de Jesús sobre el llegar a ser como los gentiles (Mat. 5:46, 47; 6:7, 32) y los hipócritas (6:2, 5, 16; 7:5, 22, 23) sin tener así ninguna recompensa escatológica.

Así que concluimos que "perder su sabor" quiere decir perder la identidad que te distingue del mundo insensato, o sea, ser corrompido por el mundo, ya que no realizas las obras enseñadas por Jesús.

Quiere decir actuar de tal manera que das tu lealtad a otro señor, convirtiéndote en mundano. Luego esto cuadraría con los significados antiguotestamentarios más frecuentes de la sal, pureza y lealtad al pacto, tanto como la sazón (la que no ha perdido su distinción, llegando a ser como la arena).

2. La luz. El significado de esta metáfora de la luz está claro. Dos imágenes particulares de la luz se usan en este pasaje. La primera tiene que ver con la famosa "ciudad asentada sobre un monte" (Mat. 5:14), una imagen que se ha encontrado convincente. La segunda es la imagen de una lámpara sobre el candelabro en un hogar (Mat. 5:15). En ambos casos, Jesús dijo lo obvio, que la luz penetra la oscuridad y no puede, ni debe, esconderse. De otra manera se pierde el propósito de la luz.

Al usar la imagen de la luz, Jesús bebía profundamente de las ricas fuentes de la tradición antiguotestamentaria que se relacionaba con la presencia de Dios, tal como hemos dicho en el capítulo uno respecto a las características del reino de Dios. Tan temprano como la historia de la creación, a Dios se le identifica como la fuente de luz (Gén. 1:3), y la presencia de Dios es identificada con una luz resplandeciente (Isa. 60:1-3). Isaías habla de "la luz del Señor" (Isa. 2:5). Israel es llamado para que sea la luz para las naciones (Isa. 49:6). También se identifica la palabra de Dios como luz (Sal. 119:105), y hacer obras de obediencia es andar en la luz (Sal. 112:4; véase 1 Jn. 1:7). David Garland argumenta que Isaías 2:2-5 y 49:6 sirven como trasfondo antiguotestamentario de esta imagen particular de una ciudad escatológica asentada sobre el monte (Jerusalén) resplandeciendo con la luz de la salvación de Dios, su presencia, justicia y paz; es una imagen que atrae a todo pueblo para que suba el monte y entre por sus puertas; son personas que buscan compartir la paz gloriosa que allí se experimenta (*Reading Matthew* [Leyendo a Mateo]; véase Lohfink G., *Jesus and Community* [Jesús y comunidad], p. 66).

Davies sugiere que aquí Jesús rechazaba el separatismo de la comunidad del mar Muerto, de la cual una de sus imágenes favoritas de sí misma era "hijos de luz" en contraste con "los hijos de tinieblas" del mundo. Por definición, una estrategia separatista o de retiro hace que se esconda la luz más bien que encenderla. La luz puede penetrar las tinieblas sólo si no se esconde bajo un cajón (o en las cuevas cerca del mar Muerto). Asimismo, el trasfondo de este texto en Isaías 2:2-5 ha de mantenerse presente para evitar cualquier separatismo que se nos ocurra. Los discípulos son "una ciudad asentada sobre un monte" en el sentido de Isaías 2 sólo si invitamos y atraemos a la gente de todos los pueblos a que "suban el monte" y entren por las puertas para que experimenten la comunidad escatológica compartida. Al igual que un letrero de neón de un hotel invita a los viajeros cansados a descansar, así nuestra luz ha de ser una invitación. "Lo que significa precisamente es que, según la voluntad de Dios, los seguidores de Jesús transformarán toda la humanidad mediante su vida. Más y más personas se unirán a la comunidad de aquellos que se orientan por la voluntad de Dios" (Ibíd., p. 66, citando a Luise Schotroff).

El movimiento cristiano primitivo era pequeño. Entre los primeros discípulos tuvo que haber habido dudas sobre si ese grupo pequeño pudiera hacer una diferencia. Pero Jesús decía que el impacto de este movimiento se esparciría sorpresivamente. Este también es el punto de las parábolas de crecimiento (la semilla de mostaza, etc.): Mucho resultaría de comienzos pequeños. Implícita también estaba la idea de que el reino de Dios ocurriría no tan sólo por lo que Jesús hacía, sino por lo que la comunidad de discípulos hacía, funcionando como una ciudad asentada sobre un monte (Ibíd., pp. 67-69).

3. Obras. Usualmente la gente habla de esta enseñanza como doble: "sal y luz". Pero el clímax de toda la enseñanza se halla claramente en el último versículo por el cual se hace un énfasis sobre las obras que glorifican a Dios. Mencionar sal y luz, obviando las obras, es hacer que el pasaje tire hacia la gracia barata o a "la creencia fácil" de que no hagan obras de seguimiento a Jesús. Por lo tanto, hacemos hincapié en que la enseñanza sea triple y en las obras como el clímax:

- El Evangelio de Mateo tiene como 75 enseñanzas triples sin que haya casi ninguna enseñanza doble. Sería raro que esta enseñanza fuera sólo doble.
- El único mandato o imperativo del griego original en toda la enseñanza llega en la tercera parte. "La parte enfática en la enseñanza de Jesús, como ya vimos, puede hallarse casi siempre donde se encuentra el verbo imperativo. Incidentalmente, el imperativo griego es un verbo activo, "haced que alumbre vuestra luz", no un verbo pasivo, "alumbre vuestra luz", como se traduce usualmente. Haced que vuestra luz alumbre por hacer las obras de Dios.
- También, la tercera enseñanza es la primera en mencionar "vuestro Padre que está en los cielos", claramente un clímax.
- Aquí el énfasis en el principio sobre las buenas *obras* refleja la enseñanza al final del Sermón en cuanto a oír estas palabras y *hacerlas* (Mat. 7:24). De modo que, cuando vemos aquí el énfasis sobre las obras, vemos cómo todo el Sermón es simétrico.
- El clímax clarifica el significado-contenido de la sal y las obras. El hacer las buenas obras es lo que significa ser la sal de la tierra y la luz del mundo. Lo que hace que la sal conserve su sabor es el hacer las buenas obras que muestran la luz de Dios a la gente.
- Este clímax hace que todos los demás versículos se unan: la palabra griega para "hombres" (*tion anthropon*) en el versículo 13, la palabra griega para "luz" en el versículo 14, y la palabra griega distinta para "luz" o "alumbrar" en el versículo 15, son unidas como "alumbre vuestra luz delante de los hombres" en el versículo 16.

Esta interpretación es plenamente consistente con la visión de Isaías 2:2-5 sobre la que parece haber basado Jesús esta enseñanza. Los pueblos vienen al monte del Señor "para que él nos enseñe sus caminos, y nosotros caminemos por sus sendas" (Isa. 2:3). Luego son descritos por las conmovedoras e inolvidables imágenes de la paz y la justicia: "Y convertirán sus espadas en rejas de arado, y sus lanzas en podaderas" (Isa. 2:4). Los discípulos de Jesús, al igual que su Maestro, participan en el cumplimiento de esta visión escatológica mediante sus obras de pacificación, justicia, alimentación a los hambrientos y cuidado a los enfermos. Son el gozo de esta forma de vivir y su fruto los que atraen a los hombres y mujeres hacia la ciudad sobre el monte, a la comunidad de los discípulos.

En resumen: Hemos argumentado que la enseñanza sobre sal, luz y obras encontrada en Mateo 5:13-16 tiene el siguiente significado esencial:

1. ***Sabor a sal:* Quiere decir ser una comunidad distinta del mundo, o sea, no conformada al mundo;**
2. ***Luz:* Significa ser una comunidad solícita que no se retira del mundo sino, más bien, sirve a toda la familia humana, llamando a los de afuera y a los cansados, llevando la luz a todos los lugares oscuros habitados por los marginados y los miserables de la tierra;**
3. ***Obras:* O sea, ser una comunidad hacedora de discípulos que cumple con los mandatos de Cristo por una obediencia gozosa.**

Como tal, y únicamente así, puede la iglesia ser un participante útil en la actividad de Dios que construye el reino. En lo que queda de este capítulo, nos enfocaremos en la realización de una ética social de sal, luz y obras, permitiendo que la mayor parte de la última discusión se posponga hasta nuestro capítulo final.

Hacia una ética social cristiana de sal, luz y obras

Algunos han elaborado el extraño argumento de que Jesús, en el Sermón del monte y otros lugares, no se interesaba en los asuntos sociales o políticos sino únicamente en actitudes individuales o el estado del corazón humano. Ya hemos demostrado que Jesús sí tenía un interés vital en las obras que alumbran la vida, no tan sólo en actitudes interiores. Como tal, su enseñanza es inevitablemente "social" y "política". Creemos que el limitar nuestra ética a la obediencia, a actitudes interiores, es un argumento moralmente desastroso. En la siguiente discusión, basándonos en la obra del teólogo/ético H. Richard Niebuhr y otros, examinaremos algunas de las implicaciones de la tríada de sal, luz y obras para la misión de la iglesia en el mundo, incluso su testimonio social y político. Nosotros sostenemos que la iglesia tiene una misión triple, que corresponde no sólo con sal, luz y obras sino también con la naturaleza trinitaria de Dios. Aunque de ninguna manera se pretende que esto sea una presentación completa de la ética política cristiana, esperamos que ayude para señalar algunos de sus elementos clave.

La sal: La iglesia como modelo pionero para la comunidad humana. Permítasenos resumir lo que hemos argumentado tocante al lenguaje "sal de la tierra" en Mateo 5:13. Jesús llamaba a sus discípulos a un moralmente riguroso estilo de vida, muy distinto al del mundo corrupto. La iglesia tiene que ser una comunidad arrepentida, estando siempre de rodillas, reconociendo así las maneras en que se ha conformado al mundo en lugar de a Cristo. Es siempre el primer paso si deseamos ser sal en la sociedad.

Al reflexionar sobre las implicaciones de esto, se nos recuerda de la muy útil imagen de Niebuhr tocante a la iglesia como *una comunidad pionera* que opta por un camino distinto al del mundo, que antecede al mundo, proveyendo liderazgo para toda la familia humana mediante su propio cumplimiento fiel de la voluntad de Dios:

> La iglesia es esa parte de la comunidad humana que responde primero a Dios-en-Cristo y Cristo-en-Dios… Ella es ese grupo que oye la Palabra de Dios, que ve los juicios de Dios, que tiene la visión de la resurrección. Por sus relaciones con Dios ella es la parte pionera de la sociedad que responde a Dios a favor de toda la sociedad, algo así como la ciencia es la pionera en responder al patrón o la racionalidad en la experiencia y como los artistas son pioneros en responder ante la belleza (Niebuhr R., "Responsibility of the Church for Society" [La responsabilidad que tiene la iglesia por la sociedad], p. 130).

Responder a Dios es ser pioneros, porque la voluntad de Dios siempre está por delante de la sociedad. El reino de Dios no puede reducirse a las cosas como están; él incluye el juicio y el cambio. Esto queda especialmente claro cuando recordamos que Dios no es tan sólo una idea o doctrina, o la posesión de alguna iglesia o institución sino, más bien, Dios es el viviente, dinámico Espíritu Santo (Juan 4:24) que nos juzga, llamándonos al arrepentimiento y al cambio. Los discípulos son aquellos que son pioneros en decir sí a Dios y en ser cambiados por el poder del Espíritu Santo. Ellos están en contraste marcado con los que rechazan el juicio divino, aferrándose a los caminos de la vida que son contrarios a la voluntad de Dios.

Sabemos que la iglesia contemporánea es un inconsistente modelo-pionero de fidelidad. Ante los muchos escándalos que han sacudido a las iglesias, y a la luz de la cautividad ideológica de mucho de la enseñanza eclesiástica, difícilmente se le pueda llamar a la iglesia pionera a no ser que ella guíe en el acto de arrepentimiento. Pero siempre eso ha sido una parte de lo que quiere decir ser "sal".

La misión de Cristo y de la iglesia como representantes de la sociedad paralela lo que el teólogo-mártir alemán, Dietrich Bonhoeffer, escribió acerca de Cristo tanto como de la iglesia como representante o diputado (*Stellvertreter,* uno que camina en el lugar de otros: Bonhoeffer D., *Ethics* [Ética], p. 224). Fue Bonhoeffer que confesaba poderosamente su propio pecado durante el tiempo de los nazis como representante de la sociedad alemana, influenciando así a las iglesias alemanas y la Alemania Occidental para que confesaran públicamente su pecado después de la guerra (Ibíd., pp. 110 ss.), un paso clave en la extraordinaria reinvindicación de la sociedad alemana.

Algunos lectores estarán familiarizados con la mucha atención que se da en los medios masivos estadounidenses a los pronunciamientos de la Convención Bautista del Sur en sus reuniones anuales cada junio. Pareciera que fue la resolución de 1995 sobre la reconciliación racial que comenzó la tendencia. Aunque demasiado tarde, clara e inequívocamente renunció el histórico consentimiento en la esclavitud de la denominación y su participación en prácticas racistas. Este documento servía como un ejemplo vívido de la iglesia en calidad de una comunidad arrepentida, siendo recibida como tal de una forma cálida y estimulando alguna conversación productiva acerca de los problemas raciales.

Las resoluciones y declaraciones de la Convención Bautista del Sur desde ese tiempo, sin embargo, generalmente no han seguido el mismo patrón, tendiendo a caracterizarse por las acusaciones más bien que por el arrepentimiento. No sorprende, por lo tanto, que su impacto haya sido más bien polarizante que alumbrador, tendiente a producir una reacción defensiva más bien que de reflexión dentro de la sociedad en general. El arrepentimiento es desarmador, mientras que los ataques producen contraataques. La iglesia como pionera está allí con el resto de la sociedad, participando en el cambio buscado, más bien que con actitud aislante o acusadora.

La iglesia como sal, pionera o modelo también señala el tema que predomina en los escritos del ético menonita John Howard Yoder: La iglesia como modelo y como *una comunidad alterna*. Este tema resalta la naturaleza comunitaria (*koinonía*) de la iglesia, una comunidad de creyentes que obedece los caminos particulares de Dios revelados en Cristo. Una manera principal por la que la iglesia transforma la sociedad es siendo un modelo, una pionera, de lo que quiere decir vivir en amor, justicia, inclusión, servidumbre, perdón, confesando a la vez su propia necesidad de perdón.

Aquí Yoder nos da un discernimiento especial que señala el carácter de la iglesia como una comunidad pionera:

> No tan sólo hay lecciones para el mundo exterior desde la vida interior de la iglesia cristiana como sociedad; un impulso creativo comparable debiera irradiar desde los servicios que la iglesia rinde a la comunidad. Los ejemplos más obvios serían las instituciones de la escuela y el hospital, los que comenzaron en la historia cristiana como servicios rendidos por la iglesia... a toda la sociedad... El testimonio de la iglesia ante el estado ha de ser consecuente con su propio comportamiento... Una iglesia racialmente segregada no tiene nada que decir al estado acerca de la integración... Sólo una iglesia que haga algo acerca de la rehabilitación de reclusos tendría un derecho moral de hablar, o tener algunas ideas aceptables, acerca de las condiciones de las prisiones o los reglamentos en torno a la libertad condicional de los presos (Yoder J., *The Christian Witness to the State* [El testimonio cristiano al estado], pp. 19-22).

La iglesia como comunidad también ayuda a corregir el individualismo autónomo que fragmenta nuestra sociedad, funcionando así como un crítico pionero de este importante aspecto de la existencia social. Larry Rasmussen detalla las implicaciones con precisión:

> Aun los soñadores empedernidos saben que nada es verdaderamente real hasta que se haga... Lo que cuenta con Dios y el uno con el otro no es "la oportunidad", o siquiera una visión, sino la encarnación. Lo que tiene poder y promesa, generando convicción y valor,

es una comunidad concreta... Una atención teológica y técnica muy práctica necesita ponerse en lo que las iglesias hagan con su propia propiedad institucional y dinero... Significa fijarnos en cómo se gobiernan las cosas en estos sentidos: La calidad de nuestro trato los unos a los otros dentro de la familia de la fe, el reflejar la visión de una membresía inclusiva e igualitaria en cada lugar. Significa fijarnos en cómo se cuidan la tierra y las cosas de esta tierra en este enclave abierto de la creación. (Rasmussen L., *Moral Fragments and Moral Community* [Fragmentos morales y comunidad moral], pp. 152, 153.

Rasmussen describe nuestra necesidad de comunidad, diagnosticando las causas de su fragmentación por "la calculada lógica del mercado" y la asociación basada en intereses. Nosotros nos relacionamos con la gente y las iglesias de igual forma que somos clientes de un almacén, basándonos en un calculado interés personal. La dominación de la lógica del mercado se ve en "el divorcio, la desconfianza, la suspicacia y la alienación general" (Ibíd., p. 53). Por carecer de comunidad, nos falta la formación moral. Para resistir y transformar estas poderosas fuerzas de fragmentación, necesitamos la comunidad pionera (Roof W. y McKinney W., *American Mainline Religion* [La religión de las iglesias tradicionales], pp. 99, 251). Siempre que las iglesias sean meramente asociaciones de individuos autónomos y no comunidades pioneras, seremos soplos débiles de aire contra los vientos de la fragmentación.

Para llegar a ser tales comunidades, las iglesias necesitan *prácticas compartidas* que transformen las experiencias sociales, que formen y transformen a la gente moralmente, que provean un sentido significativo de membresía y apoyen la enseñanza crítica respecto a la diferencia entre la obediencia a los poderes y autoridades sutiles de nuestra sociedad y la obediencia al reino de Dios.

Luz: La iglesia como una comunidad solícita a favor de la familia humana. Al hacer una exégesis de Mateo 5:14-16, pudimos identificar varias dimensiones del concepto de discípulos como "la luz del mundo". Contra el trasfondo del uso del término *luz* en el AT, especialmente Isaías 2:2-5, nos enfocamos en la vocación de la iglesia de ser esa comunidad por la que la salvación, presencia, paz y justicia del Señor de la luz son experimentadas y a la que todo ser humano es invitado. La iglesia es llamada a desempeñar el papel de siervo ante el mundo, testificando del amor de Dios y sirviendo a todas las personas, pero especialmente a los quebrantados, necesitados y marginados de la sociedad.

H. Richard Niebuhr nos ayuda de nuevo aquí. Él sintetiza varios de estos temas de la imagen de la iglesia como *pastor*. Con esto él quiere ilustrar el significado neotestamentario del pastor, es decir, un pastor que no se destaca por la autoridad sino por la solicitud, su solicitud especialmente en pro del *perdido, el marginado, el necesitado y el vulnerable*. Él argumenta que la iglesia responde a Cristo siendo pastor, un buscador de los perdidos, el amigo de los pecadores, los humildes y los quebrantados.

La misión solícita o pastoral de la iglesia, por ende, es la implicación lógica de una dimensión clave del soberano reinado de Dios sobre todas las cosas. Este es Dios como Creador y Regente. Todos están incluidos en el reinado y el amor de Dios, toda la sociedad, incluyendo a los miembros de la iglesia y los marginados, a los amigos y enemigos, a los impotentes y los poderosos, a los huérfanos y a los poderes y autoridades. Dios envía su lluvia y sol sobre los justos y los injustos por igual (Mat. 5:45). La respuesta a la misericordia universal de Dios es la solicitud universal, una solicitud encarnada por Jesús al ir primero "a los excluidos de la solidaridad humana, sintiéndose estos excluidos de la solidaridad de Dios" (Bauckham D., *The Bible in Politics* [La Biblia y la política], p. 146). Esto era una parte crucial del contenido de su ministerio que inauguraba el reino.

El ministerio de *cuidar directamente por los mismos miembros de la iglesia* parece ser tan obviamente esencial para cualquier iglesia que se pregunta si hace falta enfatizarlo. Pero la dimensión de gracia de la soberanía universal de Dios requiere un énfasis especial sobre el cuidado que Dios tiene para con todas las distintas clases de personas dentro de una iglesia. Cualquier reunión de hijos e hijas de Adán y Eva está llena de personas que intuyen que existe un grupo cerrado del cual han sido excluidas a causa de sus fallas particulares, sus deficiencias, prácticas, vicios, virtudes, creencias, incapacidades, historia, clase, raza, género y otras razones desconocidas. Toda persona quiere presentar su fachada aceptable ante la reunión, escondiendo así la realidad de su persona. La membresía, pues, es sólo parcial y es parcialmente enajenante.

Como ya hemos dicho, dentro de nuestra cultura necesitamos especialmente la comunidad. La gracia de Dios enfatiza reiteradamente la necesidad de que haya iglesias transformadoras que se conviertan en comunidades perdonadoras e inclusivas (Rom. 12:1-13; 14:1—16:20). El reinado de Dios requiere que busquemos sensitivamente a aquellos cuyos dones no se reconocen, que busquemos aquellos grupos de personas que no están siendo alentados a participar, que busquemos las necesidades dentro de la comunidad que quedan aún sin satisfacerse.

Recientemente yo (David) tuve una conversación seria con un compañero miembro de la iglesia. La nuestra es una iglesia relativamente pequeña, y la experiencia de comunidad cristiana a menudo es muy rica. Sin embargo, una noche se me recordó de lo poco que sabemos acerca de las personas que vemos cada semana. Había estado enseñando acerca de cuestiones en torno a la vida familiar, y me encontraba en lo que creía ser una breve conversación después del mensaje con una madre divorciada con tres niños, una miembro fiel de nuestra congregación, pero una persona a quien no conocía muy bien.

No bastaba una conversación breve, así que fuimos a una oficina donde la señora tuviera más privacidad y tiempo para desahogarse. Supe de sus problemas económicos, su creciente dificultad en mantener control sobre sus hijos, su continua amargura sobre su divorcio y su lucha contra una sensación de desesperación. No sabía nada de esto antes de nuestra charla. Pude dar seguimiento a por lo menos una dimensión de su necesidad, pero me daba cuenta de lo inadecuado de estos esfuerzos, asombrándome de nuevo de la necesidad que tan a menudo se encubre dentro de la iglesia. Glen tuvo esta experiencia de muchas maneras sorprendentes después de ser pastor por más o menos un año. La gente empezó a confiar en él, hablándole de su dolor oculto, tragedia, abandono e injusticia, cosas insospechadas por él al mirar a miembros de su iglesia aparentemente felices y amistosos.

En su calidad de luz del mundo y pastor de la sociedad, *la iglesia también es llamada a ofrecer ayuda directa a los que están fuera de la congregación.* Desde luego, hemos de hacer esto dentro de las posibilidades de nuestros recursos y sabiduría. Pero la iglesia puede hacer una enorme contribución al reino al emprender esta clase de esfuerzos. Varias obras en los últimos años han narrado tales esfuerzos de la iglesia, tanto en la historia como en la actualidad. Las iglesias participan en esfuerzos que genuinamente están transformando algunos de los barrios más problemáticos de nuestro país. Las iglesias también están llevando la batuta en el establecimiento de relaciones con los que dependían de la caridad pública, enseñándoles a que sean autosuficientes. Estos y muchos otros ejemplos demuestran lo que es posible que la iglesia haga por sí sola tanto como la gama de asociaciones públicas y privadas que esta tiene que formar para maximizar su impacto.

Estos ministerios de ayuda directa llevan casi inevitablemente a *una preocupación social y política más amplia,* pudiendo imaginarse pocos caminos mejores a tal preocupación. Por su preocupación pastoral por los seres humanos con necesidad, "la iglesia se ha viso obligada a tomar un interés en las medidas e instituciones político-económicas" (H. R. Niebuhr, "Responsibility of the Church for Society" [La responsabilidad de la iglesia por la sociedad], p. 129). A menudo los necesitados también son los débiles, y ellos necesitan comunidades solícitas que intervengan por sus derechos. Ambas clases de acción pastoral, la directa e indirecta, se necesitan si la iglesia ha de ser leal a Dios quien es el soberano universal, gobernando así no tan sólo a la iglesia sino también al mundo.

Por ejemplo, una iglesia donde asistía Glen invitó a la Asociación del Condado en pro de las personas retardadas a que estableciera una Escuela de Esperanza de entre semana para adultos retardados, reuniéndose la escuela en el sótano de la iglesia. Esta era una ayuda directa, un servicio solícito que la iglesia podía proveer. Gradualmente los miembros de la iglesia crecían en su conciencia y apertura para con sus nuevos alumnos y sus necesidades, respecto a sus logros extraordinarios y su gozo al tener finalmente una escuela.

Luego se presentó una cuestión de política citadina que afectaría a los retardados mentales. Miembros de la iglesia, que jamás se habían involucrado en una acción cívica, se reunieron en la alcaldía y hablaron con el alcalde y la junta en pro de los débiles a quienes habían llegado a conocer. Ellos ganaron la batalla. Luego algunos se preguntaban: ¿Por qué estos adultos nunca habían tenido una escuela cuando eran niños? ¿Por qué nunca habían recibido el derecho a una educación pública, necesitando educación ellos más que otros? Sin una escuela, eran débiles, sin poder llegar a ser personalmente independientes, no podían cuidar de sí mismos ni ser económicamente productivos. Con una escuela, todo esto era posible. Así que un miembro de la iglesia, el padre de un niño con capacidades diferentes, que era miembro de la Asociación del Condado en Pro de las Personas con Retardo, se unió con otros padres en la asociación estatal para plantear una demanda legal contra el estado con el fin de que se proveyera el derecho a la educación de niños con varias desventajas, incluso el retardo mental. De nuevo, ganaron. El estado acordó por primera vez educar a miles de ciudadanos que nunca habían recibido educación antes. Esto también fue una acción pastoral. Fue una acción que resultó de la solicitud de los miembros de la iglesia a favor de otros.

Durante las últimas décadas, la cuestión de la acción en la política de los cristianos ha cobrado el interés de grandes secciones de la iglesia, especialmente en EE. UU. de A. Nuestra lectura del Sermón del monte y de todo el ministerio de Jesús nos lleva a favorecer ciertas clases de acción política tanto como situar tal acción dentro de un enfoque más amplio al testimonio público y un ministerio social de la iglesia. También nos lleva, al igual que a varios otros observadores evangélicos, a llamar a otros para que haya un replanteamiento de esta intensa acción política en nuestro actual contexto estadounidense.

El activismo político conlleva algunos peligros especiales para la iglesia a la vez que ofrece unas oportunidades limitadas respecto al reino. El peligro es que lleguemos a identificarnos demasiado con una ideología política en particular, acomodando el llamado de Jesús al discipulado a la estrategia de poder o centro de poder mundano. No deberíamos poner nuestra confianza y lealtad ni a la izquierda política ni a la derecha. Más bien, debemos poner atención práctica a lo que el gobierno puede hacer mejor y lo que las iglesias y grupos privados pueden hacer mejor para transformar la vida de los pobres. El desafío para los cristianos es que fundamenten sus esfuerzos políticos en una comprensión saludable de la iglesia, el estado, la sociedad y el reino de Dios. La plomada para medir la política tiene que ser la narrativa bíblica y el principio de la justicia de hacer por otros lo que quisiéramos que hicieran por nosotros (Mat. 7:12).

Nosotros colocamos la acción socio-política dentro del marco del papel de la iglesia como pastor solícito de la sociedad, y dentro del marco de las enseñanzas de Jesús que fundamentan esta visión. Cuando más, los cristianos votan, hacen campaña, se reúnen con líderes políticos, llegando a convertirse en líderes ellos mismos como resultado natural de su preocupación pastoral por el bienestar social bajo la soberanía de Dios, quien ama a todas las personas. Nos enteramos de la condición quebrantada de la gente, de sus necesidades, de la injusticia por nuestro ministerio a la gente; nuestro servicio a tales personas, en parte, nos mueve hacia la política. Mientras tanto, también somos animados por la rica visión escatológica de la Escritura, previendo la irrupción de la paz holística deseada por Dios: La ciudad del monte en la que se vive según la voluntad de Dios. De modo que somos *empujados* hacia la política por un ministerio de primera mano tanto como *jalados* hacia la política por la euforia de la visión bíblica del reino.

Llegar a la política por la acción pastoral solícita y la compasiva y misericordiosa visión pastoral moral también afecta profundamente la manera en que nos conducimos en la lucha pública por la justicia para los necesitados y marginados. El pastor auténtico no busca la dominación sino el servicio, no el estatus sino un papel para ayudar a satisfacer las verdaderas necesidades humanas, alentando a otros a que hagan igual. Este enfoque también da forma a la manera en que hacemos la política. Como pastor, la iglesia da codazos, alienta, exhorta, a veces corrige, pero no busca destruir enemigos ni encender las hostilidades sociales.

Creemos que un buen ejemplo de la actividad política actualmente se halla en la Iglesia Católica de Estados Unidos de América. Reflexionemos sobre su testimonio público por un momento.

Por siglos, la Iglesia Católica ejerció una hegemonía cultural y política sobre las naciones europeas occidentales. Durante el período medieval, los líderes católicos se acostumbraron a dirigir el curso de la política. En realidad, se habituaron a un poder significativo, algunas veces con consecuencias espirituales y morales desastrosas (las cruzadas, la Inquisición).

Al ir perdiendo hegemonía la Iglesia Católica sobre Europa —a causa de la Reforma Protestante, la Ilustración y muchos otros eventos históricos— luchó por mucho tiempo procurando evitar que se oyera la frustración en su voz pública. Había la misma sensación de agonía sobre la pérdida de privilegios que suele oírse en las voces de la llamada Derecha Cristiana en los Estados Unidos de América. Pero para el siglo diecinueve la Iglesia Católica había encontrado un nuevo tono. Continuaría expresando su preocupación por los problemas públicos, por el gobierno de las naciones y por la comunidad internacional. *Pero lo haría al ofrecer una pensada y constructiva reflexión pública a favor del bien humano común bajo la soberanía de Dios el Creador.* También lo haría al ofrecerse sacrificial y pastoralmente en el servicio de los necesitados.

El nombre de una importante encíclica católica, *Mater et Magistra* (Madre y Maestra, 1961), ilustra muy bien estos puntos. "Madre y Maestra" es precisamente el tono asumido por este documento tanto como por la totalidad de la enseñanza social católica contemporánea. La Iglesia Católica se preocupa, no principalmente por su propio poder o intereses, sino por la totalidad del mundo y sus habitantes de una manera materna/pastoral. Ella servirá al mundo con todo su amor y energía.

Este es el enfoque católico oficial de hoy, y a veces es extraordinariamente fructífero a pesar de los inevitables fracasos ocasionales. ¿Podemos los protestantes aprender algo de él? He aquí el modelo:

- Una iglesia que actúe a favor del bienestar de la sociedad, sea que la sociedad sea agradecida o no, en contraste con un testimonio cristiano público manchado por su sentido de haber perdido el respeto y privilegio que le correspondían.
- Una iglesia que ofrezca una sofisticada instrucción cristiana moral con un respetuoso lenguaje público, comunicando así sus valores de una forma que todos entiendan y acepten, en contraste con un sectarismo aislante o una política odiosa, sea de la izquierda o la derecha.
- Una iglesia que enfoque su activismo en el bienestar de toda la sociedad, especialmente donde están los pisoteados por el actual orden cultural y político, más bien que en sus propios intereses.
- Una iglesia que respete la libertad religiosa y las correctas fronteras entre la iglesia y el estado en una democracia pluralista, más bien que anhelar su establecimiento como iglesia estatal o una teocracia.
- Una iglesia que retenga su independencia, su sabor a sal, su rehusar alinearse con algún político o partido en particular con el fin de que sirva a Dios y al bien común, más bien que ser atraída inexorablemente hacia la izquierda o la derecha por la influencia del poder político.
- Una iglesia que ponga su vida por su sociedad, cual una madre por sus hijos, o como un pastor, más bien que pelear las guerras religiosas de la cultura hasta el fin.

Un elemento principal en esta transformación del testimonio moral católico obedece a que la Iglesia se ha conformado con su papel como un participante en una democracia liberal pluralista. John Courtney Murray fue una figura clave para que la Iglesia Católica estadounidense hiciera la transición, viendo que el no ser iglesia oficial del país era una bendición más bien que una maldición.

Este discernimiento les llegó varios siglos antes a los de la tradición anabaptista cuyas experiencias más tempranas abarcaron el sufrimiento a mano de los estados confesionales en los cuales estaban fundidos los poderes religiosos y políticos. Los anabaptistas en el continente europeo (tal como Menno Simons), en Inglaterra (Richard Overton) y en EE. UU. de A. (Roger Williams, John Leland) llegaron a abogar por la libertad religiosa y el no establecimiento de la religión (Kramnick I. y Moore R. L., *The Godless Constitution* [Una constitución sin Dios]). La tradición que representan nos es importante aquí.

Las convicciones anabaptistas sobre esta cuestión se fundaban no únicamente en la dura experiencia sino también en la exégesis bíblica. Los anabaptistas eran (y son) convencidos de que la Gran Comisión de Jesús a la iglesia (Mat. 28:16-20) debía leerse como un llamado al evangelismo, a la enseñanza y otros medios de persuasión y exhortación para que la gente entre a la fe cristiana, más bien que por la coerción, que sólo crea una "fe" falsa e hipócrita. La fe coaccionada no es fe cristiana. Por lo menos, no es así si la fe cristiana sigue a Jesús. Con base en el mandato de Cristo a que la iglesia sea la luz del mundo, ellos argumentaban vigorosamente por la libertad de la iglesia y su derecho a esparcir el mensaje por medio de medios legítimos tales como la predicación y la enseñanza. Optaban por morir a mano de aquellos estados que buscaban sofocar su testimonio cristiano, más bien que permitirse ser silenciados. Al ser perseguidos por sus convicciones, los anabaptistas no dejaban de hacer una crítica profética ante el estado, como lo hiciera Jesús, al afirmar que tal persecución era un injusto uso del poder gubernamental. Los anabaptistas declaraban constantemente que Cristo es el Señor sobre el gobierno tanto como sobre toda otra institución de la vida humana; los discípulos debían "obedecer a Dios más bien que a cualquier autoridad humana" (Hech. 5:29; Bonhoeffer D., *Ethics* [Ética], pp. 188-213).

Los anabaptistas estaban muy claros respecto a la necesidad de que la iglesia siguiera siendo "sal", manteniéndose separada del estado, mientras que, a la vez, siguiera siendo "luz", retando al gobierno. Los miembros de esta tradición generalmente son resistentes ante toda lisonja y seducción del gobierno. Ellos afirman la obra legítima de un gobierno limitando siempre a que se haga la justicia dentro de su esfera apropiada, la cual no incluye la inculcación de creencia religiosa alguna ni la supresión de lo que algunos verían como herejía. Influenciados en parte por la parábola de Jesús de la cizaña (Mat. 13:24-30), los anabaptistas esperan totalmente que el bien y el mal, la verdad y la mentira, la virtud y el vicio existirán y se entremezclarán hasta que Cristo vuelva; no les corresponde a los gobiernos humanos desarraigas y destruir lo que nosotros o ellos vean como cosa desagradable a Dios.

Dentro del contexto estadounidense, es fácil ver cómo un compromiso con la libertad religiosa encaja con el papel de la iglesia como pastor solícito para todo el pueblo, pero también es desconcertante ver como algunos cristianos siguen siendo tentados a abandonar tal libertad para volver al establecimiento de una versión que favorece al cristianismo. El verdadero pastor se preocupa no tan sólo con la mayoría religiosa sino con los derechos de la persona que tiene otros conceptos. No es bondadoso, solícito, justo ni bíblico que los cristianos no se preocupen por los derechos de las minorías religiosas de nuestras escuelas públicas, nuestras comunidades, nuestra nación o nuestro mundo. Los EE. UU. de A. fue el primerísimo país en abrazar la plena libertad religiosa dentro del contexto pluralista, y los cristianos anabaptistas jugaron un papel clave en esta iniciación, la que ahora se reconoce como parte de la esencia de los derechos humanos y libertades que han de ser honrados por todo estado, especialmente aquel que afirma ser democrático.

Creemos que los reconstruccionistas/teonomistas, los proponentes de "Estados Unidos de América cristiano", u otros que buscan establecer un estado confesional están fundamentalmente equivocados en términos de la Escritura e historia cristiana y secular; somos dichosos porque ellos carecen del poder para lograr su voluntad en nuestra sociedad contemporánea. Su punto de vista refleja una tentación perenne en la historia del cristianismo y, como hemos visto en los últimos años, se ve también en el islam. Como la luz del mundo, invitamos a las personas para que entren a una relación con Cristo y a un gozoso estilo de vida perteneciente a la comunidad del pacto; *invitamos*, y nunca *coaccionamos* a nadie que esté interesado en unirse a nuestra "ciudad en un monte," dentro de la cual se empieza a experimentar la paz de Dios.

Las obras: La iglesia como una comunidad hacedora de discípulos obediente a los mandatos de Cristo. Hemos argumentado en este capítulo que el famoso mandato de Jesús tocante a "sal y luz" en realidad es una tríada de sal, luz y obras. La misión de la iglesia es trinitaria, siendo fiel a Dios como Espíritu Santo, Creador-Sustentador e Hijo Amado. Los discípulos cristianos se distinguen del mundo (sal) y a la vez iluminan al mundo (luz) por sus buenas obras (*kala erga*), obedeciendo a Jesucristo. Cuando realmente hacemos buenas obras, ocasionamos que los que nos observan "den la gloria" a Dios, es decir, alaban a Dios y reconocen la bondad divina, su poder y su plan. Así que las buenas obras de los discípulos son parte de nuestra oración: "venga tu reino, hágase tu voluntad". Esto es cierto, no tan sólo en términos del impacto directo de esas obras sino también por su impacto evangelístico sobre un mundo que nos observa. El ser sal y luz, entendiéndose concretamente, consiste en un juego particular de prácticas realizadas por la comunidad de discípulos en obediencia a las enseñanzas de Jesucristo nuestro Señor. Estas prácticas son el tema de nuestro próximo y final capítulo.

24

PRÁCTICAS

No todo el que me dice "Señor, Señor" entrará en el reino de los cielos, sino el que hace la voluntad de mi Padre que está en los cielos... Cualquiera, pues, que me oye estas palabras y las hace, será semejante a un hombre prudente que edificó su casa sobre la peña. Y cayó la lluvia, vinieron torrentes, soplaron vientos y golpearon contra aquella casa. Pero ella no se derrumbó, porque se había fundado sobre la peña. Pero todo el que me oye estas palabras y no las hace, será semejante a un hombre insensato que edificó su casa sobre la arena. Cayó la lluvia, vinieron torrentes, y soplaron vientos, y azotaron contra aquella casa. Y se derrumbó, y fue grande su ruina.

Mateo 7:21, 24-27

El contenido de la fe cristiana siempre es y será una cuestión de disputa. En toda generación, los hombres y mujeres de fe inclinan sus rostros en oración, vuelven a leer la Escritura sagrada, y sondean la tradición eclesiástica y otras fuentes para encontrar el significado de la fe con la que se han comprometido.

Este libro es, en cierto nivel, "meramente" una introducción a la ética cristiana, una disciplina académica. Si tú lo has leído detenidamente hasta ahora, has aprendido mucho acerca de esta disciplina. Pero, en otro nivel, aún más valioso para nosotros los autores, este libro constituye una proposición respecto al mismo contenido de la fe cristiana y la fisonomía de la existencia cristiana normativa.

Los maestros cristianos, los eruditos y líderes reciben una herencia sagrada. Al igual que nuestras contrapartes de otras generaciones, se nos ha ordenado a que guardemos "el buen depósito" que nos ha sido legado (2 Tim. 1:14). En realidad, es una pasmosa responsabilidad interpretar y articular la fe cristiana. Somos conscientes de que nuestras palabras importan y que seremos tenidos por responsables ante Dios (Stg. 3:1-12).

El corazón de lo que nos motivó a escribir este libro fue la convicción de que el testimonio moral de Jesucristo nuestro Señor ha sido desatendido, mal entendido y aun evadido, no tan sólo en la ética cristiana como disciplina, sino en la presentación general de la fe cristiana en miles y miles de iglesias de nuestra nación y alrededor del mundo. El resultado no es sino la malformación del cristianismo, una fe desarraigada de su fundamento en la roca de las enseñanzas y el ejemplo de Jesucristo.

No nos atrevemos a afirmar que todo aspecto de nuestro análisis moral y toda propuesta hecha en este tomo lleve la autoridad de Jesucristo. Eso sería absurdo y completamente contrario a nuestro énfasis sobre la autocorrección y arrepentimiento continuo. Sin embargo, esperamos haber demostrado que el testimonio de Jesucristo mismo, anclado firmemente en el mismo contexto histórico de Jesús pero a la vez atemporal, puede ser, y tiene que ser, el corazón de la existencia cristiana, mereciendo así el estudio más concienzudo. Esto es lo que hemos buscado ofrecer en este libro.

Creemos que Jesús era aquel a quien el Padre envió para reclamar para sí a una creación rebelde y para inaugurar el largamente demorado reino de Dios. También, creemos que la "iglesia" tiene que ser definida como aquella comunidad de hombres y mujeres que siguen a Jesús, el innovador y pionero del reinado de Dios. Hemos escrito para servir a ese Dios y edificar a esa iglesia.

La conclusión del Sermón del monte, que ciertamente abarca Mateo 7:24-27 pero que puede verse como extendiéndose hacia atrás a 7:12, Jesús afirma de varias maneras que la respuesta apropiada a sus enseñanzas es practicarlas. *El discipulado, y por ende la fe cristiana, tiene que ver con hacer las palabras de Jesús*. Veamos las varias maneras en que él dice la misma cosa en la última sección del Sermón del monte:

Mateo 7:12. "Así que, todo lo que queráis que hagan los hombres por vosotros, así también haced por ellos, porque esto es la Ley y los Profetas". Aquí Jesús afirmaba que el contenido moral de todo el testimonio bíblico puede resumirse como una ética que se preocupa por otros, demostrada por los hechos. Esta regla de oro enciende la imaginación moral al considerarse sus inagotables implicaciones para el amor al prójimo.

Mateo 7:13, 14. "Entrad por la puerta estrecha; porque ancha es la puerta, y espacioso el camino que lleva a la perdición, y son muchos los que entran por ella. Pero ¡qué estrecha es la puerta y qué angosto el camino que lleva a la vida! Y son pocos los que la hallan". La existencia cristiana es un sendero que se sigue, una manera de vivir que se practica. El camino es angosto; muchos lo pierden. Esta es una advertencia aterradora, y una que no tiene sentido si la fe cristiana es entendida solamente o aun primariamente como un asentimiento intelectual en convicciones acerca de Jesús, como una relación personal inspiradora y alentadora con él, o como una transacción forense que nos gana la admisión al cielo.

Mateo 7:15-20. "Así que, por sus frutos los conoceréis". Muchos "falsos profetas" afirman una lealtad a Jesucristo o a Dios el Padre. Aquí Jesús simplemente imponía una prueba práctica: Conoceréis quién me pertenece por los frutos producidos en esta vida. A menudo este texto se usa atinadamente para discutir el carácter de la persona (la conexión entre el buen árbol y el buen fruto). Pero su punto fundamental es que el discipulado abarca un modo de vida lo suficientemente concreto como para ver si la fidelidad al camino de Jesús está presente o ausente.

Mateo 7:21-23. "No todo el que me dice 'Señor, Señor' entrará en el reino de los cielos, sino el que hace la voluntad de mi Padre que está en los cielos". Luego Jesús procedió a rechazar a los "obradores de maldad" que se las arreglan para profetizar, exorcizar a los demonios y hacer "muchas obras poderosas" en su nombre. Tales fuegos artificiales espirituales no valen nada aparte de practicar sus enseñanzas. Da mucho que pensar considerar si uno se incluye entre aquellos que serán rechazados por afirmar falsamente el señorío de Jesús.

Mateo 7:24-27. "Cualquiera, pues, que me oye estas palabras y las hace, será semejante a un hombre prudente que edificó su casa sobre la peña". Famosamente, Dietrich Bonhoeffer preguntó, dentro del contexto de amenazas y seducciones de los nazis: "¿Quién permanece firme?". Aquí Jesús enseñaba que aquellos que permanecerán fieles únicamente son los que oyen sus palabras y las hacen. Únicamente ellos edifican sobre cimientos duraderos.

Es difícil saber qué más Jesús pudiera haber dicho para hacer más claro este punto. Digámoslo una vez más: *Según Jesús, no hay un cristianismo auténtico, ningún discipulado ni ética cristiana aparte del hacer las obras que él enseñó que sus discípulos hiciesen.* Un resumen más completo, influenciado en parte por una lectura cuidadosa de la Gran Comisión (Mateo 28:16-20), sería esto: La dimensión de "obras" de la enseñanza de Jesús exige una obediencia concreta a los mandatos de Cristo, sus enseñanzas en torno a las obras, su enseñanza acerca del hacer discípulos. Los discípulos de Jesús estudian, obedecen, enseñan y adiestran a otros respecto a las obras enseñadas y practicadas por Jesús. Ellos lo hacen, recordemos, como una respuesta gozosa y una participación en la gracia de la liberación de Dios y su inauguración del reino mediante Jesucristo.

Al hacer esta propuesta, nos unimos a un pequeño grupo de otros eruditos cristianos y líderes eclesiásticos que creen que una gran parte de la iglesia trágicamente se desvió de este enfoque sobre Jesús y sus enseñanzas concretas.

Por ejemplo, Larry Rasmussen escribe que al principio la iglesia era vista y llamada "la gente del camino" (véase Hech. 9:2; 18:25, 26; 19:9, 23; 24:14, 22); sin embargo, muy tempranamente en su historia esta visión se perdió (*Moral Fragments* [Fragmentos morales]. De forma semejante, el teólogo católico Avery Dulles aboga porque este modelo de "comunidad de discípulos" sea el más adecuado: "El camino de Jesús es el camino del discípulo, y el discipulado consiste en caminar con Jesús". Él resalta que en el libro de Hechos, "todos los creyentes cristianos son llamados discípulos, y la iglesia misma es llamada la comunidad de discípulos". Aquí y en otras partes del NT el cristianismo es representado como un modo de vivir por el cual se sigue a Jesús (Hech. 9:2, 22:4), siendo él mismo el Camino (Juan 14:6)" (Dulles A., *Models of the Church* [Modelos de la iglesia], pp. 210, 211).

A Jesús se le identifica con la tradición de los profetas de Israel, con sus enseñanzas, con su llamado al arrepentimiento, a la fe y a la justicia, su promesa de la redención venidera, aun con la oposición que ellos encontraron. La iglesia, pues, señalando el camino particular del judío encarnado, Jesús, necesita interpretarlo en ese contexto profético y judío. Hace falta corregir las tendencias que ignoran el contexto concreto de Jesús, reduciendo su enseñanza a un pálido reflejo de nuestra cultura.

Una dimensión clave de esa tarea de corrección es simplemente un enfoque sobre las verdaderas obras que Jesús encarnaba y enseñaba. Hemos recalcado que la ética cristiana es en esencia *prácticas;* no meramente ideales ni reglas que deban ser cumplidas, sino prácticas que se hacen regular y realmente, encarnadas en acciones (véase nuestra definición de prácticas en el capítulo cinco). Aquí es absolutamente crucial que sean concretas más bien que abstractas para que la ética cristiana no se vacíe de su verdadero contenido. Aunque de ninguna manera es una lista exhaustiva, revisemos lo que hemos propuesto en este libro al nombrar algunas prácticas concretas enseñadas por Jesús o aplicaciones apropiadas de su enfoque a las realidades contemporáneas:

- Los discípulos desarrollan una ética holística de carácter, atendiendo críticamente a sus pasiones y lealtades, su manera de razonar moralmente, sus percepciones y convicciones teológicas básicas; ellos viven humildemente ante Dios, se entristecen por lo malo en ellos y en el mundo, se entregan a Dios, tienen hambre y sed de la justicia liberadora de Dios, ofrecen acción compasiva, perdón, sanidad y lealtad al pacto para aquellos que están con necesidad, se dan a sí mismos totalmente a Dios, hacen las paces con sus enemigos, persistiendo y aun regocijándose al ser perseguidos (Mat. 5:3-12; capítulos dos y tres de esta obra).
- Los discípulos fundamentan sus decisiones morales y su estilo de vida en la autoridad bíblica, leyendo todo el canon al igual que Jesús, con una exégesis profética que realza el énfasis sobre la gracia de Dios, los aspectos morales

de la ley antiguotestamentaria, el contenido de la justicia como hechos de justicia, misericordia y amor, y una conciencia del manantial interior de toda acción (Mat. 5:17-20; capítulo cuatro).

- Los discípulos practican la enseñanza de Jesús dentro del contexto de una creencia en la gran narrativa bíblica, especialmente el relato de la irrupción del reino dentro del cual Jesús emprendió su ministerio; este relato del carácter de Dios, su voluntad y acción en la historia fundamenta luego el desarrollo de principios morales particulares, reglas, y juicios dentro de las situaciones presentadas por su vida (Mat. 5:17-20; capítulos uno y cinco).
- Los discípulos leen la enseñanza moral de Jesús, no como elevados ideales, dichos difíciles, consejos para la perfección o evidencia de nuestra pecaminosidad, sino como una instrucción concreta para la vida; ellos se enfocan en lo mismo que Jesús, en las iniciativas transformadoras particulares que capacitan a los discípulos para que rompan los ciclos viciosos de la humanidad, los cuales obstaculizan la obediencia a la voluntad de Dios el Creador y Redentor.
- Los discípulos no asesinan ni aprueban las muertes violentas; más bien, ellos se humillan, toman iniciativas pacificadoras y actúan para evitar la violencia en la vida personal, social, nacional e internacional (Mat. 5:21-26, 38-48; capítulos siete al nueve).
- Los discípulos valoran la vida en sus comienzos y en sus finales vulnerables, luchando para evitar el aborto, la destrucción del embrión, la clonación reproductiva, la narcisista modificación genética y la eutanasia (Mat. 5:21-26; capítulos diez al doce).
- Los discípulos honran las intenciones de Dios respecto a las relaciones entre los sexos al tratarse los unos a los otros con respeto, alentando así la sumisión mutua y un enfoque evangélico en las relaciones entre los sexos, limitando la expresión de la sexualidad genital a la soltería célibe o al matrimonio monógamo de pacto (Mat. 5:27-30; capítulos trece y catorce).
- Los discípulos viven con amor y justicia liberadores en toda relación, especialmente tocante a los más vulnerables, los excluidos, los marginados, los débiles y los oprimidos (Mat. 5:43-48; capítulos dieciséis y diecisiete).
- Los discípulos hablan verazmente más bien que engañosa o deshonestamente; ellos guardan el pacto y viven en la verdad, reteniéndola sólo en contadas emergencias morales bajo condiciones de mal social (Mat. 5:33-37; capítulo dieciocho).
- Los discípulos trabajan para que haya justicia en las relaciones raciales y la vida económica, viviendo con relativa frugalidad económica, evitando un afán idolátrico por adquirir cosas, el consumismo, la avaricia, la injusticia; harán esto alimentando a los necesitados y a los pobres como una práctica personal y social (Mat. 6:19-34; capítulos diecinueve y veinte).

- Los discípulos cuidan de la creación de varias maneras, tales como la conservación de energía, la limitación del tamaño de la familia y el uso de recursos, el apoyo del uso de transporte público y la regulación gubernamental apropiada (Mat. 6:19-34; capítulo veintiuno).
- Los discípulos practican el hacer obras de misericordia, el ayuno y la oración sin buscar el reconocimiento humano de su piedad; ellos oran de una forma diseñada para profundizar su compromiso con el reino de Dios y su participación en él (Mat. 6:1-18; 7:6-11; capítulo veintidós).
- Los discípulos retienen su distinción como seguidores de Cristo al relacionarse con el mundo con gracia por medio de una presencia pionera-pastoral, servicial y transformadora (Mat. 5:13-16; 7:6-12; capítulo veintitrés).
- Los discípulos estudian, obedecen y reflexionan sobre las enseñanzas de Jesús, buscando entrenar a otros para que hagan lo mismo (Mat. 7:12-27; capítulo veinticuatro).

Una forma de averiguar si la ética personal es concreta o abstracta es articular sus normas clave, preguntando luego si es posible o no evaluar si se vive según ellas. Respecto a esta prueba, la enseñanza de Jesús era concreta, y por esto hemos buscado ser tan concretos en este libro. O se le da de comer a los hambrientos o no. O se habla la verdad o no. Ciertamente la ética sí incluye otras dimensiones menos fácilmente evaluadas: Actitudes interiores, profundidad de pasión y compromiso, pureza de intención, etc. Pero muchas formas de la ética cristiana han malentendido las enseñanzas de Jesús como si fueran un llamado a enfocarnos en estas dimensiones más difíciles de evaluar más bien que en sus enseñanzas concretas reales. O, peor todavía, a veces la iglesia ha enseñado que Jesús nunca quería que sus enseñanzas fuesen obedecidas en realidad: Más bien, son meramente ideales por los cuales debemos luchar por cumplir. Mientras tanto, en realidad terminamos viviendo según las reglas "realistas" de la cotidianidad, porque *algunas* normas tienen que gobernar toda vida.

El sociólogo Robert Wuthnow ha dicho en una entrevista que una razón principal por la que las iglesias tradicionales están perdiendo miembros es que en su reacción contra el legalismo religioso conservador, su enseñanza moral se ha vuelto demasiado vaga. El luchar, buscar y expresar duda parece ser el mensaje principal comunicado a los congregantes. A menudo los sermones pasan de una estructura sencilla a una más compleja, y la conclusión moral se pierde entre muchas palabras. Dean R. Hoge escribe que:

> Las declaraciones eclesiásticas y doctrinales han sido escritas bastante abstractamente, habiendo suficiente pluralismo interno como para incluir todos los matices teológicos de la denominación... Un problema con esta política en cualquier denominación es la falta de identidad. Las preguntas: ¿Quiénes somos nosotros? ¿Qué creemos nosotros? no son

contestadas por la recitación de puntos de vista distintos y actuales de la iglesia. Difícilmente sea posible el evangelismo cuando la identidad de la iglesia y su evangelio son ambiguos. Hoy no es un accidente que muchos de los protestantes de la clase media vacilen en hablar sobre sus creencias cristianas con otras personas (Hoge D., *Division in the Protestant House* [La división en el hogar protestante], p. 126).

En contraste con las iglesias tradicionales, Roof y McKinney reportan los resultados de su estudio de la vida de la iglesia estadounidense: "Casi todas las iglesias que guardaban una distancia de la cultura mediante el alentar estilos de vida y creencias distintivos, crecían". Estas eran "identificables" religiosa y culturalmente, eran conocidas por sus creencias distintivas y enseñanzas morales; ofrecían una fe experimental centrada en su creencia en la salvación por medio de un compromiso personal con Cristo". Los evangélicos —descritos como aquellos que han nacido de nuevo, que alientan a otros a creer en Jesucristo y tienen un concepto elevado de la autoridad bíblica— han crecido significativamente. El judaísmo ortodoxo, con sus enseñanzas concretas, su autoridad bíblica y su enfoque sobre la soberanía de Dios, también ha crecido.

Roof y McKinney reportan que las iglesias evangélicas se distinguen de las iglesias tradicionales por tener cuatro veces más de sus adultos en la educación cristiana, tienen dos veces el porcentaje de miembros en los cultos de adoración, tienen dos veces más en porcentaje de los que ofrendan, y son dos veces más probables de haber crecido el 25 por ciento en membresía durante los últimos cinco años (Roof W. y McKinney W., *American Mainline Religion* [La religión de las iglesias tradicionales estadounidenses], pp. 20-24). Y enseñan más concretamente, menos abstractamente. Esto *no* significa necesariamente que enseñen el pleno alcance de discipulado enseñado y encarnado por Jesús. No quiere decir que toda iglesia que crece numéricamente esté creciendo en un discipulado auténtico. Pero sí quiere decir que la vitalidad y la fuerza de identificación con la comunidad de la iglesia parecen exigir una enseñanza más concreta, específica y frecuente junto con un sentido de visión e identidad.

El libro de Daniel Buttry, que describe la revitalización de una iglesia, aboga por una enseñanza concreta "que tenga el fin de dar forma a la vida de discipulado y la comunidad de la iglesia", y "que dé respuesta a un problema nacional o global que requiere un reto bíblico". Él cita a Martin Luther King quien, a su vez, hace eco de Dietrich Bonhoeffer: "Si se predica el evangelio en todos sus aspectos, con excepción de los que causan problemas a la sociedad actual, no se predica el evangelio de ninguna manera" (Buttry D., *Bringing Your Church Back to Life* [Resucitando a tu iglesia], p. 83).

En mi (David) estudio de los rescatadores cristianos de los judíos durante el holocausto, se me hizo sobremanera obvia la centralidad de las obras concretas en toda fe cristiana auténtica. Los nazis querían matar a judíos, ellos estaban muy claros respecto a sus intenciones y efectuaron su horrenda tarea unas seis millones de veces. Los judíos querían sobrevivir, haciendo lo que pudieran para salvar a sus hijos y a sí mismos. Pero su supervivencia requería más a menudo de la ayuda concreta de los gentiles/cristianos no judíos.

No era suficiente orar por los judíos. No era suficiente desear lo mejor para los judíos, esperar que alguien ayudara a los judíos, tener sentimientos de compasión hacia los judíos o soñar con un mundo en el cual ni judíos ni nadie más sería asesinado. Tampoco era suficiente tener la intención de ayudar a judíos, hablar acerca de ayudar a judíos o hacer planes para ayudar a judíos. Ni siquiera era suficiente creer en Jesús, ir a la iglesia, recibir los sacramentos, leer la Biblia o recitar la "oración del pecador". Lo que tenía que hacerse era que los cristianos recibieran a judíos en sus hogares, proveerles alimentos, dinero, escondites, servicios higiénicos, cuidados médicos, falsa identificación, transporte y protección, arriesgándose a cada paso al hacerlo.

La minoría de cristianos que más probablemente hicieran tales obras de misericordia venía de familias y tradiciones de fe en las cuales se enseñaban y se practicaban una ayuda concreta de cuidado a primera mano. Esa preparación les sirvió al ser probados en el crisol del Holocausto.

El teólogo judío Irving Greenberg escribe: "La religión se comprueba en lo que se hace, todo lo demás es pura palabrería" ("The Third Great Cycle of Jewish History" ["El tercer gran ciclo de la historia judía"], p. 10). Él escribe a la sombra del Holocausto, pero su comentario refleja un compromiso que va al meollo de la tradición judía, es decir, la misma tradición, que nutrió a Jesús el Cristo y que informó su extraordinaria y sólida instrucción moral. Jesús enseñaba que sus discípulos han de ser sal y luz, pudiendo serlos únicamente si le obedecen, por efectuar las obras personales, eclesiales, sociales y políticas enseñadas por él. Al hacerlo, ellos traen gloria a Dios y avanzan el reino de Dios, que viene a ser todo el propósito de Jesús y de todo aquel que le siguiera.

Tal como lo expresa Han Weder en su *Die "Reden der Reden"* [El discurso de todos los discursos]: "En nuestro contexto se habla dichosamente del carácter testimonial de las buenas obras, de la proclamación activa de la iglesia... En Mateo el movimiento hacia el mundo no se da excepto en la forma de buenas obras. El mundo no comprende otra cosa" (p. 89).

Y el Mesías mismo tampoco comprende otra cosa.

Bibliografía

Achtmeier, Elizabeth. "Righteousness in the Old Testament". *Interpreter's Dictionary of the Bible*, Vol. 4. Editado por Keith Crim. Nashville: Abingdon, 1976.

Aiken, Henry David. *Reason and Conduct: New Bearings in Moral Philosophy*. Nueva York: Knopf, 1962.

Allison, Dale C. *The Sermon on the Mount: Inspiring the Moral Imagination*. Nueva York: Herder & Herder, 1989.

Austin, Richard. *Hope for the Land: Nature in the Bible*. Environmental Theology 3. Atlanta: John Knox Press, 1988.

Baker, William H. *On Capital Punishment*. Chicago: Moody Press, 1973, 1985.

Barnette, Henlee H. *The Church and the Ecological Crisis*. Filadelfia: Westminster Press, 1972.

Barnette, Henlee H. *Crucial Problems in Christian Perspective*. Filadelfia: Westminster Press, 1970.

Barnette, Henlee H. "My Millennium". *Louisville Courier-Journal*, septiembre 8, 2000.

Bauckham, Richard. *The Bible in Politics*. Louisville, Kentucky: Westminster John Knox, 1989.

Baumeister, Roy F., y Joseph M. Boden. "Aggression and the Self: High Self-Esteem, Low Self-Control, and Ego Threat". Capítulo 5 en *Human Aggression: Theories, Research, and Implications for Social Policy*. Editado por Russell G. Geen y Edward Donnerstein. San Diego: Academic, 1998.

Beisner, Calvin. *Where Garden Meets Wilderness*. Grand Rapids, Michigan: Eerdmans, 1997.

Benson, Peter, *et al*. *A Fragile Foundation: The State of Developmental Assets Among American Youth*. Minneapolis: Search Institute, 1999.

Berns, Walter. *For Capital Punishment*. Nueva York: Basic Books, 1979.

Berry, Thomas. *The Dream of the Earth*. San Francisco: Sierra Club Books, 1988.

Bethge, Eberhard. *Dietrich Bonhoeffer: A Biography*. Edición revisada. Minneapolis: Fortress 2000. (Hay traducción al español).

Betz, Hans Dieter. *The Sermon on the Mount.* Minneapolis: Fortress, 1995.

Birch, Bruce C. y Larry L. Rasmussen. *Bible and Ethics in the Christian Life.* Edición revisada. Minneapolis: Augsburg Fortress, 1989.

Blackmon, Douglas A. "Racial Reconciliation Becomes a Priority for the Religious Right". *Wall Street Journal,* junio 23, 1997, pp. Al, A8.

Blomberg, Craig L. *Interpreting the Parables.* Downers Grove, Ilinois: InterVarsity Press, 1990.

Bockmuehl, Markus. *This Jesus: Martyr, Lord, Messiah.* Downers Grove, Illinois: InterVarsity Press, 1994.

Bok, Sissela. *Lying.* Nueva York: Vintage, 1979.

Bonhoeffer, Dietrich. *The Cost of Discipleship.* Nueva York: Macmillan, 1963. (Hay traducción al español).

Bonhoeffer, Dietrich. *Ethics.* Nueva York: Simon & Schuster Touchstone Edition, 1995. (Hay traducción al español).

Bonhoeffer, Dietrich. *Gesammelte Schriften* III. Munich, 1960.

Bonhoeffer, Dietrich. *Letters and Papers from Prison.* Nueva York: Macmillan, 1972. (Hay traducción al español).

Bonner, Raymond y Ford Fessenden. "States Without the Death Penalty Have Better Record on Homicide Rates". *New York Times,* septiembre 22, 2000, p. Al.

Borg, Marcus. *Conflict, Holiness, and Politics in the Teaching of Jesus.* Harrisburg, Pensilvania: Trinity Press International, 1998.

Bornkamm, Günther. *Jesus of Nazareth.* Minneapolis: Fortress, 1995.

Boulton, Wayne G., *et al. From Christ to the World.* Grand Rapids, Michigan: Eerdmans, 1994.

Bouma-Prediger, Steven. *For the Beauty of the Earth: A Christian Vision for Creation Care.* Grand Rapids, Michigan: Baker, 2001.

Brown, Francis, S. R. Driver y Charles A. Briggs. *The New Brown, Driver, Briggs, Gesenius Hebrew and English Lexicon.* Peabody, Massachussets: Hendrickson, 1979.

Brown, Raymond E. *The Gospel According to John.* Vol 1. Garden City, Nueva York: Doubleday, 1966. (Hay traducción al español).

Brueggemann, Walter. *Isaiah 1—39.* Louisville, Kentucky: Westminster John Knox, 1998.

Brueggemann, Walter. *A Social Reading of the Old Testament Prophetic Approaches to Israel's Communal Life.* Editado por Patrick D. Miller. Minneapolis: Augsburg Fortress, 1994.

Brueggemann, Walter. *Theology of the Old Testament.* Minneapolis: Augsburg Fortress, 1997.

Buchanan, Allen, *et al. From Chance to Choice: Genetics and Justice.* Cambridge: Cambridge University Press, 2000.

Buttry Daniel L. *Bringing Your Church Back to Life*. Valley Forge, Pensilvania: Judson Press, 1990.

Caddick, Alison. "Bio-Tech Dreaming". *Arena Magazine*, agosto 1999, p. 12.

Cahill, Lisa Sowle. *Love Your Enemies: Discipleship, Pacifism, and Just War Theory*. Minneapolis: Augsburg Fortress, 1994.

Caird, G. B. A. *A Commentary on the Revelation of St. John the Divine*. Nueva York: Harper & Row, 1966.

Calvin, John. *A Harmony of the Gospels Matthew, Mark and Luke*. Vol. 1. Grand Rapids, Michigan: Eerdmans, 1972.

Chapman, Audrey. *Unprecedented Choices: Religious Ethics at the Frontiers of Genetic Science*. Minneapolis: Fortress, 1999.

Chilton, Bruce. *A Galilean Rabbi and His Bible: Jesus' Use of the Interpreted Scripture of His Time*. Wilmington, Delaware: Michael Glazier, 1984.

Chilton, Bruce. *God in Strength: Jesus' Announcement of the Kingdom*. Freistadt: Plöchl, 1979.

Chilton, Bruce. *The Isaiah Targum: Introduction, Translation, Apparatus and Notes*. Wilmington, Delaware: Michael Glazier, 1987.

Chilton, Bruce. *Pure Kingdom: Jesus' Vision of God*. Grand Rapids, Michigan: Eerdmans, 1996.

Chilton, Bruce, y J. I. H. McDonald. *Jesus and the Ethics of the Kingdom*. Grand Rapids, Michigan: Eerdmans, 1987.

Clark, David K., y Robert V. Rakestraw, editores. *Readings in Christian Ethics*. Vol. 1 y 2. Grand Rapids, Michigan: Baker, 1996.

Collins, Francis S., *et al*. "Heredity and Humanity". *The New Republic*, junio 25, 2001, pp. 27-29.

Cose, Ellis. "The Good News About Black America". *Newsweek*, junio 7, 1999; pp. 30-40.

Cottle, Michelle. "Boomerang". *The New Republic*, mayo 7, 2001, pp. 26-29.

Countryman, William L. *Dirt, Greed, and Sex: Sexual Ethics in the New Testament and Their Implications for Today*. Filadelfia: Fortress, 1988.

Crossan, John Dominic. *In Parables*. Nueva York: Harper & Row, 1973.

Culpepper, Alan. *Anatomy of the Fourth Gospel*. Filadelfia: Fortress, 1983.

Danby, Herbert, trad. *The Mishnah*. London: Oxford University Press, 1933.

Davies, W. D. *The Setting of the Sermon on the Mount*. Cambridge: Cambridge University Press, 1964.

Davies, W. D. y Dale Allison. *A Critical and Exegetical Commentary on the Gospel According to St. Matthew*. Vol. 1. Edinburgh: T & T Clark, 1988.

Davis, John Jefferson. *Evangelical Ethics*. 2.ª edición. Phillipsburg, Nueva Jersey: Presbyterian & Reformed, 1993.

Death Penalty Information Center, accessed 4/21/01 en www.deathpenaltyinfo.org

Dempster, Murray. "'Crossing Borders': Arguments Used by Early American Pentecostals in Support of the Global Character of Pacifism". *European Pentecostal Theological Association Bulletin* 10, núm. 2 (1991); pp. 63-80.

Dempster, Murray. "Social Concern in the Context of Jesus' Kingdom, Mission, and Ministry".*Transformation* 16, núm. 2 (1999); pp. 43-53.

Dieter, Richard C. "Executive Summary: The Dealth Penalty and Human Rights". Washington, D.C.: Death Penalty Information Center, 2002.

Donagan, Alan. *The Theory of Morality.* Chicago: University of Chicago Press, 1971.

Donohue, John R., S. J. *The Gospel in Parable.* Minneapolis: Fortress, 1988.

Dulles, Avery, S. J. *Models of the Church.* Nueva York: Doubleday, 1987.

Dupont-Sommer, A. *The Essene Writings from Qumran.* Traducido por G. Vermes. Gloucester, Masachusets: Peter Smith, 1973.

Edwards, George L. *Gay/Lesbian Liberation: A Biblical Approach.* Filadelfia: Westminster, 1985.

Elliott, Delbert S., Beatrix A. Hamburg y Kirk R. Williams, *Violence in American Schools.* Cambridge: Cambridge University Press, 1998.

Emerson, Michael D. y Christian Smith. "Divided by Faith?" *Christianity Today* sección especial, octubre 2, 2000, pp. 34-55.

Erdahl, Lowell. *Pro-Life/Pro-Peace.* Minneapolis: Augsburg, 1986.

Farley, Benjamin W. *In Praise of Virtue: An Exploration of the Biblical Virtues in a Christian Context.* Grand Rapids, Michigan: Eerdmans, 1995.

Fee, Gordon D. "The Kingdom of God". En *Called and Empowered: Pentecostal Perspectives on Global Mission.* Editado por Murray Dempster, Byron D. Klause y Douglas Petersen. Peabody, Masachusets: Hendrickson, 1992.

Fox, Matthew. *Original Blessing.* Santa Fe: Bear Publishing, 1983.

Freston, Paul. "Evangelicals and Politics in the Third World". En *Christians and Politics Beyond the Culture Wars.* Editado por David P. Gushee. Grand Rapids, Michigan: Baker, 2000.

Friedrich, Johannes, Wolfgang Pöhlmann y Peter Stuhlmacher. "Zur historischen Situation und Intention von Rm 13:1-7". *Zeitschrift für Theologie und Kirche* (1976).

Furnish, Victor Paul. *The Love Commands in the New Testament.* Nashville: Abingdon, 1972.

Garland, David E. *Mark The NTV Application Commentary.* Grand Rapids, Michigan: Zondervan, 1996.

Garland, David E. "Oaths and Swearing". En *Dictionary of Jesus and the Gospels.* Editado por Joel B. Green, *et al.* Downers Grove, Illinois: InterVarsity Press, 1992.

Garland, David E. *Reading Matthew.* Nueva York: Crossroad, 1995.

Gee, Donald. *God's Grace and Power for Today: the Practical Experience of Being Filled with the Holy Spirit.* Springfield, Misuri: Gospel 1936.

Gee, Donald. *Is It God?* Springfield, Misuri: Gospel, 1972.

Geen, Russell G. y Edward Donnerstein, editores. *Human Aggression: Theories, Research, and Implications for Social Policy.* San Diego: Academic, 1998.

Geisler, Norman. *Christian Ethics.* Grand Rapids, Michigan: Baker, 1989.

Gelbspan, Ross. "The Theory of Global Warming Is Scientifically Credible". En *Global Warming: Opposing Viewpoints,* pp. 47-53. Editado por Tamara L. Roleff, Opposing Viewpoints Series. San Diego: Greenhaven, 1997.

Grant, Colin. "For the Love of God: Agape". *Journal of Religious Ethics* 24, núm. 1 (1996), pp. 3-21.

Green, Joel B. *The Gospel of Luke.* Grand Rapids, Michigan: Eerdmans, 1997.

Greenberg, Irving. "The Third Great Cycle of Jewish History". Nueva York: CLAL, 1981.

Grenz, Stanley. *Sexual Ethics.* Nashville: Word, 1990. También ha sido publicado en una nueva edición bajo el título *Sexual Ethics: An Evangelical Perspective.* Louisville, Kentucky: Westminster John Knox, 1997.

Grenz, Stanley. *Welcoming but Not Affirming.* Louisville, Kentucky: Westminster John Knox, 1998.

Guelich, Robert. *The Sermon on the Mount: A Foundation for Understanding.* Waco, Texas: Word, 1982.

Gundry, Robert H. *Matthew.* 2.ª ed. Grand Rapids, Michigan: Eerdmans, 1994.

Guroian, Vigen. "An Ethic of Marriage and Family". En *From Christ to the World.* Edited by Wayne G. Boulton *et al.* Grand Rapids, Michigan: Eerdmans, 1994.

Gushee, David P. *The Righteous Gentiles of the Holocaust.* Minneapolis: Fortress, 1994.

Gushee, David P. y Robert H. Long. *A Bolder Pulpit.* Valley Forge, Pensilvania: Judson Press, 1998.

Gustafson, James. "Context vs. Principle: A Misplaced Debate in Christian Ethics". *Harvard Theological Review* 58 (1965); pp. 171-202.

Gustafson, James. *Ethics from a Theocentric Perspective.* 2 Vols. Chicago: University of Chicago Press, 1981, 1984.

Gustafson, James. *Protestant and Roman Catholic Ethics.* Chicago: University of Chicago, 1978.

Hacker, Andrew. *Two Nations: Black and White, Separate, Hostile, Unequal.* Nueva York: Ballantine, 1992.

Hagner, Donald A. *Matthew 1—13.* Word Biblical Commentary 33A. Waco, Texas: Word, 1993.

Hagner, Donald A. *Matthew 14—28.* Word Biblical Commentary 33B. Waco, Texas: Word, 1995.

Hall, Amy Laura. "Complicating the Command: *Agape* in Scriptural Context". *Annual of the Society of Christian Ethics* 19 (1999); pp. 97-113.

Hampton, Robert L., Pamela Jenkins, and Thomas P. Gullotta, editores. *Preventing Violence in America.* Nueva York: Sage, 1996.

Harak, G. Simon, S. J. *Virtuous Passions: The Formation of Christian Character.* Nueva York: Paulist, 1993.

Harvey, John Collins. "Distinctly Human". *Commonweal,* febrero 8, 2002, pp. 11-13.

Hauerwas, Stanley. *Peaceable Kingdom: A Primer in Christian Ethics.* Notre Dame, Indiana: University of Notre Dame Press, 1983.

Hauerwas, Stanley y Charles Pinches. *Christians Among the Virtues.* Notre Dame, Indiana: University of Notre Dame Press, 1997.

Havel, Václav. *Living in Truth.* Nueva York Faber & Faber, 1990.

Hays, Richard B. "Justification". En *Anchor Bible Dictionary,* 3:1129-1133. Nueva York: Doubleday, 1992.

Hays, Richard B. *The Moral Vision of the New Testament: Community, Cross, New Creation.* Nueva York: HarperCollins, 1996.

Herzog, William, II. *Jesus, Justice, and the Reign of God.* Louisville, Kentucky: Westminster John Knox, 2000.

Hoge, Dean R. *Division in the Protestant House.* Filadelfia: Westminster Press, 1976.

Holland, Suzanne. "To Market, to Market: Cloning as an ART?" *Second Opinion* 6 (Park Ridge Center), junio 4, 2001.

Holmes, Arthur. "The Just War". En *War: Four Christian Views.* Editado por Robert G. Clouse. Downers Grove, Illinois: InterVarsity Press, 1991.

Horowitz, George. *The Spirit of Jewish Law.* Nueva York: Central Book, 1963.

House, H. Wayne. "In Favor of the Death Penalty". En *The Death Penalty Debate.* Editado por H. Wayne House y John Howard Yoder. Waco, Texas: Word, 1991.

Hultgren, Arland J. *The Parables of Jesus.* Grand Rapids, Michigan: Eerdmans, 2000.

International Bonhoeffer Society, *Newsletter 67* (junio 1998): Iss.; 68 (octubre 1998): 15 ss.

Jacob, Edmond. *Theology of the Old Testament.* Nueva York: Harper & Brothers, 1958. (Hay traducción al español).

Jeremias, Joachim. *The Parables of Jesus*. Edición revisada y editada en London: SCM Press, 1963. (Hay traducción al español).

Johnson, Elizabeth A. *Women, Earth, and Creator Spirit*. Nueva York: Paulist, 1993.

Johnstone, Megan-Jane. *Bioethics: A Nursing Perspective*. 3.ª ed. London: Harcourt Saunders, 1999.

Jones, Peter Rhea. "The Love Command in Parable: Luke 10:25-37". *Perspectives in Religious Studies* 6 (1979); pp. 224-242.

Jones, Peter Rhea. *Studying the Parables of Jesus*. Macon, Georgia.: Smyth & Helwys, 1999.

Jordan, Clarence. *Sermon on the Mount*. Valley Forge, Pensilvania: Judson Press, 1974.

Jordan, Clarence. *The Substance of Faith and Other Cotton Patch Sermons*. Editado por Dallas Lee. Nueva York: Association Press, 1972.

Justin Martyr, *First Apology*. En *The Ante-Nicene Fathers*, Vol. 1: *The Apostolic Fathers with Justin Martyr and Irenaeus*. Editado por A. Cleveland Coxe. Grand Rapids, Michigan: Eerdmans, 1956.

Kant, Immanuel. *Critique of Practical Reason and Other Writings in Moral Philosophy*. Editado y traducido por Lewis White Beck. Chicago: University of Chicago Press, 1949.

Kass, Leon. "Preventing a Brave New World". *The New Republic*, mayo 21, 2001, pp. 30-39.

Keener, Craig S. *Comentario del contexto cultural de la Biblia. Nuevo Testamento*. El Paso, Texas: Editorial Mundo Hispano, 2003.

Keil, T. y G. Vito, "Race and the Death Penalty in Kentucky Murder Trials: 1976-1991". *American Journal of Criminal Justice* 20 (1995): 17 ss.

King, Martin Luther, Jr. *Strength to Love*. Minneapolis: Fortress, 1981.

Kissinger, Warren S. *The Sermon on the Mount: A History of Interpretation and Bibliography*. Nueva York: Scarecrow, 1975.

Klassen, William. *Love of Enemies: The Way to Peace*. Filadelfia: Fortress, 1984.

Kotva, Joseph J., Jr. *The Christian Case for Virtue Ethics*. Washington, D.C.: Georgetown University Press, 1996.

Kramnick, Isaac y R. Laurence Moore. *The Godless Constitution*. Nueva York: W. W. Norton, 1996.

Kraybill, Donald B. *The Upside-Down Kingdom*. Scottdale, Pensilvania: Herald, 1978.

Lapide, Pinchas. *The Sermon on the Mount*. Maryknoll, Nueva York: Orbis, 1986.

Leopold, Aldo. *A Sand County Almanac*. Nueva York: Oxford University Press, 1948.

LeQuire, Stan, ed. *The Best Preaching on Earth: Sermons on Caring for Creation*. Valley Forge, Pensilvania: Judson, 1996.

Liebman, James S., Jeffrey Fagan y Valerie West. "A Broken System: Error Rates in Capital Cases, 1973-1995". *University of Columbia School of Law,* septiembre 12, 2000.

Linnemann, E. *Parables of Jesus: Introduction and Exposition*. London: SPCK, 1966.

Lohfink, Gerhard. *Jesus and Community*. Traducido por John P. Galvin. Minneapolis: Fortress, 1984.

Lohse, Eduard. *Theological Ethics of the New Testament*. Traducido por M. E. Boring. Minneapolis: Fortress, 1991.

Lovelock, James E. *The Ages of Gaia*. Nueva York: Oxford University, 1988.

Luther, Martin. *Sermon on the Mount and the Magnificat*. Vol. 21 de *Luther's Works*. Filadelfia: Fortress, 1956. (Hay traducción al español).

Luz, Ulrich. *Matthew 1—7: A Continental Commentary*. Minneapolis: Augsburg, 1989. (Hay traducción al español).

MacIntyre, Alasdair. *After Virtue*. 2.ª ed. Notre Dame: University of Notre Dame Press, 1984.

Marshall, Christopher D. *Beyond Retribution: A New Testament Vision for Justice, Crime, and Punishment*. Grand Rapids: Eerdmans, 2001.

Mathewes-Green, Frederica. "If Wombs Had Windows". *ESA Advocate* 15, núm. 5 (1993); p. 12.

Mathewes-Green, Frederica. *Real Choices: Offering Practical Life-Affirming Alternatives to Abortion*. Sisters, Oregon: Multnomah Publishers, 1994.

Mathewes-Green, Frederica. "Why Women Choose Abortion". En *Christianity Today*, enero 9, 1995, pp. 21-25.

McClendon, James William, Jr. *Ethics: Systematic Theology*. Vol. 1. Nashville: Abingdon, 1986.

McFague, Sallie. *The Body of God: An Ecological Theology*. Minneapolis: Fortress, 1993.

McFague, Sallie. *Super, Natural Christians: How We Should Love Nature*. Minneapolis: Fortress, 1997.

Meadows, Donella, *et al*. *Beyond the Limits: Confronting Global Collapse, Envisioning a Sustainable Future*. Post Mills, Vermont: Chelsea Green, 1992.

Megivern, James. *The Death Penalty: An Historical and Theological Survey*. Nueva York: Paulist, 1997.

Meilaender, Gilbert C. *Bioethics: A Primer for Christians*. Grand Rapids, Michigan: Eerdmans, 1996.

Melton, J. Gordon, editor. *The Churches Speak on Capital Punishment*. Detroit Gale Research, 1989.

Moltmann, Jürgen. *The Way of Jesus Christ: Christology in Messianic Dimensions.* Traducido por Margaret Kohl. San Francisco: HarperCollins, 1990.

Moore, George Foot. *Judaism in the First Centuries of the Christian Era.* Vol. 2. Nueva York: Schocken, 1971.

Mott, Stephen Charles. *Biblical Ethics and Social Change.* Nueva York: Oxford University Press, 1982.

Mott, Stephen y Ronald J. Sider. "Economic Justice: A Biblical Paradigm". En *Toward a Just and Caring Society.* Editado por David P. Gushee. Grand Rapids, Michigan: Baker, 1999.

Murray, John. *Principles of Conduct.* Grand Rapids, Michigan: Eerdmans, 1957.

Musto, Ronald G. *The Catholic Peace Tradition.* Maryknoll, Nueva York: Orbis, 1986.

Myers, Ched. *Binding the Strong Man.* Maryknoll, Nueva York: Orbis, 1997.

Nash, James A. *Loving Nature: Ecological Integrity and Christian Responsibility.* Nashville: Abingdon, 1991.

Niebuhr, H. Richard. "The Responsibility of the Church for Society". En *The Gospel, the Church, and the World,* pp. 111-133. Editado por Kenneth Scott Latourette. Nueva York: Harper, 1946.

Niebuhr, Reinhold. *Moral Man and Immoral Society.* Nueva York: Scribner's, 1932.

Nissinen, Martti. *Homoeroticism in the Biblical World.* Minneapolis: Augsburg Fortress, 1998.

Nuland, Sherwin B. "The Principle of Hope", *The New Republic,* mayo 27, 2002, www.tnr.com.

Nygren, Anders. *Agape and Eros.* Traducido por Philip S. Watson. Philadelphia: Westminster Press, 1953.

Outka, Gene. *Agape: An Ethical Analysis.* New Haven, Connecticut: Yale University Press, 1972.

Outka, Gene. "Theocentric Agape and the Self: An Asymmetrical Affirmation in Response to Colin Grant's Either/Or". *Journal of Religious Ethics* 24, núm. 1 (1996); pp. 35-42.

Patrick, Mary W. *The Love Commandment: How to Find Its Meaning for Today.* St. Louis: CBP Press, 1984.

Patterson, Orlando. *Rituals of Blood.* Nueva York: Basic Civitas, 1998.

Pelikan, Jaroslav. *Divine Rhetoric: The Sermon on the Mount as Message and as Model in Augustine, Chrysostom, and Luther.* Crestwood, Nueva York: St Vladimir's Seminary Press, 2001.

Pelikan, Jaroslav, editor. *Luther's Works.* Vol. 21. St. Louis: Concordia Publishing House, 1956.

Perkins, Spencer y Chris Rice. *More Than Equals: Racial Healing for the Sake of the Gospel.* Downers Grove, Illinois: InterVarsity Press, 1993.

Peterson, James C. *Genetic Turning Points: The Ethics of Human Genetic Intervention*. Grand Rapids, Michigan: Eerdmans, 2001.

Pieper, Josef. *The Four Cardinal Virtues*. Nueva York: Harcourt, Brace & World, 1965.

Pope, Stephen J. "'Equal Regard' Versus 'Special Relations'? Reaffirming the Inclusiveness of Agape". *The Journal of Religion* 77, núm. 3 (1997); pp. 353-379.

Potter, Ralph. *War and Moral Discourse*. Atlanta: John Knox Press, 1969.

Preece, Gordon R., editor. *Rethinking Peter Singer*. Downers Grove, Illinois: InterVarsity Press, 2002.

Ramsey, Paul. *Ethics at the Edges of Life: Medical and Legal Intersections*. New Haven, Connecticut: Yale University Press, 1978.

Rasmussen, Larry. *Dietrich Bonhoeffer: Reality and Resistance*. Nashville: Abingdon, 1972.

Rasmussen, Larry. *Earth Community, Earth Ethics*. Maryknoll, Nueva York: Orbis, 1996.

Rasmussen, Larry. *Moral Fragments and Moral Community*. Minneapolis: Augsburg Fortress, 1993.

Reiss, Albert J., Jr. y Jeffrey A. Roth, editores. *Understanding and Preventing Violence*. Washington, D.C.: National Academy Press, 1993.

Rice, Chris. "More Than Family". Sojourners, septiembre/octubre 1999 www.sojo.net.

Roach, Richard R., S. J. "A New Sense of Faith". *Journal of Religious Ethics* 5, núm. 1 (1977); pp. 135-154.

Roberts, Samuel K. *African American Christian Ethics*. Cleveland: Pilgrim, 2001.

Roof, Wade Clark y William McKinney. *American Mainline Religion*. Rutgers, Nueva Jersey: Rutgers University Press, 1990.

Ruether, Rosemary Radford. *Gaia and God: An Ecofeminist Theology of Earth Healing*. Nueva York: HarperCollins, 1992.

Rust, Eric. *Nature—Garden or Desert? An Essay in Environmental Theology*. Dallas: Word, 1971.

Ryrie, Charles. "Biblical Teachings on Divorce and Remarriage". En *Readings in Christian Ethics*. Vol. 2. Editado por David Clark y Robert Rakestraw. Grand Rapids, Michigan: Baker, 1994.

Sanders, Cheryl. *Empowerment Ethics for a Liberated People*. Minneapolis: Fortress, 1995.

Schaeffer, Francis A. *Pollution and the Death of Man: The Christian View of Ecology*. Wheaton, Illinois: Tyndale House, 1971, 1979.

Schneider, John. *Godly Materialism*. Downers Grove, Illinois: InterVarsity Press, 1994.

Schweizer, Eduard. *The Good News According to Matthew.* Atlanta: John Knox Press, 1975.

Shriver, Donald W., Jr. *An Ethic for Enemies: Forgiveness in Politics.* New York: Oxford University Press, 1995.

Sider, *Just Generosity: A New Vision for Overcoming Poverty in America.* Grand Rapids, Michigan: Baker, 1999.

Singer, Peter. *Practical Ethics.* 2ª ed. Cambridge: Cambridge University Press, 1993.

Sojourners. *America's Original Sin: A Study Guide on White Racism.* Washington, D.C.: Sojourners, 1995.

Sojourners. *Crossing the Racial Divide: American's Struggle for Justice and Reconciliation.* Washington, D.C.: Sojourners, 1998.

Sojourners. *Who Is My Neighbor: Economics As If Values Matter.* Washington, D.C.: Sojourners, 1994.

Solzhenitsyn, Aleksandr. *The Gulag Archipelago.* Nueva York: HarperCollins, 1992. (Hay traducción al español).

Spohn, William C. S. J. *Go and Do Likewise: Jesus and Ethics.* Nueva York: Continuum, 1999.

Stassen, Glen H., editor. *Capital Punishment: A Reader.* Cleveland: Pilgrim, 1998.

Stone, Ronald. *The Ultimate Imperative.* Cleveland: Pilgrim, 1999.

Swartley, Willard. *Israel's Scripture Traditions and the Synoptic Gospels.* Peabody, Massachusets: Hendrickson, 1994.

Taylor, Paul W. *Respect for Nature: A Theory of Environmental Ethics.* Princeton, Nueva Jersey: Princeton University Press, 1986.

ten Boom, Corrie. *The Hiding Place.* Nueva York: Bantam, 1971. (Hay traducción al español).

Thurman, Howard. *Jesus and the Disinherited.* Richmond, Indiana: Friends United Press, 1981.

Todd, James. "Participation: An Overlooked Clue". *Encounter* 34 (1973); pp. 27-35.

Todorov, Tzvetan. "In Search of Lost Crime". *The New Republic,* enero 29, 2001, pp. 29-36.

Tödt, Heinz Eduard. "Kirche und Ethik: Dietrich Bonhoeffers Entscheidungen in den Krisenjahren 1929-1933". En *Kirche: Festschrift für Günther Bornkamm.* Tübingen: J.C.B. Mohr, 1980.

Tödt, Heinz Eduard. *Theologische Perspektiven nach Dietrich Bonhoeffer.* Gütersloh: Christian Kaiser, 1993.

Tooley, Michelle. *Voices of the Voiceless: Women, Justice, and Human Rights in Guatemala.* Scottdale, Pennsylvania: Herald, 1997.

Twohey, Megan. "Promise Unrealized". *National Journal,* diciembre 16, 2000.

U.S. National Conference of Catholic Bishops. *The Challenge of Peace.* Washington, D.C.: U. S. Catholic Conference, 1983.

VandenBos, Gary R. y Elizabeth Q. Bulatao, editores. *Violence on the Job: Identifying Risks and Developing Solutions.* Washington, D.C: American Psychological Association, 1996.

Verhey, Allen. *The Great Reversal: Ethics and the New Testament.* Grand Rapids, Michigan: Eerdmans, 1993.

Vermes, Geza. *Jesus the Jew.* Minneapolis: Fortress, 1981.

Vermes, Geza. *The Religion of Jesus the Jew.* Minneapolis: Fortress, 1993.

Volf, Miroslav. *Exclusion and Embrace.* Nashville: Abingdon, 1996.

Walzer, Michael. *Just and Unjust Wars.* Nueva York: Basic Books, 1977.

Watts, Rikki. E. *Isaiah's New Exodus in Mark.* Grand Rapids, Michigan: Baker Academic, 1997.

Weder, Hans. *Die "Rededer der Reden": Eine Auslegung der Bergpredigt Heute.* 2ª ed. Zurich: Theologischer Verlag, 1987. Extractos de este volumen han sido traducidos por Glen Stassen.

Wennberg, Robert N. "The Right to Life: Three Theories". En *Readings in Christian Ethics,* 2:36-45. Editado por David Clark y Robert Rakestraw. Grand Rapids, Michigan: Baker, 1996.

Westermann, Claus. *Genesis 1—11: A Commentary.* Minneapolis: Augsburg, 1984.

Wheeler, Sondra. "Making Babies?" *Sojourners,* mayo 1999, p. 14.

Wheeler, Sondra. *Wealth as Peril and Obligation.* Grand Rapids, Michigan: Eerdmans, 1995.

Wilkinson, Loren, editor. *Earthkeeping in the Nineties.* Edición revisada. Grand Rapids, Michigan: Eerdmans, 1991.

Willard, Dallas, *The Divine Conspiracy: Rediscovering Our Hidden Life in God.* San Francisco: HarperSanFrancisco, 1998.

Williams, Daniel Day. *The Spirit and the Forms of Love.* Nueva York y Evanston: Harper & Row, 1968.

Willimon, William H. y Stanley Hauerwas. *Lord, Teach Us.* Nashville: Abingdon, 1996.

Wilson, Jonathan. *Gospel Virtues.* Downers Grove, Illinois: InterVarsity Press, 1998.

Wink, Walter. "Beyond Just War and Pacifism: Jesus' Nonviolent Way". *Review and Expositor* 89, núm. 2 (1992).

Wink, Walter. *Engaging the Powers: Discernment and Resistance in a World of Domination.* Filadelfia: Fortress, 1992.

Wink, Walter. *When the Powers Fall: Reconciliation in the Healing of Nations.* Minneapolis: Fortress, 1998.

Wogaman, Philip. *Christian Ethics.* Louisville, Kentucky: Westminster John Knox, 1993.

Wogaman, Philip. *Christian Moral Judgment.* Louisville, Kentucky: Westminster John Knox, 1989.

Wogaman, Philip. *The Great Economic Debate.* Filadelfia: Westminster Press, 1977.

Wold, Donald J. *Out of Order.* Grand Rapids, Michigan: Baker, 1998.

Wolfe, David A., Christine Wekerle y Katreena Scott. *Alternatives to Violence: Empowering Youth to Develop Healthy Relationships.* Nueva York: Sage, 1997.

Wright, Christopher J. H. *Walking in the Ways of the Lord: The Ethical Authority of the Old Testament.* Downers Grove, Illinois: InterVarsity Press, 1995.

Wright, N. T. *Jesus and the Victory of God.* Minneapolis: Fortress, 1996.

Yoder, John Howard. "Against the Death Penalty". En *The Death Penalty Debate.* Editado por H. Wayne House y John Howard Yoder. Waco, Texas: Word, 1991.

Yoder, John Howard. *Body Politics.* Nashville: Discipleship Resources, 1992.

Yoder, John Howard. *The Christian Witness to the State.* London: Wipf & Stock, 1997.

Yoder, John Howard. *The Politics of Jesus.* Grand Rapids, Michigan: Eerdmans, [1972] 1994. (Hay traducción al español).

Yoder, John Howard. *The Royal Priesthood: Essays Ecclesiological and Ecumenical.* Grand Rapids, Michigan: Eerdmans, 1994.

Yoder, John Howard. *The War of the Lamb.* (Aparecerá).

Young, Brad. H. *The Parables: Jewish Tradition and Christian Interpretation.* Peabody, Massachusets: Hendrickson, 1998.

ÍNDICE DE CITAS BÍBLICAS

GÉNESIS
1—2, *236, 452*
1:1—2:3, *453*
1:3, *486*
1:26, *453*
1:26-28, *97*
1:26-29, *453*
1:26-31, *275*
1:27, *275*
1:28, *275, 311, 431*
1:28-30, *430*
2, *294*
2:7, *211*
2:15, *447*
2:18, *276*
2:18-25, *276, 311*
2:20, *276*
2:23, *276*
2:24, *275, 294, 295*
2:24, 25, *276*
3, *294, 447*
3:14-19, *453*
3:16, *215*
3:19, *219, 431*
4, *175*
4:7, *154*
4:14, 15, *192*
9, *277*
9:1-6, *453*
9:3, 4, *431*
9:6, *192-195, 198*
9:8-17, *454*
12—50, *299*
16—18, *211*
19, *311*
21:22-34, *379*
22:16-18, *379*
24:3, *381*
25:33, *379*
26:3, *379*
28:20, *379*
28:20-22, *380*
38, *193*
42:16, *385*
50:5, *379*

ÉXODO
1—19, *98*
1:19, *394*
2:11—3:12, *192*
3, *98*
3:1-12, *98*
3:6-15, *451*
3:13, 14, *474*
6, *98*
12:38, *412*
19:5, 6, *412*
20, *284*
20:2, *98*
20:3, *298*
20:7, *474*
20:8-11, *98*
20:13, *190, 193*
20:14, *296*
20:15, *432*
20,16, *97, 375, 380*
21, *211*
21:12, *190*
21:12-36, *211*
21:15, *193*
21:16, *193*
21:17, *193*
21:22, 23, *211*
21:23, *212*
21:23, 24, *190*
21:29, *193*
22, *211*
22:11, *380*
22:19, *193*
23:4, 5, *455*
23:6, 7, *207*
23:10, 11, *432*
23:10-12, *454*
25, *211*
30:35, *484*
31:14, *193*

LEVÍTICO
2:13, *484*
6:3, *381*
9:9, 10, *432*
17:8-15, *412*
18:22, *311*
19, *344*
19:12, *379, 381*
19:18, *82, 340, 344, 368*
19:34, *84*
20:9, *193*
20:10, *193, 322*
20:13, *311*
20:27, *193*
21:7, *278*
21:14, *278*
24:15, 16, *193*
24:17, *190*
24:20, 21, *190*
25, *424*
25:8-10, *454*
25:47-53, *433*
27, *424*

NÚMEROS
11:12, *379*
12:3, *38*
18:19, *484*
30:2, *379, 380*
35:16-34, *190*

DEUTERONOMIO
5:14, 15, *98*
5:18, *296*
5:20, *380*
5:29, *375*
6:5, *82*
6:23, *379*
7:7, *412*
11:11-17, *455*
14:28, 29, *433*
18:20-22, *193*

19:15, *199*
19:16-19, *199*
19:16-21, *193*
19:18, 19, *380*
19:21, *190*
20, *144*
20:19, 20, *455*
21:18-21, *193*
22:6, 7, *455*
22:10, *455*
22:13-21, *278*
22:22, *322*
22:28, 29, *278*
23:21-23, *379, 380*
24, *278*
24:1, *278, 279*
24:1-4, *274*
24:4, *279*
24:7, *193*
24:17, *62*
25:4, *455*
26:11-13, *412*
29:12, *379*
30:19, 20, *114*

Josué
2:4-6, *102, 394*
6:26, *379*

Jueces
4:17-21, *394*
11:29-40, 380
19, *311*

Rut
2, *433*

1 Samuel
1—2, *211*
1:11, *379*
14:24, *379*
15, *144*
15:3, *144*
20:17, *379*
24:21, *381*

2 Samuel
12, *84, 93*
12:9, *13, 193*
19:7, *381*

1 Reyes
8:31, *381*
18:10, *381*
21, *84*

2 Reyes
2:19-23, *484*
6:18-20, *394*

2 Crónicas
6:22, *381*
13:5, *484*
29:5, *147*

Esdras
4:14, *484*
9—10, *413*
9:2, *413*
10, *290*
10:5, *379*

Nehemías
13:25, *379, 381*

Job
6:6, *484*
31, *300*
31:1, *300*
31:5-11, *301*

Salmos
2:3, 4, *413*
2:5, *486*
2:7, *35*
3:15, *384*
5:9, *385, 386*
8, *453*
15:2, *385*
22:9, 10, *213*
24:4, *370*
31:5, *384*
37, *39*
37:11, *37*
43:3, *388*
43:5, *388*
50:14, *379*
51:6, *385*
57:4, *386*
63:11, *379*
64:3, *386*
104:29, 30, *211*
112:4, *486*
116:16-18, *380*
119:105, *486*
119:160, *388*
127—128, *211*
132:11, *379*
139:13-16, *213*

Proverbios
8:7, *386*
12:17, *380*
12:20, *386*
14:21, *40*
20:25, *379*
25:18, *380*

Eclesiastés
5:4, 5, *379*
9:2, *379*

Isaías
1:17, *83*
1:23, *365*
2, *486*
2:2-5, *486, 487, 491*
2:3, 4, *487*
2:5, *486*
2:12-17, *357*
5:1-7, *363, 368*
5:8-10, *455*
6:9, 10, *57*
9:1-7, *25*
9:2-7, *25*
9:5, 6, *42*
10:1, 2, *62*
10:17, 18, *62*

11:1-4, *356*
11:2, *467*
11:4, *144*
24:14—25:12, *25*
24:23, *23, 24*
25:4, *365*
25:6, *23*
25:8, *37*
26, *25*
26:2-10, *356*
26:12, *140*
28:23-29, *21*
29:13, *364, 369*
29:18, 19, *235*
29:23, *475*
31:1-5, *140*
31:1—32:20, *25*
31:4, *24*
31:6, *23*
32:1, *357*
32:6, 7, *357*
32:15, *140, 467*
32:15-18, *141*
32:16, 17, *40*
32:16-18, *358*
33, *25*
33:15, *358*
35, *25*
35:5-10, *26*
35:5, 6, *235*
40:1-11, *25*
40:9, *24*
40:10, *23*
41:8, 9, *23*
42, *358*
42:1, *23, 35, 358*
42:1-4, *369*
42:1-7, *358*
42:1—44:8, *25*
42:2, 3, *141*
42:16, *467*
43:5, *24*
45:6, *23*
45:19, *388*
49, *25*
49:6, *142, 486*
49:12, *23*
50:1, *278*
50:4-9, *130*
51:1, *278*
51:1—52:12, *25*
51:4-7, *358*
51:7, 8, *23*
52:7, *24, 141*
52:13—53:12, *25*
53, *22*
53:1, *23*
53:7-9, *141, 359*
53:9, 10, *359*
53:10, *24*
54, *25*
54:10, *141*
54:14, *359*
56, *25*
56:1, *354*
56:1-8, *354*
56:3, *142*
56:4, *27*
56:7, *142, 354, 369*
57:15, *36*
57:18, *235*
58:6, *83*
59:6-8, *313*
59:14, *395*
59:19, *23*
60, *25*
60:1, *468*
60:1-3, *486*
60:17, *18, 141*
60:17-21, *360*
60:20, *468*
60:20-22, *23*
61, *25, 32, 33, 39, 40, 429*
61—62, *25*
61:1, *23, 35, 37, 360*
61:1, 2, *43, 83, 235*
61:3, *360*
61:8, *360*
61:10, 11, *360*
65:16, *381, 384*
65:17, *236*
65:17-25, *455*
66:2, *36*
66:22, *236*

JEREMÍAS

1:5, *213*
3:8, 9, *296*
4:2, *381*
4:14, *84*
5:1, *385*
5:2, *381*
5:3, *385, 388*
5:7, *296*
5:14, *144*
5:28, *62*
7, *354, 355, 364*
7:5-8, *364*
7:9, *381*
7:28, *395*
9:3, *386*
9:8, *386*
11:5, *379, 455*
12:16, *381*
17:9, 10, *84*
23:14, *296*
24:7, *84*
29:7, *47*
29:13, *84*
30:17, *235*
31:31, *84*
33:11, *455*
34:16, *474*
38:16, *381*
51:3, *385*

EZEQUIEL

16;8, *277*
16:32, *296*
16:49, *312*
16:59, *381*
23:37, *296*
36:23, *475*
39:7, *475*
47:9-12, *455*

DANIEL

4:37, *388*

OSEAS

1:2, *296*
2:2, *296*
2:18-23, *455*
2:19, *277*
4:1-3, *455*
4:15, *381*
6:6, 41, *364*
9:15, *148*

JOEL
2:28, 29, *328*

AMÓS
1:3—2:5, *413*
2:7, *474*
4:1-5, *37*
5:6, *37*
5:10, *386*
5:14, *37*
5:21-24, *83*
6:1-7, *37*
7:7, 8, *64*
8:7-10, *37*
8:14, *381*
9:7, *413*

MIQUEAS
6, *335*
6:8, *335*

SOFONÍAS
1:5, *381*

ZACARÍAS
8:19, *385*
8:20-22, *413*
9:9, *38*
9:9, 10, *147*
9:10, *42*

MALAQUÍAS
2:14-16, *277*
2:15, *275*
3:5, *381*

MATEO
1:3, *193*
1:18-25, *213, 287*
3:1-10, *363*
3:8, *484*
3:10, *484*
3:16—4:1, *35*
4:1-11, *469*
4:8-10, *478*
4:12-17, *19*
4:17, *19, 109, 484*
5, *132, 281, 282, 290, 305*
5:3, *35*
5:3-5, *35*
5:3-6, *30*
5:3-12, *30, 35, 43, 502*
5:4, *37*
5:5, *37*
5:6, *39*
5:7, *40*
5:8, *41, 48, 421*
5:9, *42, 97*
5:10, *43*
5:11, *12, 43, 469*
5:13, *485, 488*
5:13-16, *54, 482, 483, 488, 504*
5:14, *485*
5:14, 16, *491*
5:15, *485*
5:16, *36, 98, 483, 485*
5:16-20, *85*
5:17, *18, 22, 90*
5:17-20, *43, 71, 74, 75, 81, 85, 114, 503*
5:18, *75*
5:18-20, *71*
5:21, *125-127, 209, 399*
5:21-24, *174, 188, 190*
5:21-26, *93, 125, 127, 137, 145, 210, 503*
5:21—7:12, *288*
5:22, *98, 125, 126, 173, 190*
5:22-24, *24, 116*
5:22-26, *125*
5:23, *162, 167*
5:23, 24, *83*
5:23-26, *126, 190*
5:24, *105, 113, 209*
5:24, 25, *348*
5:27-30, *293, 296, 503*
5:28, *299*
5:29, 30, *302*
5:30, *98*
5:31, *32, 271, 273, 278, 288*
5:32, *280, 281, 286*
5:33, *381*
5:33-37, *375, 379, 383, 389, 469, 503*
5:34, *381*
5:34, 35, *98, 381*
5:34-36, *382, 383*
5:37, *97*
5:38, *161*
5:38-42, *128, 137, 139, 145, 188, 190, 210*
5:38-48, *503*
5:39, *129, 177, 190, 191*
5:39-42, *190*
5:40-42, *128*
5:41, *93*
5:42, *40, 83, 424, 477*
5:43, *333*
5:43-47, *348*
5:43-48, *39, 40, 84, 131, 137, 163, 188, 191, 210, 346, 347, 368, 503*
5:44, *94, 167, 333, 347*
5:44-48, *22*
5:45, *85, 123, 210, 333, 348*
5:46, 47, *485*
5:48, *85, 424, 464, 467, 472, 504*
6:1, *463, 464*
6:1-18, *85, 424, 464, 467, 472, 504*
6:2, *40, 464, 465, 485*
6:2-4, *40, 83, 464*
6:4, *53, 98, 467*
6:5, *464, 465, 485*
6:5, 6, *464*
6:6, *98, 465, 467*
6:7, *463-465, 469, 473, 485*
6:7, 8, *463, 464*
6:8, *53, 474*
6:9, *473, 474*
6:9-13, *424, 464, 472*
6:12-14, *84*
6:12-15, *61, 477*
6:13, *478*
6:14, 15, *186, 464*
6:15, *53*
6:16, *464, 465, 485*
6:16-18, *464*
6:18, *53, 98, 467*
6:19, *351, 420*

6:19-21, *48, 56, 419, 421, 465*
6:19-23, *420, 422*
6:19-33, *438, 455*
6:19-34, *40, 83, 420, 422, 440, 469, 503, 504*
6:20, *35, 420*
6:21, *420, 421, 442*
6:21, 22, *421*
6:21-23, *168, 397*
6:22, *420, 421*
6:22, 23, *421, 440*
6:24, *53, 351, 419, 421, 422, 426, 466*
6:24-34, *420, 427*
6:25-30, *422*
6:25-33, *422*
6:26, *53*
6:26-33, *53*
6:26-28, *76*
6:31, 32, *422*
6:32, *98, 485*
6:33, *56, 114, 276, 351, 421, 422, 425, 469, 474*
6:34, *422*
7, *123*
7:1, 2, *168*
7:1-5, *84, 163, 167, 168, 313, 344, 469*
7:3, 4, *168*
7:4, *146*
7:5, *48, 168, 485*
7:6, *471, 472, 485*
7:6-11, *504*
7:6-12, *85, 482, 504*
7:7, 8, *472*
7:7-11, *471, 473*
7:9-11, *472*
7:11, *53, 98, 345, 472*
7:12, *94, 127, 132, 346, 347, 483, 494, 500*
7:12-27, *504*
7:13, 14, *500*
7:15-20, *501*
7:15-27, *34, 61, 85*
7:19-21, *124*
7:20, *60, 88, 107*
7:21, *108, 421, 483, 499*
7:21-23, *501*
7:21-27, *20, 63, 108*
7:22, *485*
7:23, *98, 485*
7:24, *10, 11, 485, 487*
7:24-27, *124, 469, 499, 500, 501*
7:26, *485*
7:27, *98*
8:11, *23*
9:2-8, *366*
9:9-13, *369*
9:13, *40, 41*
9:14-17, *464*
9:18-26, *235, 323*
9:27-31, *41*
9:36, *225*
10:5-15, *312*
10:34, *146*
11:5, *36, 429*
11:29, *38*
12:1-8, *364*
12:1-14, *369*
12:7, *40, 41*
12:9-14, *366*
12:22-37, *366*
12:28, *27*
12:34, *421*
12:39, *297*
13:3-23, *428*
13:13, *57*
13:19, *428*
13:22, *363, 428*
13:24-30, *369, 497*
13:31, *32*
13:31, 32, *27*
13:34, *27*
13:44, *420*
14:1-12, *198, 483*
14:13, *469*
14:23, *464, 469*
15, *369*
15:1-9, *369*
15:3-9, *364*
15:11, *41*
15:19, *286*
15:21-28, *41, 323, 369*
16:14, *297*
17:14-18, *41*
17:20, *31*
18:8, 9, *301*
18:10, *250, 342*
18:15-20, *386*
18:15-35, *477*
18:21-35, *40, 41, 477*
18:23-25, *345*
18:23-35, *27, 363*
19, *281, 282, 290*
19:1-9, *299*
19:3, *274*
19:3-12, *273*
19:7, *279*
19:9, *274, 280, 281, 286*
19:10-12, *305*
19:12, *27*
19:14, *27*
19:16-30, *427*
19:21, *363, 420*
20:25, 26, *366*
20:29-34, *41*
21:1-9, *147*
21:5, *38*
21:12, *147*
21:12-17, *83, 125*
21:21, 22, *471*
21:21-26, *469*
21:23-27, *365*
21:25, *198*
21:33-46, *363, 368*
21:35-45, *196*
22:4-15, *20*
22:9, *115*
22:15-22, *364*
22:17-21, *120*
22:30, *276*
22:34-40, *82*
22:37, *94*
22:39, *94*
23, *125, 382*
23:1-6, *366*
23:13, *370*
23:16-19, *364*
23:17, *125*
23:16-22, *379, 381, 382*
23:23, *40, 41, 63, 64, 352, 370*
23:25, *426*
23:29-36, *368*
23:37, *198*
23:37-39, *368*
24:14, *27*
24:36, *20*
24:42—25:13, *20*
24:45-51, *366*
25:1-13, *27*

25:31-46, *40, 84, 342, 425, 427*
26:4, *478*
26:51-54, *148*
26:52, *143, 194, 195*
26:52, 53, *148*
26:61, *83*
26:61-66, *142*
26:63, *379*
26:72-74, *379*
27:32, *131*
27:43, *468*
27:55, 56, *323*
28:5-7, *313*
28:8-10, *323*
28:16-20, *414, 501*
28:19, 20, *29, 119*

MARCOS
1:2, *23*
1:2, 3, *19*
1:12, 13, *464*
1:14, 15, *19*
1:15, *23, 59*
1:35, *464, 469*
1:41, *125*
2:3-12, *366*
2:13-17, *369*
2:15, *21*
2:23-28, *364*
3:1-6, *366*
3:5, *125*
4:1-11, *464*
4:3-20, *428*
4:18, 19, *363*
4:19, *428*
4:24, *168*
4:26-29, *21*
4:30-32, *27*
4:31, *32*
6:23, *380*
6:46, *464, 469*
7:1-13, *382*
7:3, *75*
7:6, *23*
7:8, *74*
7:9-13, *364*
7:13, *75*
7:18-23, *84*
7:21, *295*
7:21-23, *385*
7:24-30, *369*
8:17, 18, *57*
9:1, *23*
9:37, *342*
9:42-48, *302*
9:43-50, *134*
9:50, *483, 484*
10, *282*
10:2-12, *273*
10:5, *275*
10:7-9, *276*
10:9, *276*
10:11, 12, *280*
10:17, *427*
10:17-22, *363*
10:17-31, *427*
10:21, *420, 427*
10:23, *363*
10:25, *363, 427*
10:42, *366*
11:1-10, *147*
11:15, *147*
11:15-17, *354*
11:20-25, *477*
11:27-33, *365*
12, *367*
12:1-9, *363, 368*
12:13-17, *364*
12:32-34, *83*
12:38-44, *364*
12:40, *355*
13:14-23, *142*
13:30, *142*
13:32, *20*
13:32-37, *20*
14:32-42, *469*
14:58, *354*
14:58-64, *142*
15:29, *354*
15:40, 41, *323*

LUCAS
1:5-7, *211*
1:5—2:14, *214*
1:14, *214*
1:19, *214*
1:24, 25, *211*
1:31, *213*
1:41, *213*
1:41-45, *214*
1:44, *213*
1:46-55, *430*
1:64, *214*
1:68-79, *214*
2:10-14, *214*
2:14, *42*
2:18-20, *214*
2:28-32, *214*
2:34, 35, *213*
2:38, *214*
3:1-14, *363*
3:22, *358*
3:33, *193*
4, *345*
4:1-13, *464*
4:14-21, *19*
4:16-21, *19, 36*
4:16-22, *33*
4:18, *23, 32*
4:18, 19, *62, 83, 235*
4:18-21, *23, 429*
4:19, *23*
4:21, *23*
4:22, *34*
4:24-29, *369*
4:25-28, *345*
4:43,*19*
5:16, *464, 469*
5:18-26, *366*
5:27-32, *369*
5:33, *465*
6:1-5, *364*
6:6-11, *366*
6:12, *464*
6:12-16, *469*
6:20, *35*
6:20, 21, *430*
6:20-26, *40*
6:27, 22, *455*
6:27-36, *129*
6:32-35, *348*
6:35, 36, *197*
6:36, *41, 132, 348*
6:37-42, *168*
7, *235*
7:9, *414*
7:11-17, *235*
7:13, *235*
7:18-23, *28*
7:20-22, *235*

7:22, *36, 234*
7:24-30, *363*
7:25, *429*
7:36-50, *323*
7:41-50, *477*
7:43, *222*
8:1-3, *323*
8:4-15, *428*
8:14, *363*
9:2, *235*
9:18, *464*
9:23-25, *275*
9:28, 29, *464*
10:13, *146*
10:25-37, *84, 225, 340*
10:29-37, *368*
10:30-35, *57*
10:31-33, *341*
10:33, *145*
10:37, *145*
10:38-42, *323*
11:1, *464*
11:1-4, *474*
11:5-8, *471*
11:9-13, *471*
11:39, *426*
11:42, *352*
11:46, *64, 366*
12, *367*
12:6, 7, *53*
12:13-15, *425*
12:15, *455*
12:13-17, *367*
12:16-21, *426*
12:16-31, *134*
12:18, *426*
12:20, 21 *426*
12:33, *88, 420, 427*
12:35-48, *20*
12:42-46, *366*
13:10-16, *64, 323*
13:10-17, *366*
13:18, 19, *27*
13:19, *32*
13:31-33, *367*
13:32, *91*
13:34, *368*
14:7-24, *430*
14:12-14, *342*
14:15-24, *429*
14:23, *115*
14:33, *427*
14:34, 35, *483, 484*
15:11-32, *369*
15:20, *333*
16:14, *426*
16:14, 15, *364*
16:16, *23*
16:17, *74*
16:18, *273, 280*
16:19-31, *84, 428*
17:3-6, *477*
18:1-8, *471*
18:9-14, *31, 430*
18:18-25, *363*
18:18-30, *427*
18:22, *420*
18:22-24, *430*
19:1-10, *363*
19:8, *429*
19:16-31, *429*
19:28-38, *147*
19:38, *42*
19:41, *170, 368*
19:41, 42, *313*
19:42, *142*
19:45, *147*
20:1-8, *365*
20:9-19, *363, 368*
20:20-26, *364*
22:25, 26, *366*
22:36, *146*
22:40-42, *464*
23:34, *196, 469*

JUAN
1:14, *384*
1:17, *385*
2:15, *147*
4, *323*
4:1-26, *145*
4:24, *489*
5:2-9, *34*
8, *191, 286*
8:1-11, *322*
8:4, 5, *191*
8:7-11, *191*
8:31, 32, *385*
8:32, *385*
8:40, *385*
8:41, *287*
8:44, *384*
8:45, 46, *385*
10:31, 32, *198*
11:38-44, *235*
11:50-53, *111*
12:5, 6, *429*
12:12-18, *147*
13:29, *429*
14:6, *384, 502*
14:15, *385*
14:17, *384*
15, *88*
15:13, *337*
15:26, *384*
16:13, *384, 385*
17:17, *385*
18:37, *385*
18:38, *196, 198*
19, *197*
19:35, *385*
20:11-18, *323*

HECHOS
1:1, *28*
1:4, *369, 414*
1:8, *414*
2:1-13, *414*
2:17, 18, *328*
2:43-45, *227*
4:32-37, *427*
5:1-11, *427*
5:29, *497*
7, *198*
8:21, *369*
9:2, *502*
10, *414*
10:36, *42*
12:2, *198*
14:5, *198*
15, *414*
18:2, *324*
18:18, *324*
18:25, 26, *502*
18:26, *324*
19, *197*
19:9, *502*
19:23, *502*
22:4, *502*
23:12, *379*
24:14, *502*

24:22, *502*
25:11, *198*
25:25, *198*
26, *198*
26:31, *198*

ROMANOS
1, *312*
1:5, *8, 61*
1—2, *386*
1:20, 21, *80*
1:25, *312*
1:26, 27, *312*
1:29-31, *312*
2:1, *168, 313*
2:1-24, *313*
3:9, *58*
3:13-17, *313*
3:22, 23, *313*
3:23, *151*
3:25, *313*
3:27, 28, *313*
3:29, *313*
5:1, *42*
5:5, *62*
6:12-23, *58*
7:1-3, *276*
7:13-25, *58*
8:18-25, *453*
8:29, *61*
10:16, *61*
11:23-31, *61*
11:29, *277*
12, *103*
12:1-13, *492*
12:2, *61*
12:14-21, *200*
12:15, *175, 470*
12:17-21, *129, 177*
12:19, *143, 191, 197*
12:20, *94*
13, *156*
13:1, *22*
13:1-7, *199, 200*
13:4, *200*
13:8-10, *200*
14:1-16, *26*
14:1—15:13, *313, 344*
14:1—16:20, *492*
14:4, *168*
14:17, *26, 46*
14:19, *43*
15:7, *175*
15:18, *61*
15:33, *39, 42*
16, *324*
16:2, *114*
16:3, *324*
16:19, *61*
16:20, *42*

1 CORINTIOS
3:11, *89*
4:5, *168*
5:8, *386*
5:12, *168*
6:9, 10, *312*
6:12-20, *288, 295*
6:18, *305*
7, *314*
7:2-6, *288*
7:3-5, *304*
7:7, *305*
7:10, 11, *276, 288*
7:10-16, *273, 291*
7:11, *134*
7:12, *289*
7:12-16, *289*
7:14, *289*
7:15, *290, 291*
7:35, *305*
7:39, *290*
10:13, *478*
11:2-16, *324*
11:3-10, *325*
11:4, *324*
12:1-3, *195*
12:1-11, *324*
13:6, *385*
14:33, *325*
14:33-35, *324*
14:34, *324*
15:12, 13, *236*
15:20-28, *236*
15:26, *236*
16:19, *324*

2 CORINTIOS
1:23, *383*
3:18, *61*
6, *44*
6:4-10, *46*
8:13-15, *427*
10:3-6, *147*
11:31, *383*
13:8, *385*

GÁLATAS
1:20, *383*
2, *414*
2:14, *386*
3:26-28, *324*
5, *44*
5:22, 23, *46, 324*
6:1, *478*

EFESIOS
2:10, *114*
2:14-18, *42*
2:15, *324*
2:19, *414*
4:1, *114*
4:2, 3, *46*
4:11, *324*
4:14, *166*
4:14, 15, *109*
4:15, *386*
4:26, *125*
4:32, *46*
5:21, *326, 328*
5:21-33, *277, 297, 325*
5:22-33, *326, 328*
6:4, *94*
6:14, *386*
6:17, *144*

FILIPENSES
1:8, *383*
1:21, *198*
1:27, *114*
1:27-30, *147*
2, *328*
2:2, 3, *46*
2:4, *404*
2:5-11, *328*
4:2, 3, *324*
4:9, *42*

COLOSENSES
1:2, *42*
1:10, *114*
1:13-20, *453*
1:17, *11*
3:5, *455*
3:9, *386*
3:12-17, *46*
3:18, 19, *325*

1 TESALONICENSES
3:5, *478*
5:15, *129*
5:23, *42*

2 TESALONICENSES
2:10, *385*
3:2, 3, *478*
3:16, *42*

1 TIMOTEO
1:10, *312*
2, *325*
2:11, *325*
2:11-15, *324, 325*
2:12, *325*
3:2, *306, 325*
4:12, *45*
6:11, *45*
6:19, *420*

2 TIMOTEO
1:14, *499*
2:18, *385*
2:22, *45, 305*
2:25, *386*
3:10, *45*
4:19, *324*

HEBREOS
6:13-20, *383*
6:16, *381*
6:16-18, *379, 380*
7:2, *42*
11:31, *394*
12:14, *43*
13:20, *42*

SANTIAGO
1:12, *478*
1:13, *478*
3:1-12, *386, 499*
3:9, 10, *94*
3:18, *43*
4:1-3, *455*
4:4, *297*
4:11,12, *168*
5:1-6, *420*
5:3, *420*
5:9, *168*
5:12, *383*
5:19, *385*

1 PEDRO
2:15, *22*
2:21-23, *129*
3:8, *48*
3:10, *386*
3:11, *43*

2 PEDRO
1:5-7, *48*
1:12, *385*
2:3, *455*
2:14, *300, 455*

1 JUAN
1:2, *385*
1:7, *486*
1:8, *385*
2:4, *385*
2:21, *385*
3:17, 18, *427*
3:19, *385*
3:23, *343*
4:1, 2, *195*
4:6, *385*
4:7-11, *349*
4:9-11, *349*
4:19, *44*
5:6, *384*

2 JUAN
1, *385*
4, *385*

3 JUAN
3, 4, *385*

APOCALIPSIS
1:16, *144*
2:2, *143*
2:12, *144*
2:16, *144*
2:19, *143*
2:23, *143*
2:26, *143*
2:27, *144*
3:8, *143*
3:10, *143*
5:5, 6, *144*
6:10, *143*
9:20, 21, *143*
10:6, *383*
11:3-13, *144*
11:5, *144*
12:5, *144*
12:10, *144*
12:17, *143*
14:4, *143*
14:12, *143*
15:3, *384*
16:11, *143*
19:8, *143*
19:10, *143*
19:13, *144*
19:15, *144*
19:21, *144*
20:4, *143*
20:12, 13, *143*
21:4, *20, 37, 236*
22:11, *143*